Helene Wiggin

Het kersthuis

DE KERN

Oorspronkelijke titel: *The Christmas House*

Uitgeverij De Kern, De Fontein bv, Postbus 1, 3740 AA Baarn
Vertaling: Hans Verbeek
Omslagontwerp: Andrea Scharroo, Amsterdam
Omslagillustratie: Charles O'Neal, Fotostock bv
Zetwerk: v3-Services, Baarn
ISBN 90 325 0857 1
NUR 302

Alle personen in dit boek zijn door de auteur bedacht. Enige gelijkenis met bestaande – overleden of nog in leven zijnde – personen berust op puur toeval.

HET KERSTHUIS

Van Helene Wiggin verscheen eerder bij Uitgeverij De Kern:

TUIN VAN HERINNERINGEN

Inhoud

DEEL I

WINTERSETT

I

VOORWAARTS

Ik kan dit oude huis niet verlaten zonder alle feiten op een rijtje te zetten. Ik ben het aan deze vier muren verplicht verslag te doen van alles wat zich voor mijn geestesoog heeft afgespeeld. Je zult misschien denken dat wat je hier leest het geraaskal van een oude vrouw is, maar de gebeurtenissen die ik beschrijf doemden voor mij op als figuren uit de mist.

Dit huis dat je hebt gekozen, is vol met mensen uit het verleden wier gefluister opklinkt uit de stenen muren: het stof van oudjes die ons alleen maar haren hebben nagelaten, afgeknipte nagels die allang vergaan zijn, scherven van gebroken aardewerk en verloren munten onder de vloerplanken. Ik heb gehoord hoe ze hun kroost binnenriepen, en hun honden en vee, schreeuwend in de wind. Wanneer de wind uit het noorden waait, klinken hun zuchten door de kierende deuren en rammelen de ramen. Je zult snel aan ze wennen.

Het wordt moeilijk voor mij om deze plek achter me te laten. Ik moet wortels blootleggen die meer dan een halve eeuw teruggaan. Het zal langzaam en pijnlijk werk zijn en ik moet het op *míjn* manier doen; de wortels moeten voorzichtig tevoorschijn worden getrokken, dus vergeef deze oude vrouw dat ze afdwaalt wanneer ze denkt aan vroeger tijden, aan vroegere gebeurtenissen. Sommige daarvan zullen mijn hart breken wanneer ik eraan denk, maar dat doet er niet toe.

Ik zal proberen de juiste volgorde aan te houden, maar de meeste van mijn verhalen spelen zich in de winter af, want het is nu ook winter en het gezang bij het vuur is wat ons naar de haard trekt.

Wintersett heeft zonder de grote open haard en zonder de geur van brandende houtblokken geen leven of warmte. Het is een huis dat dol is op donkere avonden, kaarslicht en geknetter van het vuur. Met Kerstmis komt het pas volledig tot zijn recht en dan vergeef je het alle tekortkomingen: onwillige afvoer- en waterleidingen en wanordelijk pleisterwerk. In het hele huis is geen rechte muur te vinden. Het zal me niet spijten om sommige van de tekortkomingen ervan achter te laten.

Het schrijven van deze brief is voor mij een manier om afscheid te nemen van een ander leven, een andere wereld; een manier om in het reine te komen met alles waar ik hier op deze plek van heb gehouden en met alles wat ik hier ben kwijtgeraakt. Wanneer mijn eigen verhaal aan de beurt is zal ik alles, voorzover ik het kan verdragen, aan het papier toevertrouwen, zodat je een eerlijk oordeel over me kunt vellen.

Mijn zoon, Nikolas, wil niet weg uit dit huis, maar hij gebruikt het grootste deel van het land en het oude vakantiehuis voor zijn werk. Dat is groot genoeg voor een man alleen. Dat hij geen vrouw en kinderen heeft is zijn kant van het verhaal, niet de mijne, al zal ik wel mijn versie van de gebeurtenissen vertellen. Maar nu nog niet. Die zal uiteraard bevooroordeeld zijn. Alle moeders zijn bevooroordeeld als het over hun zoon gaat.

'Oordeelt niet, opdat gij niet geoordeeld worde,' zegt de bijbel, maar jullie zullen over mij, Lenora Ellen Yewell, oordelen; wacht alleen tot je het hele verhaal hebt gehoord, bezie mij in het licht van mijn tijd. Ik ben niet beter of slechter dan degenen die mij zijn voorgegaan. Dit zijn zware tijden voor boeren. Het zijn altijd zware tijden geweest. Wintersett ligt in een bar klimaat, zelfs in de door het broeikaseffect opgewarmde seizoenen. Het scheelt letterlijk een jas met de temperaturen beneden in de vallei bij de rivier, zo'n driehonderd meter lager.

Wanneer je hoog op de rotsen woont, blootgesteld aan de vier windstreken, net achter de Yorkshire Pennines, wanneer je gegeseld wordt door de elementen terwijl je een bestaan probeert te ontworstelen aan kalksteen, puingrond en veenmoeras, wanneer je heen en weer geslingerd wordt tussen geluk en ongeluk, dan ben je voorbestemd om te schipperen. Daar kom je wel achter.

Maar ik dwaal af. Lenn, zoals mijn vader, Sam Frost, mij noemde – mijn zondagse naam is gereserveerd voor het schoolregister, mijn trouwdag en uiteindelijk mijn begrafenis – is een volbloed uit de vallei, een boerendochter, geboren om te dienen en ondergeschikt aan het grotere doel van het overleven. Die rol was niet gemakkelijk voor me, maar ik heb het juk op me genomen en er het beste van gemaakt.

Ik heb fouten gemaakt. Er zijn dingen waar ik spijt van heb, maar waar ik niets meer aan kan doen. Ik heb de afgelopen maanden tot het einde toe volgehouden. Ik geef niet makkelijk op, maar het wordt tijd dat het land in andere handen overgaat, zodat het een nieuwe kans krijgt. De Yewells hebben hun tijd gehad, denk ik.

Zelfs de oudste families gaan geen drie eiken mee, zeggen ze, en we hebben goede tijden gekend; we hebben de kuddes gehoed zoals de generaties voor ons hebben gedaan, maar de landbouw is veranderd. Het is aan jullie om er iets van te maken. Nik zal jullie als een havik in de gaten houden. Hij kan het nog niet loslaten. Hij is nog jong genoeg om de onrechtvaardigheid van zijn lot te voelen.

Ik zal naar jullie geroddel luisteren vanuit de warmte van mijn stenen onderkomen in het dorp, met zijn centrale verwarming, gasfornuis, keurige kamers en ommuurde tuin, waar ik beschut zit.

Ik heb mijn steentje bijgedragen, mijn pensioen verdiend. Je hoeft geen medelijden met me te hebben. Ik ben blij dat ik niet meer voor anderen hoef te zorgen. Iedereen die me dierbaar is ligt op het kerkhof vlakbij, maar ik ben er nog niet aan toe om me bij hen te voegen. Er ligt nog een heel nieuw leven op me te wachten dat geleefd moet worden voor ik de pijp uit ga.

Wie de moeite neemt om mijn gekrabbel te ontcijferen, moet gebruikmaken van de kennis. Het verhaal is in zoverre waar dat ik naar veel gebeurtenissen onderzoek heb gedaan, stukjes en beetjes uit mijn eigen fantasie heb toegevoegd en heb zitten rommelen met een paar feiten, net als ik wel eens met geleende recepten heb zitten rommelen om mijn eigen gerecht te creëren. Ik zal een paar van die recepten gebruiken om dit verhaal wat smeuïger te maken. Dat zal interessant zijn voor degene die het leest. Sommige zijn echt, andere authentiek en weer andere ronduit verzonnen.

Maak er maar wat van. Mij maakt het niet uit, als je jezelf te zijner tijd maar net als ik deze vier muren binnenschrijft. Geef je eigen geloftegeschenken aan de geesten van dit huis, deze bewakers van de haard en wees dankbaar voor de jaren dat je hier op het dak van de wereld hebt gewoond waar 's morgens buizerds en slechtvalken rondcirkelen en veldleeuweriken zingen en waar de ondergaande zon elke avond gouden vlammen op de vensters tovert. Rust uit en wees dankbaar, want je erft een heilig pantser, een mysterieus koninkrijk dat zijn ingezetenen zowel genot als pijn brengt.

Je zult merken dat ik voornamelijk over de vrouwen schrijf die 's morgens vroeg het vuur aanmaakten, de vloeren veegden, het linnengoed streken en droomden van hemelse beloningen, wier kleinere handen het lam in de baarmoeder keerden, kool en wortelen plantten, noten en uien inmaakten, ganzen plukten, zout in het rundvlees wreven tot hun vingers rauw waren, het gevogelte vasthielden bij het slachten, zowel zieke dieren als kinderen troostten, de steigerende pony bij de leren teugels pakten, karren door stormen leidden, stervenden bij de hand namen en de beste boterkoek in de wijde omtrek maakten.

Wij zijn de vrouwen die hebben moeten toezien hoe hun handen verweerd raakten, ruw werden van wind en regen, vol levervlekken en met het gerimpelde aanzien van gedroogde appels. Geen zalfje van vlierbessenbloesem of lanoline kan verschrompeling voorkomen. De tijd maakt skeletten van ons allemaal, maar onze verhalen leven voort. Dus hoe kwam ik erbij om deze geschiedenis vast te leggen, dit laatste lied te laten klinken?

Net als de meeste van mijn ideeën kwam het bij me op op een moment dat ik er het minst op bedacht was, als een wolkje blauwe rook vanachter de muur. Ik doe niets liever dan een middagje muren bouwen. Gaten opvullen met stenen heeft een kalmerende uitwerking op mijn geplaagde gemoed. Het repareren van een gat heeft iets bevredigends; hand en oog werken samen in de oude wetenschap van precies weten welke steen waar moet komen; dan is er het bekappen van de stenen, de steen met behulp van hamer en beitel zo vormen dat hij precies past; of het tot op de fundamenten afbreken van een muur en de stenen sorteren op grootte en volgorde. Je krijgt een goddelijke kijk op de wereld door dit hervormen, versterken, weer opbouwen op de vlakke turf in het aloude patroon van één op twee, twee op één, waarbij je ervoor zorgt dat de grotere bindstenen gelijkmatig komen te liggen om de reparatie sterker te maken naarmate de muur hoger wordt. Ik dacht: kon je je hele leven maar op zulke stevige fundamenten bouwen. Dan zou het niet gaan verzakken en instorten zoals mij zo vaak is overkomen. Maar ik deed een stap achteruit en bewonderde mijn werk.

Een goede muur is gebouwd om lang mee te gaan en deze zal ons allemaal overleven: jou en je kindskinderen. Ik moest stoppen om het zweet weg te vegen vanonder mijn oude pet en staarde naar de omlaaglopende grijze muren die zich kilometers ver uitstrekten. Er is geen gat te zien; in normale tijden is dat een goed teken, maar dit zijn geen normale tijden.

Er was een tijd dat muren bouwen werk was voor een vakman en niet voor een vrouw, maar ik ben geboren met mannenhanden. Mijn vader noemde ze mijn kolenschoppen en heeft er flink gebruik van gemaakt, maar mijn kracht is niet meer wat die geweest is en ik denk wel twee keer na voor ik ergens aan begin. Ik krijg te veel last van mijn rug als ik moet bukken, maar dit was een geweldige herfstmiddag, een middag om de balans op te maken.

De roep van de kraaien klonk uit de meidoorn waar ze bessen zaten te pikken, een vlucht koperwieken zat in het grijsgroene struikgewas dat een stukje grasland overwoekerde, een paard hinnikte in de verte waar onze bekroonde rammen zich ooit dik en rond aten voor hun werk in november begon, maar de wind voerde geen enkel geblaat met zich mee, niet nu, niet dit vreselijke jaar.

De wulpen waren allang verdwenen, de wereld stond op zijn kop na het slechte nieuws uit Amerika. Ik dacht aan die arme zielen die waren verpletterd. Het viel niet mee om naar het nieuws te luisteren, dus verborg ik mezelf meestal in het veld, alleen met de wind, en probeerde het televisiescherm in mijn hoofd uit te zetten en de ruzie te vergeten die ik met Nik had over de verkoop van het land. Ik denk dat er altijd iemand is die het zwaarder heeft dan jij.

Toen keek ik over de verlaten velden en herinnerde me alles precies zoals het was, maar daar kan ik nu niet over praten. Ik raak nog steeds overstuur als ik aan die slachtpartij denk, dus begon ik mijn leven te overdenken en wat ik allemaal heb meegemaakt – de goede en de slechte tijden, gewoon, om mijn hoofd leeg te maken. We hadden van Stickley Burch en Hexam gehoord dat er een optie op de boerderij was genomen voor de vraagprijs. Ik kon iets gaan kopen en we moesten maar eens aan verhuiswagens gaan denken. Dat was het moment dat Nik uit zijn vel sprong en zei dat het allemaal mijn schuld was. Ik zei dat ik daar mijn buik van vol had en ben kwaad weggelopen.

Wat zou er nu gebeuren? Deden we er wel goed aan? Zou mijn echtgenoot Tom zich in zijn graf omdraaien als hij wist dat we de boel verkochten? Ik bracht mezelf aardig van streek.

Hou daarmee op! Ik sloeg een steen aan stukken uit frustratie over onze dubbel. Wat gebeurd was, was gebeurd. Het huis was verkocht, maar het grootste deel van het land bleef in de familie. De meeste kopers willen niet meer dan een halve hectare en een stuk wei en verder niets, want dat zou alleen maar lastig zijn.

Ik keek op naar de oude stenen boerderij, die beschut werd tegen de wind door de grote essen en er met alle ramen aan de zonkant uitzag als een stenen fort. Ik probeerde niets te voelen.

Het is niets meer dan een stapel stenen en cement. Het land is van jou. Wees tevreden.

Maar de weerzin kwam in me op als brandend maagzuur en ik wist dat afscheid nemen van Wintersett House net zou zijn alsof er een arm of een been werd afgerukt. Verkopen leek op papier heel verstandig, maar in mijn hart voelde het niet zo.

Binnenkort zou een stelletje vreemden hier over het land zwerven, over mijn ommuurde erf. Ze zouden hun stempel willen drukken op deze oude, verlopen plek. Ik wilde niet in de buurt zijn als ze dat probeerden te doen, maar ik wilde hun ook wel laten weten wat ze zich op de hals hebben gehaald, peinsde ik.

Wanneer je een oud huis koopt, koop je een stukje geschiedenis dat je moet beheren en moet doorgeven. Huizen bestaan niet alleen uit steen en hout, maar ook uit mensen en hun leven; elke generatie draagt op zijn beurt bij aan het lichaam dat om het geraamte groeit, en voor mij was het nu tijd om een stap opzij te doen.

Die woorden flitsten plotseling door mijn hoofd en ik wist wat me te doen stond. Daar stond ik op een herfstmiddag in Yorkshire in de zon onder een donker wordende hemel, terwijl ik probeerde de tranen weg te slikken. Daar stond ik dan in de laatste jaren van mijn bitterzoete leven als een landmeter het landschap in me op te nemen: ooit een knappe vrouw, nu kromgebogen, met slierten dun wit haar die me in het gezicht sloegen, en zoveel fouten en vergissingen om over na te denken, zoveel 'maar als...'

Hoeveel Yewells hebben hier eerder gestaan en zich afgevraagd waar het met hun leven naartoe ging, en hebben hetzelfde gevoel van voldoening en falen gekend? Maar hier stond het oude huis nog steeds op wacht, ondanks al dat komen en gaan. Een nieuwe pachttermijn was niets nieuws voor Wintersett. Dat zou ons allemaal overleven.

Deze muren hebben honderden jaren aan zich voorbij zien gaan en daarvoor was er in de ijzertijd een soort fort, een kring van stenen met wat hutten. Hoeveel vuurstenen en stukken aardewerk heeft Nik niet opgegraven en ergens verborgen?

Geschiedenis heeft me altijd geboeid, zoals je waarschijnlijk al had vermoed. Het was mijn beste vak op school en ik droomde ervan het te gaan studeren, maar in mijn tijd moesten boerendochters blijven waar ze waren, dus ik keek met een diepe zucht weer naar het huis, mijn enige echte archeologische vindplaats. Toen begon ik na te denken.

De vikingen, de plunderaars die boer werden en Wintersett zijn toepasselijke naam gaven, hebben een goede keuze gemaakt. Toen ze zich hier vestigden op deze afgelegen, beschutte plek, troffen ze steen in overvloed aan, blootliggend kalksteenpuin dat ze konden gebruiken, een diep ravijn waarin bronwater stroomde dat van de heuvels kwam, een gunstige ligging en weelderig grasland dat niet meer hoefde te worden vrijgemaakt van struikgewas.

Geen ministeries die hun steeds op de nek zaten, geen melkquota, geen eco-normen, niets, behalve de hardvochtige seizoenen en hun eigen beperkingen. Is het niet raar dat ik jaloers op ze ben? Plotseling was het net alsof er een mist neerdaalde, zoals wel eens gebeurt, en uit de grauwe nevel dook ze ineens voor me op: een luchtspiegeling, een oude vrouw, krom van ouderdom, met verfomfaaide kleding, een gezicht als verkreukt leer, maar met ogen zo blauw als bloeiend vlas. Er zat wit in haar haar en ik kende haar naam en haar geschiedenis. Ik keek en keek, luisterde naar haar lied dat werd meegedragen door de wind, en ging op zoek naar een pen om het allemaal op te schrijven.

2

HET MIDWINTERFEEST
1030

De wijze gast zal bijtijds vertrekken, niet lang blijven;
Hij begint te rieken die zijn welkom overstijgt in een hall
die niet de zijne is.

Uit het episch gedicht *Havamal*

Het bereiden van mede

Doe de resten uit de korf in het medevat.
Bijenbrood en stukjes raat, de spoeling van de raat en zoet water uit de beek.
Doe alles samen in het vat met verse honing en twee handenvol groene kruiden en breng langzaam aan de kook.
Wanneer het honingwater zoet en handwarm is, laat dan het broodgist drijven als bootjes op het meer.
Laat dicht bij het vuur staan tot het begint te snorren bij het haardvuur. Wanneer het niet meer zingt en danst, schep dan de gist af, giet het geheel in een vaatje en bewaar het tot de wintermaan opkomt.
Voor het verlevendigen van het feest en het losmaken van de tongen.

Er waren dat jaar drie winters en drie winternachten dat de vrouw van de boer naar buiten wilde, de sneeuw in om nooit meer terug te keren. Eerst kwam de regen die neerkletterde op het turfdak, waardoor de graankist doorweekt raakte en de bessen al aan de takken rotten nog voor er een behoorlijke oogst kon worden binnengehaald, en het opspattende schuim van de beek sporen trok in de modder. De rokerige vuren in de hall gingen bijna uit door het vocht en Tiordis Sveinsdottir, wachter van het wintervuur, hield aanmaakhout droog onder haar kleren, ook al prikte en porde het door haar hemd heen in haar magere ribbenkast.

Toen kwam de winter van de woeste winden die loeiden in de nacht en takken en alles wat niet vastgebonden was hoog in de lucht smeten en rookslierten over de open plekken joegen; maar de stenen muren bleven stevig staan, zelfs op deze hooggelegen plek.

Maar de winter van de wolven was de ergste, want hij kwam stiekem aangeslopen, sluipend, bijtend en huilend door de spleten tussen de stenen; met tanden zo scherp als een zwaard drong hij door de ijskoude stenen om hen te verslinden terwijl ze bij elkaar kropen onder de dekens van dierenhuid en warmte zochten bij de haard.

Wolfwinter had het gemunt op het vee in de stal, bevroor het water in de put en verstijfde Tiordis' pijnlijke gewrichten en kromme vingers, die al tot klauwen misvormd waren. Ze voelde de winter knagen aan het bevroren rieten dak, tastend onder de deur door komen van de boerderij in het grasland hoog op de heuvels, waar de zwakke, bleke zon geen partij was voor een dergelijk monster. Het bergbeekje was een massa priemende ijsschotsen, die kraakten en schitterden als zilveren takken.

Alleen de kostbare vlam van de cirkelvormige stookplaats in het midden van de hall zorgde voor nog een beetje comfort, maar hun voorraad hout slonk. De grond was keihard bevroren en bedekt met sneeuw, die hier en daar opgewaaid was tot ondoordringbare muren. Dat betekende een uitputtende tocht op sneeuwschoenen met de slee naar de lager gelegen hellingen om in de bossen hout te sprokkelen en brem te vinden om het vuur mee gaande te houden, maar dat moesten Torkel, zijn kinderen en zijn neef doen voor de avond viel.

Tiordis, sleutelhouder van de kist, was oud; haar halsketting telde vijftig kralen, één voor elke van haar zomers. Zij moest de pot met kool aan de kook houden wilden ze elke lange, duistere dag doorwerken, weven, spinnen, vee voeren, heen en weer met de slee om veevoer te halen; dan moesten ze allemaal te eten hebben. De geiten konden voor zichzelf zorgen en de kippen waren op een paar na allemaal gebraden om een beetje vlees op de botten van haar zoon, Torkel, en de andere mannen te krijgen. Zelf had ze geen behoefte aan eten; ze kauwde op botjes en dronk wat vleesnat om haar mond vochtig te houden.

Het was de wolfwinter die haar uitputte. Ze had geen idee waarom ze nog steeds aan deze aarde gekluisterd was, waar slechts werk en duisternis bestond. Dag na dag zogen de zonloze hemel en de maanloze nachten van het aflopende jaar haar vastberadenheid weg. De zonnegod had ze zo goed als verlaten.

's Zomers baadden de gebouwen in de velden in een gouden gloed, was de regenboog aan heldere bloemenkleuren een weldaad voor haar oog en werd ze opgewekt van de groene weiden waar de schapen graasden, maar in de winter was alles wit en grijs en donker, zelfs de sterren werden aan haar oog onttrokken.

Ze zag er de zin niet van in om door te gaan. Waarom kwelden de goden haar met dit afmattende leven? Pas wanneer ze naar haar zoon keek en naar zijn kinderen, Guro en Kik, had ze het gevoel dat het leven zin had. Ze moesten overleven, maar twee kinderen betekenden geen zekere toekomst. Torkel moest een huis vol nageslacht hebben. Maar hoe kon hij meer kinderen verwekken nu Inge samen met haar laatste kind begraven was? Het huis was vol mannen die te eten moesten hebben, Torkel en Gunnar, zijn neef die in de smederij werkte.

Was Tiordis tevergeefs met Leif, haar echtgenoot, in het voetspoor van hun aanvoerder over zee en over de heuvels getrokken? Zou al hun werk binnen twee generaties voor niets blijken te zijn? Ze waren op zoek geweest naar nieuwe akkers en grasland, ze hadden naast hun heer gevochten, zijn waardering verdiend door de grensmuren vast te stellen en deze boerderij te bouwen uit de grijze steenmassa hier boven op de heuvel.

Vader, zoons en verwanten bouwden mooie huizen met dikke muren en een dakkapel en een stal voor het vee. De fundering van dat huis werd diep in de rotsachtige bodem gelegd, stevig, uitkijkend op het zuiden, en goed beschut. Het dak werd dicht opeengepakt om weerstand te kunnen bieden aan de elementen en ze dankten Thor voor zijn goedheid.

De mensen in de vallei – voor het merendeel Engelsen – lieten hen op deze hoge rots met rust. De Engelsen waren riviermensen en bleven in de buurt van hun open plekken en houten hutten. Ze wisten wel beter dan zich met hen te bemoeien. Ze waren van elkaars bestaan op de hoogte, maar wanneer ze elkaar toevallig tegenkwamen ontstonden er nauwelijks problemen. Iedereen wist dat de houten hutten op de open plekken alleen geschikt waren voor de lagere hellingen. De Engelsen taalden niet naar de woeste open vlakten die Leif voor hun hoeve had gekozen, maar hun heren kwamen desalniettemin hun aandeel opeisen en elk had gekregen wat hun volgens de gewoonte toekwam.

Dat waren goede tijden, toen ze samen een bestaan opbouwden, man en vrouw, en Torkel en zijn broer Erik werden boomlange kerels. Beiden kozen een vrouw van nabijgelegen hoeves, Inge en Gudrun, meiden met brede heupen die mooie zoons en dochters zouden baren. Toen, op een keer in de winter, keerde het geluk en Leif werd ziek en Tiordis had zich op de brandstapel willen werpen, zoals vroeger de gewoonte was, maar Torkel had haar uit alle macht tegengehouden.

Toen was ze nog sterk en nuttig. Nu voelde ze zich een afgejakkerd, kreupel beest en alleen nog maar goed om voor het vuur te zorgen en in de pot te roeren. Dit was geen leven, maar zolang Torkel geen andere vrouw nam, zat ze vast aan dit aardse leven. Er was nu niemand meer die bij haar zat te weven of aan het spinnewiel zat. Haar vingers werkten niet langer goed samen en elk karwei betekende een inspanning.

Gudrun, die samen met Erik het land aan de andere kant van de heuvel bewerkte, had haar eigen dochters om haar gezelschap te houden. Ze liep soms naar de hutten bij de rivier, waar ze bevriend raakte met de christenmeester en in zijn priesterhut kwam, waar hij ten overstaan van de valleimensen bloed dronk uit een beker. Wanneer Gudrun op bezoek kwam, bracht ze nieuws over waar de vikingen mee bezig waren: ploegen, bos kappen, en nieuws over veldslagen in het zuiden. Gudrun had de heilige hamer van Thor om haar nek verwisseld voor het teken van een kruis en sprak een paar woorden Engels. Ze bracht zelfs een paar slaven mee naar hun haardvuur.

Gudrun sprak over de enige ware God, geboren in het seizoen van de dovende zon om nieuw leven te brengen voor allen, en haar woorden deden Tiordis pijn aan de oren. Was dat niet hetzelfde liedje als in Baldurs sage? Háár beloning wachtte in het Walhalla, en niet in een of andere afgelegen plek in de hemel.

Nu, met deze ijsstorm, zouden er geen paden de heuvel af zijn tot de voorjaarswind de aarde weer zou opwarmen. Gudrun, Eriks vrouw, zou zuinig aan moeten doen met haar voorraden, net als zij allemaal, en zou zich misschien twee keer bedenken voor ze een extra mond bij hun haardvuur bracht.

Wat verlangde Tiordis, terwijl ze in de pot zat te roeren, naar de eeuwige slaap. Ze was te oud om met die moderne dingen te leren omgaan. De jongeren moesten hun eigen leven leiden, maar ze had nog één taak te volbrengen: Guro had een nieuwe moeder nodig die haar vrouwenwerk leerde en haar bijbracht hoe ze een huishouden moest bestieren.

Haar zoon had behoefte aan de warmte van een dij en aan volle borsten om aan te zuigen, de gistige geur van een vrouw om wat leven in hem te brengen. Er waren twee stenen nodig om een vonk te laten ontstaan. Hij was lui geworden; zijn baard was onverzorgd, zijn wasgewoonten lieten de laatste tijd te wensen over en zijn groenbruine ogen stonden dof; een moeder wist wat haar zoon tekortkwam.

Binnenkort zouden ze rond hun haard het midwinterfeest vieren. Dan werd het joelblok op het vuur gesleept, zodat het dag en nacht brandde en hen veilig de geboorte van de nieuwe zon liet beleven.

Hun reizende familieleden zouden de oude liederen zingen en hun oorlogsverhalen vertellen. De mede zou uit de drinkhoorns vloeien en ter ere van Thor zouden er wilde zwijnen worden gebraden. Misschien dat dat haar humeur wat zou verbeteren, maar het betekende wel meer werk voor vermoeide handen en ruggen, maar als ze de eeuwige slaap wilde verdienen en met Freia in het Walhalla wilde dineren, moest ze zich eerst enorm inspannen en onder hun volk een nieuwe gezellin voor Torkel vinden.

Dat zou niet eenvoudig zijn. Er waren maar een paar ongetrouwde vrouwen om uit te kiezen die niet van hun eigen bloed waren. Het was niet goed om te dicht bij huis te blijven wanneer het op kinderen verwekken aankwam. Wanneer het weer te slecht was, zouden uit angst voor ijsstormen slechts enkelen de oversteek wagen. Wanneer gasten na hun lange reis tot op het bot verkleumd aankwamen, moesten ze te eten krijgen, en droge kleren, maar bovenal moest ze verwelkomd worden met een laaiend vuur. Er was nog veel te doen.

Ze pakte de benen kam die aan een leren riem aan haar gordel hing en ging liefkozend met haar vingers over de runenamulet. De magische tekens die erin waren gesneden moesten hun werk doen en een goede vrouw naar hun hall brengen. Ze boog haar hoofd en fluisterde de magische spreuk telkens weer tot de woorden haar doezelig maakten.

Alsof de magie beantwoord werd, kwam Torkel met de honden door de deur naar binnen gestormd en wekte haar uit haar dromen.

'Kom op, ouwetje, wordt wakker en roer eens in de pan,' lachte hij.

Ze reageerde niet op zijn woorden. Het was waar dat ze gerimpeld en verweerd was, dat haar witte haar loshing als bij een weduwe, dat haar tuniek verfomfaaid was en vol vlekken zat, en dat de vingers van haar linkerhand krom stonden, maar de sleutels van de kist rinkelden nog in haar schoot, ze stond nog steeds aan het hoofd van een huishouden. Ze verdiende nog steeds respect. Ze keek op en trok haar neus op.

'Het wordt tijd dat je een nieuwe huisslaaf vond, een vrouw die 's nachts je bed verwarmt en het feest voorbereidt,' zei ze snibbig. 'Ik zal het deze keer nog doen, maar haast je wat en zorg dat de vrouw van je broer me komt helpen. Ik zal water koken voor je bad. Je stinkt als een mestvaalt. Als je wilt dat ik mijn portie doe, moet jij de jouwe doen. Een midwinterfeest komt nu eenmaal niet kant-en-klaar uit de lucht vallen.'

Bea, lijfeigene van Gudrun en Erik, paste op hun kinderen die in het warme bad zaten, en goot water over hun hoofd. Het was de wekelijkse wasbeurt bij het vuur en de kinderen spetterden opgewonden vanwege het ophanden zijnde feest. Als het op reinheid aankwam, kon het dorp in de vallei van haar nieuwe meester en meesteres leren dat een bad geen zomerse verwennerij was, maar een regelmatig terugkerend genot.

In dit huis werd de stank van vochtige wol en zweet, uitwerpselen en dierenhuiden getemperd door de frisheid van adem, huid en kruiden. Ze kon leven met de geur van rook en vet, gist en bier, maar de stank van ongewassen kleren in de kerk werd haar tegenwoordig bijna te veel. Ze kwam in de verleiding om haar kleren af te stropen en zich onder te dompelen in het lauwe water, alleen maar om te voelen hoe het vuil van haar armen en voeten zou weken.

Pater Wulfrun zou zeggen dat het een zonde was om water te verspillen aan een dergelijke ijdelheid. Hij geloofde niet in het vertroetelen van het lichaam. Zijn baard was doortrokken van vet, zijn haar was sliertig en zijn adem rook naar wilde knoflook en bederf, maar hij was een vriendelijk mens en sprak over Gods goedheid. Had de priester haar deze positie bij vreemdelingen niet bezorgd en haar niet aangespoord te midden van heidenen een toonbeeld te zijn van christelijke deugdzaamheid?

Het was al erg genoeg dat ze een heidens feest moest bijwonen, gekleed in haar schoonste jurk en met haar mooiste kapsel, maar als ze zich ook nog zou wassen werd het geduld van God wel erg op de proef gesteld, vreesde ze. Ze wilde er op haar mooist uitzien, niet ter meerdere glorie van God, maar omdat HIJ er zou zijn.

Het had geen zin te ontkennen dat haar hart sneller ging kloppen bij de gedachte dat Torkel Leifson het midwinterfeest zou leiden. Ze bad in stilte dat de sneeuw het pad naar de eetzaal niet zou versperren. Dat zou immers betekenen dat dit gezin de tocht niet kon maken en de festiviteiten niet zou kunnen bijwonen.

Het was al erg genoeg dat het volk van Torkel nog het oude geloof aanhing en dat de zwijnenkop ter ere van hun goden zou worden rondgedragen, en niet om de ware God in de Hemel te aanbidden. Drie dagen lang zouden bedienden en meesters samen zingen, dansen en drinken. Drie dagen zonder ander werk dan eten bereiden en op de banken zitten om naar de heidense barden te luisteren die verhalen over hun oude goden voordroegen.

Het was al erg genoeg dat het hele land werd geregeerd door die noormannen met hun vreemde taal en wetten. Ze zou zich in de schaduwen moeten verbergen, ver weg van hun woeste drukte, maar hoe zou ze dat kunnen als *hij* daar was met zijn mooiste kleren aan, het onderwerp van haar verlangen en zo ver boven haar stand verheven dat ze niet beter wist te doen dan hem van een afstand aanbidden?

'Ik ben niet zomaar een lijfeigene, donker, klein van stuk, met ogen zo zwart als sleedoornbessen, die in dienstbaarheid moet leven,' vertrouwde ze Gunnar, de smid, toe. 'Ik weet wel dat mijn familie in de ogen van de dorpelingen alleen maar uit de laagste slaven bestaat, die het niet moeten wagen hun Saksische meesters tegen te spreken, maar het is niet eerlijk,' zei ze toen terwijl hij zonder iets te zeggen hout voor de haard bijeenraapte.

'Een van mijn voorouders reed aan de zijde van de koning van dit land en heerste over dit gebied, een van de sterren aan het firmament van de Briganten. Dat waren trotse zwaardvechters te paard. Mijn moeder heeft me heel wat verhalen verteld over hun heldendaden op het slagveld, hoe ze gesneuveld zijn in de grote strijd met de soldaten van overzee die de rechte wegen hebben aangelegd en de Hemelse Koning hebben gekruisigd,' vertelde ze hem trots, en hij luisterde altijd vriendelijk. Gunnar was klein en vierkant, met brede schouders en ogen die bijna net zo zwart waren als die van haarzelf, de enige man bij wie ze zich voldoende op haar gemak voelde om zo brutaal en openhartig te zijn.

De mensen van haar stam waren tot slaaf gemaakt en erger, maar gezien die verhalen moest ze het hoofd hoog houden, al deed het er allemaal helemaal niet meer toe toen de Saksische kolonisten als sprinkhanen neerstreken.

Ze hield zich vast aan de woorden van pater Wulfrun. Hij zei dat ieder vrij was in de ogen van de Heer van het Hemelrijk; zelfs zij die zoals haar volk vernederd waren. Hij zei dat ieder gelijk was in de ogen van de Almachtige. In zijn koninkrijk bestond geen lijfeigene of slaaf, man noch vrouw, maar zo voelde dat niet in het dorp. De heer zat aan zijn tafel en de lage rangen kenden hun plaats in de eetzaal. De priester zat met de mensen aan tafel en het dichtst bij het vuur, terwijl zij en anderen zoals zij ver van het vuur in de vochtige schaduwen zaten.

Iedereen kende zijn plaats en in Bea's ogen was de positie van een vrouw de laagste van allemaal: altijd maar dingen halen en sjouwen, de restjes aan de varkens en honden voeren, de krijgsheren bedienen die boeren lieten en met hun handen onder haar rokken gingen en haar probeerden beet te pakken.

Wisten ze dan niet dat ook zij een werktuig was van de Heer in de Hemel? Was het niet haar plicht om rein van lichaam te zijn? Ze was niet de eerste de beste del die als een loopse teef in het stro gesmeten kon worden om mee te paren, terwijl ze bijna bewusteloos raakte van de stank van de dronken adem. Pater Wulfrun zei dat ze een bruid van Christus was die haar deugdzaamheid moest bewaren, en als ze zijn bevelen opvolgde, zou ze op een hoger plan raken.

De Saksen keken neer op haar donkere uiterlijk, maar toen de noordse vrouw, Gudrun, naar de kerkhut kwam en in alle nederigheid voor de priester neerknielde, vond Bea haar schoonheid hartverwarmend. Ze was zo groot als een man, kaarsrecht, en had bijna wit, goudkleurig haar. Ze zag er in haar gele tuniek met de twee gespen op haar borst waarmee de tuniekbanden vastzaten uit als de gemalin van een heer. Ze was een van de landveroveraars die hoog boven het dorp woonden, een ware bezoeker, een vreemde onder het achterdochtige volk, maar ze toonde geen angst bij het aanbidden van de ware God.

Bea kon haar ogen niet afhouden van de mooie wol van haar mantel; haar vlechten blonken als goud en de zilveren halsketting van gevlochten draad die op haar schouders rustte was niet te vergelijken met wat ze ooit had gezien.

Ze merkte dat pater Wulfrun niet op zijn gemak was bij de vreemdeling en het kostte hem grote moeite om te zorgen dat hij werd begrepen, maar de ogen van de vrouw stonden vriendelijk en haar boetvaardigheid was voor iedereen duidelijk. Algauw was ze een vaste gast in de hut en toen bekend werd dat ze bedienden nodig had, pleitte Bea er bij de priester voor dat hij haar onder de heidenen zou sturen. Hij had meer dan genoeg dienstmeiden om voor zijn maaltijden en zijn schamele hut te zorgen en ze zou niet worden gemist. Niemand anders wilde bij de heidenen op de berg in dienst.

Ze knielde voor hem en durfde niet te hopen. Alles was beter dan dit dorp.

'Ik sta dit alleen maar toe op voorwaarde dat je als een kaars in de duisternis je licht zult verspreiden,' zei hij. 'Dien je meesteres met toewijding en bescheidenheid en vergeet nooit dat je christen bent, en buig niet voor heidense goden of hun afgoden. Laat lust je niet verleiden je in de armen te storten van een heiden. Je bent een dienares van Christus. Als ik geen vertrouwen in je had, Bea, zou ik je eeuwige zielenrust niet in gevaar brengen.'

Maar van een bruid van Christus zijn werden je voeten 's nachts niet warm, dacht ze, en het leverde ook geen kind op dat aan haar borst lag. Op een dag zou ze toch haar eigen haardvuur en kookpot moeten hebben. Ze was jong, haar lichaam was ongerept, stevig, en ze wilde niets liever dan begeerd worden.

Ze kuste bijna de voeten van de heilige vader toen hij haar met de vikingvrouw meestuurde.

'Ik wil elke feestdag je gezicht hier zien, hoe ver lopen het ook is. Wees niet lui en laat ik niet horen dat je van je meesters steelt. Je mag dan geen mooie waskaars zijn die in de duisternis brandt, maar ook een eenvoudige bieskaars heeft zijn nut. Jij zult in je eigen kleine hoekje de ogen van de Heer zijn.' Hij zegende haar en ze kon het wel uitschreeuwen van opluchting dat ze van deze plek verlost was.

Bea was nooit ver het hooggelegen moerasland onder de blote hemel op geweest, maar ze had het gevoel dat ze, net als de wulpen en de leeuweriken, opsteeg. Het was raar om bij deze vreemdelingen te wonen, met hun norse stemmen en woorden die ze niet verstond, maar ze was slim en wilde graag leren. Gudrun was best vriendelijk, rustig en een harde werker; ze zorgde voor de boerderij, het huishouden en haar kinderen en was gehoorzaam aan haar man, Erik. Er waren nog meer bedienden die op de akkers werkten en in de melkschuur, maar dat waren allemaal vreemdelingen, landgenoten van de noormannen.

De mannen bekeken haar met belangstelling, maar ze moest niets van hen hebben, want ze droegen allemaal het teken van Thor en het zou een zonde zijn om met een van hen het bed te delen. Ze had begrepen dat

Gudruns zus, Inge, in het kraambed was gestorven en dat haar echtgenoot Torkel, die met zijn moeder in het winterhuis woonde, voortdurend dronken was omdat hij haar zo miste. Toen ze Gunnar naar Torkel en zijn kinderen vroeg, mompelde hij beleefd en hij hield zijn ogen neergeslagen.

Wanneer ze op bezoek kwamen, zag ze dat zijn kinderen zich als jonge honden gedroegen en dat de gezondheid van zijn oude moeder te wensen overliet en dat ze hen niet in toom kon houden. De boer had het te druk om voor ze te zorgen en, wanneer ze klaar waren met hun karweitjes, zwierven ze voornamelijk rond in de heuvels.

Gudrun zat er erg mee dat Torkel en Erik vaak vochten wanneer ze te veel bier hadden gedronken. Woordenwisselingen werden gevolgd door vuistgevechten en worstelpartijen, en vervolgens spraken ze weken niet met elkaar en de boerderijen leden daaronder. Het was hun neef Gunnar die hen bij de kraag pakte, water over hen heen gooide en hen aanspoorde weer vrede te sluiten.

Bea begreep nu waarom pater Wulfrun haar gewaarschuwd had. Een dronken ruzie in het dorp was een bloedige aangelegenheid, met gebroken neuzen en snijwonden, maar dat was niets vergeleken met de gevechten op leven en dood van dronken vikingen. Ze kon maar beter uit de buurt blijven van zulke mannen, want anders kon haar eenvoudige getuigeniskaarsje door al dat geweld wel eens snel uitgaan.

Ze dacht geen moment meer aan de broers, tot ze op een middag de laatste bessen aan het plukken waren die nog aan de struiken aan de rand van de open plek in het bos hingen. Ze moest op Gudruns kinderen letten, een troep vlasharige ondeugden die alleen maar verstoppertje wilden spelen en liever wegliepen dan hun manden vulden. Ze wilde niet dat ze bij haar uit de buurt gingen uit vrees voor wolven of langstrekkende woeste krijgers – vogelvrijen, zoals ze tegenwoordig werden genoemd. Ze riep boos naar hen dat ze bij haar moesten blijven, maar ze deden net of ze niets hoorden en renden ervandoor.

Er flitste iets goudbruins voorbij en een meisje van een jaar of tien, helemaal bedekt met bladeren, schoot voor haar langs: een lachend meisje met rood, glanzend haar en groene ogen, dat bleef staan.

'Kom met me spelen!' riep ze terwijl ze in en uit de schaduwen schoot.

'Hier komen, Guro, dochter van Torkel. Ik weet wie je bent,' zei Bea terwijl ze struikelend over twijgen en gebroken takken achter de wildebras aan ging.

Hier lag goed aanmaakhout en er kwam nooit iemand terug van een wandeling zonder een bos hout, maar nu bleef haar wollen mantel plotseling vastzitten in een doornstruik en ze voelde het kostbare materiaal bij elke beweging verder scheuren. Hoe ze ook draaide en kronkelde, ze leek alleen maar vaster komen te zitten in de doornen, en ze vloekte, schold en tierde van woede, en al haar opgekropte emoties kwamen er in een lange stroom profane vloeken uit.

'Wacht maar tot we thuis zijn... Alleen maar omdat ik een vreemdeling voor jullie ben. Ik doe toch mijn best, Lieve Heer! Hoe moet dat nou met me?' gilde ze.

Ze voelde zich als een haas die gevangenzat in een strik en een dikke traan van frustratie rolde langs haar wang. 'Ik ben voor altijd verloren, ik moet hier de hele ijskoude nacht blijven zitten,' huilde ze. De gedachte dat ze haar kostbare wollen mantel kapot zou moeten scheuren en achterlaten voor de wolven was te veel voor haar. Het was beter om te bevriezen dan hem prijs te geven aan weer en wind, en waar waren in vredesnaam de kinderen van Gudrun?

Toen hoorde ze in de bosjes het geluid van brekende takken. Dat was het dan! Er kwam een wild beest aan dat haar zou verslinden, en het enige wat ze nog van haar zouden terugvinden waren haar afgekloven botten en wat flarden kleding als stille getuigen van haar vreselijke lot. 'Vader die in de hemelen zijt, vergeef mij mijn zonden en laat mij toe tot het Koninkrijk Gods,' bad ze met haar ogen stijf dicht, want ze wilde de vraatzuchtige blik waarmee ze zou worden bekeken niet zien. Toen viel er plotseling een stilte, die werd gevolgd door uitbundig gelach. Ze deed vol ongeloof haar ogen open.

Voor haar stond een man zo breed als een schild en zo lang als een speer, met haar dat de kleur had van een vossenstaart en ogen die glansden als gepolijst leisteen. Hij moest lachen om haar ongemak terwijl hij zijn dolk tevoorschijn haalde en de doornen wegsneed zodat ze uit hun greep werd bevrijd.

Ze voelde zich net een egel met stekels die alle kanten op staken en mompelde een dankwoord, en hij keek haar met een blik van herkenning aan.

'Ah! De Engelse, de dienstmeid van Gudrun?' zei hij. 'Ik dacht dat de goden mijn avondeten al voor me hadden klaargezet.'

Ze was opgelucht dat ze elkaars taal voldoende spraken om elkaar te kunnen verstaan, dus ze stotterde zo goed en zo kwaad als het ging een antwoord – maar wie had behoefte aan woorden wanneer je in dat knappe gezicht keek en dat prachtige lichaam zag?

Toen zag ze de zilveren hamer om zijn nek. Dit was nou precies waar pater Wulfrun haar voor had gewaarschuwd. Hier stond de vleesgeworden verleiding, de eerste noorman die haar hart sneller deed kloppen terwijl hij haar hielp de doornen los te trekken. Ze kon zijn adem proeven en hij rook naar rook van een houtvuur en naar honing. Ze vond hem mooi en ze hoopte dat hij een houthakker was die brandstof aan het verzamelen was voor het midwinterfeest. Ze hoopte dat hij niet aan het stelen was, al zou ze zo'n man nooit verraden.

'Pap! Pap!' juichte Guro, die kwam aangerend met Bea's pupillen die het bos uit kwamen rollen als peren uit een jutezak. Ze sloeg haar armen om zijn middel, maar hij schudde haar van zich af.

'Ik geloof dat jullie deze vrouw maar eens moesten terugbrengen voor het donker wordt, anders verdwaalt ze misschien nog een keer,' grinnikte hij, en Bea voelde zich heel klein worden.

Ze richtte zich in haar volle lengte op en keek hem lang en doordringend aan, in de hoop dat haar donkere blik hem beschaamd zou maken.

'Dank u, maar ik kan zelf de weg wel vinden. Maar eerst moeten de manden nog vol en we moeten ook nog hout sprokkelen. Ik ben dan misschien wel Engels, maar ik weet net zo goed hoe ik mijn meesteres moeten dienen als de enige ware God,' zei ze trots, en ze wees naar het houten kruis dat om haar nek hing. Ze raapte haar laatste beetje waardigheid bij elkaar en leidde de kinderen van Gudrun weg in de wetenschap dat ze werd nagekeken. Ze kon die grijze ogen in haar rug voelen prikken en ze huiverde van de vreemde sensatie die haar knieën deed knikken en haar benen zo deed trillen en beven dat ze haar nauwelijks nog konden dragen.

Twee dagen later verschenen Torkel en Gunnar in de deuropening van het stookhuis terwijl Bea aan het weefgetouw zat. Ze probeerde over het scherm te gluren om te zien wie er op bezoek was en ze voelde hoe ze bloosde omdat ze wist dat *hij* dichtbij was. Hij had een slee bij zich waarop hij hun vat mede voor het winterfeest en wat van het vlees dat aan het spit geroosterd zou worden vervoerde.

Het midwinterfeest betekende dat iedereen bij elkaar kwam, en de vrouwen en bedienden moesten heel wat voorbereidingen treffen om de menigte drie dagen lang te eten te kunnen geven. Het zou een kwelling worden om zo dicht bij deze man te zijn en toch zo ver van hem verwijderd.

Ze moest allereerst naar de kerk en haar zwakheid opbiechten bij pater Wulfrun. Hij zou haar leiden en haar zeggen hoe ze weerstand moest bieden aan de verleiding.

'Ik heb gezondigd,' fluisterde ze tegen hem. 'Ik begeer een man die niet het ware geloof aanhangt,' zei ze ademloos.

'Heb je met hem geslapen?' vroeg hij.

'Nee, eerwaarde. Hij is van een hogere stand. Hij is de broer van mijn meester. Ik ben niet meer dan het stof onder zijn voeten,' zei Bea, die zich geneerde voor haar schaamteloosheid.

'Geen enkele heiden kan ooit hoger zijn dan een christen. Je bent een bruid van de Heer. Als je geen kans ziet hem te bekeren tot het christendom, moet je hem uit je hoofd zetten. Want pas als hij is bekeerd zal hij zover je gelijke zijn dat ik je mijn zegen kan geven. Je bent het licht in hun duisternis, een werktuig om zijn ziel te redden. Wees voorzichtig. Het vlees is zwak, maar geef niet toe tot er sprake is van een verloving. Stel me niet teleur,' fluisterde hij. 'Je bent met een doel daarheen gestuurd. Onze God zal je behoeden.'

'Ik moet tijdens hun winterfeest bedienen,' bekende ze.

'Wordt er aanbeden en geofferd?' haastte ze zich Gunnar te vragen. Ze was bang voor het antwoord. Winterfeesten in het dorp waren wilde gebeurtenissen.

Hij keek op van zijn aambeeld. 'We offeren een varken aan het spit en heffen onze drinkhoorns ter ere van de laatste zonnestralen, vertellen verhalen en dansen op de muziek van de doedelzak. Net als bij elk ander feest, dus maak je maar geen zorgen; je zult genieten van het dansen en zingen. Ik hoop dat je mij je arm zult bieden,' zei hij, verwoed met zijn ogen knipperend. Ze knikte afwezig terwijl ze aan Torkels armen om haar middel dacht.

'Maar het gebeurt allemaal niet ter ere van de geboorte van Christus, zoals bij ons,' zei ze, en ze dacht: ik zal op mijn hoede moeten zijn.

De hele weg naar huis bleef ze piekeren over de woorden van pater Wulfrun, maar die sneden geen hout. Een man als Torkel was niet geïnteresseerd in iets anders dan de paring zelf, rommelen met de dienstmeid in de stal. Ze was te verstandig om te denken dat hij haar ooit zou beschouwen als echtgenote, en wat het feest betrof: het zou voor haar genoeg zijn om in zijn buurt te zijn. Gunnar zou haar partner wel zijn, vermoedde ze. Hij zou ongetwijfeld voeten van klei hebben en haar als een stuk hout in het rond zwaaien.

Misschien dat Torkel haar wat welwillender zou bekijken als ze zich waste en haar haar in vlechten deed, net als Gudrun. Het flakkeren van de lampen zou haar tekortkomingen verbergen. Ze zou haar vlechten versieren met strengen wol, zodat haar haar lichter leek.

Waarom maak je je druk om dergelijke uiterlijkheden? Ze werd boos om haar eigen dwaasheid. Hij behoort aan Thor, en jij aan Christus. Het was geen verbintenis die door haar hemelse Vader was gezegend, maar o, wat wilde ze graag dat ze lang was en blond, en een van hen, en niet zo heel, heel erg anders in elk opzicht.

'Wat vind je van mijn nieuwe dienstmeid?' fluisterde Gudrun tegen haar schoonmoeder terwijl ze groenten zaten te hakken voor in de ijzeren kookpot. Bea legde samen met de kinderen op de bakplaat de laatste hand aan het deeg voor de feestkoeken. Tiordis bekeek het meisje met belangstelling. Ze wekte de indruk capabel te zijn; ze had sterke armen, onderdanig neergeslagen ogen, maar de manier waarop die ogen als vonken in het vuur heen en weer flitsten door de kamer had iets amusants. Dit meisje was bevangen door verliefdheid; haar ogen glansden en gingen steeds naar de deur, alsof ze iemand verwachtte.

Deze donkere Engelse was de vrouw die Torkel uit de doornstruik had gered. Wat had hij moeten lachen toen hij vertelde hoe het meisje de brutaliteit had gehad het kruis onder zijn neus te duwen en hem vervolgens de rug toe te keren. Ze hield wel van meisjes die lef hadden en niet bang waren voor zichzelf op te komen. Sommige van de boerendochters kregen de neiging naast hun leren laarzen te gaan lopen en werden te slap.

Moed had hen naar de andere kant van de zee gebracht om zij aan zij met hun mannen te vechten tegen de gevaren van hinderlagen en overvallen op hun nieuwe nederzettingen. Het was moed die hen aanspoorde door te gaan wanneer ogen, oren en verstandelijke vermogens hen in de steek lieten, zoals nu bij haar het geval was. Haar moed was bijna op en ze verlangde naar de eeuwige slaap.

Als Torkel een geschikte vrouw had gevonden, zou ze het huis verlaten en een lange, lange wandeling in de sneeuw gaan maken. Ze zou doorlopen tot haar ledematen bevroren waren en ze overmand werd door de doodsslaap. Dan zou ze in een bed van sneeuw gaan liggen en zichzelf toedekken met haar mantel. Ze zou weten wanneer het tijd was om voorgoed afscheid te nemen van haar thuis. Ze was al te lang bij het vuur gebleven, als een onachtzame gast, maar eerst moest alles geregeld zijn. Dat was haar plicht.

Tiordis keek op en zag de twinkeling in Gudruns ogen terwijl ze met een blik vol genegenheid naar de dienstmeid keek. 'Wat denk je dat Torkel van haar vindt?' Gudrun glimlachte.

'Ik betwijfel of hij haar wel een moment een tweede blik waardig heeft gekeurd. Hij is nog steeds boos op de goden dat ze hem zijn Inge hebben afgenomen; het is nog te vroeg om zelfs maar aan een huwelijk te dénken. Ze is maar een dienstmeid,' snoof ze.

'Onzin! Het is al meer dan twee jaar geleden, en hij ziet eruit als een zwerver. Hij is eraan toe om zich weer te binden, maar we moeten wel een zorgvuldige keuze maken, moeder. Bea zal nooit aan Inge kunnen tippen, maar ze is pienter en bereidwillig. Ze heeft geen familie die zich met haar bemoeit. Ze brengt weliswaar geen koeien of geschenken mee, maar ze zal sterke zoons baren en ons geslacht versterken. Het is een proper meisje, maagd nog, christelijk en trouw aan haar geloof. Hij kan het slechter treffen.' Gudrun zweeg toen ze zag hoe het meisje een klodder deeg op Guro's neus plakte. 'De kinderen vinden haar leuk, en je weet wat ze zeggen over kinderen en honden. Ze is te vertrouwen. Ik denk dat we er geen spijt van zullen krijgen.'

'Hoe weet je dat zo zeker?' Tiordis was stomverbaasd door Gudruns woorden. Die duivelse meid had het allemaal al uitgedacht. Ze zou eigenlijk dankbaar moeten zijn, maar ze voelde alleen maar angst bij de gedachte aan Torkels woede als hij zou weten wat ze achter zijn rug om aan het bekokstoven waren. Dit donkere meisje was dan misschien wel een Engelse, met haar dat de kleur van pasgeploegde aarde had en een lichaam dat niet veel groter was dan dat van een kind, maar haar tuniek was goed gevuld met echte vrouwenborsten.

De manier waarop de dienstmeid iemand die haar aansprak recht in de ogen keek, met een blik alsof ze iemand was die respect verdiende, stond haar wel aan.

Ze zag hoe het meisje steelse blikken in de richting van Torkel wierp toen hij banken kwam brengen. De hall knetterde letterlijk van haar vonken. Dat deed Tiordis denken aan die nacht dat ze ineengedoken in de boot zat tijdens de oversteek en voor het eerst Leifs knappe uiterlijk bestudeerde. Het litteken op zijn wang had hem nog strijdbaarder doen lijken.

Ze herkende die verlangende blik en die blos. Die betekenden voor een vrouw moeilijkheden, hartzeer en een leven lang verdriet. Het zou de nodige opwinding veroorzaken om een Engelse als vrouw te nemen, maar er was geen keus als ze niet naar een andere nederzetting ver weg wilden reizen.

Hoe sneller dit was opgelost, hoe sneller ze naar het Walhalla kon schuifelen om daar aan te zitten met Freia. Het getuigde van gezond verstand om met een christen te trouwen; het was een teken van welwillendheid ten opzichte van degenen die tegen hun aanwezigheid gekant waren, en ten opzichte van hun land en hun wetten. Maar hij kon toch zeker wel iets beters krijgen dan een dienstmeid zonder familie?

Toen grinnikte ze bij zichzelf. Mannen waren enorme sukkels als het op de keuze van een vrouw aankwam. Ze keken naar de verkeerde dingen, verblind door hun lust. Een moeder wist wat het best was voor haar zoon.

Ze zou eerst maar eens zien hoe dit meisje zich gedroeg, zich beraden en kijken of ze een dergelijke verbetering van haar positie waardig was. Er was nog zoveel te doen voor het feest begon, iedereen moest zijn steentje bijdragen: roeren, mengen, kneden, het varken braden, het speciale joelbrood op de ouderwetse manier bakken, en de hall moest ook nog ter ere van deze gelegenheid worden versierd.

Gudrun en Bea haalden de fraaie wandkleden uit de houten kist, klopten ze buiten uit en hingen ze als vlaggen aan de stenen muren. De kinderen brachten een mand vol dennentakken binnen om aan de daksparren te hangen: groene bogen om wat vrolijkheid te brengen in de winterse duisternis. De medeketel werd klaargezet en de stoofpot zat vol vlees. De kazen lagen klaar, samen met de gedroogde appels en peren, noten en bessen. Binnenkort, wanneer de met fakkels verlichte sleden met hun verwanten onder dikke lagen dierenhuiden en volgeladen met eten voor het feest over de paden kwamen, zou het schemerduister van de winter ver weg lijken.

Het winterfeest was een van de mooiste dagen van het jaar, en als alles goed ging, zou het haar laatste zijn.

'Wie mag het joelblok naar binnen brengen? Mag ik het doen?' zeurde Toki, haar kleinzoon, zeven alweer en al bijna te klein voor zijn tuniek. Hij had lange benen en met zijn roodgouden haar was hij het evenbeeld van zijn vader en haar echtgenoot vóór hem. De aanblik van deze mannelijke lijn ontroerde haar.

'Als het tijd is, en geen moment eerder. Torkel en Gunnar moeten eerst nog een goed blok vinden,' antwoordde ze. 'Het brengt ongeluk als je de goden tart door de ceremonie te overhaasten. Het grote blok hout moet nog worden versierd met twijgen en groene slingers. Het joelblok moet het hele feest meegaan en helder branden, anders zal het ons het komende jaar niet goed vergaan.'

Ze zag hoe de jonge dienstmeid het kruis om haar nek aanraakte toen het blok werd binnengebracht dat speciaal voor deze gelegenheid was bewaard. Ze trokken het met een hoop vertoon en onder luid gejuich op het vuur in het midden van de hall. Haar ogen lieten Torkel niet los. Tiordis voelde een vlaag van medelijden voor het arme meisje. Ze had geen schijn van kans tegen de herinnering aan Inge.

Hofmakerij was iets heel doms. Vertrouw nooit de roerselen van het hart van een jonge meid, had iemand ooit eens gezegd. Het hart van een meisje was als een ronddraaiend wiel: het wilde steeds iets anders. Maar dit meisje was anders – ouder, serieuzer; misschien was zij het wel waard om het hof te worden gemaakt.

Maar je moest de dag niet prijzen voor het avond is, of een goede vrouw voor ze dood en begraven was, of bier voor het werd gedronken, of een meisje voor ze was getrouwd. Onder de dekens werd menigeen verrast, zei een wijze vrouw tegen haar kinderen. Ze moest haar scherpe tong in bedwang houden en tot het feest begon alles in het oog houden, maar niets zeggen.

Vanavond fonkelden de zilveren armbanden in het licht van de vlammen. De kleurige tunieken zagen eruit als het zomerkleed van een vogel en de gespen en broches schitterden in het schemerduister. Torkel had zijn best gedaan en droeg zijn beste kniehoge laarzen en geborduurde hemd. Om zijn middel droeg hij de versierde gordel van zijn vader.

De koeken roken naar honing en zaden, de mede was klaar om te worden uitgeschonken en Tiordis voelde tevreden aan haar kam met de runen. Er bestond een manier om het lot op de proef te stellen en deze twee stenen bij elkaar te brengen, een zekere manier om deze twee lang genoeg bij elkaar te brengen om te zien of haar bezwering enige kracht had. Tiordis vertelde fluisterend haar plannetje aan Gudrun, die lachte en instemmend knikte. Ze hadden drie dagen en nachten om deze twee stenen bij elkaar te brengen; als er dan nog geen vonk was overgesprongen, zouden ze een nieuw plan moeten bedenken.

Ik zou niet zoveel plezier mogen hebben, verzuchtte Bea bij zichzelf terwijl haar maag rommelde bij de aanblik van de feestmaaltijd voor haar: soep, stoofpot, geroosterd vlees, bier, kaas en vers geroosterde vis. De kinderen zaten in de hoek en deden een spelletje *hneftafl* en ruzieden over de worp en over wie er valsspeelde. Het grote blok hout spetterde toen de eromheen gebonden twijgen openbarstten, waardoor vonken in haar schoot waren terechtgekomen. Iedereen lachte en dronk en keek tevreden. Voor één keer kon ze vergeten dat ze een bediende was, want het was de gewoonte dat ze deze drie dagen allemaal zij aan zij om de grote haard zaten.

Ze trokken lootjes om te bepalen wie waar zat en ze kreeg wonder boven wonder een plekje aan de rechterkant van de schoongewassen Gunnar in zijn beste hemd, en aan de linkerzijde van Torkel Leifson, die zo dicht tegen haar aan zat dat ze zijn dij tegen de hare voelde drukken terwijl ze naar een of ander oud strijdverhaal op rijm zaten te luisteren dat ze nauwelijks kon volgen. De oude man met de waterige ogen en lispelende stem bracht elk couplet met veel inspanning ten gehore, want zijn keel was zo rauw als een roestig scharnier.

Ze wierp steelse blikken op haar eigen held toen hij zich bukte om de oude hond aan zijn voeten te aaien en ze zag plukjes haar uit de kraag van zijn hemd steken, maar de hamer van Thor bungelde glinsterend in het licht van het vuur, waardoor ze weer aan de woorden van pater Wulfrun moest denken.

Ze keek omhoog naar de daksparren en de opening in het dak om troost te zoeken, naar de schilden die aan de muur hingen en naar het flakkeren van de kaarsen, de rook die een weg zocht door het gat, naar de stenen banken die met dekens en huiden waren afgescheiden. Hoe kon ze ervan dromen dat ze ooit aan zijn zijde zou slapen? Tegenover haar zag ze de oude moeder zitten, die haar met haar kraaloogjes in de gaten hield en zich niets van wat er gebeurde liet ontgaan. Ze zag alles, maar zei niets, dacht Bea. Naast haar zat haar meesteres, die glimlachte en de oude vrouw iets in het oor fluisterde.

Ze voelde zich een vreemde en wilde wegglippen in de schaduw, zodat ze aan de kritische blikken werd onttrokken. Ze voelde aan het kruis om haar nek en zou willen dat pater Wulfrun er was om haar raad te geven. Ze was bang dat ze haar liefde zou uitschreeuwen en zichzelf ten overstaan van de gasten voor gek zou zetten en dus boog ze haar hoofd en deed alsof ze aandachtig luisterde naar elk woord van het gedicht.

In het volle zicht bij de haard zitten en met respect behandeld worden als een geëerde gast, dat was iets nieuws voor haar. Ze wist niet wat ze moest zeggen en het was net of ze vanuit de daksparren neerkeek en zichzelf zag zitten, onhandig en dwaas. Toen het zingen begon probeerde ze mee te doen, maar ze kende geen van de liederen en moest volstaan met meeneuriën met Torkel.

Ze keek hoe hij zijn mede achteroversloeg, met smaak zijn vlees at, enthousiast stukken van de joelbroden sneed, maar ze was zo zenuwachtig dat ze geen hap door haar keel kon krijgen. Toen het tijd was, bracht ze de kinderen naar hun slaapplek en hield zich met hen bezig terwijl ze zeurden en protesteerden, maar uiteindelijk samen met hun honden in een donker hoekje gingen liggen en, ondanks het lawaai dat de drinkende mannen maakten, in slaap vielen.

Ze sliepen uit en er viel heel wat te doen voor het feesten de volgende avond weer begon. De mannen gingen op jacht en gooiden hout op het vuur, en het joelblok brandde nog steeds: een blok van essenhout dat gloeide in de schemerige hall.

Het was tijd om pap met honing klaar te maken, brood te bakken en worstjes te braden die waren gemaakt van de ingewanden van het karkas en volgens het geheime recept van Tiordis waren gevuld met noten, kruiden en bessen. Bea hield zichzelf bezig bij de keukentafel in de wetenschap dat ze haar kans had gehad. Torkel had nauwelijks iets tegen haar gezegd, alsof ze beneden zijn waardigheid was, vermoedde ze.

Kon ze maar eens een woord uit haar keel krijgen als hij ergens een opmerking over maakte. Ze was woedend op zichzelf dat ze naar hem verlangde. Kon hij haar maar eens zien terwijl ze zong en danste en bruiste, gekleed in mooie met zilver afgewerkte jurken en met haar donkere haar los, in plaats van gevangen te zitten in eenvoud, in de simpele kleding van een dienstmeid.

De tweede avond van het feest zat ze tot haar verbazing opnieuw tussen hen in en ze kon haar geluk niet op door dat toeval, want ze voelde dat een paar van de dochters van de andere boeren maar wat graag haar ereplaats zouden innemen. Het was een geschenk waar ze niet op had durven hopen en ze wist zeker dat het door de gebeden van pater Wulfrun kwam dat ze daar nu zat. Deze keer moest ze haar gelofte gestand doen en ervoor zorgen dat Torkel uit haar mond Gods woord hoorde, zoals de priester had bevolen.

Toen de schranspartij voorbij was en het bier vloeide, begonnen de mannen elkaar raadsels op te geven. Aanvankelijk begreep ze er helemaal niets van. Eén raadsel had te maken met een vliegend wezen dat werd gekoesterd door mannen die op vleugels naar huis werden gedragen en in bad werden gedaan. Het eindigde ermee dat jonge en oude mannen ervan in de ban raakten en op de grond werden gesmeten, en iedereen lachte en knikte. Wat of wie was zo machtig dat hij een man zo gemakkelijk kon vellen?

'Mede,' riep Torkel. 'Begrijp je het raadsel, Bea?' Hij zag haar verwarring en zij bloosde van schaamte. Hoe kon zij hun vreemde taaltje begrijpen als ze zo snel spraken? Ze was boos en voelde zich vernederd.

'Ik weet een mooi raadsel. Ik kan ze laten zien dat ik niet stom ben,' zei ze terwijl ze zich tot Gunnar wendde om steun, maar hij was ongewoon zwijgzaam en bloosde toen ze sprak. Ze deed haar uiterste best om zich het raadsel te herinneren dat pater Wulfrun hun had geleerd.

'Ik weet er een,' hoorde ze zichzelf zeggen. Ze ging een ogenblik staan en ging toen beschaamd weer zitten, maar Gunnar moedigde haar aan.

'Ik hoop dat ik het nog weet,' bad ze.

'Ik ben groter dan de wereld, kleiner dan een worm, lichter dan de maan, sneller dan de zon,' begon ze, eerst langzaam en toen alles weer bij haar bovenkwam met toenemend zelfvertrouwen. 'De getijden van de zee, de winden en alles wat groeit gehoorzaamt mij. Ik daal af in de hel en stijg uit tot boven de hemelen. Wie ben ik?'

Er viel een diepe stilte om het haardvuur. Sommigen beheersten haar taal goed, anderen keken verwonderd.

'Odin!' schreeuwde een oude boer.

'Thor!' riep een ander, maar alleen Gudrun glimlachte.

'Wie is het?' fluisterde Gunnar, die het laatste woord wilde hebben, vermoedde ze.

'Weet je het niet?' Ze glimlachte en ging weer staan.

'De Heer der Schepping, de Ware God in de Hemel. Eeuwig almachtig heerser over de wereld, machtige koning, meester van alles en ieder.'

Een ogenblik lang zei niemand iets; iemand hoestte en spoog, maar verder heerste er een oorverdovende stilte, en ze besefte dat ze haar gastheren op de een of andere manier had beledigd, haar rechten als een geëerde gast had verspeeld. De atmosfeer werd ijzig en iedereen wendde zich tot zijn buurman, alsof ze haar woorden wilden negeren.

'Wat heb ik fout gedaan?' fluisterde ze tegen Gunnar, maar hij zei niets.

De rest van de avond negeerde Torkel haar en ze kroop in haar bed bij de kinderen. Ze had haar best gedaan, ze had geprobeerd trouw te zijn, maar ze had hen beledigd met haar raadsel. Ze sprak slechts de waarheid, maar op het feest van Odin had ze hun goden belachelijk gemaakt en hen voor gek gezet. Zelfs Gudrun was geschokt geweest. Alleen Gunnar was naar haar toe gekomen en had gezegd dat het dapper van haar was geweest om in de hall op de voorgrond te treden.

'We gaan niet verder met die meid. Ze is te verwaand. Hoe durft ze haar god boven de onze te plaatsen?' snauwde Tiordis tegen haar schoondochter.

'Ze is nog jong, en is trouw aan haar geloof,' pleitte Gudrun. 'Door haar schaam ik me ervoor dat ik me tot nu toe niet ten overstaan van iedereen heb uitgesproken.'

'Als ze voor de derde keer aan Torkils zijde zit, moet ze met hem trouwen, dat is de gewoonte. Dat risico kan ik niet nemen, hoe graag ik mijn handen ook van hem af zou trekken,' zei ze, vermoeid door het feest. Haar maag speelde op van het vette eten en ze verlangde naar een eenvoudig stuk vis om haar ingewanden tot bedaren te brengen. Drie dagen lang mensen op bezoek was te veel van het goede en de hall rook bedompt van de ongewassen lichamen, verschaald bier en darmgassen.

Vanavond zou de laatste avond zijn en ze zouden niet valsspelen bij het lootjes trekken om ervoor te zorgen dat Torkel naast de Engelse kwam te zitten. Hij had genoeg van haar. Er was van beide kanten geen vonk overgesprongen. Beiden zaten voor zich uit te staren en zeiden nauwelijks een woord. Het plan werkte niet en inmiddels was geen van beide vrouwen er nog van overtuigd dat het een goed plan was geweest.

De dag werd besteed aan het opruimen van de rommel op de vloer, schoon stro neerleggen, de honden de deur uit schoppen, in een enorme kookpot soep maken van de restjes, brood bakken. Ze zou wel een week kunnen slapen na al deze festiviteiten. Je kon ook genoeg krijgen van je buren en je familie, besloot ze terwijl ze in de ketel roerde.

Vanavond zouden de laatste rituelen worden uitgevoerd en zouden er heildronken worden uitgebracht en de volgende ochtend zou iedereen opstaan, zijn dekens en potten bij elkaar zoeken en naar zijn eigen boerderij vertrekken tot de volgende samenkomst in het voorjaar, hopelijk in de hall van iemand anders.

Toen de loterij zijn normale loop kreeg, werd het meisje een plek ver uit het midden en uit het zicht toegewezen, waar ze somber en stilletjes ging zitten, zich bewust van het feit dat ze niet langer een geëerde gast was. De kinderen kropen bij haar en ze draaide zich om om met hen te spelen en negeerde de ceremonie.

Goed zo, dacht Tiordis, nu kan ik tenminste een lekker stuk forel nemen, vers uit de beek, gevangen in het net dat onder de waterval gespannen was. Ze was het vlees en de kaas en het vet meer dan beu.

In haar gulzigheid slokte ze het voedsel bijna in één keer naar binnen, genietend van het zoute vel. Haar gebit was niet meer wat het geweest was, maar ze kauwde en slikte tegelijkertijd en stikte bijna door haar gretigheid.

'Rustig aan, moeder,' lachte Torkil vanaf zijn plek. 'Er is geen haast...'

Ze kon niets zeggen en ook niet meer slikken toen ze een stekende pijn in haar keel voelde; ze probeerde adem te halen, maar ze kreeg geen lucht. Slikken deed vreselijk pijn en ademen ook, want de naald in haar keel zat muurvast en ze voelde haar gezicht opzwellen terwijl ze naar adem snakte.

Wat moest er nu terechtkomen van haar eeuwige slaap in de sneeuw of het wegdragen van haar lichaam, gewikkeld in een wollen doek, en begraven worden met haar sikkel en haar kam, haar spelden en ketting – een waardig en vredig einde van een lang leven? Ze wilde hier niet midden in de hall sterven met al die mensen om haar heen die haar op de rug sloegen om de graat los te krijgen.

Ze raakte in paniek, en Torkel en Gunnar probeerden haar wanhopig overeind te krijgen, maar het vuur in de haard werd al waziger en ze was stervende. Zo had ze niet gewild dat het zou gaan. Ze wilde leven en het einde van het feest meemaken, en niet met haar voeten vooruit naar buiten gedragen worden om op de brandstapel te worden gelegd. 'Laat iemand me helpen,' riep ze vanbinnen, maar niemand hoorde haar.

Bea zag de worsteling bij de haard, ze hoorde mannen roepen en de vrouwen druk in het rond rennen. Wat was er aan de hand? Ze baande zich een weg en zag de oude vrouw die dreigde te stikken. Was ze vergiftigd?

'Wat is er met haar aan de hand?' vroeg ze.

'Een visgraat, we kunnen haar niet laten ademen of hem uit haar keel krijgen. Ze gaat dood,' jammerde Gudrun. 'Bid, Bea, dat God haar ziel genadig is.'

'Laat me erbij.' Ze gebruikte haar armen als roeiriemen en stortte zich op de vrouw op de grond. 'Haal een spoeling, Gunnar,' riep ze. 'En snel!'

De mannen keken haar niet-begrijpend aan.

'Brood geweekt in melk. Vlug, ze moet spoeling binnenkrijgen,' hoorde ze zichzelf commanderen, alsof zij de meesteres was, en iemand doopte brood in soep en melk en bracht een houten schaal.

Ze knielde voor Tiordis en hielp haar voorzichtig in een zittende positie. 'In Gods naam, bedwing je paniek en slik door wat we naar binnen gieten. Het is maar een visgraat die vastzit, en de Heer zal je verlossen. Ik heb dit wel eens in mijn dorp gezien, maar je moet wel slikken, alsjeblieft.'

Ze keek kalm in de bange ogen. 'Je tijd is nog niet gekomen. We kennen elkaar nog maar nauwelijks. Slik alsjeblieft door, moeder.'

De vrouw raakte in de ban van haar starende blik en slikte gehoorzaam, terwijl haar mond open- en dichtging als bij een vis op het droge.

'Slik. Slik goed, nog een keer; laat de spoeling de graat losweken. Het komt allemaal goed.' Bea glimlachte en hield haar hand stevig vast om haar aan te moedigen.

De blik van de oude vrouw liet haar gezicht geen moment los terwijl ze slikte en de pijn blijkbaar een klein beetje minder werd, want ze haalde diep adem, haar borst ging omhoog en de spieren in haar gezicht ontspanden zich; ze kreeg weer wat kleur en ze hoestte.

'Blijf slokjes nemen van dit spul,' drong Bea aan; ze had geen oog voor wat er in het vertrek gebeurde, maar lette alleen op de bange vrouw. Torkel zat geknield naast haar en keek omlaag, maar zei niets.

'Het komt allemaal wel weer in orde,' zei Bea, en ze keek verrast op toen de aanwezigen opgelucht uiteenweken en Gudrun haar bij de schouders pakte.

'Toen ik je in de kerk uitkoos, wist ik dat je ons goed zou dienen. We zijn je een leven schuldig omdat je het hoofd koel hebt gehouden. De Heer is genadig geweest.' Gudrun hielp haar overeind en liet haar plaatsnemen op een bank.

'Mag ik u voorstellen: Bea, niet langer onze lijfeigene, maar een vrij mens, onze geëerde gast.'

Iedereen juichte en klopte haar op de rug, en ze moest blozen vanwege al die aandacht. Ze kende inmiddels elk gezicht rond het vuur – tandeloze, besnorde mannen en jongemannen die haar met hernieuwde belangstelling bekeken, gekleed in morsige tunieken en met vettige, verwarde baarden en stinkende voeten. Maar er was slechts één man aanwezig die haar kon laten lachen, en hij kwam naast haar staan.

'Vrienden, mag ik u voorstellen? Bea, vreemdeling, maar nu onze vriendin, Engelse en christen, maar dat kunnen we haar nu niet meer aanwrijven. Ze heeft mijn moeder het leven gered. Ze is vrij om de geeerde vrouw van welke *jarl* in de vallei dan ook te worden, maar zoals jullie weten, en zoals onze gewoonte is, heb ik drie keer naast haar gezeten. Drie keer is ze naar deze bank geroepen, net als ik. Drie keren die niet genegeerd kunnen worden, en het is mijn voornemen om gehoor te geven aan onze gewoonte en haar te vragen mijn bruid te worden,' zei hij terwijl hij haar met een scheef lachje aankeek.

'Wát zeg je?'

'Wacht even! Ze heeft ook drie keer naast mij gezeten en die drie keer maken haar waardig om mijn vrouw te worden.' Gunnar was gaan staan en wees naar haar, en er viel een doodse stilte in de hall, want de mannen hadden hun buik vol mede en Torkel had een licht ontvlambaar temperament.

Bea begreep niet wat er aan de hand was en keek hulpzoekend naar Gudrun.

'Je hebt tijdens het midwinterfeest drie keer tussen hen in gezeten. Je moet met een van beide trouwen,' fluisterde ze. Bea was met stomheid geslagen en werd door paniek overvallen.

'Ik kan met geen van beiden trouwen. Ze dragen de hamer van Thor. Ik heb het pater Wulfrun beloofd,' wist Bea met bonkend hart uit te brengen.

'Ik weet aan wie je de voorkeur geeft,' antwoordde Gudrun terwijl ze haar meetrok buiten gehoorsafstand.

'Natuurlijk weet je dat, maar het kan toch niet? We kennen elkaar nauwelijks. Hij heeft het hele feest nog geen tien woorden tegen me gezegd.' Bea keek naar de lange man. Hij was in de weer om de fakkels klaar te maken waarmee het vreugdevuur zou worden ontstoken dat het einde van het feest aangaf. Hij was bezig alsof er niets aan de hand was en Gunnar was nergens te bekennen.

'Wat voor betekenis hebben woorden wanneer er sprake is van verlangen en respect? We hebben een uitdrukking: "Beoordeel een vrouw niet tot ze getrouwd is en kies haar niet bij kaarslicht." Maar jij hebt je waarde bewezen tijdens een noodtoestand. Een man wil een vrouw die sterk en eerlijk is. Het is een hard leven hier in de bergen. Hij zal op zijn tijd wel met je praten.' Gudrun bleef vol ongeloof haar hoofd schudden. 'Hij wacht tot jij je keuze maakt, en alle boerendochters kijken alsof ze je zouden willen vermoorden.'

'Maar ik kan met niemand trouwen als hij dat niet in de kerk wil doen. Dat heb ik pater Wulfrun beloofd. De man die mij trouwt, moet de oude gewoonten achter zich laten.' Bea moest bijna huilen van verdriet.

'Ik had niet verwacht dat je zo kieskeurig zou zijn, Bea. Je hebt ons respect en onze dankbaarheid verdiend. Zet ons niet voor gek tegenover ons volk door zo'n aanbod te weigeren. Geduld overwint alles. Erik verbiedt mij ook niet om de god van mijn keuze te aanbidden. Ik heb je niet je vrijheid gegeven om vervolgens onze gewoonten te bespotten,' snauwde Gudrun.

'Maar meesteres, wat heb je aan een gewoonte die je geen keuze laat...' pleitte ze, maar Gudrun had haar zegje gedaan.

'Kom, het wordt tijd dat we het vreugdevuur ontsteken en de eerste zonnestralen op aarde welkom heten.' Ze wees naar de deuropening. 'Zeg niets wat het feest kan bederven. Er is nog tijd genoeg om te redetwisten als het vuur laag brandt en de gasten vertrekken. In het kille ochtendlicht zal alles er anders uitzien,' adviseerde ze Bea, maar die wilde alleen maar in een hoekje kruipen om te huilen. Kon ze er maar met Gunnar over praten, maar die was verdwenen.

Tiordis lag op het kleed, uitgeput door haar strijd op leven en dood; de doedelzakken deden pijn aan haar oren en de kinderen schreeuwden terwijl ze het vuur ontstaken. Ze voelde er niets meer voor om naar het Walhalla te gaan of voetsporen in de sneeuw achter te laten die Erik en Torkel konden volgen.

Ze bleef niet te lang zitten, want in deze hall was ze geen gast. Had ze immers niet lang geleden deze boerderij gesticht, zich krom gewerkt om een goede schaapskudde te krijgen, om zich te verzekeren van een stuk land, en had ze niet deze muren gebouwd voor haar kinderen en haar kindskinderen? Ze zou nog een tijdje blijven om te zien hoe het met deze nieuwe bruid zou gaan. Het was niet eerlijk om haar zomaar in het diepe te gooien.

'Moeder, we hebben een probleem,' zei Gudrun, en ze schudde haar aan de schouder.

'Niet nu, ik wil alleen maar slapen.' Ze draaide zich op haar zij.

'Bea wil niet met Torkel of Gunnar trouwen zonder pater Wulfrun. Ik vrees dat ze hen allebei zal afwijzen,' zei Gudrun. Tiordis draaide zich weer om.

'Laat me met rust, ik ben moe, ik heb buikpijn en mijn keel doet zeer. Laat haar haar gang maar gaan. Ik ben te moe om me er druk over te maken.'

'Maar moeder, na alles wat we hebben gedaan om ze bij elkaar te brengen... Er moet toch een manier zijn om dit tot een goed einde te brengen?' drong Gudrun aan.

'Laat me met rust... Laat me er een nachtje over slapen. Gun me even rust.' Tiordis zuchtte en verborg haar hoofd onder de deken. Het zou morgen allemaal vanzelf goed komen.

Ze werd de volgende ochtend op een vreemde manier verkwikt wakker. Haar keel deed nog wel pijn, maar haar maag was tot rust gekomen. In het schemerlicht lagen de overblijfselen van het nachtelijke feest en toen ze naar buiten schuifelde om te gaan plassen, zag ze het wintervuur nog volop branden en de rook in de koude lucht omhoogkringelen. Het was een uitstekende ochtend om nog te leven en ze giechelde bij zichzelf.

Torkel lag bij het vuur te snurken met zijn honden om zich heen. Zijn broer en zijn familie waren nog half-bewusteloos van het drinkgelag van de vorige nacht. Ze pakte de zilveren hamer van Torkels nek en nam hem mee naar het licht. Toen maakte ze Gunnar ruw wakker en zei hem dat hij de blaasbalg in werking moest zetten, het vuur in de smidse moest aanmaken met gloeiende stukken van het vreugdevuur en het voldoende heet moest maken om een stuk metaal in vorm te krijgen. Toen het klaar was en naar haar zin, legde ze het op het ijs om het snel te laten harden. Tiordis glimlachte, tevreden over de verrichte arbeid. Misschien zat er toch nog leven in dat oude karkas van haar.

Bea stond over de besneeuwde velden uit te kijken en de laatste buren uit te zwaaien die op weg gingen naar hun her en der in de bergen verspreide boerderijen. Het feest was voorbij en het werd tijd om de slee in te pakken, voor de kinderen te zorgen en voorbereidingen te treffen voor haar eigen trieste tocht. Haar hart bonkte. Ze kon de aanblik van Torkels blonde schoonheid, zijn hoge jukbeenderen, zijn dichte wimpers en zijn ondeugende ogen niet verdragen. Hoe kon ze weglopen van zo'n aanbod?

Het vreemde was dat, terwijl zij hem de afgelopen dagen in het oog had gehouden, hij onaangedaan was door haar gemoedstoestand, zo onbewogen als de stenen grenspaal in de lager gelegen akkers, recht en trots. Het kon hem niet schelen of ze ja of nee zou zeggen. Zijn ogen stonden kil wanneer hij naar haar keek, en wanneer ze elkaar aanraakten was er geen sprake van warmte en was er ook van haar kant geen enkele sprake van opwinding. Om eerlijk te zijn hadden ze elkaar niet veel te zeggen.

Zij lag de hele nacht te draaien en te woelen en hij zag eruit alsof er niets was gebeurd wat zijn slaap kon verstoren. Het was wreed dat ze deze heerlijke plek en deze vriendelijke mensen moest verlaten. Nu ze een vrij mens was, kon ze terugkeren naar de vallei en haar eigen weg gaan. En dan was Gunnar er ook nog.

Verstikt door tranen en zoekend naar de juiste woorden om hem op een vriendelijke manier af te wijzen, zocht ze zich een weg naar de deur van de smederij. Ze zou zijn vriendschap missen. Hij keek naar haar op met zijn schaapachtige grijns en heldere ogen.

'Bea, ik hoop dat je begrijpt wat er gisteravond aan de hand was. Dat was de mede die sprak,' zei hij, en hij pakte haar hand. 'Ik vind je een buitengewone vrouw en ik weet dat Torkel je goed zal behandelen. Je hebt zijn moeder het leven gered en daar zijn we je allemaal dankbaar voor...'

'Zeg maar niets meer,' onderbrak ze hem terwijl ze zich van hem af keerde omdat ze hem niet in de ogen durfde te kijken. 'Ik moet iets zeggen...'

'Een vrouw moet weten wanneer ze haar mond moet houden,' hield Gunnar aan. 'Het zou niet juist zijn wanneer je vertrok zonder een teken van zijn goede bedoelingen. Je vindt zijn halsketting mooi. Ik heb hard gewerkt en ik denk dat hij je zal bevallen.'

'Nee, nee, dat kan niet,' zei ze schor door haar tranen heen. 'Ik kan de hamer van Thor niet aannemen.'

'Kijk er dan tenminste naar. Is het geen prachtig gedraaid zilver? Wanneer je trouwt zul je je eigen tekens krijgen. Doe je hand open en kijk,' zei hij glimlachend terwijl hij het metaal in haar handpalm drukte.

Ze deed voorzichtig haar vingers van elkaar; ze durfde zo'n heidens symbool nauwelijks te aanschouwen, maar ze zou even kijken en het vervolgens teruggeven. Verbaasd streek ze er met haar vingers over. Ja, ze voelde die vervloekte hamer, maar de vorm was veranderd, en hij was korter geworden en bovenaan was het zilver tot een eenvoudig kruis gesmeed, een glorieus, triomfantelijk kruis.

'Ik begrijp het niet... Hoe kan dit? Waarom heb je dit gedaan?' Ze keek hem vragend aan. Er lag een melancholieke blik in zijn ogen.

'Tiordis heeft me gevraagd hem voor hem te veranderen. Misschien is jouw god machtiger dan die van ons. Ik weet het niet, maar ik hoop dat dit in jouw ogen voldoende is,' zei hij terwijl hij haar hand greep en dicht bij zijn borst hield. 'Bewaar hem goed tot jullie getrouwd zijn. Ik wens je het allerbeste.'

Bea gaf het voorwerp plotseling terug, alsof het gloeiend heet was.

'Nee, ik wil zijn symbool niet. Ik wil niet trouwen met een man die zijn moeder zijn problemen laat oplossen.' Ze keek met weerzin naar de halsketting. 'Ik wil een echtgenoot met wie ik 's morgens vroeg kan praten en die me neemt zoals ik ben, in plaats van te lachen om mijn zwakheden. Torkel Leifson is knap, maar zijn ogen zijn koud. Hij geeft niets om me en zijn moeder wil alleen maar een extra hulpje. Ik dacht dat het was wat ik wilde, maar nu weet ik dat niet meer zo zeker. Ik wil een man die ook mijn vriend is.'

Ze draaide zich om en wilde weglopen, maar Gunnar liep achter haar aan.

'Maar ik ben je vriend... Bea,' riep hij, en ze bleef staan en draaide zich weer om.

Ze keek naar de stevige, kleine man met de armen als boomstammen. Om zijn nek hingen geen hamers of andere symbolen.

'Precies. Dat weet ik heel goed, dus breng dit maar terug naar mevrouw Tiordis. Ik kan maar beter gaan en naar dat andere haardvuur vertrekken. Je weet waar je me kunt vinden... als je dan nog ongeschonden bent.' Ze rende ervandoor en voelde zich plotseling lichter en vrij.

Tiordis Sveindottir had het allemaal vanuit de deuropening met een wereldwijze glimlach gadegeslagen. Kon haar wijsheid maar zo dansen op de wind als dat meisje. Deze meid was niet anders dan al die andere: een draaiend wiel, altijd in beweging. Er ging niets volgens plan en er zou geweldige opschudding ontstaan als Torkel zag uit welke hoek de wind waaide, maar ze kon hem wel aan.

Er was nog veel voor haar te doen. Het Walhalla zou nog even moeten wachten.

3

BIJ DE ZIJSTAL

Ik denk het liefst dat Bea de juiste keuze heeft gemaakt, als ze al heeft gekozen. Hartstocht is niet alles in een relatie. Vriendschap en uithoudingsvermogen spelen ook een rol wil een huwelijk overleven, vooral tegenwoordig en in hun tijd. Ik heb geen bewijzen die de afloop van mijn verhaal staven, behalve dat vrouwen echt iets te zeggen hadden in hun eigen huis. Die eerste kolonisten hebben alleen maar plaatsnamen nagelaten. Er zijn geen grafgeschenken gevonden, geen munten, er is nog geen noordse spijker opgedoken, al is er wel een loden gewicht waarvan we denken dat het uit de vikingtijd stamt.

Wintersett, Gunnerside Foss en Snay Gill zijn de namen die ze ons hier hebben nagelaten, en van de oude bijgebouwen wordt gezegd dat ze van het longhouse-type zijn. Het vee in de stallen heeft eeuwenlang de muren van deze stenen huizen verwarmd met hun lijven en adem. De noordse indringers woonden graag afgelegen, zoals wij, en op middagen zoals deze, wanneer de decemberzon laag aan de hemel staat en de grijsgroene heuvels in vuur en vlam zet, kan ik hun aanwezigheid voelen.

Ik romantiseer niet. Er hangt een adembenemende kou in de lucht, die mijn vingers gevoelloos maakt en me terug doet vluchten naar de boerderij, dankbaar voor de warmte van het stenen fornuis. Zij hebben ook moeten vechten tegen deze kou en het moeilijke terrein, dat door de hoge ligging beter te verdedigen was dan de meeste, vloekend in een taal die nog steeds doorklinkt in onze eigen woorden en zinnen. Je kunt hun woorden in de taal van de vallei horen als je er oor voor hebt en geïnteresseerd bent in de plaatselijke geschiedenis. Ik hoop dat dat het geval is, anders is dit huis niet aan je besteed.

Ik mag graag geloven dat ik wat van hun bloed in mijn aderen heb, dat ze wat van hun kenmerken hebben nagelaten in de langbenige, stevige boeren met het gouden haar en een huid die verweert als leer en donkerbruin wordt in de zon.

Mijn tenen zijn nu gevoelloos en ik hoop dat Nik thee heeft gezet en een pot op het fornuis heeft laten staan – dik en sterk, zo heb ik het graag. We leven rug aan rug in dit huis, gescheiden van elkaar; moeder en zoon, Mozart en Bach, Stilton en Wensleydale: dat zijn wij, we kijken altijd allebei een andere kant op. We hebben een afspraak, een modus operandi. Ik ben dol op Latijnse frasen; ze zijn zo muzikaal, zo afgewogen, zo vloeiend. Maar ik dwaal af. Ik woon in het voorste deel van het huis, dat op het zuiden uitkijkt, aan de zonkant; hij woont in het achterste deel op het noorden. De hall met de plavuizen vloer is ons niemandsland, onze neutrale zone. De redenen voor dit alles ligt in onze eigen geschiedenis. Ik weet niet zeker of die wel voor de buitenwereld bestemd is. Je zult moeten afwachten.

We hebben wel geprobeerd de schijn op te houden toen er geïnteresseerden kwamen kijken, maar zoiets hou je maar een beperkte tijd vol. Wat een gemêleerd gezelschap was dat: een dokter hier uit de buurt, een consortium van projectontwikkelaars in spe die alles kochten waar ze maar de hand op konden leggen, een stel homofiele zakenmensen uit Londen die een vakantiehuis zochten en een stel dat een meditatiecentrum wilde beginnen. Ik ben de tel kwijtgeraakt van het aantal troosteloze gezinnen dat door de hall banjerde.

Toen verviel Nik weer in zijn oude slechte gewoonten. Hij liet zijn ondergoed aan het rek hangen waar iedereen het kon zien, zette de vuile vaat hoog opgestapeld in de gootsteen, en hij liet het voer liggen stinken in de etensbak van de hond. Het vereist inzicht en vastberadenheid om dergelijke luchtjes te negeren, maar dat is je gelukt. Je keek verder dan deze zwijnenstal met zijn stenen gootsteen, luchtjes en afbladderende muren, en zag wat er met de hulp van een professionele binnenhuisarchitect of zoiets van deze boerenkeuken gemaakt kon worden.

Het heeft geen zin om te proberen vochtplekken te verbergen. Wanneer je in een oud huis woont, heb je te maken met vocht, en iedereen die het tegendeel beweert is gek. Deze muren staan al minstens vijf eeuwen overeind en dat zullen ze ook nog wel een tijdje blijven doen, dus wordt maar niet zenuwachtig als de verf begint te bladderen. Doe gewoon wat men altijd heeft gedaan: kap het steen uit, laat luchtgaten zitten en repareer dan de lambrisering. Laat de muur ademen, dat is het hele eieren eten.

Laat ze ademen en hun eigen verhaal vertellen.

Als de muren konden praten, wat een verhalen zouden er dan uit stromen. Waar is dit huis in de loop der eeuwen niét getuige van geweest? Ik denk dat ik daarom dit schrift ter hand heb genomen: om te proberen de geschiedenis vast te leggen zoals het uitkomt, waar of niet. Ik wil delen wat ik van deze plek heb geleerd. Het gaat je verstand te boven als je probeert te bevatten welke emoties deze stallen en gebouwen allemaal hebben opgezogen: gewelddadige dood, hongersnood, epidemieën, pest, stormen en sneeuwjachten – en dat zijn alleen nog maar de natuurlijke rampen. De mens is in staat tot nog veel erger – verwaarlozing, misbruik, moord, vervuiling – wanneer hij aan zijn lagere instincten wordt overgelaten.

Met mijn zesenzeventig jaar heb ik genoeg menselijk lijden in de wereld gezien om te weten wat ieder van ons tijdens zijn leven te verstouwen krijgt, maar ik zie mezelf graag als iemand bij wie de emoties niet zo aan de oppervlakte liggen als schuim bij het maken van jam. Ik beschouw mezelf graag als een stukje van een oude ruïne: gehavend, maar trots en nog steeds overeind, regelmatig geteisterd door spijt, zoals deze oude dakleien kapotwaaien in de herfststormen, hard toe aan een opknapbeurt, maar er is geen geld en dit is het juiste moment om te verhuizen.

Wij, de Yewells, zijn een taai stelletje en we zullen de huidige neergang in ons bestaan wel overleven. Ik heb mijn eigen theorie over hoe onze naam in het dal is gekomen. Er stonden Yewels op de rol tijdens de Slag bij Flodden in 1513, ingeschreven als soldaten van Henry de Clifford, de Schapenheerser – boeren die met boog en hooivork in de linies stonden, eenvoudig, maar trots. Sommigen van hen moeten zijn teruggekeerd, want de lijn werd voortgezet; dezelfde oude namen duiken steeds weer op in de doopregisters: William, Christopher, Thomas...

Als ze al bij Flodden waren, moeten ze al aardig naam hebben gemaakt en goed hebben geboerd, en ik geloof dat ik weet hoe de eerste Yewell aan zijn naam is gekomen. Er is weinig bewijs voor mijn theorie. De naam duikt voor het eerst op in de duistere geschiedenis van Yorkshire, toen Engeland en Schotland elkaar naar de keel vlogen en dit gebied het slagveld werd waar oorlogvoerende koningen en stelende plunderaars hun gang gingen. Het was de tijd dat de abten regeerden en de heuvels wemelden van de schapen en vet vee.

Wintersett moet niet meer zijn geweest dan een groepje plaggenhutten die dicht bij elkaar stonden ter bescherming tegen de vier winden, precies op het pad van graaf Murray en Black Douglas, die twee plagen met hun plunderende ruiters die uit het noorden kwamen en overal in deze riviervalleien en hooglanden dood en verderf zaaiden.

Soms hoor ik de kreten van doodsbange vrouwen in de wind en dan huiver ik wanneer de zon achter de heuvels verdwijnt en ik weer naar de keuken vlucht om warm te worden. De liederen die zij bij hun wintervuren zongen klinken in mijn oren – vreselijke klaagliederen die in de donkerste maanden worden gezongen, wanneer de wind knaagt als de honger en er aan de nacht geen einde komt.

4

MIDWINTER
1319

Jezus zijt gij geheten. Ah! Ah! die wonderschone naam...
Ik vernam van de bron van rijkdom, maar vond Jezus niet.
Ik verbleef te midden van wereld s vermaak en vond Jezus niet...
Daarom sloeg ik andere wegen in en kwam Armoede tegen,
en daar vond ik Jezus, puur en rein, ter wereld gekomen en
gelegen in een kribbe, in lappen gewikkeld.

RICHARD ROLLE (1290-1349)

Bessenbier

Kook een handvol geplette haver in een kwart pint water,
snipper er wat kruiden door, smeerwortel is het beste.
Giet het al kokend in een gelijk deel heet bier, voeg
zoetigheid toe, gedroogde bessen, honing of nootmuskaat.
Drink zo heet als de mond kan verdragen en laat u
vertroosten.

De wind geselt ons vanuit het noorden, maar ik geloof niet dat ze van de winter nog een keer komen, die kobolden te paard, die rovers en hun volgelingen die als een vlucht kraaien neerstrijken op onze boerderijen op jacht naar ons schamele linnengoed en wollen kleding. Ik kan een volgende overval niet verdragen, maar ik tuur over de vallei naar de bergrug aan de overkant op zoek naar rook en vuur. Er is tijd genoeg om de kookpot, de huiden en de oude mensen te pakken en ze naar de hooggelegen grotten te brengen tot het ergste voorbij is.

De laatste keer verrasten ze ons bijna in onze slaap. Er was nauwelijks tijd om het vee weg te jagen, de ooi veilig te stellen en Wintersett te ontvluchten terwijl de monniken de alarmklok luidden om de bevolking in de vallei te waarschuwen.

Ze zeggen dat de koning de Slag bij Bannockburn verloren heeft; er zijn er maar weinig van de oorlog teruggekomen naar de valleien. Onze boogschutters zijn met hun koning gevallen. Mijn Will was ziek van de koorts en is dus niet met de troepen meegegaan en nu leeft hij nog, verzwakt, maar klaar om de zijnen te beschermen. Het lijkt wel of God zich van deze valleien heeft afgekeerd.

De monniken zijn bang en vluchten samen met ons, jagen hun vee naar de hooggelegen gebieden, waar het de overvallers te veel tijd kost om ze bijeen te drijven. Sommige jonge lekenbroeders verstoppen zich in de boomtoppen en kijken toe terwijl de schaapskooien worden geplunderd en hun onderkomens in brand worden gestoken.

Ze zijn op het vee uit, vette runderen die ze boven het vuur kunnen roosteren en die huiden opleveren waarvan ze leren buizen en schilden kunnen maken, en op ijzer dat ze van ploegschaar weer kunnen omsmeden tot zwaarden.

De Heer zal mijn echtgenoot oproepen deze duivels te achterhalen en uit te roeien voor zij de grens oversteken en zo de vrouwen en kinderen overleveren aan de genade van de achterblijvers die van onze koolvelden roven en de kleren nog van ons lijf stelen. Ik zeg je: hun doden zijn het niet waard om in heilige grond te worden begraven. Hun lijken zouden als honden achtergelaten moeten worden, zodat de raven hun gebeente schoon kunnen pikken.

Ze zeggen dat honderd Engelsen op de loop gaan voor een paar Schotten, maar niet mijn Will of zijn verwanten, een goede herder laat zijn kudde nooit in de steek. De mannen in deze valleien hebben te veel vechtersbloed in hun aderen om op de vlucht te slaan. Waren onze verre voorvaderen immers geen krijgers uit het westen, die de weg overzee hebben gezocht om een nieuw leven te beginnen? Die geven niet toe aan dieven. Het is al moeilijk genoeg om je kostje bijeen te schrapen op deze magere grond, de rotsen en in de regen. We hebben niet onze hutten gebouwd, draagbalken gelegd en onze daken bedekt met riet om alles in vlammen te zien opgaan en het land braak te zien liggen door toedoen van heidenen.

De Heer heeft ons dit jaar drie keer gekastijd, ons gestraft voor onze zelfgenoegzaamheid, en dat heeft zelfs geleid tot de dood van sommigen hier in dit gebied: overvallers die ons 's nachts besluipen, hongersnood door overvloedige regen en overstromingen waardoor het graan rotte op het veld en niets rijpte door het gebrek aan zon. Toen kwamen ziektes en de veepest, die onze ossen en runderen doodde, ze vol etterende builen achterliet, waardoor ze niets meer waard waren voor de ploeg. Dat allemaal bracht ziekte en dood voor jong en oud.

Ik heb geen idee waar we een dergelijke straf aan hebben verdiend en nu wachten we angstig af tot de plunderaars voorbij zijn getrokken, als insecten die het alleen maar verdienen om vertrapt te worden.

Hoe vaak ben ik al niet teruggekropen naar de hut, of wat daarvan over is, en in tranen uitgebarsten vanwege de verwoesting, het nog rokende dak, de ingevallen muren en de vloeren die alleen maar voor de lol kapot zijn gemaakt. Ik begrijp zulke beestmensen niet. Sommigen kunnen het niet meer verdragen en verzamelen zich in groepen en trekken als een kudde schaapachtige bedelaars naar de poorten van de stad, alsof ze zwervers en vreemdelingen zijn, en smeken om medelijden en hulp. We zien ze langstrekken als verdwaalde schapen; triest kijkende kinderen in lompen, die blootsvoets en met een doffe blik in hun ogen om broodkorsten bedelen bij de monniken en ons waarschuwen voor wat ons te wachten staat.

Ik, Nan van Wintersett, zal niet wijken van mijn grond of mijn familie. In vroeger tijden is de Heer zijn nederige dienaren zeer genadig geweest en heeft ons een woonplaats dicht bij de monniken gegeven met hun schaapskooien en kapel. We mochten bij de open deur staan en de dienst meebeleven, zagen hoe de adventbeelden van deur tot deur gingen. We hadden melk en kaas, wol om te spinnen, kleren voor onszelf, en deden ons tegoed aan haverkoeken, soep en vlees op feestdagen.

Nu is er niets meer om te delen. De schaapskooien liggen in puin, de kapel staat leeg, al sluipen de monniken telkens weer terug om reparaties te verrichten.

De winter is bitterkoud hier op de hoogvlakte. Zonder dak boven ons hoofd, zonder een stookhut, zullen we zeker verkommeren. Will zoekt naar struikgewas en brem, alles om het vuur maar brandend te houden.

We lappen de muren op met turf, plaggen en stenen. Die Schotten hebben alles wat branden wil meegenomen voor hun eigen vuren.

Mijn hart loopt over van haat en angst vanwege hen. Er doen vreselijke verhalen de ronde over hun wreedheid; vrouwen die zijn verkracht en vermoord, een man die in zijn eigen hut is verbrand terwijl zij erbij stonden te kijken en te lachen, kleine kinderen die aan het zwaard werden geregen. Ze zeggen dat een vrouw verderop in de vallei een kind heeft gebaard met twee hoofden en één lijf omdat ze door twee mannen tegelijk was verkracht.

Geen wonder dat mijn eierstokken zijn verschrompeld en ik net zo onvruchtbaar ben als het land om ons heen. Hoe kunnen kinderen opgroeien in zo'n angst, terwijl je man naar believen van de Heer her en der wordt gestuurd om achter die onmensen aan te gaan. Tot nu toe hebben ze nog niet eens een wild zwijn gevangen voor de kookpot.

Het is niet makkelijk om steeds maar te beven van angst, je af te vragen of ze in de winter zullen komen. De diepe nachtelijke duisternis en de kou die doordringt tot in je botten moet ook hen aan hun vuur kluisteren, weggekropen in hun holen terwijl ze zich tegoed doen aan hun buit, dus ik moet niet klagen. Ik heb te veel pijn en heb het te koud om te mopperen.

Met z'n allen hebben we kans gezien een paar kostbare kazen achter te houden en er is schapenmelk en wat armzalige haver voor de pap. Geen dier is veilig voor onze strikken. Onze schapen grazen veilig op de hoogvlakte, maar ik tel de dagen tot het feest van Christus' geboorte en de warmte van gekruid bier en geroosterd vlees. We leven alleen nog maar voor iets warms op onze tong, een slokje uit de bierpot en iets anders om op te kauwen dan roggebrood. Tot het zover is moeten we blijven zoeken naar kreupelhout en wortels voor de kookpot. Ik kan soep maken van een leren lap, als het moet, alles om maar iets in de maag te hebben en de dood op afstand te houden.

Voor sommigen is het al te laat en de oude moeder Alice ligt te slapen en wacht tot het haar beurt is. Ze ziet visioenen en roept de namen van hen die allang dood zijn.

'Nan! Nan, zie je dat? Oude Tom is gekomen om een eindje met me te gaan wandelen.' Ik klop op haar hand. Haar verstand gaat met haar op de loop, maar ze is gelukkig. Ik moet om haar huilen en om mezelf, omdat we in zulke gevaarlijke tijden leven.

Wat hebben we gedaan dat we zo'n straf over ons hebben afgeroepen? Het is alsof een diepe duisternis over ons is neergedaald, net zoals de dikke mist van de heuvels komt rollen en zich verspreidt. Dan zien we geen hand meer voor ogen en kunnen geen vriend meer van vijand onderscheiden. We hebben de toorn van de Heer gewekt en Hij geselt onze rug.

Mijn vriendin Mal zegt dat het slecht is om over zulke dingen te praten, maar ik vraag broeder Timotheus of het slecht is om te willen weten waarom we lijden. Ik mag broeder Tim het liefst van alle monniken, hij is vriendelijk en zorgzaam en neemt de tijd om met de ouderen rond het haardvuur te praten. Hij is geen sterke broeder, met een dikke nek en dikke armen. Zijn habijt is versleten en zit onder het vuil, en ik zie dat hij zijn neus optrekt, alsof hij een hekel heeft aan zijn werk.

'Wanhoop niet,' zegt hij. 'Het zijn tijden van beproeving, een test van ons geloof in Zijn Voorzienigheid. We zijn onachtzaam en dik geworden over de ruggen van onze schapen. Over de hele wereld wilden de mensen onze wol. We voeren er allemaal wel bij en we zijn lui geworden, overvoed. De broeders zijn gemakzuchtig geworden en verzaken hun plicht, hebben hun gekrompen habijten afgeworpen en verruild voor dikke wol. Hij die nooit slaapt zag onze lichtzinnigheid en brengt ons weer bij de les. Hij heeft zijn gunsten ingetrokken. Op de zeven goede jaren die achter ons liggen volgen nu zeven magere jaren, zodat een ander Zijn Genade kan ervaren.'

Ik hoor de woorden van broeder Tim, maar ik heb nooit geweten wat het is om een volle buik te hebben, behalve tijdens Kerstmis. Ik heb maar één stel kleren. Ik heb nooit een moment van nietsdoen gekend. Hoe kan het dat ik de schuld krijg van hun zonden?

Dat zijn mijn gedachten terwijl ik zoek naar wortels, groente en rotte bessen, en Will planken voor de gaten in de muur maakt en de tochtgaten probeert dicht te stoppen met schapenwol waaraan de mest zit vastgekoekt. Het vuurvat zal ons redden, als we maar kans zien het brandende te houden. We slapen dicht in de buurt van de gloeiende as die is ingepakt met plukken varen en twijgen – alles om het vocht en de nattigheid tegen te houden. Ik durf niet te slapen uit angst dat die duivels komen en ons vermoorden op de plek waar we liggen.

God, wees ons zondaren genadig, verhoor mijn gebed, want ik ben nog niet klaar om dit huis en deze haard achter te laten, niet zonder een kind dat me opvolgt en volwassen is geworden. Ik verwacht niet dat er veel in leven blijven, maar één is toch niet te veel gevraagd van Hem die wonderen kan verrichten en uit een maagd geboren is.

Will en ik zijn nog jong en we kunnen goed dienen. We hebben een prima stal en stenen muren, en we zullen niet naar het dal gaan om te bedelen, niet zolang deze plek nog overeind staat.

De haat voor de Schotten houdt me 's nachts warm. Als ze ongewapend op mijn pad komen, zal ik er een met mijn blote handen doden, echt waar.

Binnenkort is het Kerstmis, maar het zal een slechte tijd zijn. Reken niet op feesten en vieringen of de processie van de Heilige Maagd en haar heiligen die aan je deur komen; er zal niet worden gedanst en er zal ook geen joelbrood zijn. Wie heeft er nou meel en kruiden of zelfs maar een oven om in te bakken? De broeders hebben nauwelijks genoeg voor zichzelf, maar hoe moeten we zonder hun liefdadigheid het koudste deel van het jaar overleven?

Broeder Timotheus kon niet slapen. Zijn maag knorde en zijn voeten waren zo koud dat ze pijn deden en hij verlangde naar iemands benen die zijn voeten konden verwarmen. Het zou al snel tijd zijn voor de metten en hij moest de overige broeders wekken voor de mis. Hij gluurde door de luiken en zag de maan opkomen aan de hemel, een maan die als een lantaarn zilveren schaduwen wierp over de grijs bevroren hellingen. Hij had het gevoel dat hij helemaal alleen was op de wereld en een grote schuldenlast op zijn rug met zich meedroeg die hem uit zijn slaap hield.

Was hij maar terug in het moederhuis aan de Ribble, met een ganzenveer in zijn hand in plaats van een herdersstaf. Hij kon het gezang en het gekras van de pen horen, de geur van verf en het perkament ruiken, terwijl de geordende dag ongemerkt voorbijging. Het was zijn eigen schuld geweest en die van niemand anders toen hij zijn roeping negeerde en zijn gelofte verried.

Nu moest hij zijn straf ondergaan op deze kale hellingen, omringd door stinkende schapen, werkend met zijn handen tot ze vol blaren zaten en ruw werden, zwervend over de hoogvlakte terwijl hij erop toezag dat de lekenbroeders hun werk deden en niet lagen te slapen in de beschutting van de een of andere stenen muur. Nu probeerde hij deze buitenpost te behouden in weerwil van de dreiging uit het noorden. Kwamen ze maar uit die richting, maar ze doken op uit het zuiden en het oosten en het westen, meestal op weg naar huis wanneer ze gebrek hadden aan veevoer en eten, en altijd uit op buit.

Hij had vernomen dat het klooster het zwaar te verduren had gehad en hij had geruchten gehoord van doden onder de broeders. Niemand kon zijn belasting betalen, of de pacht, en de graanschuur was door het vreselijke weer al leeg genoeg voor de plunderingen begonnen. Een marskramer bracht het nieuws dat de abdij een jaar vrede had gekocht en de mannen van de graaf van Murray goud hadden betaald zodat ze zouden vertrekken. Wat was er van zijn vrienden geworden, en in het bijzonder van broeder Aleyn? Hij had niets gehoord. Hoe kon dat ook als hem verboden was met wie van hen dan ook te communiceren.

Maar dat kon hem er niet van weerhouden daar in de duisternis te liggen en die grijsgespikkelde ogen en lange wimpers voor zich te zien, zich te herinneren hoe keurig Aleyns witte habijt eruit had gezien en de verlegen blikken die ze wisselden terwijl ze in nauwkeurig schrift aan de boeken werkten. Wat hadden ze het inktpoeder en de wortels van de meekrap gemalen en geroerd tot er een schitterende kleur ontstond waarin alle tinten van de regenboog werden weerspiegeld.

Een dergelijke kameraad hebben, zo'n vertroosting voor het hart, zo'n leeftijdgenoot die elke dag aan zijn zijde stond, was een van de geneugten van zijn roeping. Hadden ze maar gewoon vrienden kunnen blijven en was er maar niet in het diepste geheim een passie ontstaan die zo lichamelijk werd dat ze het bed deelden en vreugde vonden in de genoegens van het vlees. Wie had er behoefte aan eten en drinken en spirituele diensten wanneer hij dagelijks zijn geliefde kon aanbidden? Was hun extase maar niemand opgevallen. Maar een dergelijke passie is als een laaiend vuur, een fakkel die de aandacht trekt. Die kan niet lang verborgen blijven.

Plotseling waren er lelijke woorden en straffen, scheiding en de vreselijke pijn van verloren hoop. Tim werd verbannen naar een schamele buitenpost in de heuvels om zijn hartstocht te laten bekoelen en zich te bezinnen op de zonden van zijn ziel. Hoe zou hij niet bitter kunnen zijn? Hij had er nooit om gevraagd in het klooster te gaan. Dat was zijn lot, omdat hij de jongste was, de minste onder zijn broers. Hij was een goede wetenschapper en zong met een hoge stem. Hij was dol op het scriptorium, maar de cisterciënzers vormden een strenge orde, beroemd om hun boerderijen en hun veeteelt, en dit was nu de plek waar hij zijn dagen in nederigheid moest vervullen als hoeder van een kudde nooddruftigen die voor hun overleving van hem afhankelijk waren.

De ambachtsheer had er al moeite genoeg mee om zijn eigen huishouden bijeen te houden en kon niets missen om hen te helpen. Zijn dagen waren zo vol en uitputtend dat slaap een zegen zou zijn geweest, als die maar was gekomen. Hij had vreemde dromen over broeder Aleyn die aan het mes geregen werd, gewond, stervend, zijn naam lag te roepen, en dan werd hij huilend van verdriet om hun scheiding wakker. Aleyn was vriendelijk en deed geen vlieg kwaad, en Tim zou zijn hemelse Vader willen straffen voor het lijden dat hen werd aangedaan.

Soms wilde hij de heuvels in vluchten en zijn witte habijt achterlaten, maar hij was geen lafaard en kon zijn kudde niet in de steek laten. Werden zij immers niet gestraft voor het feit dat hij alleen zijn gelofte had gebroken en zijn geloof had verloren? Het uitvoeren van de rituelen was gemakkelijk genoeg. Dat was een litanie van woorden zonder betekenis, in een vreemde taal die niet zijn moedertaal was. Bitterheid brandde als gal in zijn keel. Het was allemaal zijn schuld.

Sinds hij in het dal was aangekomen, waren er alleen maar stormen en orkanen geweest, vernielde oogsten, verkleumde lammeren die te zwak waren om te overleven, de veepest en dan nu de vloek van de Schotten. Het was alsof hij zijn eigen donkere wolk had meegenomen om duisternis te brengen waar hij maar ging.

De lekenbroeders en de pachters rekenden op hem voor hulp en hij had niets meer te geven. Hoe kon hij geven als de geldkist leeg was, het graan niet wilde rijpen? Zijn reserves waren net een opgedroogde bron, en nu was het midwinter en hij had niets te bieden.

Dit was de tijd dat het licht in de duisternis moest komen, maar er was weinig zonlicht en warmte. Vanbinnen voelde hij de zonde van de wanhoop, die zonde tegen de heilige geest die alle moed uit hem wegzoog.

Hij begon zijn slapeloosheid te gebruiken om met zijn mes figuurtjes te snijden uit gebroken, verdroogde takken. Dan zat hij daar, dacht aan niets, en wachtte tot het figuurtje uit het hout tevoorschijn kwam – schaap, os, paard en vogel. Die waren geschikt voor de kerststal, de heilige figuurtjes die in de kapel werden opgesteld ter ere van de geboorte van Christus.

Eerst waren het ruwe figuren, maar hij vond troost in het snijden, in de ontdekking van de gezichten, alsof ze al in het hout verborgen hadden gezeten en alleen maar wachtten om onthuld te worden. Hij vond Jozef in een blok espenhout en het Kindeke in een half-verbrand stuk wilg. Maria was lastiger. Ze kwam als gelijkenis van broeder Aleyn tevoorschijn, slank en met smalle heupen, en aanvankelijk schaamde hij zich, tot hij zag dat haar rug gebogen was van zorgen, niet van genot, en ze de uitdrukking had van die arme Nan van Wintersett die in haar gelaatsuitdrukking de zorgen van haar volk met zich meedroeg.

Nan was een vechter, een trouwe steun voor haar echtgenoot, Will de herder. Zij hield jong en oud bij elkaar en zorgde ervoor dat ze klaar waren om van de boerderij weg te vluchten. Nan wrong zich in allerlei bochten om haar kudde te eten te geven, maar hij had haar niets te bieden, behalve vrome woorden die geen magen vulden. Hoe kon hij een feest voorbereiden wanneer de angst hem tot in de kleine uurtjes wakker hield?

Hij had een heel tableau van figuren tot leven gewekt en begon ze tevreden glad te schuren. Wat had hij ze graag geschilderd: lapus lazuli voor Maria's mantel en goud voor het Kindeke Jezus, maar dergelijke opsmuk bestond niet in deze primitieve onderkomens en hij moest zich tevredenstellen met lamsvet, dat hij in de nerven wreef om nog wat glans aan de figuren te geven. Een serie schaapherders en wijzen zou nog even moeten wachten voor ze uitgesneden konden worden; eerst moest hij iets zien te vinden voor het midwinterfeest. Hij had zijn trots laten varen en pen en perkament opgenomen om het moederklooster om hulp te smeken, te pleiten voor zijn dienaren, wilde hij ze voeden. Er was geen antwoord gekomen en hij wist dat ze voor zichzelf zouden moeten zorgen. Hij zou vlees vinden, al moest hij honden naar de landerijen van de ambachtsheer sturen om in het geheim te jagen en te stropen in zijn bos en zijn rivier. Wat niet weet... Dit was een tijd dat een man voor zichzelf moest opkomen of de hongerdood moest sterven.

Nog maar een paar jaar geleden zouden de boeren hun eigen bijdrage meebrengen, iets meebetalen aan het feest, elk naar draagkracht en stand, maar die tijd was voorbij. Wat ze nu nodig hadden was een wonder, of een teken dat God hem zijn zonde, zijn dwaling van het smalle pad, had vergeven. Hoe kon hij beloond worden als hij nog steeds woede voelde en geen berouw? Hij had van Aleyn gehouden zoals Nan van haar Will. Was het niet genoeg dat hij voor altijd uit zijn nabijheid was verbannen?

Ze waren bezig de kapel te repareren, maar nu hadden ze alleen de grote schaapskooi om als zaal te gebruiken. Ze konden de balken versieren en een paar doedelzakken en trommels bij elkaar krijgen, een vuur maken waar ze met z'n allen omheen konden zitten en wat varens verzamelen om het brandende te houden. Ze zouden de mis zingen en de figuren zouden volgens traditie worden rondgedragen; niet dat iemand dit jaar bogen van hulst of beeldjes zou hebben om te laten zegenen. Er waren er nog maar een paar die een deur hadden die nog overeind stond. Ze moesten de figuren zien om het verhaal te kunnen begrijpen, maar diep in zijn hart was hij ziek van honger en ongeloof. Hoe kon in deze duisternis licht schijnen?

'O dies irae, dag der wrake en rampspoed, dag van totaal verlies en schande... Wie zal ons verlossen?' verzuchtte broeder Timotheus terwijl hij zijn ronde maakte door de slaapzaal en de jongens weinig enthousiast wakker schudde.

De reizigers kwamen uit de wolken, als ijsmensen het bevroren pad af gerold terwijl ze een kar voor zich uit duwden. Ze waren gehuld in lompen en gescheurde mantels, en hun voeten waren ingepakt met mos en in lappen gewikkeld. Ze waren door valleien en hoogvlaktes getrokken, door verlaten dorpen waar niemand hen verwelkomde en zich vergaapte aan hun verbijsterende kunsten, hun vuurspuwen, acrobatiek, maskerades en goocheltrucs, niemand om hun zakken vol kostuums en rinkelende belletjes te bewonderen. Ze dronken uit de bevroren beken, stroopten wat ze maar te pakken konden krijgen om boven hun nachtelijke vuur te roosteren, verborgen zich in de bossen bij de nadering van paarden, want het gonsde overal van de geruchten. Ze wisten dat ze zich verre moesten houden van het geringste teken van de Schotse horden.

De dwerg sloeg op de tamboerijn om zijn handen warm te houden en kwade geesten te verjagen. De jongen die een cape droeg die twee maten te groot voor hem was, stond apart en de minstreel en het danseresje zongen om moed te vatten.

'Het is nu niet ver meer,' riep de meester. 'De abdij is aan dit pad. Daar zullen we kunnen overnachten. Ze zullen blij zijn met onze kunsten en toneelspel.'

Op het platteland werden ze in kersttijd overal vriendelijk ontvangen. Toneelspelers waren zeldzaam en nieuws van elders werd net zo gretig ontvangen wanneer ze door een nederzetting trokken. Voor dans was muziek nodig en het kon hun niet zoveel schelen als een snaar vals klonk of brak en hun teksten onduidelijk klonken door te veel wijn en ze slordig werden uitgesproken.

De laatste paar jaar bood slechts een enkeling hun een slaapplaats bij het vuur en werden ze uitsluitend achtervolgd door het geknor van hongerige magen, de angst voor vreemdelingen en jankende honden die hen in de kuiten probeerden te bijten. Dan waren er ook nog troepen bedelaars die met hen op de vuist gingen voor een korst brood en de fatsoenlijke kleren die zij zo handig achterover hadden gedrukt. Eendracht maakt macht, en de bedelaars waren geen partij voor de groep. De hongerlijders boden geen weerstand en sloegen voor hen op de vlucht.

De groep had nog maar de helft van zijn oorspronkelijke omvang, er kwamen mensen bij en er gingen mensen weg en ze kenden nauwelijks elkaars naam of talenten, maar ze bleven bij elkaar in tijden van gevaar en trokken naar streken waar de lucht droger was en stadsmuren wenkten.

Alleen de dwerg en het stelletje waren er vanaf het begin bij. De jongen was op een nacht uit het niets opgedoken en zei weinig, maar dat maakte niet uit, aangezien hij buitelingen en flikflaks kon maken; hij kon jongleren en op elk soort muziek dansen. Hij bemoeide zich niet met de anderen, alsof hij bang was voor gezelschap. Hij was niet meer dan een mager kind met meisjestrekken en geschoren hoofd, korsten op zijn hoofdhuid en rode vlekken in zijn gezicht, nauwelijks haar op zijn kin.

De laatste tijd struikelde hij vaker dan dat hij buitelde en hij danste niet altijd als het ritme van de trommel klonk; zijn gezicht werd bleek en zijn ogen stonden hol. Hij droeg zijn mantel als zijn schaduw, om zich heen gewikkeld tegen de bittere kou. In het begin at hij niet veel, maar nu was hij voortdurend uitgehongerd en altijd op zoek naar eten.

Hij zei dat hij uit het hoge noorden kwam en zijn ijle stem klonk melodieus en zangerig. Hij had de Schotten van dichtbij gezien en hij huiverde wanneer hij over hen sprak; Black Douglas en de mannen van Murray, Robert Bruce en de *chevaldores*, zijn bandieten te paard. De *leather jackets* namen geen gevangenen. Dan haalde de jongen zijn neus op, keerde zich van hen af en verdween in de nevel van zijn eigen gedachten. Ze hadden hem Mistel genoemd, naar de zanglijster met de gespikkelde borst, maar hij haalde alleen maar zijn schouders op en vertelde zijn werkelijke naam niet. Niemand van hen had ooit zijn echte naam gebruikt. Die was allang vergeten.

Ze noemen me Mistel. Dat kan me niet schelen. Wat weten zij nu van mijn tocht? Ik ben het hele land van noord naar zuid door gelopen om mijn herinneringen achter me te laten. Ik ben doodziek van de turf en de moerassen, beekjes en ravijnen, van kaarsrechte wegen en slingerende paadjes. Ik ben doodziek van het rondtrekken met deze armzalige troep, maar ik kan niet achterblijven voor het geval ze weer achter me aan komen. Ik wou dat ik wist wat me de laatste tijd scheelt. Het lijkt wel alsof alle kracht uit mijn lichaam is gezogen, alsof ik vanbinnen een grote steen met me meedraag. Mijn benen doen pijn en mijn rug protesteert en doet pijn. Wat was ik in het begin misselijk van angst, maar nu kan ik de leegte in mijn maag niet meer verdragen. Ik kan het niet opbrengen te eten terwijl ze kijken, dus ik verberg mijn eten voor hun aanblik. Ik laat niet graag sporen na voor het geval die plunderaars weer achter me aan komen. Ze denken dat ik dood ben en dat scheelt ook niet veel. Het is al maanden geleden dat ze de hall binnendrongen en mijn heer hebben vermoord, hem doorboorden als een varken aan het spit. Mijn familie is alle kanten op gejaagd en ik weet niet wat er van hen is geworden. Ze hebben me het mes op de keel gezet, maar me niet meteen vermoord. Ze deden wat alle krijgers met hun gevangenen doen. Toen lieten ze me voor dood achter.

Ik stierf niet. Ik ga niet dood. Ik zal over de aarde rondwerven tot mijn benen eraf vallen en mijn botten verpulveren, tot ik smelt als sneeuw voor de zon. Ik kan niet lang blijven. Ik moet vluchten voor wat ik heb gezien, aangeraakt en gedronken van de wreedheid van de mens. Ik moet mijn ogen reinigen van de aanblik van die beesten. Jongleren en ravotten en de trucs doen die ik in de hall heb geleerd bieden weinig troost.

Alleen wanneer ik eet, kan ik slapen en de vreselijke pijn in mijn lendenen vergeten en het gewicht waar ik aan kapotga, maar om te kunnen eten moet ik dansen en buitelen en mijn brood verdienen om de honger te bestrijden en mijn pijn te verzachten.

We zijn vriendelijk ontvangen door vrouwen die zaten te springen om nieuws en de troost van liedjes. We hebben haat en angst gezien bij herbergiers en soldaten die ons met verachting terzijde schuiven en honden op ons afsturen die naar onze benen bijten en onze kleren scheuren. Met kinderen kan het alle kanten op. Sommigen heb ik verhalen verteld terwijl ze op mijn knie zaten, maar hun broers gooiden met stenen en scholden ons uit.

De nachten worden langer en de kou heeft ons in zijn greep; ik bid om wat warmte en een vuur waarin het joelblok brandt, warm bier om onze verkleumde botten te verwarmen en soep om de leegte in mij te vullen. Het is zwaar om van de hand in de tand te leven en niet te weten wanneer je weer onder een dak zult slapen. Het hele noorden weet nu wat ik heb doorgemaakt. De mensen hebben niet meer zo'n grote mond nu ze de Schotse honden aan het werk hebben gezien. Velen zijn tot armoe vervallen. Sommigen delen het weinige dat ze hebben, anderen zeggen: 'Ieder voor zich', en we weten nooit wie of wat ons te wachten staat.

De meester had beloofd dat we in de riviervallei onderdak zouden vinden, maar dat was niet het geval. Ik voel me hogerop veiliger. Daar is het licht helderder en de vuren geven gevaar aan. Binnenkort beginnen bij de wintervuren de twaalf dagen van kerstviering, dus hebben we de oude toneelstukken gerepeteerd.

Sint-Joris zal de Turk verslaan, de tovenaar zal hem uit de doden opwekken, we zullen drinkliederen zingen. Er zal eten zijn en vuur, een tijdje beschutting tegen de koude wind.

We maken onze gezichten zwart en trekken langs de deuren. We zullen ongetwijfeld welkom zijn, want we vertellen het verhaal van de zon die weer hoger komt, van de hoop op lente en het einde van deze vreselijke periode. Er moet wat licht zijn in al deze duisternis.

Ik kan er niets aan doen dat ik op dit laatste stuk achterraak. Ik durf hen niet uit het oog te verliezen, want ik ken deze omgeving niet. Als ik hen kwijtraak, val ik misschien wel in een moeras of word ik verslonden door wilde dieren. Ze zeggen dat de dood snel komt, maar ik heb gezien dat dat niet zo is; wonden kunnen opzwellen als varkensblazen en barsten en dan volgt vreselijke pijn. Sommigen verzetten zich tot hun laatste ademtocht als een waanzinnige. Ik kan de herinnering aan dergelijke taferelen niet verdragen.

Ik voel niets. Toen ik gevangen werd genomen, maakte ik geen geluid of beweging, maar gaf me over als een lam dat naar de slachtbank wordt geleid. Ik ging op in een mist van vergetelheid. Ik zie de gezichten van mijn vader en moeder niet voor me. Ik roep niet hun namen. Als zij geen naam hebben, dan heb ik geen familie. Ik ben als de motregen bij dageraad, als rook die in mijn hoofd kringelt, die alle herinneringen doet vervagen, en dat houdt me op de been. Ik wil niet stoppen en me gezichten voor de geest halen. Alleen in mijn dromen doemen ze op en verdwijnen weer. Dan word ik hevig trillend en zwetend wakker en spring uit de bosjes op zoek naar water om dergelijke beelden weg te wassen. Ze gaan spoedig voorbij als ik draai en keer en in beweging blijf.

De fluwelen mantel heb ik gestolen; hij is gescheurd en versteld, hij stinkt als de ziekte door alle mestkuilen waarin ik heb liggen slapen, maar in het licht van het vuur heeft hij een gouden gloed en slingert zich als mist om me heen terwijl ik dans en de doedelzak speel. Hij beweegt als uit zichzelf en hij verbergt mijn mismaaktheid voor het publiek. Als ik een radslag maak, vormt hij zich tot een boog. Hij hult me in geheimzinnigheid. Ik leg hem nooit af, want de manier waarop de meester er jaloerse blikken op werpt staat me niet aan. De danseres bekijkt me met argwaan. Ik denk dat ze mijn geheimen vermoedt, maar ze houdt haar mond. Ook zij heeft een oogje op mijn mantel met zijn gekartelde, puntige randen. Ik ben bang dat ze op een ochtend vroeg opstaan en mij aan mijn lot zullen overlaten. Ik doe mijn deel. Ik trek de handkar als het mijn beurt is en zoek varens en brandhout. Ik ga met de pet rond op de markt in de steden, maar dat is een ondankbare taak. Ik ben niet kreupel of mismaakt genoeg, geen kind dat meelij wekt. Ik ben niet mooi, zoals het danseresje met haar dansende boezem en lange lokken. Ik ben een ingevallen jongeman met korsten. Ik ruik naar verschaalde specerijen en de dood, als komijnzaad dat de geur van rotting in bedorven vlees verbergt. Verrotting is niet te maskeren, behalve in sneeuw en ijs. Ik kijk omhoog en de hemel belooft sneeuw.

Het wordt tijd dat we in de richting van de rook trekken, naar de schamele onderkomens en de weg van de monnik. Iemand zal ons toch wel onderdak bieden? Dit is toch geen nacht om welk schepsel dan ook buiten te laten in die vreselijke wind? Heer, heb medelijden, want mijn rug doet pijn en ik moet gaan liggen; anders sterf ik.

'Kom naar de kribbe kijken. De kapel is versierd met groen!' riep Mal vanuit de deuropening, maar ik had geen zin om naar buiten te gaan. 'De toneelspelers slapen in de schuur, ze zijn bij het vallen van de avond aangekomen. We gaan dansen en zingen,' voegde ze er opgewonden aan toe, alsof alles normaal was, maar mijn maag deed pijn. Ik zal geen groene takken verzamelen om aan de deur te hangen of onze heilige relieken laten zegenen: een bot van de heilige martelaar, Stephen, dat een arme marskramer me maanden geleden heeft verkocht voor een stuk kaas. In dit huis is niets te vinden behalve vodden en ellende, maar Mal ziet hoe terneergeslagen ik ben.

'Het zal ons goeddoen om naar de heilige figuren te kijken. Ze zeggen dat het geluk brengt als je de heilige familie in de stal ziet. Er is eten en een flink vuur. En we zullen het warm krijgen van het dansen,' glimlachte ze mijn gemopper weg.

Ik dacht aan Will, die op de hoogvlakte de kudde hoedde. Dit was geen nacht om alleen te zitten met donkere gedachten en een oude moeder die hoestte en riep. Als ik haar goed inpakte, zou ze mee kunnen naar de samenkomst.

Ik vond de troep aanvankelijk maar een armzalig stelletje potsenmakers, met hun zwarte gezichten, een dwerg, een jongen, een stel en een oude man die het joelbrood uit de toch al magere pot namen, zodat er minder voor ons overbleef, maar zij zouden moeten zingen voor hun eten en dan weer verder trekken. Zij speelden hun rol en kregen ons aan het schreeuwen en juichen, en een paar minuten vergaten we onze ellende. Ze deden hun best.

We stonden bij de kleine kribbe en de houten figuren die broeder Tim voor ons had gemaakt, de dieren geknield en de Heilige Maagd en het Kind die in het stro zaten. De monniken deden ook hun best om ons op te vrolijken en de feestdagen te vieren, maar het enige waar ik aan kon denken was de gloed van het vuur en de geur van de soep. Er viel niet veel te kauwen, maar de kom was heet en er was kruidenbrood.

Will en de overige herders kwamen laat en hadden een stapel groen hout bij zich dat rookte en maar weinig warmte gaf. Ik kon me er nog net van weerhouden om in huilen uit te barsten bij de herinnering aan voorgaande midwinterfeesten, toen de tafel kreunde onder het gewicht van vlees en smakelijk brood. We haalden onze laatste kaas tevoorschijn, die verborgen had gelegen in een grot, maar het was nauwelijks genoeg om iedereen wat te geven. Ik zag dat de toneelspelers grotere stukken kregen dan de meesten en ik haatte mezelf vanwege mijn gierige gedachten. Honger maakt beesten van ons allemaal. Ik was blij dat ik niet ook nog een kindermond te voeden had.

Iedereen was vol bewondering voor de figuren van broeder Tim en moest glimlachen bij de aanblik van de hulsttakken en klimop die van de balken in de schuur neerhingen. Dat was tenminste gratis en in overvloed aanwezig, en het was goed dat iedereen was verzameld, leken en priesters, werkers en oude vrouwen, om samen te aanbidden. Het werd niet speciaal gedaan om samen te komen, maar het was de mis van Christus, wanneer de laatsten de eersten hoorden te zijn. Alfa en omega. Wie wist van deze regeling? De onverwachte komst van de toneelspelers voelde aan als een teken van vergiffenis en bracht vreugde daar waar die het hardst nodig was.

Aanvankelijk voelde hij zich net de herbergier die de heilige familie naar de stal verwees. Ze waren dankbaar voor een droog bed naast wat er nog over was van hun dieren, maar hij nam zich vast voor hen in de gaten te houden, want de menselijke geest was zwak en hij vermoedde dat ze, als ze de kans kregen, er met alles wat niet vastgeklonken was vandoor zouden gaan.

De jongen was na het toneelstuk weggeslopen – een vreemde jonge man met fonkelende donkere ogen. Was hij de hutten al aan het doorzoeken, op zoek naar wat dan ook? Wat viel er nog te stelen, behalve kapotte potten en vodden? Ze hadden de drankpot samen geleegd, de laatste restjes bier en kruiden, een armzalig brouwsel, maar beter dan niets.

De toneelspelers zouden de volgende ochtend, bij het krieken van de dag, worden weggestuurd. Hun spel was armzalig, slecht gesproken, maar het oude verhaal was goed genoeg. De dag was geheiligd en ze hadden hun onderdak voor die nacht verdiend, maar hij vertrouwde hen niet.

Mistels rug doet pijn en ademhalen kost grote moeite. Een stekende pijn omknelt de buik en Mistel strompelt de stal uit, uit het zicht van de toeschouwers, en gaat op zoek naar een rustiger plekje om de pijn van zich af te huilen. Niemand mag het geluid horen. Mistel rammelt links en rechts aan deuren. Die afgelegen schuur met de stenen muren lijkt wel geschikt. Overal sijpelt water en het doorweekt broek en mantel met een warme stroom. Nu lekt het lichaam ook nog en de stenen klomp draait en keert; het duivelse gezwel is in beweging. Mistel is geen dwaas en weet dat wat naar binnen is gegaan er op dezelfde manier weer uit zal moeten komen. Het zal zich een weg banen door vlees en gebeente. Er valt niets anders te doen dan kreunen en wachten.

Je in de duisternis tussen de vochtige varens verbergen terwijl de pijn je in zijn greep houdt en je probeert het niet uit te gillen maar in stilte te dragen wat verdragen moet worden, is angstaanjagend. Tranen van zelfmedelijden, haat, schaamte om wat er moet gebeuren verdringen nu alle andere gedachten.

Schreeuwde de Heilige Maagd het uit van de pijn toen de Heer der Heerscharen uit haar vlees werd losgerukt? Mistel dacht van niet. Alleen de verdorvenen kregen een dergelijk kraambed te verduren. Zij die rein waren voelden geen pijn. Een maagd zou er helemaal niets van weten.

Hoeveel manen is het geleden dat haar stonden ophielden? Sinds die vreselijke gebeurtenis die haar hulpeloos op de grond wierp terwijl kwaadaardige mannen aan alle kanten bij haar binnendrongen, haar de adem werd benomen door de pijn tot ze bewusteloos raakte en voor dood werd achtergelaten?

Ik ben niet gestorven, denkt Mistel. Ik heb mezelf gedwongen terug te keren naar het land der levenden, mijn hoofd geschoren, een tuniek en broek gestolen, en ben voor die schaamte gevlucht langs een pad dat wegvoerde van de schande en de vlammen.

Wat er nu geboren wordt, heeft zij niet verwekt. Het heeft niets met haar te maken en ze zal het vol afkeer uit haar lichaam persen. Ze wil zoiets walgelijks niet onder ogen krijgen. Ze is getuige geweest van geboorten en sterfgevallen. Dit is niet haar vlees, deze pijn die uit haar barst, haar openscheurt als een zwaard. Ze gilt het uit, maar niemand reageert. Het stro voelt vochtig aan van haar eigen bloed. 'Jezus Maria,' fluistert ze, en ze rolt zich op tot een bal om zich voor de komst te verbergen.

Iedereen lag bij het vuur te slapen, voldaan door zo weinig, opgevrolijkt door zoiets kleins als een paar liederen en dansen. Broeder Tim stond op om te gaan plassen en herinnerde zich toen dat de jongen niet was teruggekomen om zich weer bij de troep te voegen. Hij zou op zoek gaan naar de dief en hem een draai om zijn oren geven, maar hij was nergens te zien tussen de gebouwen en hutten. Het was opgeklaard en zo ver het oog reikte was sterrenhemel te zien. Hij dacht aan de stralende ster van Bethlehem en zijn gedachten gingen met weemoed naar Aleyn. Zag hij deze sterren ook en droomde hij van hun omhelzingen? Waarom hij bij de boerderij van Wintersett rondzwierf, wist hij niet. Hij lachte toen hij zich voorstelde dat hij de heldere poolster boven zich volgde. Het eten had hem aan het dromen gemaakt. Op dat moment hoorde hij zacht gejammer, als het gemiauw van een jong katje, helemaal geen geluid dat bij de winter hoort. Hij sloeg zijn kap over zijn hoofd en liep in de richting van de deur van de stenen stal.

De troubadour lag te slapen, benen gespreid, en daartussen, nog vast aan de nageboorte, vocht een pasgeboren baby voor zijn leven in een plas bloed. Hij was te geschokt om te schrikken van de aanblik van leven en dood zij aan zij.

De jongen-vrouw was koud, allang niet meer te redden, en de boreling was nauwelijks in leven, maar was toch levendig genoeg geweest om om hulp te roepen. Tim sloeg een kruis en pakte het kind op, sneed de navelstreng door met zijn eetmes en wreef het kind warm met zijn pij en varens, zoals je zou doen met een onderkoeld lam. Hij wikkelde het voorzichtig in zijn mantel en ging op zoek naar Nan. Dit was vrouwenwerk.

In de daaropvolgende maanden vroeg Nan Wintersett zich vaak af wat er zou zijn gebeurd als broeder Tim die kerstochtend niet naar buiten was gegaan om te plassen. Wat een vreemd geschenk was deze kerstbaby, geboren in een stal op zo'n sombere avond, een wees, aan zijn lot overgelaten, maar gered door het lot. Of was het iets anders? Hij werd op de vierde dag van de viering van Christus' geboorte Thomas gedoopt, omdat het de dag van Thomas à Becket was, maar hij zou altijd de Joelbaby zijn: voortaan zou hij bekendstaan als Tom Joel.

Van de arme moeder was niets bekend en de toneelspelers gingen er stilletjes vandoor omdat ze niet opgezadeld wilden worden met een vondeling. Ze hadden gedacht dat hij een jongen was en ze voelden zich bedrogen. Alleen geboorte en dood hadden Mistels geheim geopenbaard. Ze verdwenen en namen prompt broeder Tims houtsnijwerk met zich mee.

Hij leek zich niet te bekommeren om de diefstal, maar zag het als een teken dat zijn werk waardevol was en begon meer figuren te snijden, rijker versierd, die het volgende midwinterfeest zouden opluisteren. Eén Kerstmis gaf hij Tom een uitgesneden schaap ter herinnering aan zijn geboorte.

Toen Tom klein was, kwam hij van de kapel gerend om zijn moeder te vertellen dat de wijzen steeds dichter bij de kribbe kwamen tot ze op Driekoningen en de twaalfde dag op mysterieuze wijze het hele tafereel waren overgestoken en naast de kribbe stonden.

De geboorte van Tom leek een wonder en een teken van genade, en hoewel zijn komst geen magen vulde, bracht hij troost in het gebied omdat God hun nederige huis vereerde met een dergelijke gift. Nan koesterde hem alsof hij haar eigen vlees en bloed was. Zijn komst bracht haar lichaam weer tot leven en hij was de eerste van vele kinderen, allemaal meisjes die elk voorjaar uit haar rolden. Sommigen bleven in leven, maar de meesten gingen dood door die vreselijke epidemie die een paar jaar later uitbrak.

Broeder Tim had Tom voorbestemd voor de lekenbroeders, maar hij stierf voor Tom Joel oud genoeg was om zijn plaats in te nemen. Tegen die tijd heerste er een vreselijke ziekte in het gebied en er was een tekort aan herders. Het kerstkind zwierf door de heuvels, zorgde voor de schapen en keerde terug naar Wintersett. Alleen zijn moeder wist nog van zijn vreemde afkomst. Voor haar was hij Tom Joel: het kind dat in een stal was geboren en dat hoop en voorspoed in hun vallei zou brengen.

5

UIT DE SCHUUR

Een stamboom moet ergens beginnen, dus waarom dan niet met de bijnaam Joel? De Middeleeuwen waren de tijd dat men met achternamen begon en een hoop daarvan waren bijnamen. Alleen de voornamen bleven in deze familie dezelfde en Thomas was de populairste doopnaam. Wij braken met die gewoonte met Nikolas, maar daar waren redenen voor en hij kreeg Thomas als tweede naam om de traditie voort te zetten.

De eerste Yewell kwam ter wereld toen de pest een nieuwe ronde maakte en dood en ontvolking bracht, maar kilometers van alles verwijderd leven heeft zijn voordelen en ik denk dat Wintersett redelijk gespaard bleef. De boeken van de abdij lijken dat te bevestigen, al viel broeder Timotheus ten prooi aan de ziekte, en Will de herder, maar ik weet gewoon dat Nan en haar aangenomen zoon zouden overleven, zich zo goed als ze konden tegen de ziekte beschermend.

De beschaving rukt steeds verder op naar de top van de heuvels, met al zijn voor- en nadelen, maar ik ga nooit een winter in zonder flinke voorraden: zakken meel, haver, kaas, boter, vet, aardappelen en eieren in mica emmers en een vrieskist vol bouten voor het geval dat. Ik bak nog steeds alsof ik een leger boerenknechten moet voeden in plaats van ons tweeën, maar dat zal allemaal veranderen wanneer ik naar beneden ga naar mijn eigen kleine huisje aan het grasveld midden in het dorp. Ik kan niet wachten om af te zijn van de verantwoordelijkheid voor lekkende daken en onbetaalde rekeningen, schuurdeuren die moeten worden gesloten en een koud bed. Ik zal alleen zijn met mijn boeken, mijn onderzoek en mijn herinneringen.

Wat kan een vrouw van mijn leeftijd nou nog meer wensen? De liefde van kinderen, een hele ris kleinkinderen, een minnaar misschien. Over zulke dingen kan ik blijven dromen, maar dat is voor mij niet weggelegd.

Nik zal zijn eigen weg gaan, zoals ze dat noemen, doen waar hij zin in heeft. Dat heeft hij altijd gedaan. Ik ben gestopt te proberen hem uit te leggen waarom ik de boel moest verkopen. Het is net alsof je met je hoofd tegen een stenen muur loopt, maar hij heeft ook zijn eigen redenen om kwaad op me te zijn. Ik ben nooit zo eerlijk tegen hem geweest als had gemoeten, tot het te laat was om nog veel te veranderen, maar dat is een deel van óns verhaal, niet van de geschiedenis van het huis, toch?

Wij zijn natuurlijk degenen die het verhaal en het drama hier hebben verzonnen. Wij zijn de spelers. Het huis is achtergrond. Je zult geduld moeten hebben met deze oude vrouw. Ik wil nog wel eens doordraven. Je wilt natuurlijk de echte geschiedenis lezen in dit verslag, maar ik heb een beetje zitten rommelen en geprobeerd het huis en de Yewells een plekje te geven in de grote gebeurtenissen uit de geschiedenis.

Er is geen twijfel mogelijk over het feit dat we ons trouw meldden met onze pieken aan lange stokken bevestigd voor de veertig dagen dienstplicht bij onze leenheer, en dat we ons uiterste best deden om heelhuids thuis te komen en weer aan het wieden te gaan. Ik vermoed dat latere Yewells, toen het beter ging met de boerderij, gehoor gaven aan de oproep en op een of ander oud trekpaard kwamen opdagen. Vrije boeren begonnen land te pachten en leefden goed van de schapenfokkerij en hielden altijd een open oog voor een buitenkansje wat land en vee betrof.

Er was in die tijd zoveel gehakketak dat de Rozenoorlogen de Yewells niet konden zijn ontgaan, aangezien we precies in het midden van het grensgebied tussen Lancashire en Yorkshire zitten, maar ik heb niets gevonden over aan welke kant ze stonden.

De kunst van vooruitgang is, denk ik, te zorgen dat je aan de goede kant staat, aan de kant van de winnende partij in een burgeroorlog, en als ik me niet vergis in de menselijke natuur, zijn er in iedere familie altijd wel een paar – pragmatische, voorzichtige scharrelaars – die zich niet in de kaart laten kijken en uiteindelijk de lachende derde zijn.

Ik sta hier in de oudste van onze schuren, de zijstal noemen we die, en kijk naar boven naar de oude balken. De schuur is in de loop der jaren flink vergroot, maar het middenstuk heeft nog de enorme moerbalken, zwartgeblakerd door eeuwen van stoken. Ze zijn niet gedateerd met de koolstofmethode, maar deskundigen denken dat ze nog van voor de

Tudor-periode zijn. Toen het eerste huis werd afgebroken, waren de balken nog te goed om weg te doen en werden ze gebruikt voor de bijgebouwen. Je voelt je klein als je naar het oude beeldhouwwerk in de bogen kijkt: heel mysterieus beeldhouwwerk dat zich als enorme rozetten boven mijn hoofd ontvouwt. Ik heb me laten vertellen dat dit erop wijst dat dit ooit een zonnewendeschuur is geweest waar hartje winter rituelen werden uitgevoerd om de zon terug te verwelkomen, maar ik weet het niet zeker. De balken doen me denken aan galgen.

Burgeroorlogen hebben echter de neiging door stambomen heen te maaien, met een klap hele takken af te hakken, en wat mij interesseert is wat er gebeurde met de Yewells in de tijd van de Tudors, toen Hendrik de Achtste besloot de monniken uit de schaapskooien van de abdij te knikkeren en hun inkomsten voor zichzelf te houden.

1537 was een slecht jaar voor dit gebied, en dat is uitstekend vastgelegd in de geschiedschrijving. Niemand in Wintersett kon aan die grote opstand in het noorden zijn ontsnapt. De opstandelingen moeten langs hun huizen zijn getrokken op weg naar Dale, banieren met zich meevoerend met afbeeldingen van de vijf wonden van Christus. Hoe zijn de Yewells daarmee omgegaan? Het enige wat ik heb is een opsomming van een paar oude testamenten, en ik vraag me af...

6

DE SAMENKOMST
1536-1537

Christus gekruisigd met open wonden
Leid ons stervelingen op onze pelgrimstocht
In Gods genade
Naar welbehagen en de vrede
Van het geestelijk welbevinden.

Pelgrimslied van de hand van een monnik
van de Abdij van Sawley, 1536

Ik, Ellen, laat na aan Jennit, vrouw van mijn zoon, mijn opbergkist, mijn kist met dekkleed, linnen lakens en mijn hennep en linnen draad, een jas, een jurk en schort, als ze zich gedraagt.
Maar als ze niet goed voor mijn zoon en zijn kinderen zorgt, dan krijgt ze er geen draad van en moet ze zich rustig houden.

Het was een van die winderige dagen waarop de rook terugwoei door het met klei beklede rookgat in het dak, recht in het gezicht van Ellen Youll terwijl ze in de pot met textielverf stond te roeren. Die zat vol geplette bessen van de meidoorn en was klaar om de schoongemaakte wol te ontvangen. Ze had haar zinnen gezet op een goudgroene kleur voor het draad waar ze stof van wilde maken voor een winterjas. Net op het cruciale moment woei de rook in haar ogen en kwam Jennit, de hulp, door de deur naar binnen stormen.

Ellen knipperde met haar ogen, die prikten van de rook. 'Dit is geen moment voor spelletjes. Er is werk aan de winkel!' snauwde ze. Die luie slons deed alles om onder het vegen uit te komen. 'Nee, mevrouw, maar de marskramer liep langs de poort en hij zei dat er een pamflet op de deur van de kerk was gehangen en de mensen die kunnen lezen zeggen dat het slecht nieuws is, maar tegelijk ook goed nieuws. Dat het zover heeft moeten...' zei het jonge meisje in één adem, alsof haar leven ervan afhing.

'Zover heeft moeten – wat? Zeg op, nu je me toch al hebt lastiggevallen,' antwoordde Ellen. Jennit had iets wat haar irriteerde; die harde stem en haar brutaliteit hadden iets dat niet paste bij een eenvoudige meid op de boerderij, die vanuit het dorp was gestuurd, zodat haar arme ouders weer een plekje op de vloer vrij hadden om een nieuwe baby te slapen te leggen.

'Er komt een bijeenkomst, op de hei... Niet voor de schapen, mevrouw, het heeft te maken met de schaapskooien en kerken die overal worden gesloten. Ik heb gehoord dat uw William naar huis komt nu de abdij zijn deuren gesloten heeft en dat arme mensen verhongeren omdat ze geen schuilplaats meer kunnen vinden binnen de muren ervan,' antwoordde ze met een diepe zucht. 'Dit is helemaal verkeerd. Wat moeten de monniken nu? Naar een volgend Huis trekken, waar ze dan weer worden weggestuurd?'

Ellen schudde haar hoofd.

'Er wordt gezegd dat elke kerk die binnen een straal van tweehonderd meter van een andere staat moet worden afgebroken, al onze crucifixen moeten worden ingeleverd en ze worden omgesmolten om muntgeld voor de koning van te slaan. Er mag geen afbeelding van de Heilige Maagd meer aan de kerkmuur blijven hangen,' voegde ze eraan toe, opgewonden door het nieuws.

'En ik heb ook gehoord, mevrouw, dat we een boete moeten betalen van één nobel als we willen trouwen, begraven willen worden of willen worden gedoopt. Hoe kunnen mensen zoals wij dat ons ooit veroorloven? En de marskramer zei ook dat we geen wit vlees, van het varken of gevogelte, mogen eten, tenzij we een bijdrage betalen voor de schatkist van de koning. Het is vreselijk, zonde dat ik het zeg, en ik ben helemaal uit m'n doen.' Jennit leunde op haar bezem, alsof ze stond te dromen, en zwaaide heen en weer, waardoor ze het licht wegnam, want het was een stevige meid. Ellen was niet in de stemming om maar een beetje te staan kletsen.

'Hou op met zeuren en ga aan je werk. Die dingen zijn niet voor ons soort mensen. Er is hier altijd plaats voor William als hij besluit terug te komen van het klooster,' snauwde ze, geïrriteerd door het feit dat Jennit het nieuws altijd eerder leek te weten dan zij, en wat haar andere zoon, Tom, in het drinklokaal hoorde, hield hij voor zichzelf.

'Dat is niet wat Tom heeft gezegd,' zei Jennit, en ze sloeg toen haar hand voor haar mond alsof ze voor haar beurt had gesproken.

'Jennit Pollard, heb je met mijn zoon staan kletsen in plaats van je karweitjes af te maken? Wegwezen en mest de boel uit...' snauwde ze. Er hingen moeilijkheden in de lucht. Het gaf geen pas dat een dienstmeid haar meester bij zijn roepnaam noemde of dingen van persoonlijke aard besprak. Ze vertrouwde Jennit niet, ze was te groot en te mooi, met dikke wenkbrauwen en een enorme bos kastanjekleurig haar. Ze had het een beetje te goed met zichzelf getroffen. Was ze een web aan het weven om haar zoon in te vangen? Hij kon wel iets beters krijgen dan een van de Pollards. Ellen roerde in haar verf en dompelde de gewassen wol erin. Ga nou maar verder met je eigen werk, dacht ze, maar het nieuws gonsde nog in haar hoofd als een zwerm bijen.

Net nu het zo goed ging met de schapenvachten, die meer dan zes shilling per twaalfenhalve kilo opbrachten, en hun kuddes dik in orde waren. Ze hadden jarenlang hun pacht betaald aan de abdij, maar de schaapskooien waren weg en wie werd nu hun heer? Ze waren van plan een stevig huis te bouwen van steen, met een dak van platte stenen en drie muurvakken lang. Ze zou een kamer voor zichzelf krijgen, een woonkamer met een mooie schoorsteenmantel, een karnhok met werkbladen van leisteen en een zolder met een trap. Haar echtgenoot zou trots zijn op al hun harde werk en ze wilde niet dat er iets veranderde, behalve natuurlijk dat Will zou komen en bij hen zou blijven.

Konden die twee maar met elkaar overweg, maar op de een of andere manier klopte er iets niet aan het beeld van haar zoon de geestelijke als herder en schapenfokker. Hij was te veel gewend aan de gewoontes in de abdij, te verfijnd voor een leven hier op de hoogvlakte. Ze roerde in de verf en droomde weg, tot Tom woedend kwam binnenstormen.

'Je hebt dat meisje weer op de huid gezeten, moeder. Ze bracht je alleen maar het goede nieuws.' Hij schreeuwde, alsof ze doof was.

'Wat gaat jou dat aan, zoon?' snauwde ze terug. Jennit vertelde niet alleen verhaaltjes, ze loog ook als het zo uitkwam. 'Zie je dan niet dat ze een oogje op je heeft? Je kunt wel iets beters krijgen dan een dienstmeid.'

'Kom, moeder, laten we het daar niet over hebben. Overal in het hele land komen mensen bij elkaar, een leger van mensen dat optrekt tegen de sluiting van de abdij en het wegsturen van de monniken,' zei Tom. 'Het werd tijd dat er eens iets gebeurde.'

'Nou, als jij maar niet gaat meemarcheren. Wie weet waar dat allemaal op uitdraait, en wie moet er voor de boerderij zorgen als jij aan de boemel bent? Je kunt niet verwachten dat Will thuiskomt en het overneemt waar jij bent afgehaakt,' betoogde ze, en Tom brulde van het lachen toen hij hoorde wat ze zei.

'Zie je het voor je: onze Will die zijn handen vuilmaakt? Hij is een schooljongen, de man met de witte pij, gewend aan vrede en rust, en dat zijn eten voor hem wordt neergezet, zijn linnen lakens worden gewassen. Hij bedient de abt aan tafel en werkt met pen en perkament, niet met een ploeg in de zware klei. Daar heb je al voor gezorgd toen hij nog een baby was. Wat moet een man die kan lezen met een boerderij, behalve de huur innen zonder er verder iets voor te hoeven doen? Hij heeft zijn kansen gehad, dus laat hem maar voor zichzelf zorgen,' zei Tom, en er klonk venijn door in zijn woorden.

'Wat zit jou dwars op deze prachtige ochtend? Heb ik soms gezegd dat hij jouw werk moet doen?' Ellen zuchtte en ging verder met haar karwei.

Waarom was het altijd hetzelfde liedje? Tom had Will al niet gemogen vanaf diens geboorte. Hij deed minachtend toen de priester hem apart nam en hem lesgaf en de monniken bij de schaapskooi hem leerden hoe hij misdienaar moest zijn. Hij werd naar de grote abdij gestuurd en werd daar opgeleid. Will was altijd vriendelijker en knapper geweest dan deze roodaangelopen lomperik met zijn stierennek die als een boomstronk voor haar stond.

Will was slimmer, had een bos goudkleurig haar, blauwe ogen en was knap, de benjamin van haar eigen uiteengevallen kudde, jaren na de anderen geboren, zo'n kostbare gedachte achteraf, het juweel onder haar kinderen, en ze hield van hem, ook al zag ze hem nooit. Nu kwam hij misschien naar huis. Het zou inderdaad goed nieuws zijn als die samenkomst haar zoon weer in de boezem van de familie zou brengen, maar Toms gezicht stond op onweer en zijn uitdrukking was er een vol achterdocht. Zijn terugkeer zou niet gemakkelijk zijn, maar het kon worden geregeld.

Ze kon alleen niet bevatten wat er de laatste tijd gaande was in de wereld. Waarom kwamen omroepers vertellen dat de bisschop van Rome niet langer geëerd moest worden? Hij was nu ineens een bondgenoot van de duivel. Nu moesten de gipsen heiligen uit hun nissen in de kerk worden gehaald en kapotgeslagen worden, alsof ze heidense beelden waren. Kinderen moesten het onzevader en de belijdenis in het Engels leren en de priesters gaven hun nieuwe lessen over wat ze moesten geloven. Er lag een bijbel die met een ketting was vastgemaakt aan het koor die iedereen die dat kon mocht lezen.

Waar hield het op? Waar het ophield, zouden moeilijkheden zijn en ze wilde niet dat een Youll daar deel aan had.

Het was al erg genoeg dat haar echtgenoot een vroegtijdig graf had gevonden, verdwaald op de hei in een sneeuwstorm, en de last op haar schouders had gelegd, maar Tom had hen opgewerkt van het kriebelige stro tot de kapokmatrassen waar ze nu op lagen en zakken vol kaf om hun hoofd op te leggen, een fraai bewerkte kist waarin ze hun zondagse kleren bewaarden en een geborduurde sprei van mooi gesponnen wol om haar houten bed te versieren. Ze had hard gewerkt voor haar mooie spullen en wilde het graag zo houden.

Haar werk was nooit gedaan; ze stond bij het krieken van de dag op om voor het vuur te zorgen, water te verwarmen, pap klaar te maken, de kippen te voeren, luie Jennit op haar kop geven als die zich had verslapen op haar zolder boven de stal, en dat allemaal voor ze aan haar eigen ontbijt begon.

Binnenkort zou het tijd zijn om de schapen binnen te halen en noten en bessen te gaan verzamelen om in te maken, groenten op te slaan voor de strenge winter, kaas en jam te maken, appels vorstvrij op te bergen, en niet om samen te zweren tegen hun meerderen. Ze wilde niet dat iets van dat alles tussen hen en de kudde kwam, en Tom of Will mocht ook niets overkomen.

Laten anderen maar bij elkaar komen en naar het zuiden trekken en doen wat ze moesten doen. Zij was weduwe en had geen tijd voor zulk soort dingen. De priester zou ze wel vertellen wat ze moesten geloven en niet moesten geloven. Hij zou toch zeker niet tegen de koning ingaan?

Er waren de laatste tijd problemen beneden in het dal: bendes die heggen en sloten vernielden, huizen sloopten, muren afbraken. Zij waren ertegen dat het land in stukken werd verdeeld, maar Tom was het met haar eens dat het logisch was om al je stukken land aan elkaar te hebben en niet overal in het dorp en op de heuvels een stukje.

Met een groot stuk land konden ze een oogje houden op de oogst en de groenten, konden ze het vee dicht bij huis houden en niet her en der verspreid, maar ze hadden hun mond gehouden uit angst dat ze zelf ruw zouden worden behandeld.

De rechtvaardigen krijgen hun deel, had ze altijd geleerd, maar Tom kon niet wachten tot dingen zouden veranderen. Hij had koppige trekjes, net als zijn vader voor hem, en hij wilde zijn positie verbeteren, en de sleutel daarvoor lag in de omvang van de kudde. Waarom zat die knul dan Jennit achter de rokken, de del?

Ze zuchtte en bedacht dat er overal waar jonge mannen en meiden waren sprake was van rottigheid. Hij was een knappe vent, klaar om naar het altaar te gaan, maar toch zeker niet met hun dienstmeid? Zodra Will thuiskwam, zou hij wel een einde aan die onzin maken.

Tom zou hem respect moeten tonen en naar hem luisteren. Hij moest allang onderweg zijn van de abdij naar hier, want het nieuws drong maar langzaam door in deze streken en hij had weken geleden al thuis moeten komen. Wat zou hij een hoop te vertellen hebben.

Ze zag af en toe geestelijken die als zwervers en bedelaars door de velden trokken en aan de deur om eten vroegen. Ze gaf haverkoeken en kaas aan degenen die beleefd waren, triest keken en blaren op hun voeten hadden, maar als ze met bolle wangen en glimmende gezichten om hulp kwamen vragen, riep ze Tom met zijn hooivork, die ze wegstuurde.

Wat zou Will ervan vinden om zijn matras weer met zijn broer te delen? Met een beetje geven en nemen van beide kanten zou het wel goed uitpakken, hoopte ze. Will zou zijn broer diens kalverliefde voor Jennit wel uit het hoofd praten en hem een betere keuze wijzen. Haar prachtige ram moest een mooie ooi hebben om te fokken wilde de kudde sterker worden en blijven voortbestaan, maar Jennit Pollard voldeed niet aan die maatstaven.

Will Youll keek toe terwijl de mannen het dak van de slaapzaal van de lekenbroeders sloopten, de stenen en het lood wegkruiden zonder één keer om te kijken. Hij was een van de laatsten van het gevolg van de abt die vertrok. Hij had besloten te blijven en te helpen zolang er nog een dak boven zijn hoofd was; hij wilde zo lang mogelijk vasthouden aan de enige manier van leven die hij ooit had gekend.

Vanaf het moment dat de monniken er door de handlangers van Thomas Cranmer uit waren gezet en te horen hadden gekregen dat ze moesten ophoepelen, hadden de mensen van de abt zich verborgen gehouden. Niemand zou toch zeker geestelijken aanvallen?

Het was triest om te zien hoe de knechten zijn huis afbraken, terwijl ze lachten en grappen maakten alsof ze geen heiligschennis aan het plegen waren. Nu ging zelfs de abt weg, en Will had geen andere keus dan de weg naar het noorden in te slaan en op pad te gaan naar Wintersett. Dit hoofdstuk in zijn leven was voorbij en hij moest nu proberen te bedenken hoe hij zich een positie kon verwerven als klerk of als parochiepriester, ergens ver hiervandaan. Hij zou de rivier volgen tot aan de bron, de steile heuvel beklimmen en nog één keer een bezoek brengen aan zijn familie.

Bij de poorten van boerderijen werd hij binnengeroepen voor eten in ruil voor nieuws; de riemen van zijn sandalen beten in zijn vlees. Hij was niet gewend zo ver te lopen, maar na een paar dagen in de herfstzon werden zijn benen sterker en voelde hij zijn wangen gloeien. Zijn humeur werd beter bij de gedachte aan het gezicht dat zijn moeder zou trekken en het welkom dat hem ten deel zou vallen. Lopen gaf hem de tijd om zijn lot te overpeinzen.

Er werd strijdlustig gesproken over een opstand en over mannen die de bevelen van de koning in de wind sloegen, maar daar was weinig bewijs van te zien. De abdij was zo lang pachtheer van dit gebied geweest, een toevluchtsoord voor de zieken, fokkerij van prima schapen, bron van werk en voorraden. De afwezigheid ervan zou zich sterk doen voelen, hoezeer hij de afgelopen weken ook gekrompen was tot een armzalig stelletje broeders.

In het verleden had de abt geleefd als een vorst, was er te paard op uitgetrokken met een havik op zijn vuist, gekleed in scharlaken wol, met verguld zadel en tuig; hij had gasten ontvangen in zijn eetzaal met geroosterde zwaan op prachtige vergulden schalen. Nu was hij ontdaan van alle eer en fraaie kleding, had alleen nog het habijt aan zijn lijf, en zijn bedienden waren over het hele gebied verspreid.

Will haalde een paar monniken in en liep met hen mee tot aan Settle, stak daar de rivier over, en terwijl hij ten afscheid naar zijn metgezellen zwaaide, ging hij hogerop naar de hoge rotsen waar in de verte schapen graasden die eruitzagen als plukjes paddestoelen. Wat was er geworden van de schaapskooien en de oude monniken die er als herder werkten; de mannen die hem hadden onderwezen en hem hadden aangemoedigd, waren die allang verdwenen?

Hij kon het geblaat van de kudde horen, de roep van de kleine uilen, en aan de horizon in de verte zag hij de rook van Wintersett omhoogkringelen. De schemering was bijna ingevallen en de geur van rook spoorde zijn vermoeide benen aan voor het laatste stukje heuvelopwaarts.

Het was donker toen hij bij het bescheiden huis aankwam. Er was niets veranderd, maar sommige van de bijgebouwen die aan weerszijden van de oude houtopslag waren gebouwd herkende hij niet. Een hond blafte woedend tegen de vreemdeling aan zijn deur.

'Ik ben het, moeder,' riep hij de rokerige ruimte in. Hij was vergeten hoe primitief en kaal zijn nederige thuis was: een aarden vloer, een rookgat van klei voor het haardvuur, waar een meisje uit een ketel proefde. Ze sprong met een slecht geweten overeind: ze zag er leuk uit in haar jurk, haar haar hing in lange vlechten naar beneden en door het licht van het vuur kon hij de contouren van haar benen zien.

'Jezus christus! Wie bent u dat u op dit uur komt? De meester en mevrouw liggen in bed,' gilde het meisje.

'En wie mag jij dan wel zijn?' antwoordde Will met een glimlach, genietend van zijn eerste aanval van lust sinds lange tijd.

'Jennit, heer, en kom geen stap dichterbij,' riep ze, bevend bij de aanblik van de reiziger. 'Als u een van die bedelmonniken bent: we hebben niets om te geven op dit uur dat elke goede christen in zijn bed ligt.'

Een gezicht verscheen in het gat naar de zolder. 'Wat mankeert jou, kind, dat je zo'n lawaai maakt?' De oude vrouw keek de vreemdeling aan en haar gezicht begon te stralen toen ze hem herkende. 'William! O, Will, je bent eindelijk thuisgekomen. Ik wist wel dat je je oude moeder zou komen opzoeken en nu ben ik niet gekleed. Schaam je!'

Er klonk gestommel toen ze achterwaarts naar beneden klom. 'Tom, Tom, word wakker, Will is hier. Ik zei toch dat hij naar huis zou komen... Sta daar niet zo, meid, en laat hem bij het vuur. Hij zal wel uitgehongerd en uitgedroogd zijn, dus haal de bierkruik.'

Zijn moeder haastte zich om hem te begroeten en hij zag dat ze oud en krom was, en dat de rimpels in haar gezicht vol roet zaten. Haar haar was wit en stond alle kanten op, als bij een heks, en hij deinsde achteruit. Dit kwam toch niet overeen met het beeld dat hij van zijn moeder had? Het meisje keek hem belangstellend aan. Hij had niet verwacht dat er een meisje in huis zou zijn. Tom was waarschijnlijk getrouwd, zonder iets van zijn huwelijk te laten weten.

Plotseling werd de geur van het boerenerf, het roet en het zweet hem te veel en hij voelde zijn knieën knikken van vermoeidheid. Het was allemaal zo treurig en armzalig. Hier hoog in de heuvels was de wind koud en hij verlangde naar de zachte, koele westenwind rond het klooster. Nu zou moeder zich druk maken en ervoor zorgen dat zijn maag zo goed mogelijk gevuld raakte. Tom zou hem met tegenzin welkom heten. Hij zou een of twee dagen blijven en dan naar het zuiden trekken. Hier kon hij niet blijven. Dit was niet zijn thuis, niet zijn familie. Dit waren vreemden.

De volgende dag zaten ze met z'n drieën op de bank, terwijl Jennit bezig was met haar karweitjes. Toms gezicht kreeg een norse uitdrukking terwijl hij van zijn soep slurpte en probeerde Wills aanwezigheid te negeren. Het had geen enkele zin om met hem te praten. Hij gromde onbeschoft en zijn moeder maakte de zaken erger door almaar aan hem te zitten en hem te vertroetelen alsof hij de verloren zoon was die was teruggekeerd in de schoot van de kudde.

'Je bent precies op tijd voor de grote samenkomst,' zei Tom plotseling met zijn mond vol eten. 'Je kunt jezelf nuttig maken. Elke gezonde man van boven de zestien moet naar de vallei komen om zich onder de vlag van de Pelgrim te scharen en in opstand te komen tegen de sluiting van de abdijen. De geestelijken zullen de voorhoede vormen en de weg wijzen naar hun kloosters.'

Will lachte toen hij die woorden hoorde. 'Jullie hadden eerder moeten komen; van de abdij is niet veel meer over om onderdak in te vinden. Het had me een lange tocht en heel wat blaren gescheeld als jullie me allemaal daar waren komen opzoeken,' grapte hij, maar er werd niet gelachen. 'Lord Darcy heeft al onze bezittingen vernield. Binnenkort staat geen enkele steen nog op de andere.'

'Reden te meer waarom de boeren van Craven er voorstander van zijn met je terug te gaan en je daar weer te installeren,' zei Tom.

'Het heeft geen zin om terug te gaan. Het is afgelopen met de abdij en ik zal plannen voor de toekomst moeten maken, op reis moeten gaan en mijn eigen fortuin zoeken,' zei hij, en hij zag de opgeluchte uitdrukking op het gezicht van zijn broer.

'Ik ben blij dat te horen, want hier valt niet veel voor je te doen met pen en papier,' hoonde Tom. 'De verhoudingen liggen nu precies goed. Wie wat heeft en aan wie we pacht betalen. Ik wil nog een paar stukken pachten, stenen muren optrekken en open veld erbij trekken. Het lijkt me verstandig nu in te pikken wat we kunnen, voor de nieuwe eigenaren ons op de nek zitten en de huur willen innen.'

Het enige waar hij over kon praten waren zijn schapen, zijn plannen en zijn land. Will had geen enkele belangstelling voor zijn wereld en kon niet wachten om erop uit te trekken en meer van de wereld te zien dan alleen Yorkshire. Hij was goed in rekenen, en dingen opschrijven. Hij kende Latijn en hij zag zichzelf al in dienst als kapelaan bij een vooraanstaande familie. Hoe eerder hij vertrok, hoe beter, maar zijn moeder pakte hem bij zijn arm.

'Ga met je broer naar die samenkomst, zoon, om mij een plezier te doen, deze ene keer. Aangezien het allemaal voor jouw bestwil is...' Ze zweeg even om iets tussen haar afgebrokkelde tanden vandaan te pulken. 'Wij mogen er trots op zijn dat we een priester in de familie hebben. Je hebt je opleiding aan de abdij te danken en wij hebben de kudde overgenomen toen zij weggingen. We hebben hen generaties lang gediend. Nu is het onze beurt om iets terug te geven. Ik betaal liever pacht aan hen dan aan de een of andere hoge heer die we nooit zien. Doe nou wat ik je vraag, laat je gezicht daar zien en maak kennis met de klerk van de parochie. Volgens mij denkt hij dat we maar hebben verzonnen dat jij bestaat.'

Het had geen zin om tegen te sputteren als Ellen Youll iets in haar hoofd had. Als hij al had gedacht dat er tijd zou zijn om over de velden te dwalen om zijn tegenslag te overpeinzen, dan zou dat toch met een herdersstaf in de hand zijn terwijl hij de schapen in de gaten hield. Hij had gehoopt wat kroegroddels te horen in het dorp, met zijn arm om een paar leuke meiden, want het was al maanden geleden dat hij het genoegen van wat vlees had gesmaakt en hij was hard toe aan een beetje ontspanning.

Dat was de reden dat hij de dienstmeid, Jennit, met een half oog in de gaten hield terwijl ze bezig was met haar werk en vaker dan toevallig was met die donkere reeënogen naar hem keek. Hij wist dat vrouwen hem knap vonden. Zijn gezicht was ongeschonden en zijn tanden stonden recht. Hij plaagde hen vaak, maakte grapjes en raakte dan af en toe speels hun armen aan, zodat ze zich niet terugtrokken omdat ze bang waren voor een priester. Deze hier was net als de rest en op een middag zou hij haar naar de zolder weten te lokken, jong en warm en gewillig, en niemand die het hoefde te weten.

Als het op vrouwen aankwam, was zijn broer een botte lomperik, een groentje, een beginneling die meer geïnteresseerd was in de verrichtingen van zijn ram dan in het strelen van een heerlijk stuk, heet vrouwelijk vlees. Tom was maar een boerenkinkel en hij kwam nauwelijks van de boerderij af. Dat volgen van de heren naar de samenkomst was meer om de schijn op te houden dan uit hartstocht. Bij het eerste teken van moeilijkheden zou Tom er onmiddellijk als een blatend lam naar de schutstal vandoor gaan. Hij zou degene zijn die met de meute terug zou sluipen naar de abdij.

Heel even dacht hij erover om de vrijheid tegemoet te vluchten, bij het krieken van de dag op te staan en met kaas en wat haverkoeken naar het oosten te trekken, weg van alle problemen die broeiden, maar de luie trek in zijn karakter hield hem thuis. Zijn moeder deed alles voor hem en dan was er nog het vooruitzicht van rommelen in het hooi met Jennit. Waarom zou hij zich niet vermaken? Alleen al bij die gedachte voelde hij zichzelf hard worden van lust.

Als deze koning zo weinig respect had voor monniken en heilige ordes, wat zou hij zich dan gelegen laten liggen aan zijn roeping als die offers als kuisheid, armoede en gehoorzaamheid niet waard was? Wat had het voor zin zijn lichaam van alles te ontzeggen? De orde bestond niet meer en hij kon zich net zo goed wat pleziertjes veroorloven.

De volgende dag stond hij te kijken terwijl Jennit water uit de diepe put haalde en zich langzaam vooroverboog en hem haar stevige achterste toonde, de schaamteloze koe; ze wiegde er net genoeg mee om hem te laten weten dat ze wist dat hij vanuit zijn hoekje op het erf stond te kijken. Hij rende naar haar toe om haar te helpen met de emmer en toen hij het hengsel van haar overnam, zag hij de fonkeling in haar ogen. Dit was het moment, dus toen zij de deur naar haar zolder opendeed en langzaam met ruisende rokken en tuniek omdat ze langs het stro schuurden de trap op liep, was het tijd om de gelegenheid te baat te nemen.

Hij wist dat zijn moeder zat te spinnen en die paar ogenblikken zouden ze geen van tweeën worden gemist. Hij volgde Jennit naar boven, strompelend in het halfduister. Ze giechelde nerveus, waardoor zijn hart sneller ging kloppen. Hij vermoedde dat ze wist wat haar te wachten stond. Ze wist veel te veel voor een eenvoudige meid. Had Tom haar als eerste te pakken genomen?

Hij baande zich op de tast een weg naar de stromatras en ze sloeg haar armen begerig om hem heen en hield hem in een houdgreep. Hij kon nauwelijks ademhalen door de stank, maar lieverkoekjes werden niet gebakken en hij verlangde er vreselijk naar om door een vrouw beetgepakt te worden. Ze friemelden en lachten, maar dit was niet het moment voor fijnzinnigheid; hij dook op haar als een hond op een loopse teef, duwde zich tegen haar aan en zij bood geen weerstand.

Ze zeiden geen woord; er klonk alleen gegrom van voldoening, ze stonk naar het erf en hooi, maar haar borsten waren vol en ze liefkoosde hem tot hij zichzelf weer hard voelde worden. Ze ging op hem zitten en bereed hem tot hij bevredigd en leeg was. Toen rolde ze van hem af, greep haar rokken, sloeg hem op zijn achterste en ging weer aan het werk alsof er niets was gebeurd. Hij lag tevreden op zijn rug naar de daksparren te staren, voorlopig bevredigd. Hij zou even wachten tot ze uit het zicht was verdwenen voor hij naar buiten zou gaan en naar de waterval zou lopen om zich te wassen. Het was goed te weten dat dergelijke geneugten bij de hand waren en hij was vast van plan zich binnen niet al te lange tijd weer aan die bron te laven.

Ellen voelde hoe de spanning steeg toen ze in het zonlicht van de heldere oktoberochtend met de stroom mensen meeliep naar het einde van de vallei. De hemel was zo blauw als de rug van een ijsvogel en ze zag mannen te paard, enorme dieren die op de grond deden trillen en waarvan de adem als rookwolken uit de neusgaten kwam. Ze kon nauwelijks voor zich uit kijken vanwege de menigte, vrouwen en kinderen die rondhuppelden alsof het feest was. Er waren vreemdelingen uit het noorden bij die banieren droegen die waren gerafeld door de wind, lappen stof waarop de tekenen van Christus waren afgebeeld, de vijf wonden van Zijn Kruis, banieren van Sint-Cuthbert en Sint-Oswald en van de Heilige Maagd.

Ze hoorde spreekkoren en gezang en het lawaai van kruisen die als speren werden geheven, maar nergens was er een zwaard te zien, want dit was een bedevaart en wat je hoorde waren geen strijdkreten. Ze was nog nooit eerder met zoveel mensen samen geweest, en dan te bedenken dat dit allemaal vlak bij huis was. De wereld was naar Wintersett gekomen. De leiders wier namen ze niet had verstaan, schreeuwden bevelen.

'Jullie verzaken je plicht, elke man van boven de zestien, als jullie nu niet met ons optrekken naar de heide van Clitheroe of ervoor zorgt dat je er maandag op slag van negenen en met je beste uitrusting bent!' riepen ze.

'Wij zijn pelgrims van de ware Kerk van Christus, geen troep gewone opstandelingen. Laat jullie vrouwen het teken van de vijf wonden van Christus op je mouw naaien als teken van zijn wensen, en ieder van jullie moet trouw zweren aan onze zaak. Kom naar voren en leg de eed af.'

Ze had nog nooit zo'n bezielende toespraak gehoord en de priester van het gebied droeg hun kruisen naar voren en knielde om ze te zegenen. Toen riep de leider opnieuw luidkeels.

'Kom naar voren, jullie berooide en verjaagde geestelijken, monniken van de heilige ordes, zodat een ieder getuige kan zijn van jullie beproeving en verdriet. We zullen niet rusten voor jullie in ere zijn hersteld in jullie rechtmatige onderkomens, en we zullen jullie gemeenschapsgeld verstrekken, zodat jullie ze kunnen herbouwen.'

Iedereen juichte en de doedelzakken zetten een dansmelodie in. Ze duwde Will naar voren en Jennit juichte hem toe terwijl hij zich een weg baande. Dit moet net zo zijn als de hemel, dacht ze. Iedereen samen, God loven en zingen, en haar hart zwol omdat ze in haar leven getuige was van een dergelijke gebeurtenis. Ze kon haar zoon zien op de plek in de voorste gelederen die hem toekwam, haar zoon de priester, die op de rug werd geslagen en werd gezegend. Toen werden de monniken op de schouders gehesen en rondgedragen terwijl ze lachten met hun hoofd in de wind.

Ze was zo trots dat ze moest huilen, en Jennit huilde en riep zijn naam, maar Tom zei niets en keerde zich om om naar huis te gaan, maar zij gaf hem een harde duw en zei dat hij moest laten zien dat hij zijn broer steunde en hem ten minste tot aan de rivier moest begeleiden als ze met geheven hoofd door dit gebied wilden lopen.

De tocht ging langzaam, omdat honderden aanhangers zich bij hen aansloten. De edelen van het district leken terughoudend om zich achter de banieren te scharen en bij Skipton, het kasteel van de graaf van Cumberland, werden ze weggestuurd, maar de hartstocht van de massa zorgde ervoor dat de rekruten bleven toestromen. Will liep als in een droom, meegesleurd door de aanmoedigingen, het bier, het gebraden vlees en de vuren, werd naar voren geduwd, steeds verder naar voren, tot hij zijn plaats innam in het gevolg van de abt en weer door de poorten naar binnen stapte en zich bij de abt voegde. Pas toen de poorten achter hem dichtgingen en werden gebarricadeerd door honderden aanhangers die om wraak schreeuwden, vervulden de eerste alarmsignalen zijn hart van angst.

Hoe had hij het in zijn hoofd gehaald om terug te komen? Nu waren ze zo goed als gevangengenomen door de horden. 'Dat is voor je eigen bestwil,' riepen de bewakers, want het nieuws deed de ronde dat de graaf van Derby vanuit Preston onderweg was met een leger om de abdijen die hij op zijn pad tegenkwam te heroveren. Het gerucht ging dat ze aan de dakgoten van de dichtstbijzijnde torenspits zouden worden opgehangen, zodat iedereen hen kon zien, en dat alle gebouwen met de grond gelijkgemaakt zouden worden.

De abt smeekte de menigte naar huis terug te keren en te wachten tot er nieuws kwam uit Londen, waar Robert Aske hun eisen al kenbaar maakte. Het was maar beter om niet de woede van de koning te wekken door blijken van ongehoorzaamheid, zei hij, maar niemand wilde dergelijke waarschuwingen horen.

Hij voelde dat de stemming omsloeg, en behalve de vlaggen en banieren waren er nu ook zwaarden en lansen te zien. 'Jullie blijven hier om blijk te geven van onze vreedzame bedoelingen,' riep iemand door de deur.

Voor Will werd het nu een strijd om warm en droog te blijven, om eten te vinden voor de abt en zijn angst terzijde te schuiven in de kerk die ontdaan was van alle mooie dingen. Wat doe ik hier, huilde hij inwendig, maar er waren anderen met wie hij rekening diende te houden, die in angstige onzekerheid verkeerden en zijn steun nodig hadden.

Samen zouden ze zich er wel doorheen slaan, maar terwijl de novemberwind huilde dacht hij vaak aan Jennit en de zolder en de warmte van Wintersett. Hij was blij dat zijn moeder niet wist wat hier gebeurde. Er viel niet veel meer te doen dan de mis lezen, bidden en bij de abdijpoort wachten tot er voedsel door de deuren werd binnengebracht.

Ze groepten bij elkaar, vrij noch gevangen, tot het grote nieuws kwam dat de koning hun eisen had ingewilligd en dat de abdijen in ere zouden worden hersteld. De massa was buiten zinnen van vreugde toen het generaal pardon bekend werd gemaakt en ging uiteen om de joelvuren te ontsteken, maar bleef erop voorbereid om op elk moment weer te bij elkaar te komen.

De abt riep zijn mensen bij elkaar; ze ontstaken een schamel vuur en wachtten af of de woorden van de koning bewaarheid werden. De plaatselijke edelen stuurden een os en schapen en wat gevogelte, zodat ze niet verhongerden, maar het was een armzalige Kerstmis en niemand durfde te geloven dat de graaf van Derby zou omkeren en hen met rust zou laten. Hij voelde dat de abt zenuwachtig was en zag hem heel wat brieven schrijven aan vrienden waarin hij om hulp en onderdak vroeg, mocht het ergste bewaarheid worden. Hij schreef aan de koning, maar er kwam geen antwoord. En de oude man verschrompelde, zijn habijt slobberde om hem heen alsof hij al een geraamte was.

Ik weet niet wat er van ons zal worden, dacht hij, terwijl de vreselijke dreiging in zijn gedachten steeds reëler werd, als een vreselijk monster dat zich in de hoeken ophield, net buiten het zicht. Was ik maar bij mijn familie gebleven en had ik me maar niet laten meeslepen door ijdelheid en de hysterie van het volk, waren de gedachten waarmee hij zichzelf kwelde. Wat had hij nu aan zijn mooie plannen? Hij had zijn toekomst in handen gelegd van boeren en vreemdelingen.

Hij had gehoopt dat het nieuwe jaar goed nieuws en hoop zou brengen, ontzetting uit wat neerkwam op een belegering, maar het enige wat kwam waren vreselijke geruchten over lynchpartijen, martelingen en verbroken beloften.

De abt nam hem op een avond apart en waarschuwde hem dat de koning uit was op wraak en de abdijen en hun bezittingen wilde. Hij liet zich niet de wet voorschrijven door een stelletje boeren en hij liet zich evenmin voor gek zetten. 'Heer, wees ons genadig wanneer zijn beulen de poorten rammeien en de Pelgrimbanieren vertrappen. Ik bid dat de Heer ons moed schenkt vol te houden tot het einde.'

Ik kan nu niet weg, bad Will. Het is te laat en wij broeders moeten bij elkaar blijven, verbonden in lijden en angst, terneergeslagen door onderdrukkers. Wie zal ons nu van de galg redden?

Ellen vond die midwinter geen warmte bij het vuur, want ook zij had akelige geruchten gehoord over het vreselijke lot van de leiders van de pelgrims. De samenkomst op de hei was nu een bittere herinnering en ze vreesde voor haar zoon.

'Je moet onze Will gaan opzoeken nu het weer nog goed blijft, Tom, en neem wat gezouten vlees en kaas mee. Er zit een ijsklomp in mijn ingewanden die niet wil ontdooien, en ik weet zeker dat hij wel een opkikker kan gebruiken. Ik begrijp niet wat er allemaal aan de hand is, maar ik weet wel dat de koning zijn woord heeft ingetrokken, en dat betekent weer niet veel goeds voor de monniken. Breng je broer thuis. Er hangt onheil in de lucht.'

'Praat geen onzin, moeder. Hoe kan ik hem nou in mijn eentje terugbrengen?' hakkelde Tom. 'Het komt allemaal wel goed, let op mijn woorden, en dan worden ze er allemaal weer uit gegooid. Hij komt zelf wel weer naar huis als hij daar zin in heeft, en bovendien is er hier veel te veel te doen om zomaar aan het zwerven te slaan.'

Ze zocht troost in de vlammen van het vuur, maar die was niet te vinden. Alles was nu anders. Jennit had een bezwering over haar zoon uitgesproken en was al zwanger; haar buik werd met de maand dikker. Zij zou binnenkort de nieuwe vrouw des huizes op Wintersett zijn, zo gauw ze van het bruidsbier dronken en elkaar in het kerkportaal de hand schudden ten overstaan van getuigen voor de vasten, maar Jennit was degene die haar te hulp schoot toen ze Tom de les las.

'Doe wat je moeder zegt, Tom, en ga je broer zoeken. Vertel hem het goede nieuws. Als het een jongen is, zullen we hem naar hem noemen. Hij heeft er recht op het te weten,' zei ze terwijl ze glimlachend in de vlammen keek.

Er was iets ijskouds in de blik van het meisje waar ze niet de vinger op kon leggen, een kilheid in de manier waarop ze Tom behandelde die haar verbaasde. Het was alsof ze hem verachtte en hem afwees, terwijl ze tevreden op haar buik klopte en om zich heen keek alsof ze al plannen maakte om dit huis tot het hare te maken.

Toen kwam die avond, vroeg in maart, dat de dorpspriester vreselijk nieuws bracht. De abt en de monniken waren gearresteerd op beschuldiging van hoogverraad en naar de gevangenis in Lancaster gestuurd in afwachting van het proces. De gevangenis was een afschrikwekkend fort aan zee, waar niemand levend uit kwam.

Hoe was dit mogelijk? Ze gilde dat het de wil van het volk was geweest dat de abdijen in ere werden hersteld. Had de koning geen genade verleend voor de Pelgrimstocht van Genade en aan allen die eraan hadden deelgenomen? Daarvan wist ze dat het waar was.

'En mijn zoon? Hoe zit het daarmee? Hij is maar een eenvoudige monnik.' Ze plukte aan haar rokken, liep huilend rondjes om de stookplaats en de priester boog zijn hoofd.

'Ik vrees dat hij van hetzelfde wordt beschuldigd als de anderen. Vrees niet, er is hoop dat alleen de leiders worden berecht. Zoals je zegt was hij maar een meeloper en hij deed op dit punt de wil van God.'

'Dan moet Tom voor hem gaan pleiten. Pak je spullen en zadel de merrie,' beval ze.

'Rustig, rustig, mevrouw Youll. Anderen zijn veel beter geschikt om hem voor het hof te verdedigen. Maak u niet ongerust, overal wordt voor gezorgd. Hij zou willen dat u gewoon verdergaat met uw dagelijkse bezigheden. Ik weet zeker dat alles goed komt met hem,' antwoordde hij, en hij ging er halsoverkop vandoor.

Ze putte zoveel troost uit zijn woorden als ze maar kon, knielde in het stro en bad voor Wills veiligheid. Jennit deed met haar mee, maar Tom liet ze aan hun lot over. Bidden was vrouwenwerk.

'Tom kan niet weg van de boerderij, niet nu ik al zo dik ben terwijl ik nog lang niet uitgerekend ben. Hij staat op het punt nog meer land voor ons te kopen. Heeft hij je verteld dat we van plan zijn een mooi stenen huis te bouwen en dat er dan meer dan genoeg ruimte zal zijn voor Will als hij mocht besluiten terug te komen? De priester heeft gelijk: Will zal de best mogelijke hulp krijgen, ook al is hij maar een pion in dit hele spel, moeder,' zei Jennit opgewekt, en Ellen kromp ineen toen ze het woord 'moeder' gebruikte. Waarom mocht ze het meisje toch niet? Waarom vertrouwde ze niet wat ze zei?

Was dat omdat het kind te vroeg geboren werd, maar toch al zo groot als een os was? Ze was even opgelucht. Was het omdat zijn zwarte haar in gouddraad was veranderd, de rijke gloed had van een pasgemaaid korenveld en zijn ogen haar achtervolgden? Was het omdat ze zich niets gelegen lieten liggen aan haar wensen en de jongen Christopher, Kester, noemden in plaats van Will, zoals ze had gehoopt?

Het was al die dingen en geen enkele. Het was haar moederinstinct en het had allemaal te maken met de redding van Will.

Hun zaak was verloren nog voor hij was begonnen, dacht Will terwijl hij in zijn cel zat te midden van de stank van zweet, bloed en wanhoop. Er was in dit sombere fort nooit sprake van geweest dat ze een eerlijk proces met een jury zouden krijgen. Ze stonden volgens de krijgswetten terecht als verraders. Er waren er niet veel die voor hen wilden pleiten. Elk woord zou tegen hen worden gebruikt. De abt weigerde trouw te zweren aan de koning als hoofd van de Kerk en dat alleen al was een daad van verraad. Nu waren de beul en zijn strop geen moment ver uit Wills gedachten en hij was blij dat er niemand van Wintersett was die zijn pleidooi zou horen.

Soms voelde hij in het donker de hemelse wind en rook hij de frisheid van de uitgestrekte heidevelden, zag hij voor zijn geestesoog hoe de rook uit het gat in het dak van zijn huis kringelde, hoorde hij de klaaglijke roep van de wulp bij dageraad. De vogels verlieten de delta al en trokken naar de open vlakten in het binnenland om te gaan nestelen. Hij zou ze niet meer horen roepen boven de abdij, maar ze zouden het nieuws van zijn dood naar de vallei brengen.

Ze ondervonden mededogen van vreemden; er werden voedselpakketten, gebeden en talismannen voor hun veiligheid voor de monniken binnengesmokkeld. De heren van het graafschap speelden hun eigen rol; sommigen wachtten op hun eigen terechtstelling, anderen probeerden discreet hulp te bieden, maar de ijzeren vuist van de koning reikte tot ver in Lancashire. Hij voelde zich zo hulpeloos en bang en zo alleen met zijn angst...

Deze verrader zal uit de gevangenis worden weggevoerd en op de draagbaar worden gelegd en weggevoerd naar de plaats van executie, waar hij zal worden opgehangen aan de nek tot hij halfdood is en dan worden losgesneden; vervolgens zal de beul zijn ingewanden uit zijn lijf snijden en die verbranden; dan wordt zijn hoofd afgehakt, zijn lichaam gevierendeeld en daarna worden zijn hoofd en de vier delen tentoongesteld op daartoe aangewezen openbare plekken, zodat zij een ieder tot waarschuwing dienen.

Er werd gefluisterd dat sommigen van hen gespaard zouden worden als ze de eed van trouw zwoeren en vergiffenis vroegen, maar dat anderen waren uitgekozen om als voorbeeld te dienen in het opstandige district, en hij wist dat dat zijn lot zou zijn. Zijn hart was zwaar van verdriet omdat hij niet nog een keer zijn moeder in de ogen kon zien.

Hij dacht aan zijn bezoek en aan de wellustigheid van Jennit. Werd hij gestraft voor zijn ontucht? Hij had de wereld niets nagelaten behalve een paar half-verbrande perkamentrollen, geen vrucht van zijn lendenen. Hij zou straks niet meer zijn dan een herinnering van zijn moeder. Tom zou alleen maar oog hebben voor de schande die hem ten deel zou vallen, maar dit was niet het moment om bitter te zijn nu de poorten des oordeels voor hem opengingen en hij boete moest doen.

Hij zeeg neer op zijn knieën en beefde en zweette vreselijk. Heer, geef me de moed om mijn einde onder ogen te zien. Bereid mij een plaats in Uw koninkrijk. Laat me mijn roeping niet te schande maken. Plotseling ging de deur piepend open en een ogenblik werd hij verblind door het licht. De priester droeg een kruis en hij wist wat hem te wachten stond.

Ze brachten zijn hoofd terug naar de stad, bungelend aan een lange stok als waarschuwing tegen afwijzing van de doctrine van de Staatskerk en tegen opstandigheid. Lichaamsdelen van de martelaar werden in het gebied tentoongesteld en het vreselijke nieuws verspreide zich als een bosbrand en werd opgesmukt met lugubere details. Ellen zag in haar verdriet niets en niemand. Jennit was degene die bij zonsopgang naar het dal sloop met de baby in haar armen, huilend bij de aanblik van het vuile haar van Will, dat vol zat met geronnen bloed. Er werd gezegd dat ze een week lang elke dag kwam, tot Tom haar een dergelijk vertoon van rouw verbood. Op een nacht in de daaropvolgende week verdween het hoofd van de martelaar en niemand wist waar het was begraven, niemand, behalve één, en zij zei geen woord.

Ellen vond geen vreugde in de nieuwe baby, maar wilde hem een andere naam geven. Tom zei dat het ongeluk bracht om het kind William te noemen. Ze vocht en argumenteerde wat ze kon, maar Jennit wilde al evenmin van hun keuze afwijken. Ellen weigerde mee te doen met de rituelen of de voorbereidingen voor het leggen van de fundering voor het nieuwe stenen huis. Duisternis vertroebelde haar blik en haar hart, haar schouders hingen en haar rug werd zo krom als een boog. Er waren dagen dat ze stil in bed ging liggen, maar ze vond geen warmte bij de haard, en evenmin in de plannen voor de bouw van een schoorsteenmantel.

Geen kruid of medicijn kon haar pijn verlichten. Tom en Jennit liepen op kousenvoeten om haar heen alsof ze niet langer van deze wereld was, maar ze leefde verder, zo boos was ze op hen omdat ze haar niet naar Lancashire hadden gebracht om de laatste uren van haar zoon met hem door te brengen.

'Je had beloofd dat hij naar ons terug zou komen,' zei ze verwijtend tegen Tom, en ze deed iedere poging van hen om haar te troosten teniet.

'Je wilde je eigen broer niet opzoeken in zijn nood. Zijn beenderen liggen overal in de vallei verspreid, ik heb geen idee waar. Hoe kun je met jezelf in vrede leven?' Ze spuugde de woorden uit als pijlen. 'Ik wens je toe dat je geen plezier beleeft aan je mooie huis, want het is gebouwd met het bloed van mijn zoon. Ik zet geen voet over de drempel. Onze Will had er deel in moeten hebben, maar nu is het te laat,' verzuchtte ze, en ze draaide hun haar rug toe.

Er waren momenten dat Jennit in stilte bij haar zat en probeerde haar hand vast te houden; ze deed haar mond open en weer dicht, alsof ze iets te zeggen had dat de oude vrouw tot troost zou kunnen zijn. Maar dan boog ze weer haar hoofd en keek in de vlammen, met roze wangen.

Ellen kon het niet opbrengen om Jennit ooit ergens voor te prijzen; ze had er plezier in over alles wat ze verkeerd deed te mopperen, deze dienstmeid die haar enige zoon had ingepikt.

Pas toen ze het kind Kester bij Jennit op de knie zag zitten, ving ze een glimp op van een andere baby in een andere tijd, lang geleden, een kind met gouden, krullende lokken, net als deze had.

'Het is een prachtige baby, die daar,' fluisterde ze ondanks zichzelf.

'Ja,' zei Jennit met een glimlach. 'Net zijn vader...'

En Ellen heeft daar nog vele maanden over gepiekerd.

7

DE KEUKEN

Ik heb eens ergens gelezen dat een kind geen vaas is die gevuld moet worden, maar een vuur dat moet worden ontstoken, en ik geloof dat de jonge Kester Youll volgepropt werd met verhalen over het lot van zijn oom en de gevaren van ongehoorzaamheid aan de koning. Uit de archieven blijkt dat hij de boerderij van zijn vader vol enthousiasme overnam en een fraaie veestapel van runderen en schapen opbouwde. Al zijn zoons gingen naar het oude kerkschooltje en werden uiteindelijk advocaten en wetenschappers.

Het nieuwe huis werd aan de zijkant uitgebreid, bescheiden, maar met degelijke stenen spouwmuren. Hij bouwde twee schoorsteenmantels, rug aan rug in het midden van zijn huis, zodat iedereen ze kon bewonderen; hij hield zich gedeisd en zijn geldkist gevuld.

Die grote haard is ons goed van pas gekomen en het kolengestookte fornuis dat ons warm en onze magen gevuld heeft gehouden, staat achter in zijn eigen ruime hoek. Die zal ongetwijfeld worden vervangen door zo'n nieuwerwetse AGA of zoiets. Ik zal het comfort van zijn zachte warmte missen.

Tom lachte eens dat ik getrouwd was met mijn oude Rayburn, zoals ik met mijn rug tegen de stang wreef, me tegen de ovendeur drukte om warm te worden als ik bezig was met onderkoelde lammeren of zwakke kalveren. Ik zal het open vuur missen, maar niet het stof en de as of de drakenadem van neerslaande rook. Mijn nieuwe huis heeft een houtkachel om me warm te houden.

Er zijn zoveel herinneringen verbonden aan de haard. En ik stel almaar het moment uit dat ik het huis moet onttakelen, het ondersteboven moet keren en vijftig jaar rommel moet opruimen.

Maak je geen zorgen. Alles is tiptop in orde wanneer we hier weggaan. Dus dat wordt op handen en knieën schrobben voor me. De keuken van Nik lijkt wel een zwijnenstal en de bladen van leisteen moeten flink geboend worden. Ze zeggen dat je je iedere zeven jaar van je huis moet ontdoen, zoals een slang zich van zijn huid ontdoet. Deze schoonmaak wordt zoiets als het schoonschrapen van een neushoorn, maar dan met klassieke muziek op de radio en een paar kerstliederen. Ik zal een begin maken.

Elke kamer heeft zijn eigen persoonlijkheid, en ik geloof dat zelfs dode voorwerpen reageren op een beetje spuug, een poetsdoek en wat liefde, maar als ik opkijk en de was van Nik aan het droogrek zie hangen – gekreukte ketelpakken, grove wollen sokken en flanellen overhemden waarvan de kleuren zijn vervaagd tot onbestemd groen en bruin –, slaat de wanhoop toe.

Ik mis de geur van mest op het erf, die bekende aardse stank, niet de lucht van desinfecterende middelen die na de grote schoonmaak overal hangt. Onze boerderij ruikt nu net als een ziekenhuis uit de goeie ouwe tijd.

Hij heeft de ketel op het fornuis laten droogkoken en er hangt een stank van verbrand metaal, vochtige wol, bedorven bacon en eieren, en de gootsteen staat vol met de vuile vaat van gisteravond. We zorgen allebei voor onze eigen maaltijden; zoals ik eerder al heb gezegd leven we rug aan rug, en ik maak gebruik van een klein aanrecht in de oude wapenkamer. Ik heb het er gezellig gemaakt en ik hou het schoon en opgeruimd. Ik heb geen zin om elke ochtend tegen zijn gedoe aan te kijken. Ik strijk zijn werkkleren niet, maar als hij eraan denkt om er een schoon overhemd bij te gooien, haal ik er wel een bout voor hem overheen.

Wanneer hij het huis uit is, zit ik wel eens bij het fornuis, of 's nachts als het donker is. De warmte daarvan is een troost als ik niet slaap, wat de laatste tijd vaak het geval is. Ik heb zoveel aan mijn hoofd.

Soms hoor je in die stilte dezelfde geluiden die je voorgangers hebben gehoord wanneer ze in de kleine uurtjes de wacht hielden: de roep van een uil op het dak van de schuur – helaas alleen maar bosuilen, er zijn tegenwoordig geen kerkuilen meer. De mannetjesvos, de rekel, blaft, maar jammer genoeg klinkt nergens het geblaat van schapen.

Dit huis is een nieuwkomer vergeleken met hen. De vos en de uil waren hier al toen de Romeinen deze heuvel voor hun kamp gebruikten.

Ik weet dat kamers niet kunnen spreken, maar dit huis heeft zijn nachtgeluiden in het gekraak van de trap en het gerammel van de deuren. Het praat tegen iedereen die maar wil luisteren. 'Hier ben ik, niet echt mooi, maar veilig en stevig en tot je dienst. Neem me zoals ik ben en begin me niet meteen vol te stoppen met allerlei spullen, niet voor ik heb gezegd waar het moet komen. Je bent welkom hier.'

Het is een solide, nuchter soort onderkomen dat eeuwen van stormen heeft overleefd. Deze keuken kijkt uit op het noorden en wordt beschut door de aanbouwen, die aan de achterkant aflopen om het gewicht van de sneeuw te kunnen dragen. Ik zeg vaak dat het een Janushuis is met twee gezichten: het ene hard en gewoon, dat de stormen in de ogen kijkt wanneer die komen, en het zachtere, recentere gezicht dat uitkijkt naar het zuiden en de vallei beneden.

In deze keuken telde Kester zijn geld en warmde hij zijn voeten, en zijn kleinkinderen ondergingen hier de grillen van de burgeroorlog en hielden zich gedeisd – althans, sommigen.

Ik zie ertegen op om aan Niks provisiekast te beginnen. Als ik die leeghaal maakt dat ons vertrek plotseling zo onafwendbaar, maar dat is het ook. Waar moet ik beginnen, zeker in deze tijd van het jaar zo vlak voor Kerstmis, juist wanneer het huis altijd tot volle glorie kwam?

In de loop der jaren zijn op deze plek heel wat keren de voetjes van de vloer gegaan. Wat hou ik toch van de boog van de open haard en van de geur van specerijen en warme kruidenwijn, de trapleuning versierd met slingers en groen. Ik zal die eerlijke aanblik missen, maar niet al het harde werk dat het kost om het in stand te houden.

In dit huis zijn mijn kinderen geboren, vriendschappen gesloten bij een pot thee en dikke boterhammen. Ik heb met vreugde en met verdriet geschrobd en geboend voor Engeland. Niet al mijn herinneringen zijn even gelukkig, maar daar heb ik het later nog wel over als ik aan de kamers toekom die belangrijk zijn in ons verhaal. Alles prijsgeven is nooit mijn sterkste kant geweest.

De enige zekerheid die we in het leven hebben is verandering, en ook het feit dat we er niet aan kunnen ontkomen. Op het moment dat we worden geboren, raken we de baarmoeder kwijt, dan de borst en dan onze kindertijd, onze geliefde, onze kinderen, we raken ons lichaam kwijt aan de dood. Ik kan de klok niet terugdraaien en gezond en energiek blijven zoals ik was toen ik hier voor het eerst kwam.

Het lijkt wel een eeuwigheid geleden dat het een wereld op zich was om de vrouw van een boer te zijn, en nu zitten de vrouwen in de stad en houden de boerderijen in stand dankzij hun carrière en hun inkomen. In mijn tijd maakte je je echtgenoot te schande als hij je niet kon onderhouden. Als je er nu over nadenkt is dat eigenlijk belachelijk. Het huwelijk is een samenspel, een gezamenlijke inspanning. Waarom zou een vrouw niet in haar onderhoud voorzien en waarom zou een man daar niet in mee mogen delen? Ik heb dit allemaal door schade en schande moeten leren. Ik ben niet altijd trots op hoe mijn houding in het verleden is geweest, maar zoals ik je steeds maar voorhoud: ik verander niet makkelijk.

Ik voel me een vreemde in de huidige wereldorde, zonder schapen op de hei en de stallen leeg; rozen die in december bloeien zijn niets voor mij. Nog maar vijftig jaar geleden waren de winters streng, maar in de zeventiende eeuw reppen de archieven van de parochie over een ijstijd, over sneeuwstormen en orkanen, dus het lijkt hier op zijn plaats om je over de hoek bij de haard te vertellen en de waarheid over zijn geschiedenis, niet die van mij.

8

DE WITTE VROUW

De volgende ochtend werd Kay met een schok wakker en staarde naar het balkenplafond. De stilte was om nerveus van te worden: geen stadsgeluiden, geen piepende remmen, dichtslaande deuren, blèrende radio's of politiesirenes in de verte. Ze hadden allebei uitgeslapen; ze schoof het gordijn open en zag dat de tuin gehuld was in motregen die eruitzag als slierten rook. Ze kon de witte contouren van Wintersett House zelf zien, maar meer ook niet.

Ze ging weer liggen en maakte in gedachten lijstjes. Als ze hier hun huis van wilden maken, zou het een beetje aangepast moeten worden: een foulard over de bank, felgekleurde kussens, iets vrolijks aan de muur om het armoedige schilderwerk te camoufleren. Ze zouden op zoek moeten naar de dichtstbijzijnde markt en een paar dingen kopen om de boel wat op te vrolijken.

Ze ontbeten samen op hun gemak aan de eetbar: toast en gekookte eieren uit het welkomstpakket. Edie ging op de bank zitten om naar het kinderprogramma op tv te kijken, omringd door haar nieuwste knuffels, duim in de mond, terwijl Kay de verbouwde schuur aan een nadere inspectie onderwierp. Waarom zag het er zo uit als een stads ontwerp? Waar waren de galerij op de bovenverdieping en in het zicht liggende daksparren? Zelfs de grote mendeuren waren dichtgemetseld, eerder verstopt dan benadrukt, waardoor de sfeer van het huis werd bedorven, hoe vakkundig alles ook was gedaan.

Pas toen Kay haar hoofd buiten de deur stak, realiseerde ze zich dat de wind de regen in vlagen door de tuin joeg als rook van een vreugdevuur. Ze had vergeten hoe nat het was in Yorkshire. Ze zouden deugdelijke regenspullen moeten hebben, laarzen en waterdichte jassen. Hun parka's zouden niet genoeg zijn om te voorkomen dat ze tot op hun huid doorweekt zouden raken.

Dit was nou niet bepaald het beeld van de geneugten van het platteland dat Kay voor ogen had gehad toen ze dacht aan een aankomst in de herfst: geen krant in de brievenbus of een fles melk op de stoep, geen bus die langskwam op weg naar de markt. Hoe moest ze dit overleven zonder haar *Guardian*? Ze had mevrouw Yewell nog zoveel te vragen en ze moest haar nog bedanken voor het welkomstpakket. In de haast om haar provisiekast te ontruimen had ze allen maar diepgevroren dingen meegenomen, verpakt in kranten. En als ze nou ingesneeuwd raakten? Kay stelde een lijst op van de voorraden die ze in hun provisiekast moesten hebben, mochten ze van de buitenwereld worden afgesloten. Ze voelde zich een echte pionier.

Al hun kleren waren uitgepakt. Het zag er allemaal te modern uit voor het platteland. Edies boeken en speelgoed zouden op de een of andere manier in de logeerkamer moeten worden opgeborgen. Ze sloeg net de deur dicht toen ze een gestalte onder een capuchon en gehuld in een versleten regenjas ontwaarde die een tweelingzus van Hannah Hauxwell in een sneeuwstorm had kunnen zijn. De gestalte worstelde zich tegen de storm in over het pad en droeg een dienblad dat bedekt was met een doek.

'Blij dat ik u tref, mevrouw Partridge. Jammer dat ik er gisteravond niet was. Ik hoop dat u het een beetje kunt vinden. Geen geweldig weekend, vrees ik, en de weerberichten voorspellen weinig goeds... Heel ongebruikelijk voor de tijd van het jaar.' Een vrouw met wit haar gluurde vanonder de capuchon. 'Ik heb wat van mijn baksels voor u meegenomen voor het geval u zonder zit. Het is maar peperkoek.'

'Kom binnen, kom binnen, mevrouw Yewell,' gebaarde Kay met haar handen vol videobanden. 'We wilden bij u langskomen om u te bedanken voor de melk en eieren en het brood.'

'Graag gedaan, kind. Er is moed voor nodig om hier neer te strijken in de laatste maanden van het jaar. Jullie zijn de eerste bezoekers dit seizoen. Zoals je je wel kunt voorstellen zijn we deze zomer niet bepaald de populairste plek om naartoe te gaan,' antwoordde de vrouw; haar stem was laag en klonk zacht, een beschaafde stem waarin slechts een spoortje van de tongval van Yorkshire doorklonk.

'Wilt u uw man bedanken dat hij ons gisteravond te hulp is geschoten?' antwoordde Kay, en ze zag dat er een glimlach op het gezicht van de vrouw verscheen, die overging in een bulderende lach.

'Wacht maar tot ik dat aan Nikolas vertel. Ik weet dat het een zwaar jaar is geweest, maar mijn zoon is hopelijk toch niet zo oud geworden. Dat was mijn zoon die jullie heeft binnengelaten,' antwoordde ze.

'Pardon?' Kay was in de war geraakt door haar antwoord. Edie kwam af op het geluid van het gelach en stapte de keuken binnen, nog steeds in haar pyjama en met haar blonde haar in slierten over haar gezicht. 'Dit is mijn dochter Edie. Bedank mevrouw Yewell eens. Zij heeft voor je ontbijt gezorgd en peperkoek gebracht voor bij de thee.'

'Wat is peperkoek?' Edie bekeek de platte bruine vierkanten argwanend. De glimlach op het gezicht van mevrouw Yewell verstrakte terwijl ze naar het kind keek.

'Heb jij nog nooit van peperkoek gehoord? Een vreugdevuur op Guy Fawkes is niks waard als er geen peperkoek is en strooptoffees waar je vullingen van uitvallen. Ik maak hem nog op de ouderwetse manier: met haver, stroop en specerijen. Stop hem in een blik om hem te laten rijpen en dan is hij precies goed als het vreugdevuur is. Ze maken in het dorp altijd een geweldige brandstapel en er is vuurwerk.' Mevrouw Yewell aarzelde. 'Ik dacht dat alleen u en uw man zouden komen, mevrouw Partridge, met z'n tweeën,' stamelde ze, terwijl ze het meisje aandachtig opnam.

'Dat is een misverstand, vrees ik. Nee, alleen Edie en ik. Wij zijn nu met z'n tweetjes. We zijn hier om de komende maanden een beetje tot rust te komen.' Kay wilde niet ingaan op de details.

'Dan gaat ze dus naar school in Wintersett? De bus pikt haar op aan het einde van de weg.' Mevrouw Yewell leek uit haar doen door Edies aanwezigheid.

'We weten het nog niet zeker... Ik was van plan haar thuis les te geven tot we teruggaan naar de Midlands. Het is een soort experiment, hè Edie?' Kay wendde zich tot haar dochter, maar die haalde alleen haar schouders op.

'Het is een heel goede dorpsschool. Een van de beste. Pat Bannerman heeft de wind eronder. Die van mij hebben er alle twee op gezeten toen ze klein waren...' De vrouw deed er abrupt het zwijgen toe.

'Dat geloof ik graag, maar we zijn hier speciaal om de sleur te doorbreken en ik weet niet zeker of ik haar wel aan een school wil laten wennen.' Kay keek op terwijl Edie in de richting van de televisie verdween. 'Maar we hebben wel spullen nodig om dit weer aan te kunnen. Waar kunnen we die het best kopen?'

'Hoe oud is ze?' vroeg de vrouw met een stem die van ver leek te komen.

'Bijna acht. Ze is groot voor haar leeftijd, maar wat de rest betreft nog tamelijk jong.' Ze vroeg zich af waarom mevrouw Yewell zo nieuwsgierig was naar Edie.

'Ze vindt het waarschijnlijk maar saai hier op de berg. Er blijven niet veel kinderen op de boerderijen. Ze gaan allemaal met de bus naar school. Let goed op haar, een boerderij is geen speeltuin. Ik heb liever geen gezinnen hier. Ik dacht dat jullie een stel waren, anders had ik dat wel gezegd. We kunnen geen verantwoordelijkheid nemen als er iets... Niet dat er veel gebeurt,' zei de vrouw, die haar ogen half gesloten hield terwijl ze sprak.

'Maak u geen zorgen. Edie is een verstandig kind en is eraan gewend om uit te kijken in het verkeer. Ik zal ervoor zorgen dat ze weet waar ze zich hier aan te houden heeft, en bedankt voor de koek. Ikzelf heb in geen eeuwigheid iets gebakken,' bekende ze. Eunice had ervoor gezorgd dat de kast vol zat met cake en pasteitjes, maar haar eetlust was nog steeds niet teruggekeerd.

'Het is een manier van leven hier – althans, dat was het. De jongeren houden blijkbaar meer van spul uit de winkel. Maar je weet nooit wat daarin zit, hè? Ik laat jullie nu maar met rust. Is alles naar wens? Is er nog iets dat u wilt weten?' Lenora Yewell maakte aanstalten om de deur uit te stappen.

'Ik zou graag meer willen weten over uw oude huis. Ik dacht dat we in een deel ervan zouden verblijven. Ik kan wel zien dat het een hele geschiedenis heeft,' antwoordde ze botweg, want het had geen zin haar verwachtingen te verbergen.

'Er zijn veel stukken aangebouwd en weer afgebroken, dat moet u maar aan mijn zoon vragen. Hij interesseert zich daarvoor. Ze zeggen dat het al sinds de tijd van koningin Elizabeth in de familie van mijn man is. Vraag Nik maar of hij je eens een rondleiding geeft, zolang je je maar niks aantrekt van de rommel. We wonen rug aan rug, om het zo maar uit te drukken. Dat bevalt ons goed.' Mevrouw Yewell glimlachte en ondanks haar rechttoe, rechtaan manier van doen en haar strenge blik beviel de vrouw Kay wel. Ze moest in haar tijd een schoonheid zijn geweest met die hoge jukbeenderen en die fraaie, doordringende ogen.

'En uw man? Werkt die nog op de boerderij?' vroeg Kay.

'Lieve hemel, nee. Tenzij hij de akker van Petrus aan het ploegen is. Hij is jaren geleden overleden, nog voor al dat gedoe met de landbouwindustrie. Hij was een aanhanger van Margaret Thatcher, hij dacht dat de goede tijden eeuwig zouden duren.'

'Wat akelig. Ik zie dat de velden leeg zijn. Het moet hier boven vreselijk zijn geweest dit jaar,' bracht ze uit, en ze hoopte dat ze de weduwe niet van streek had gemaakt.

'Reken maar, zo slecht als ik nooit had gedacht te zullen meemaken. Tom heeft een mooi leven gehad. Ik was jonger dan hij en het leven was toen makkelijker. Je kon hier nog genoeg verdienen om je kinderen een opleiding te geven. Hij werkte hard voor zijn gezin, meer kun je niet verlangen. Ik ben blij dat hij niet heeft hoeven meemaken hoe de kudde moest worden afgemaakt. Ben jij uit vrije wil alleen?' Mevrouw Yewell zweeg even in afwachting van een antwoord.

'Mijn man is vorig jaar Kerstmis omgekomen bij een vliegtuigongeluk. Het is niet gemakkelijk geweest.' Ze vond het altijd moeilijk om die woorden uit te spreken, maar het was maar beter dat achter de rug te hebben. Ze wilde niet dat er misverstanden zouden ontstaan.

De oudere vrouw keek haar strak aan en er werd zonder woorden iets tussen hen uitgewisseld.

'Dan wil je vast niet al te veel aan Kerstmis doen, vermoed ik.'

'Dat klopt wel ongeveer,' zuchtte ze. 'Maar Edie is te jong om het te begrijpen.'

'Ik hoop niet dat u het erg vindt dat ik het recht voor z'n raap zeg,' fluisterde mevrouw Yewell. 'Doe haar op school. Ze zal een leuk kerstfeest hebben op de dorpsschool. Dan kunt u een stapje terugdoen en het allemaal over u heen laten komen. Dat zou wel eens kunnen helpen. Maar ik hoop dat u toch een prettig verblijf hebt. Verandering is net zo goed als rust, al zal u over wat u hebt meegemaakt nooit heen raken.' De boerin zweeg even. 'Ga naar de markt, daar hebben ze winterkleren voor de helft van de prijs. Het weer hier is onberekenbaar. Maar u weet wat ze over het weer in Yorkshire zeggen: negen maanden winter en drie maanden slecht weer,' lachte mevrouw Yewell. 'Wacht maar tot ik Nik vertel dat u dacht dat ik zijn vrouw was!' Ze waggelde in zichzelf lachend terug naar het grote huis, dat nog steeds omringd werd door mist.

'Wat zullen we vandaag gaan doen, pop?' Kay ging op de rand van de bank zitten.

'Een video huren en een pizza halen,' klonk het antwoord.

'Later misschien, maar eerst gaan we een wandeling maken en eens flink uitwaaien. Ik wil het oude huis bekijken. Er valt zoveel te ontdekken. Laten we de spinnenwebben uit ons hoofd laten waaien en herfstdingetjes gaan zoeken voor in de vensterbank. Kom op, doe je laarzen en je parka aan. Ik geloof dat de regen minder wordt. Het zal ons goeddoen,' zei ze opgewekt, en ze probeerde positiever te klinken dan ze zich in werkelijkheid voelde. Het kon geen kwaad dat ze de oude dame had verteld hoe de zaken ervoor stonden, maar ze hoopte dat ze niet zouden worden lastiggevallen. Misschien was de dorpsschool nog niet zo'n slecht idee. Ze zouden er eens een kijkje gaan nemen en met eigen ogen zien wat ze te bieden hadden.

Edie rende over het erf en spetterde door de plassen, terwijl de herdershond Fly, die vastzat, blafte. Hij was zwart-met-wit en had bleekblauwe ogen, en begon elke keer dat ze langskwam opgewonden te springen. Ze speelde verstoppertje met haar moeder, die glibberend en glijdend over de kinderkopjes liep. Er was een rij bomen en struiken waar de bladeren als gouden sneeuw naar beneden dwarrelden. Toen zag ze een konijn wegvluchten bij de muur voor haar en ze ging erachteraan. Ze zou zich in de bosjes verstoppen voor haar moeder en dan tevoorschijn springen.

Dit was nu haar speelterrein: velden en nog eens velden om te onderzoeken. Dit was haar elfenbos, een betoverd woud net als in het verhaal dat ze aan het lezen was, waar mensen in de toppen van de bomen woonden, en er waren vreemde landen die je kon bezoeken. Het zou fantastisch worden.

Er lagen talloze dingen op de grond om te verzamelen: veren, stenen, dennenappels en afgevallen noten. Ze kon vogels in de bladeren horen scharrelen, die haar dieper en dieper de spannende schemering in lokten. Ze vond een paar paddestoelen die in een bijna volmaakte cirkel stonden en ze sprong in het midden om een wens te doen. Dit was het betoverde woud en ze verwachtte de huizen in de bomen te zien, maar ze keek teleurgesteld naar boven tussen de takken, want er was nog geen deur te zien in de stam, alleen maar een verschrikte eekhoorn die zich vlug voor haar verborg.

Een ogenblik voelde Edie een steek van angst, van een vreemd gevaar; ze voelde plotseling dat er iemand naar haar keek en ze draaide zich snel om en ving een glimp op van een arm vrouwtje met lang wit haar dat gekleed was in een gerafelde mantel en keek alsof ze een prinses was die in het bos was verdwaald. Edie wilde met haar praten. Wat raar om hier een witte mist als een suikerspin tussen de bomen te zien zweven, en er hing een rookgeur in de lucht.

Edie knipperde met haar ogen en keek opnieuw, maar er was niemand meer, alleen maar de geur van een houtvuur. Ze liep op haar tenen verder om te zien waar de vrouw door het struikgewas liep. Het werd donkerder en kouder, en plotseling kwam haar angst weer opzetten. Het werd tijd dat ze terugging tot ze weer wist waar ze was, maar desondanks kwam ze ergens anders uit de bosjes dan ze erin was gegaan. Het was allemaal erg geheimzinnig.

Nik Yewell deed niets liever dan een middagje muren repareren terwijl hij luisterde naar Bach en zijn pijp gevuld was met goede tabak. Zijn cassetterecorder speelde het dubbele vioolconcert van Bach, dat werd gevolgd door een octet van Mendelssohn, en dat was voldoende voor de rest van de dag. Een gat in een muur repareren had iets bevredigends: oog en hand werkten harmonieus samen, wisten welke steen waar moest, of gingen een steen met een beitel te lijf om hem precies passend te maken. Het was net alsof je je eigen puzzel maakte. De muur was neergehaald, de stenen waren gesorteerd op vorm en grootte. Hij had geen rei nodig om recht te bouwen. Hij bouwde de muur op van de fundering in de vlakke grond in het beproefde principe van één op twee, twee op één, waarbij hij ervoor zorgde dat de grotere stenen op ruwweg gelijke afstand kwamen te liggen om de reparatie sterker te maken.

Een goede muur ging lang mee. Als hij deze goed bouwde, zou die de rest van zijn leven meegaan. Een goede boerderij kon je herkennen aan het geringe aantal gaten in de stenen afscheidingen. In de periode voor de ruimingen zag hij alleen al op de hei soms wel veertig gaten in sommige stukken muur en met de subsidies voor het optrekken en onderhouden van de muren was daar geen excuus voor. Veel van zijn vrienden hadden de moed verloren en improviseerden maar wat; ze konden zich de kosten van een goede bouwer niet veroorloven en probeerden overal op te bezuinigen, maar hij had zich vast voorgenomen zijn muren in goede conditie te houden, zelfs al was het een zootje op de velden.

Hij had het van een eersteklas bouwer geleerd. Zijn vader, Tom Yewell, was een van de besten en snelsten. Altijd wanneer hij ruzie had met zijn moeder, ging hij naar buiten en herstelde een gat. Dat gaf hem rust en tijd om na te denken. Dat was beter dan welke stresstherapie ook: alleen zijn met de wind op de hei. Toen zag hij het meisje van Side House op een verzakt stuk muur zitten dat verre van veilig was.

'Ga van die muur af! Dat is gevaarlijk!' gebood hij, maar ze bleef met haar armen over elkaar geslagen zitten.

'Waarom?' wilde ze weten.

'Omdat ik het zeg.' Hij keek naar het scherpe gezichtje en de doordringende ogen die hem aanstaarden. Hij was niet gewend om te worden tegengesproken door een kind van acht. 'Ik wil niet dat mijn muur omgaat en ik wil je moeder niet op m'n dak krijgen omdat je een gat in je kop hebt. Nou, ga onmiddellijk van die muur af!'

'Jij bent de baas niet, meneer Mopperkont,' luidde haar antwoord.

'O jawel, dat ben ik wel. Als de muur kapotgaat en de schapen weglopen, zet ik jullie allebei op de volgende trein naar het zuiden, juffertje Onbeleefd.' Hij deed zijn best om niet te grinniken. 'Meneer Mopperkont' vatte aardig samen hoe hij de laatste tijd was, maar hij hield zijn gezicht in de plooi.

'Er zijn in dit veld helemaal geen schapen,' antwoordde Edie terwijl ze uitdagend over de verspreid staande bosjes uitkeek.

'Jij hoort op school te zitten,' zei hij kortaf, en hij ging verder met zijn werk terwijl hij het dametje in de oranje maillot en dikke parka negeerde.

'Wat ben je aan het doen?' vroeg ze, en ze wees terwijl ze van de muur sprong.

Hij kon er niets aan doen dat hij haar een grappig kind vond, een typisch enig kind, nieuwsgierig en alleen, wijs voor haar leeftijd. Hij kon het weten, want hij was zelf vrijwel enig kind geweest. Waarom zat ze niet op school? De jeugd van tegenwoordig leek geen respect meer te hebben voor ouderen.

Het enige wat hij op dit moment wilde was een beetje rust om de beslissingen die de komende maand genomen moesten worden te overpeinzen. Het feit dat ze vreemden in huis moesten halen om de eindjes aan elkaar te knopen was geen troost. Nu kon hij niet eens meer rustig zijn muur bouwen met die nieuwsgierige ogen die hem op de vingers keken.

'Waar zijn al je schapen gebleven?' stelde het meisje de voor de hand liggende vraag.

'Ik wacht tot er nieuwe komen,' zei hij voorzichtig.

'Zijn de jouwe allemaal afgemaakt?' vroeg ze achteloos. Nu was het zijn beurt om te blozen. Hij knikte en zag toen tot zijn opluchting dat de moeder met het roodgouden haar achter zich aan wapperend over het veld kwam aangerend. Die twee leken precies op elkaar, als twee druppels water.

'Waar zat je toch, Eden? Ik heb overal naar je gezocht!' riep mevrouw Partridge.

'Ik was alleen maar op ontdekkingstocht, en ik heb noten en bladeren en veren gevonden en een vrouw die door de bomen liep,' antwoordde het kind.

'O ja? Waar heb je die gezien dan?' schimpte hij, en hij zag hoe de lippen van de moeder glimlachten, maar haar ogen niet.

'Ik heb haar echt gezien. Ze zwaaide naar me, maar ik kon haar niet inhalen en ze verdween dwars door de bomen, alsof ze kon toveren en die er helemaal niet stonden,' antwoordde Edie.

'Wat geeft u dat kind te eten – hallucinogene paddestoelen?' Hij kon er niets aan doen dat hij moest lachen, en de moeder bloosde.

'Ze heeft een levendige fantasie, zoals de meeste kinderen...'

'Er zwerven hier wel eens hippies rond op zoek naar paddestoelen,' zei hij, zich er goed van bewust dat zijn jas een uur in de wind stonk. Hij zag er in zijn smerige kleding ongetwijfeld uit als een zwerver, maar dat kon hem niet schelen.

'Zorg dat ze van die muren blijft. Het is hier geen speeltuin. Ik heb tegen haar gezegd dat ze nog niet jarig is als er een muur kapotgaat en mijn nieuwe schapen god weet waarnaartoe zwerven. De nieuwe kudde is nog niet gewend aan de heuvels en zal ervandoor willen.'

'Ik heb echt een mevrouw gezien die verstoppertje speelde,' hield het kind vol, en ze wees naar de bosjes in de verte.

'Dat doet er nu niet toe. Doe wat meneer zegt.' Edies moeder was geprikkeld.

'Zijn we hier als de lammetjes geboren worden?'

Hij begreep dat Edie een volhoudertje was, dus schudde hij zijn hoofd.

'Deze aprilmaand geen schijn van kans, en als de lammertijd aanbreekt ben je allang weg.' Wat een opluchting zou dat zijn, dacht hij. Maar dan kwamen de zomergasten weer.

'Kunnen we niet blijven tot de lammertijd?' vroeg het meisje terwijl ze aan haar moeders mouw trok, ongetwijfeld hopend op een bevestigend antwoord.

'Misschien dat we een andere keer een weekend kunnen komen om naar de lammetjes te kijken,' antwoordde Kay Partridge diplomatiek. 'Kom, pop, laten we meneer Yewell niet langer van zijn werk houden,' zei ze terwijl ze Edie bij de hand pakte en haar met zich meetrok. 'Ga er nooit meer zo stiekem vandoor. Je moet tegen me zeggen waar je heen gaat.'

'Maar ik heb echt een mevrouw gezien in het bos. Ze was net als Assepoester hout aan het sprokkelen. Echt waar, echt waar!' hield Edie vol.

'Als jij het zegt,' klonk het vermoeide antwoord.

Nik zag hoe de vrouw hem over haar schouder een blik toewierp, een zucht slaakte en er duidelijk niets van geloofde. Ze vormden een vreemd koppel en hij vroeg zich af wat hen zo ver naar het noorden bracht, waar ze alleen elkaar als gezelschap hadden. Misschien waren ze op de vlucht voor iets of iemand. Als dat zo was, dan hadden ze wel een rare schuilplaats uitgekozen. Er kon in Wintersett niets gebeuren waar niet onmiddellijk over geroddeld werd. Mensen uit de vallei waren erg op zichzelf, maar nieuwsgierig naar wat er in de uithoeken gebeurde, en zijn moeder zou maar al te graag stilletjes informatie geven om de hiaten in de roddelverhalen op te vullen. Hij glimlachte in zichzelf.

Dus het kind ziet de witte vrouw ook, peinsde hij terwijl hij de brand in zijn pijp stak en zich weer aan zijn taak wijdde, zijn walkman aanzette en zich liet meevoeren door de muziek. Hij had iets kunnen zeggen om het uit te leggen, maar hij had zijn mond gehouden en dat zat hem dwars, maar het was zíjn geheime last dat hij het derde oog had en zo zou het blijven ook. Dat ging hun helemaal niets aan.

Hij zat niet te wachten op het derde oog en hoefde er ook niet aan herinnerd te worden dat er dit jaar geen lammeren zouden zijn, geen nieuw leven voor zijn velden. De gedachte dat hij nog een jaar moest wachten voor zijn ooien weer gedekt konden worden was bijna niet te verdragen.

Plotseling deed zijn ingeblikte muziek pijn aan zijn oren en kreeg hij last van zijn rug. Hij had nu lang genoeg gedaan alsof en hij liep in de richting van de achterdeur.

Hoeveel generaties zou het kosten voor zijn nieuwe kudde gewend was, de leider wist waar het veilig was op de heide om te grazen, de voortekenen van het weer begreep en wist achter welke muren de kudde het best kon schuilen tegen de sneeuw?

9

DE PREEK

Verzoek tot verbod kerstviering

Sir Hen. Mildmay meldt het Parlement dat de Raad informatie heeft ontvangen dat de dag die algemeen bekendstaat als eerste kerstdag, halsstarrig en nauwgezet in acht is genomen in de steden en in Londen en Westminster, met het door iedereen gesloten houden van winkels en werkplaatsen; en dat er verachtelijke toespraken werden gehouden door diegenen die daarvóór waren, hetgeen volgens de Raad gebaseerd is op oud bijgeloof en kwaadaardigheid... en verzoekt het Parlement daarom te overwegen nadere voorzieningen te treffen en straffen vast te stellen om een einde te maken aan en het bestraffen van voornoemde oude bijgelovige rituelen en samenkomsten van in dat opzicht kwaadaardige dwarsliggende overtreders.

Register van Staatsdocumenten Binnenland, 1650

Juffrouw Hester houdt de bakplaat op de keukentafel in de gaten. De hond in de hoek heeft een oogje op de peperkoek, maar durft zich uit angst voor haar niet te verroeren. Dit is het seizoen voor vruchtenkoeken, maar dit is maar een flauwe afspiegeling. Herfstvuren en haverkoek gaan slecht samen. De koeken betekenen het begin van de kleine vasten op Sint-Maarten, een tijd van gebed en onthouding. Hester snuift; ze mist de geur van honing en melk, symbolen van hemel en aarde, de geur van peper, piment en amandelen. Waar zijn haar deegrol en bakrooster gebleven? Dit zijn maar schamele offerandes, gemaakt van Londense stroop en in de oven gebakken, niet in het hete vet in een pan. De jongeren weten niets meer van de heilige kunst van het koken. Hoe kun je de armen voeden en het lijden van de doden verlichten met zulke armzalige namaakdingen?

Ze gluurt ongezien uit het raam terwijl een dansend kind als een opgeblazen zonnebloem over de binnenplaats huppelt en in een plas springt. O moeder, wees voorzichtig. Hester ziet iets bewegen in het struikgewas dat Wintersett omgeeft.

Als zus Blanche maar eens wilde luisteren en niet op bezoek zou komen, maar een kind trekt haar als een magneet deze kant op. Er zal geen rust zijn. Blanche is zo onvoorzichtig met andermans kinderen. Dit seizoen is rijp voor onheil, wanneer de duisternis het wint van het licht. Word wakker, Wintersett, en houd de wacht. Er is gevaar ophanden. Onze gebeden zijn met de komst van een kind verhoord, maar deze keer moeten we het afmaken of verdoemd worden.

Maar waarom brengt dit seizoen alleen maar verdriet in mijn hart? Brengt het geen herinneringen aan vreselijke tijden en de begrafenis van mijn vriendschap met Blanche? Hoe kan een periode van welbehagen haat en wanhoop voortbrengen? Hoe kan een eenvoudige preek zo'n vreselijk oogst opleveren?

De nieuwe predikant van Sint-Maxientius, dominee Soberness Woodley, was niet in de stemming om compromissen te sluiten. Hij wilde zijn gezag doen gelden bij deze armzalige verzameling paapse ketters, deze voormalige royalisten, en met dat doel marcheerde hij in de richting van het drie verdiepingen hoge spreekgestoelte, zijn gezicht paars van toewijding. Hester Youell zat in de haar toegewezen bank en haar voeten waren ijskoud. De kale muren, ontdaan van alle aanstootgevende voorwerpen, boden geen afleiding van de ophanden zijnde storm. Nathaniel, haar echtgenoot, dommelde al weg en ze hoorde het gerommel van zijn maag die verlangde naar de volgende maaltijd.

'Het woord des Heren kwam tot mij als een vuur dat in mijn boezem werd ontstoken. Nu we de advent naderen, het seizoen van vasten en boetedoening, is mij ter ore gekomen dat er in ons midden lieden zijn die nog steeds heidense feesten vieren met vreugdevuren en al voorbereidingen treffen voor het joelfeest. Weet dan dat de regering van dit rijk de praktijk van de kerstviering al enkele jaren geleden verboden heeft. Dat is een gruwel ten opzichte van de Heilige Schrift. De geboorte van Onze Heer is een ernstige aangelegenheid voor gebed en vasten, maar ik hoor dat er onder ons zijn die dit aangrijpen voor zondige goddeloosheid, een vrijbrief voor losbandigheid om er eerder de aanbidding van Satan van te maken dan een mis vol boetedoening.'

Er klonk geschuifel en geroezemoes in de banken, en hoofden werden voorovergebogen om de blos te verbergen die werd opgewekt door herinneringen aan gokfeesten, toneelvoorstellingen en braspartijen uit het verleden. Hester keek aandachtig toe.

'Ja, verberg je schande maar, stelletje lichtzinnigen, die dansen en zingen op de heilige sabbat, die kaartspelen en deze heilige dag doorbrengen in dronkenschap en losbandig gedrag. Het oog van de Heer ziet alles, broeders, het ziet alles! Met Hem valt niet te spotten. Het staat geschreven in het Boek des Oordeels dat juffrouw Palmer in gezelschap van anderen zich te buiten is gegaan aan het in onkuise en losbandige uitdossing tonen van haar lichaam op een dusdanige wijze dat de schout eraan te pas moest komen. Is de geleerde Knowles niet aangetroffen in het bed van ene Bess Fordall, waar zij gemeenschap hadden en zo het huwelijk belachelijk hebben gemaakt? Sommigen van jullie bespotten de Heer vaker in de twaalf dagen van Kerstmis dan in de rest van de twaalf maanden van het jaar.' Hij zweeg even voor hij verderging zijn gal te spuwen.

'Wees geen kerstvierder meer. Maak Zijn lijden niet te schande met jullie ongehoorzaamheid. Het is nu al een paar jaar de algehele gewoonte om de rituelen van het feestseizoen links te laten liggen ten faveure van vasten en bezinning. Laat het in dit district een gewone werkdag zijn. Want als mij ter ore komt dat een van de hier aanwezigen de hiervoor genoemde heilige dag op een lichtzinnige manier besteedt, dan zal hij streng worden gestraft. Want van nu af aan is het ten strengste verboden om zich over te geven aan kerstmissen en dergelijke afgoderij. Hoe slap het toezicht in dit jaargetijde in het verleden ook is geweest, jullie hebben nu iemand voor je die vol ijver is om de wet te handhaven. Het jaargetijde is verdoemd en degenen die niet gehoorzamen, zullen ontdaan worden van hun bezittingen en in het duister worden geworpen, waar het eeuwige licht hun onthouden zal worden!

Laat ik duidelijk zijn. Er wordt in deze parochie niet langs de huizen gegaan om liederen te zingen, er komen geen toneelvoorstellingen of drinkgelagen. Laat uw feest zijn als de vasten: eenvoudig, zonder vlees, en karig. Haal geen groene takken van de heggen in huis, geen heidense bessen. Laat uw kinderen niet hunkeren naar zoetigheid, speeltjes en gezang. Kleed hen eenvoudig en nederig. Onze Heer is eten en drinken genoeg voor hen die Hem liefhebben. Hij zal u uw onthouding belonen. Hoor en gehoorzaam het woord des Heren op straffe van uw zielenheil. Amen.'

Ze had de dominee niet zo opgewonden meegemaakt sinds hij met Sint-Michiel was aangekomen. Het speeksel spatte van zijn lippen. Ze keek de rij langs naar waar haar zus, Blanche Norton, zat, die recht voor zich uit staarde met een bleek gezicht, zo wit als sneeuw afgetekend tegen haar weduwekleed, met weer een kanten kraag om mee te pronken en lange krullen die onder haar elegante muts uitkwamen. Haar enige kind, Anona, zat stilletjes naast haar en besteedde geen aandacht aan de waarschuwingen, maar was verzonken in haar eigen gedachten.

Blanches haar was in één nacht vrijwel wit geworden toen ze het nieuws te horen kreeg dat haar echtgenoot, Kit, was gesneuveld met de royalisten tijdens de Slag op Marston Moor in 1644. Sommigen in de gemeenschap grepen de gelegenheid maar al te gretig aan om haar boetes en betalingen op te leggen en haar van haar vee en bezittingen te beroven vanwege haar steun aan de Kwade Zaak. Deze jongste oorlog had het gebied in twee kampen verdeeld. Nathaniel bemoeide zich met de een noch met de ander, betaalde wat hij schuldig was als hem daarom werd gevraagd en volgde voorzichtig een middenweg zonder iemand voor het hoofd te stoten. Hij zei dat hij slechts het oordeel van de Heer afwachtte, die in Zijn wijsheid de koning zwaar had gestraft. Het vergrijp van zijn zus had haar op het pad van de schout gebracht en ze moest zwaar boeten voor het verraad van haar echtgenoot.

We zijn vreemde verwanten, dacht ze; ik ben klein en donker, en zij is lang en blond. Ze werd nog steeds als aantrekkelijk gezien en had nog akkers om te zaaien, en er kwamen dan ook heel wat aanbidders de weduwe het hof maken, maar ze gaf er de voorkeur aan haar huishouden te voeren alsof Kit nog steeds aanwezig was. Eerlijk gezegd waren ze afstandelijke zussen en toen haar eigen vader voor de soberdere kerkgang koos en Blanche in een ooit paapse familie trouwde, zagen ze elkaar zelden meer, tot ze weduwe was geworden. Hoe kon ze werkloos toekijken en de weduwe haar beproevingen zonder vrienden laten ondergaan?

Nathaniel Youell van Wintersett werd beschouwd als een goede vangst voor een eenvoudige dochter. Het huwelijk kwam hun beiden goed van pas. Afgezien van de wens naar een opvolger was ze zeer tevreden met haar stenen huis op de heuvel, haar bedienden en haar kamers. Het deed haar veel verdriet dat haar kinderen het niet langer volhielden dan een paar ademtochten.

De verordeningen van de dominee waren erg streng voor een landelijk district, vond ze. Hier deden de mensen dingen op de traditionele manier, zonder veel te letten op wat er van de kansel werd gezegd. De twee politiemensen, Robert Stickley en Thomas Carr, zouden wel als zijn spionnen fungeren. Als er voordeel viel te behalen door informatie door te spelen, dan was Stickley je man. Ze voeren allebei wel bij deze verandering van regering.

Ze had niet veel problemen met het uitbannen van Kerstmis. Dat was, om de waarheid te zeggen, erg kostbaar en een grote afleiding voor de bedienden, die rosbief, pasteitjes en plumpudding verwachtten. Volgens haar waren de feestdagen een verzinsel om de kas te spekken van alle groente-, vlees- en vishandelaren in de stad. Heel wat mensen spaarden kosten noch moeite om maar te laten zien hoe goed ze het hadden; ze droegen nieuwe kleren en zakdoeken, en mooie linten die ze kochten van de marskramers die hun verlokkingen huis-aan-huis verkochten.

Bedienden wilden vrije dagen, dansen en vioolmuziek. Iedereen wist dat dansen het werk van de duivel was, want met Kerstmis werden meer meisjes zwanger dan in de hele vasten.

Laat de kaarsenmakers en kruideniers, specerijenhandelaren en straathandelaren het maar voelen. Al het geld dat zij uitspaarde, zou heel verstandig worden besteed aan een goede ram of een fokmerrie. De varkens moesten nog worden geslacht en er moesten nog zult en pasteitjes worden gemaakt van de varkenskop. De arme weduwen mochten nog steeds op Sint-Thomas langskomen voor een aalmoes.

Haar werk was nooit gedaan. Kerstmis vieren was tenslotte een paapse gewoonte en nu Cromwell aan de macht was, was het tijd om al die frivoliteit een halt toe te roepen. Ze was nu een nuchtere huisvrouw, geen dom gansje van een jaar of zeventien.

Nathaniel zou van dergelijke zaken het zijne denken. Als hij het nodig vond om aalmoezen en blijken van dank uit te delen aan zijn knechten, staljongens, herders en hulpjes, als hij hun bier wilde verstrekken of hun een of twee vaatjes wilde geven, de huisbedienden een dag wat minder liet werken zodat ze hun familie in de vallei konden bezoeken, en de andere kant op keek bij een beetje losbandigheid, dan was dat zijn zaak. Zij had haar eigen redenen om de woorden van de dominee ter harte te nemen.

'Wat vond jij van de preek van onze dominee vanmorgen, Blanche?' vroeg ze terwijl ze met geheven hoofd stijf door het gangpad liep met haar breedgerande zwarte hoed op haar hoofd.

Blanche liep achter haar met een boos gezicht en hield het handje van het kind in de hare geklemd. 'Hij kletst uit zijn nek, die somberman!' fluisterde ze. 'Weet hij niet dat Kerstmis een tijd van vreugde is, niet van rouw? Er is al zo weinig om ons op te vrolijken in deze vreselijke, duistere winter vol sneeuw en ijs; met de lantaarns die de hele dag moeten branden en de vuren die geen warmte geven. Dit is de tijd dat de mensen een beetje moeten kunnen uitkijken naar dansen en zingen. Ik trek me niks van hem aan.'

Blanche negeerde de dominee bij de deur en schreed weg, als de echte dame die ze ooit was. Dat ging niet ongemerkt voorbij. 'Nonie krijgt een nieuwe jurk en we zullen onze buren uitnodigen en een feest houden,' zei Blanche luid. 'Ik ben het aan wijlen mijn echtgenoot verplicht fatsoenlijk Kerstmis te vieren. Vroeger dronken we de kelder droog en aten hertenbouten en rundvlees met vruchtentaart en allerlei heerlijkheden. Nu kan ik het me niet veroorloven om te feesten, maar al moet ik mijn laatste sieraad verkopen, dan zal ik dat doen om de wens van mijn kleine te vervullen. Ze hoeft niet zonder te doen, alleen maar omdat de eerste de beste predikant met zijn zure gezicht die als een goochelaar met zijn handen staat te wapperen dat zegt. We hebben verdriet omdat Kit ons niet langer terzijde kan staan om ons te beschermen. Hebben we nog niet genoeg geleden?' Blanche bleef staan om te zien of ze luisterde.

'Wanneer ik in de kerk zit en naar die kale muren kijk, zie ik alleen maar verraad en eigenbelang. Was het niet broeder Stickley die op mijn deur klopte en vier koeien eiste als boetedoening voor onze trouw aan zijn voormalige koning? En pakte die mooie schout Carr niet drie pond uit mijn geldkist nog voor mijn arme Kit goed en wel in zijn graf lag? Werden we niet van het kastje naar de muur gestuurd, uit ons huis gehaald om vrij baan te maken zodat het leger van Cromwell onze graanschuur kon plunderen en onze paarden kon stelen? Ik wordt doodziek van al die verordeningen die ons onze kleine pleziertjes tijdens ons korte verblijf op aarde ontnemen. Als Soberness Woodley het vuur in zijn borst voelt branden, dan is dat bij mij ook het geval, maar om tegengestelde redenen, en dat zal ik hem vertellen ook.'

Ze had Blanche nog nooit zo opgewonden gezien en zo onvoorzichtig in haar woorden.

'Wees voorzichtig, Blanche. Het is niet verstandig om hem kwaad te maken. Er zijn mensen die willen profiteren van jouw ellende. Geef ze geen reden om je aan te geven.' Ze voelde zich geroepen om te waarschuwen, maar er liep een rilling over haar rug.

'Je bent een echte vriendin, zus, en je bedoelt het goed. Ik kan wel voor mezelf zorgen, maar mocht me iets overkomen, dan vertrouw ik erop dat er altijd een plek is bij je haard voor mijn kind. Bescherm haar tegen hun jaloezie. Ik ben het niet altijd eens met je opvattingen, net zomin als jij met de mijne. Ik kom hier omdat ik moet. Ik kan het me niet langer veroorloven weg te blijven, maar jij bent altijd hartverwarmend voor ons geweest. Nonie is het enige wat me nog overeind houdt in dit tranendal,' zei Blanche terwijl ze Hester bij de mantel greep.

'Denk er dan aan, lieve zus, dat je deze dominee geen aanstoot geeft. Natuurlijk is Anona altijd welkom. Je hebt dapper gevochten om je land en bezittingen te behouden. Gooi dat nou allemaal niet in één enkel gebaar van opstandigheid weg. We zijn familie en wie jou iets aandoet krijgt met ons te maken, of niet soms, Nate?' antwoordde ze, in de hoop dat haar echtgenoot haar zou steunen, maar hij liep buiten gehoorsafstand.

'Die dominee is een windbuil,' lachte Blanche, en ze zwaaide met haar krullen. 'Hij is dol op het geluid van zijn eigen stem. Het kan mij niet schelen wie me kan horen.'

'Stil. Je koppigheid maakt me bang, maar ieder moet handelen naar zijn geweten en de Schrift. Waar staat in de bijbel geschreven dat we op de dag van Christus' geboorte naar de kerk moeten?' betoogde ze.

'Wat er staat geschreven kan me niet schelen. Woorden zijn niet van vlees en bloed,' zei Blanche. 'Ik zal niet afdwalen van de oude weg omdat de een of andere zwarte kraai loopt te krassen dat ik alleen maar zijn hoofdweg mag nemen.' Blanche tilde het kind op de kar die klaarstond en liep in een flink tempo bij de kerk vandaan.

Hester merkte dat ze stond te huiveren in de winterzon toen ze de raven op het kerkhof hoorde krijsen. Blanche was te trots voor haar eigen bestwil. Ze zou de voorzienigheid toch zeker niet tarten door tegen de wil van een geestelijke in te gaan?

10

HET KERSTBEZOEK

Zure zult van Hester Youell

Neem de kop van het varken en snijdsel uit de zoutpot, spoel af en doe in de kookpot.
Voeg poten, oren, tong, beenderen en dergelijke toe, breng aan de kook en laat een tijdje sudderen.
Voeg smaakvolle kruiden toe: salie, majoraan, een flinke hoeveelheid laurier, een paar peperkorrels en stukjes uit de nootmuskaatdoos, wat maar voorhanden is om het vlees op smaak te brengen.
Giet zodra de botten zacht zijn en het vlees mals alles in een teil en zeef de bouillon langzaam door een neteldoek.
Breng de bouillon in een ketel aan de kook en haal ondertussen het vlees van de botten en hak het fijn, voeg zout en peper toe en leg het in de zultvorm.
Bedek het aangedrukte vlees met bouillon.
Zet het weg op de koudste plek in de provisiekast.
Zet de vorm in heet water om de zure zult los te maken.
Garneer met kruiden. Opdienen met een goede mosterdsaus.

'Waar zitten die suffe meiden?' mompelde Hester Youell in zichzelf terwijl ze zich weghaastte van het geschreeuw van het varken. 'Net nu er zoveel te doen is.' Het gegil dat van de binnenplaats weergalmde waar de mannen bezig waren met de slacht deed haar oren tuiten. Ze liep snel door de keuken naar haar trots, de mooie kamer, waar ze met een plumeau over haar kist en de bewerkte beddenstijlen ging, over de elegante tafel en rijkbewerkte bank. Aan de muur hing een rek met haar mooiste zilveren borden. Alleen Blanche had mooiere spullen dan zij en die verdwenen in hoog tempo uit Bankwell Hall.

Het varken werd gevangen en het werd de keel doorgesneden en op dit moment stroomde het bloed in de teil. Ze moest water opzetten om straks de huid te broeien en de borstelige haren af te schrapen. Algauw zou de kop op een dienblad worden gebracht, net als het hoofd van Johannes de Doper voor Salomé. Er moest nog heel wat worden gedaan: de provisiekamer moest worden schoongeschrobd zodat de stukken in zout konden worden ingelegd voor de vasten begon, de varkenskop moest in de ketel worden gekookt voor de bouillon en om zure zult van te maken. Het was zonde om er ook maar iets van weg te gooien, zelfs de poten of de lever en de nieren; die moesten worden uitgedeeld onder de helpers, want ze bleven niet lang goed. De weduwen van Wintersett zouden vanavond geen honger lijden.

Hester was niet in de stemming om feest te vieren, want ze was wakker geworden door een stroom menstruatiebloed en een vreselijke pijn in haar buik, en de hoop op een zomerkind was opnieuw de bodem ingeslagen. Ze liep nog steeds te piekeren over de brutaliteit van Blanche tegen de dominee in de kerk en ze vroeg zich af of ze hen beiden onder haar hoede moest nemen om hen in de gaten te houden.

Waarom moest een oudere zus moederen over degenen die na haar kwamen? Het zou betekenen dat ze de matrassen moest luchten en haar beste beddengoed tevoorschijn moest halen, want Blanche was gewend aan fijn linnen en een eigen slaapvertrek. Ze zou niet bij hen willen bivakkeren.

Ze haastte zich terug door de keuken om een beetje vaart achter de slacht te zetten. Ze had grootse plannen voor hun bescheiden onderkomen. Hoewel ze een apart vertrek hadden waar ze kon spinnen en rusten, met erboven een kleine kamer voor de bedienden, zeurde ze Nate voortdurend aan zijn hoofd voor een echte bovenverdieping die bij hun stand paste, een bewerkte eikenhouten trap en privé-vertrekken. Het rieten dak aan de achterkant van het huis moest worden gerepareerd. Stevige leiplaten zouden beter staan, had ze voorgesteld, maar Nate mopperde dat dit dak zijn vader en zijn grootvader door vreselijke winters had geholpen en dat het dus nog wel even kon wachten.

Ze vormden samen een uitstekend koppel, maar wat had het voor zin om hun onderkomen te verfraaien zolang er nog geen opvolger was? Ze was bij de geneesvrouw in het dorp geweest, die haar thee van bessenbladeren en gebeden voor het afsmeken van de zegen van de Heilige Maagd had verkocht. Over dat laatste had ze heel wat nachten wakker gelegen, want het was toch een paapse gewoonte om smeekbeden aan haar adres te richten? Waarom ben ik onvruchtbaar?

Misschien dat de Heer haar gebeden zou verhoren als ze aan de armen gaf, drie keer per dag bad en alle versieringen aan haar kledij achterwege liet, maar ze moest gehoorzaam en waakzaam zijn in haar godsdienstigheid. In dit huis zou geen Kerstmis worden gevierd, hoe hard Nate ook klaagde en misschien was er wel een andere manier om Hem goedgunstig te stemmen.

Hester en haar dienstmeid wikkelden de pot met de zult in een doek. Hun handen waren rauw van het inwrijven van de hammen met zout, maar het varken was gezouten en veilig weggehangen voor de winter. Ze had de zult, die ze achter Nates rug om zou geven, als teken van goede wil, speciaal voor de dominee gemaakt. Waar het de preken betrof stond Nate aan de kant van Blanche.

'Let op mijn woorden: die ouwe gierigaard komt nog in onze buik prikken om te zien of we plumpudding hebben gegeten,' sneerde hij. 'Wat heeft hij met ons eten te maken als hij zelf al zo opgeblazen is als een varkensblaas vol lucht?' Ze wist dat de geestelijke een sober leven leidde in zijn huisje bij het kerkhof. Het was haar plicht om als teken van respect te delen van Gods goedgeefsheid.

Dominee Woodley had geen bedienden en nodigde hen binnen met een grijs, ingevallen gezicht terwijl hij eruitzag alsof hij half-verhongerd was. Zijn ogen lagen diep in hun kassen, maar brandden van het heilige vuur. Zijn huis had meer weg van de cel van een monnik dan van een keuken en rook naar verwaarlozing. Het stro op de vloer was rot en moest nodig worden ververst. De plek miste een vrouwenhand om de scherpe kantjes wat af te halen van de kaalheid, om de spinnenwebben weg te halen en het schap aan de muur wat op te vrolijken met snuisterijen in plaats van boeken. Er stond een kale tafel die wel een schrobbeurt kon gebruiken, een kruk en een harde bank en verder niets, behalve de heilige geschriften in een eenvoudige kist. Hester overhandigde hem het omwikkelde geschenk met een aarzelende glimlach, maar hij sprong geschrokken achteruit toen hij de doek eraf haalde.

'Ik hoop niet dat dit een kerstgeschenk is, vrouwe Youell. Zoiets mag ik niet aannemen...' zei hij schor terwijl hij hen woedend aankeek.

'Nee, nee, we, eh... Het is slachttijd, Kerstmis of niet. Er is meer dan genoeg voor wat we nodig hebben, aangezien we nog maar zo'n klein huishouden hebben. U hebt ons vaak genoeg voorgehouden dat we Gods gaven met elkaar moeten delen, met elkaar, en Nathaniel en ik zouden het een eer vinden u dit voor uw genoegen aan te bieden. Ze gebaarde naar de meid dat ze hem het vlees opnieuw moest aanbieden, maar hij schudde zijn hoofd en slaakte een zucht, terwijl zijn ogen zich tegoed deden aan dat zachte stukje troost.

'Genoegen? Nee, vrouw,' zei Soberness Woodley. 'Vlees is er niet voor het genot, maar voor het lichaam, zodat het onderworpen kan worden aan de gestrengheid van de geest. Eten in de maag kalmeert de vleselijke drang die niet gehoorzaamt aan de hogere geest. Zolang ik in uw midden ben als Gods herder, mag er geen sprake zijn van genoegens van het vlees. Genot leidt uitsluitend tot gulzigheid en lust.'

'Dan zal ik het helaas weer mee naar huis moeten nemen. Ik zou u niet in verleiding willen brengen. Het was goed bedoeld, maar ik vrees dat ik een fout heb gemaakt,' zei ze terwijl ze aanstalten maakte het pakje mee te nemen, maar de dominee hield haar tegen.

'Niet zo overhaast, vrouwe. Ik weet zeker dat de Heer u in Zijn wijsheid tot een dergelijk gebaar van mededogen heeft gebracht. Ik zie dat het met de beste bedoelingen is aangeboden, hetgeen meer is dan gezegd kan worden van sommigen van uw familie.' De dominee griste de schaal weg en gebaarde haar op de bank te gaan zitten, terwijl de meid in het halfduister bleef staan. 'Ik heb gehoord dat uw zuster Norton afgelopen zondag het woord van de Heer heeft afgewezen. Ze komt me wekelijks onder ogen met haar hooghartige manieren en ze brengt haar dochter groot in papendom en afgoderij. Of niet soms?' Hij ondervroeg haar en zijn ogen brandden op haar gezicht en ze vroeg zich af of hij haar in de val wilde laten lopen.

'Mijn zus heeft de laatste tijd veel problemen, meneer. Ze is weduwe en is niet gewend aan veranderende omstandigheden. Het kost haar moeite haar mening voor zich te houden,' antwoordde ze met een openhartigheid die haarzelf verbaasde.

'Mening, inderdaad! Wat moet een weduwvrouw met een mening?' Woodley spuugde zijn woorden uit. 'Het wordt vrouwen in de bijbel verboden te spreken tijdens de dienst. Hoe durft ze aan de Heilige Schrift te twijfelen? Is ze wel of niet een kerstvierder? Dat is nu de vraag. Ik vrees dat ze dat zeer binnenkort zal zijn.'

Haar gezicht gloeide, ook al brandde het vuur in de haard slechts zacht. Het hele gesprek van Blanche was afgeluisterd. De muren van elke kerk hadden oren die dolgraag misdragingen doorbriefden, de rechtschapen spionnen die er al te zeer op belust waren weer een Norton zijn ondergang tegemoet te zien gaan.

'Weet u, in het verleden hadden de Nortons een hoogstaand huishouden en werden er veel feesten gegeven, maar dat is allemaal anders geworden nu de Republiek er is,' zei ze. Het was het beste wat ze ter verdediging van Blanche kon aanvoeren. Hij kon maar beter op de hoogte zijn van de trieste geschiedenis van haar zus.

'Ik ben blij dat te horen, maar hoe zit het met het ter kerke gaan? Is ze van plan me elke keer te trotseren en een katholieke mis te houden in de kapel?' De dominee was zo direct in zijn vragen dat ze ervan in de war raakte en geen leugen meer durfde te vertellen.

Hoe kon de Heer haar smeekbedes verhoren als ze leugens vertelde aan Zijn vertegenwoordiger?

'Ik weet het niet zeker, meneer, maar ze komt niet zo vaak bij ons op bezoek,' loog ze. 'We bemoeien ons niet met elkaars zaken. Ze gaat naar de kerk, zoals is voorgeschreven, zoveel weet ik wel.'

'Maar ik vrees dat ze een dwalende geest is. Behoorde zij niet tot de Kwade Zaak? Ik vrees voor haar zielenheil. Een zekere kastijding in die richting zou in haar eeuwige belang zijn.' Hij glimlachte en zijn adem stonk naar zure melk, want hij had maar een paar tanden.

Wat bedoelde hij met kastijding? Wilde hij Blanche straffen, een onderzoek instellen of iemand omkopen om haar aan te geven? Er ging een siddering van angst door haar heen. 'Als u wilt, kan ik zelf wel met haar praten,' bood ze aan.

'Nee, jij moet mijn ogen en oren zijn. De Heer zal komen als een dief in de nacht. We moeten elke dag klaar zijn voor het Oordeel. Ik heb mijn eigen plannen met mevrouw Norton. Als ooit een ziel het nodig had om nederigheid bijgebracht te worden...'

Zijn woorden stierven weg terwijl Hester opstond, draaierig en misselijk van de stank van het vuur en verschraalde lichaamsgeuren, en van de wetenschap dat deze man haar zuster zou blijven achtervolgen.

Ik moet haar waarschuwen, en gauw ook, dacht ze – haar waarschuwen dat ze alert moet zijn op spionnen. Hij had een waanzinnige, hongerige blik in zijn ogen die haar angst aanjoeg. Hij was net een maanzieke schreeuwer, deze man Gods. Ze wilde dat ze hem het vlees niet had gebracht en zijn woede tegenover haar zus niet had aangewakkerd. Hoe ver ook van elkaar verwijderd, ze was nog steeds haar eigen vlees en bloed, en dan was er ook nog het kind met wie rekening gehouden moest worden. Toen ze in de kar terugreden naar Wintersett, nam ze zich voor een bediende naar Bankwell te sturen, naar de hall bij de rivier, om haar zus te waarschuwen dat ze niets moest doen wat de dominee deze kerst tot dwaasheden zou brengen. Beter nog: ze moesten met z'n tweeën maar naar de boerderij komen, waar hun geen van beiden iets kon overkomen. Hij zou het niet wagen om onaangekondigd langs te komen, niet met de resten van haar zult nog op zijn jas.

Toen ze de volgende ochtend wakker werden, lag er een deken sneeuw: decembersneeuw die zou blijven liggen. De opgewaaide sneeuw zou hen binnenhouden, de karrensporen versperren, maar ze beschouwde dat als een goed teken, want de sneeuw zou dominee Woodsey in ieder geval bij zijn haardvuur houden. Het zou hem niet meevallen om nu te gaan lopen snuffelen. Die gedachte troostte haar een beetje.

II

DE AANHOUDING

Anona Norton keek die winter van 1653 opgewonden uit het raam met de verticale stijlen naar de sneeuw die als een dikke deken over de grasvelden en paden van Bankwell House lag. Ze wilde naar buiten hollen en een rondedans maken, in de sneeuw rollen en grote sneeuwballen maken, haar voetstappen achterlaten in het maagdelijke wit, net als de herten, maar ze mocht niet buitenspelen van mama, die bang was dat ze kou zou vatten of dat haar laarzen zouden verslijten. Waarom moesten ze hier in dit koude huis met de magere vuurtjes blijven wanneer het zoveel leuker was om buiten te zijn?

De witheid van de sneeuw bedekte de ruïne aan de zijkant van het huis. Alles zag er geheimzinnig uit, net als stoflakens die over de meubels lagen in de grote ontvangkamer, die het hele jaar koud en leeg bleef, zodat zij er met haar stokpaardje kon rond galopperen en naar die arme papa kijken die aan de muur hing, de papa 'die in de hemelen zijt', de papa die stierf nog voor ze was geboren.

Ze had gehoord over de boze man, Cromwell, wiens leger plunderend door de streek trok en de voorraden uit hun schuren roofde, zodat de klimop nu op de ingezakte muren groeide en er te weinig geld binnenkwam van de pacht om alles te repareren. Ze wist dat mama ergens een geldkist had verborgen waaruit ze de boetes betaalde, dus gingen ze niet iedere week naar de kerk van Wintersett.

Bankwell House stond trots te midden van zijn landerijen, maar alles was overwoekerd. Het lag dicht bij de doorwaadbare plaats in de rivier en werd beschut tegen de sneeuwstormen uit het noorden, maar het bood geen bescherming tegen deze nieuwe dominee en zijn rondsnuffelende spionnen. De dag dat hij kwam, had er een kille wind van verandering gewaaid. Ze konden niet langer hun eigen kapel gebruiken, alleen nog stiekem, en mama zei dat de soldaten alles eruit hadden gesloopt zodat ze hem als stal konden gebruiken. Dat vond ze leuk voor de paarden, maar ze hadden er wel een vreselijke troep van gemaakt. Toen ze eenmaal weg waren, hadden ze alles zo goed mogelijk weer in de oude staat hersteld, maar de ramen moesten worden dichtgetimmerd, want de glas-inloodramen waren kapotgeslagen en niet meer te repareren. Hier kwamen mensen uit het dorp bij elkaar voor een mis, want niemand kon de oude pater Michael ervan weerhouden vanuit zijn schuilplaats de rivier over te steken om hier voor te gaan in de mis.

Ze vond de oude priester aardig. Hij was zo krom als een hoepel, maar hij kwam nooit zonder wat snoepgoed in zijn zakken, wat snoepjes en een paar noten. Ze mocht er niet om vragen, maar hij stopte haar altijd iets in haar hand als hij wegging en in de duisternis aan zijn tocht over de velden begon. En hij nam altijd zijn hondje voor haar mee om mee te spelen.

Binnenkort zou de kersttijd aanbreken en mama had beloofd dat het een heel speciale tijd zou worden, met vers stro op de vloer, echte kaarsen en dennentakken in de zitkamer om alles op te vrolijken, hulst en taxus, maretak uit de appelgaarden en verse rozemarijn uit de kleine kruidentuin.

Mama was sinds afgelopen zondag kortaangebonden en deed tegen iedereen kribbig; ze trok zich terug in haar kamer om stilletjes te huilen, maar Nonie wist dat ze, als ze de gordijnen rond het bed aan de kant schoof en naar binnen kroop en haar knuffelde, al snel een zucht slaakte en zich beter voelde.

Soms wilde ze dat ze een echte vader had, iemand als oom Nate, die dik en vrolijk was en veel lachte. Tante Hester droeg saaie kleren, volgens de voorschriften, maar ze was aardig, in alle opzichten heel anders dan mama.

'Ben je verdrietig omdat we geen Kerstmis mogen vieren?' vroeg ze, in verwarring gebracht door de boze woorden van de dominee. Was pater Michael maar hun priester, maar mama had gezegd dat ze nooit tegen iemand mocht vertellen dat hij bij hen op bezoek kwam.

'Een beetje, mijn kind, maar we zullen de feestdagen toch vieren. Dat is onze plicht, wat die zwarte kraai ook zegt,' zei mama. 'Hoe kunnen we zonder bier, pasteien en pap onze pachters een paar dagen iets warms in de maag bezorgen? Dat deed je vader altijd en ik ga daarmee door, ook al wordt het elk jaar moeilijker iets extra's te vinden. Ik moet er niet aan denken dat hij en iedereen die zijn zaak was toegedaan voor niets zouden zijn gestorven.' Mama zuchtte, maar Nonie begreep het niet.

Ze was blij dat Kerstmis gewoon door zou gaan. 'Mag ik helpen tarwepap te maken, van het nieuwe graan?' voegde ze eraan toe.

'Straks. Nu even niet zeuren, Meg heeft genoeg aan haar hoofd. Kerstmis is geen echte kerst zonder een bord van de fijnste meelpap met room.' Mam draaide zich om op het bed. 'Geduld! Ik doe even een dutje en dan zeg ik mijn gebeden, want ik vertrouw die zwarte kraai van Wintersett voor geen cent. Hij is erg gebeten op onze zaak.'

De volgende paar dagen heerste er verraad in de keuken; het gonsde er van de verboden activiteiten: Meg roerde de pruimenpap terwijl het graan lag te weken voor het tarwegerecht; de room lag dik in de schaal op het schap; de vulling voor de pasteien werd klaargemaakt en zij kreeg tot taak het oude stro uit de kamer te vegen en de tinnen borden af te stoffen, want het zilverwerk was allang verdwenen, maar hun laatste glazen werden opgepoetst tot ze fonkelden. Toen ze klaar was met haar karweitjes, mocht ze platte figuren maken van pasteideeg. Mama legde hun mooiste jurken voor hen klaar, die met de kanten kragen en manchetten, en legde de zoom van Nona's jurk uit, want ze groeide hard.

Toen, op de avond voor Kertsmis, mocht ze eindelijk naar buiten en met de jonge knechten takken hulst en dennentakken verzamelen om de kamer en de kapel te versieren. Het bracht ongeluk als je vóór die dag al takken in huis haalde en niemand wilde het kwaad over zich afroepen. De jongens sleepten een groot houtblok voor het vuur naar binnen, dat ze voor deze gelegenheid verborgen hadden gehouden in het kreupelhout en dat de twaalf feestdagen zou meegaan.

Op kerstochtend was het droog en helder en ze zat bij het raam te wachten tot de bezoekers zouden komen, want niemand zou met lege handen komen. Ze zouden na de mis ontbijten. In de verte zag ze in het ochtendgloren de gestalte van pater Michael naderen met zijn laarzen die hij had gevoerd met zakken en pluksel. Hij werd ieder jaar kleiner en kleiner en nog verder naar de grond gebogen, als een kleine kabouter, en ze hoopte dat hij iets lekkers bij zich had.

De kleine kapel was donker en koud, maar toen de kaarsen eenmaal waren aangestoken en het geheime kruis en de miskelk uit hun geheime bergplaats tevoorschijn waren gehaald, wist ze dat het eindelijk Kerstmis was. De priester haalde figuren van houtsnijwerk uit zijn zak en maakte een kleine kribbe met stro. De deur stond wijdopen voor de gelovigen uit het dorp: oude mannen, weduwen, kinderen van de vallei, die zich met oude mantels tegen de kou beschermden terwijl ze uit alle richtingen door de sneeuw kwamen geploeterd. Hun aantal nam elk jaar af en ze proefde de angst die het tarten van deze nieuwe dominee met zich meebracht.

'Waarom zijn er dit jaar maar zo weinig?' fluisterde ze. Er waren niet meer dan een stuk of twaalf mensen.

'Maak je geen zorgen. De bedienden, leerjongens en klerken moeten op hun werk zijn omdat er koppen kunnen worden geteld, zodat ze zeker weten dat er niemand langs de deuren gaat om kerstliederen te zingen of naar een voorstelling gaat,' antwoordde mama, en ze was verdrietig omdat dit een werkdag moest zijn en geen feestdag, en ze dacht aan oom Nate bij zijn schapen en tante Hester aan haar wastobbe.

De mis was al een eind gevorderd toen er plotseling hard op de deur werd gebonsd en de schouts vergezeld van twee gewapende mannen binnenstormden. Ze schoven degenen die achteraan stonden opzij en baanden zich een weg naar het altaar.

Ze zag dat pater Michael verderging alsof ze er niet waren en gewoon de mis las, maar haar hart stond bijna stil toen ze zag dat het gewoon buren waren. Waarom wilden zij hun heilige feestdag verstoren? Mama staarde naar de politiemensen en hield haar stevig bij de hand vast.

De mannen stonden een ogenblik in twijfel, ze wisten niet goed hoe het nu verder moest. Thomas Carr had nog het fatsoen om zijn hoed af te zetten, maar Robert Sickley had zijn arm met zijn staf boven pater Michael geheven alsof hij hem wilde slaan, en ze was heel erg bang.

'Laat hem in vredesnaam de communie afmaken,' riep mama met een heel diepe stem en vlammende ogen. 'Hoe durven jullie Gods werk te onderbreken?!' Ze werd naar voren geduwd en knielde om de zegen te ontvangen. Stickley maakte aanstalten om hen tegen te houden, maar tot haar opluchting vond Thomas Carr het goed dat ze verdergingen. Ze draaide zich om om te zien wat er verder allemaal gaande was.

Een voor een knielden degenen die nog over waren met trillende knieen voor pater Michael; velen waren al gevlucht en uit angst voor een boete teruggerend naar de velden. Hoe kon dit gebeuren op de geboortedag van Christus? Er was er maar één die hierachter kon zitten en zelfs een kind kon raden wie dat was.

Ze werden de kapel uit gedreven en samen met pater Michael terug naar het huis begeleid, waar dominee Woodley al met zijn hoofd triomfantelijk geheven in mama's mooie kamer en in haar eigen beklede stoel zat.

'Hoe durft u zonder uitnodiging mijn huis binnen te komen?' riep mama en ze verborg zich achter haar mantel.

'Nu zijn de rapen gaar, vrouwe. Ik ruik gebraden vlees aan het spit en ik heb met mijn eigen ogen de schaal tarwepap gezien, vol met de onmatigheid van uw gulzigheid. Als ik verder zoek, vind ik ongetwijfeld potten vol pruimenpap en kannen gekruid bier. Waarom beledigt u de Republiek, weduwe Norton, door in weerwil van de bevelen ter communie te gaan? Waarom ontvangt u iets wat gewoon een paapse mis in het Engels is, voorgegaan door deze weigeraar? Waarom denkt u dat u alleen niet hoeft te gehoorzamen aan wat voor ieder ander de wet is? Zegt u me dat alstublieft.' De raaf spreidde zijn zwartgevleugelde mantel en voor haar was hij de duivel zelf.

'Ik doe wat mijn geweten mij ingeeft. Dit is de dag van de heilige geboorte van Christus. Die moet worden geëerd,' antwoordde mama met zachte stem, maar Nonie voelde hoe haar lijf beefde en hoe ze diep de koude lucht inademde.

'En ik zeg u dat u misleid bent. U brengt uzelf in gevaar, vrouwe. U bidt ongetwijfeld voor de koning? U bidt dat Charles Stewart terugkeert van over het water?'

'We bidden voor alle christenkoningen en heersers en gouverneurs in deze tijden.' Mama zag er erg indrukwekkend uit.

'Ja, en ook voor papen en verraders,' antwoordde de dominee, en zijn ogen schoten vuur.

'Ziet God niet ons allen?' betoogde mama in een poging stand te houden onder zijn dreigende aanwezigheid in haar eigen huis.

'Maak je niet schuldig aan blasfemie, vrouw! Wie heeft een vrouw toestemming gegeven een mening over dergelijke zaken te hebben? Jullie gaan ogenblikkelijk met de schouts mee hiervandaan. Jullie worden beschuldigd van overtreding en zullen voor de rechter moeten verschijnen om je te verantwoorden voor je ongehoorzaamheid. Ik laat me niet de les lezen door een vrouw, of ze nu van de hogere stand is of niet.' Hij veegde zijn voorhoofd af. 'Ik heb je zuster gezegd dat ze je moest waarschuwen je tong en je hoogmoed in bedwang te houden, maar ze heeft het niet nodig geacht mijn aanwijzingen op te volgen. Ik zal jullie tot voorbeeld stellen aan de hele gemeente.' De dominee riep zijn handlangers en wees naar de deur.

'Maar mijn kind? Wie zal voor haar zorgen zolang ik weg ben?' Mama draaide zich naar haar toe en greep haar stevig beet. Ze voelde een steek van angst in haar borst.

'Ze gaat met jullie beiden mee. Ze was bij de mis. Het is voor kinderen nooit te vroeg om het loon van ongehoorzaamheid te leren kennen. De priester moet mee om zijn daad van verraad te verklaren,' zei de dominee, genietend van hun ongemakkelijke situatie. 'Je bent een schande voor je roeping, oude man.'

Pater Michael raakte haar arm aan bij wijze van steun. 'Laat de kleine meid naar haar tante gaan, ik smeek het u, in de naam van alles wat heilig is.' Toen keerde hij zich tot de politiemensen. 'Doe wat u gezegd wordt, maar er zijn mensen die ons nog welgezind zijn. Ik smeek u: stuur bericht naar Wintersett. Zij zullen instaan voor ons goede gedrag.'

Toen drukte hij haar stevig tegen zijn mantel. 'Je moet je warm kleden voor de tocht en moet eten meenemen, want ik denk dat deze loodgrijze hemel nog meer sneeuw brengt. Laat de mannen een kar klaarzetten, want dit is geen dag om te lopen,' zei de oude man met een diepe zucht. 'Laat het kind gaan, in 's hemelsnaam.'

Dominee Woodley was niet in een toegeeflijke stemming.

'Jullie moeten lopen, net als alle andere gevangenen, en we zullen er vandaag heel wat maken, vrees ik. De rechter zal bepalen wat er met de ketters moet gebeuren. Jij, priester, bent een schande voor je habijt. Schaam je je niet om zielen in gevaar te brengen?' Nonie kromp ineen toen de raaf zich vol verachting op de heilige man stortte.

'U, meneer,' antwoordde pater Michael dapper, 'bent degene die onze roeping te schande maakt door de kilheid van uw liefdadigheid. Het is vele kilometers lopen naar het huis van de rechter, in dit slechte weer een lange wandeling voor een kind en een weduwe. Heb meelij met hen in de naam van onze Heer en de Heilige Maagd, aangezien we ons op de dag des oordeels zullen moeten verantwoorden.'

'Geen woord meer, priester... Dit is mijn parochie en ík bepaal hoe hooghartigen nederigheid moet worden bijgebracht. De moeder moet een lesje in nederigheid leren en het kind moet inzien dat ze alles wat met Kerstmis te maken heeft maar het best kan vergeten. Dit is een lesje dat haar zal bijblijven.' Zijn lippen vormden een dunne streep. Hij keek haar lang en doordringend aan, alsof hij zich verzette tegen een innerlijke zwakte. 'Ik zal genadig zijn voor het meisje, maar ze moet eerst tien kilometer lopen om boete te doen.'

Moeder ging naar de kist met mantels om hen goed in te pakken tegen de kou met kappen en oorwarmers, maar ze waren nog geen uur onderweg of het begon weer te sneeuwen. Zelfs dik ingepakt in mantels waren ze geen partij voor de voortjagende sneeuwstorm. Toen ze net op pad waren, had ze vrolijk net gedaan of het een spelletje was, maar nu de storm hen alle kanten tegelijk op blies, begon ze te huilen van de kou en ze jammerde onder de beschutting van haar moeders cape. Ze zochten een schuilplaats in een stal vlak bij een herberg, waar het geluid van feestvieren en bier drinken klonk. Toen werden ze als de eerste de beste misdadigers ondergebracht in de schuur, en ze huilde om haar warme matras en donzen dekbed.

'Vanavond moeten we het met stro doen. Morgen wordt het wel beter,' beloofde mama hoopvol. 'Ik zal de wacht wat van mijn kant geven om wat eten te kopen. Binnen niet al te lange tijd ben je weer op pad naar tante Hester.'

Pater Michael zag er afgemat en ziek uit, maar sliep onrustig naast hen en beschermde hen tegen onbeschofte vragen en honen.

Ze wikkelde zich in haar mantel, niet begrijpend waarom de zwarte kraai zo boos was vanwege een geroosterde gans. De zoom van haar rok en mantel waren doorweekt van de sneeuw en doortrokken van warme mest, en in de stal hing de lucht van mest en hooi. Mama probeerde op het gemoed te werken van de politiemensen die hen hadden begeleid op hun tocht vanaf Bankwell House, zodat ze hen zouden helpen. Hoe konden ze rustig slapen in de wetenschap dat papa in het verleden hun families had geholpen? Mama had de oude Will Carr altijd goed behandeld en had hem nog in zijn huisje laten wonen lang nadat hij geen dag werk meer kon verzetten.

Thomas Carr keek telkens hun kant uit.

Ze zag hoe mama met de gouden ring aan haar vinger speelde, de ring die bezet was met parels, de enige ring die ze nog in haar juwelenkistje had. Ze had hem altijd aan haar linkerhand. Toen wenkte ze in de schemering naar Carr en stak de ring naar hem uit. 'Juffrouw Anona mag morgen niet verdergaan, ook al hoeft ze niet de hele tijd te lopen,' fluisterde mama. 'Ze is nog maar acht en ze heeft veel last van de honger en de kou. Bij alles wat me heilig is, Thomas Carr, breng haar alsjeblieft naar mijn nicht in Wintersett. Jij mag de ring houden voor je moeite. Doe alsjeblieft wat nodig is om haar vrij te krijgen, ik smeek het je. Dit is het enige van waarde wat ik heb, maar als je doet wat ik van je vraag zal ik je tienvoudig belonen.'

Hij kwam naar voren en knikte; ze kon zien dat hij vreselijk in tweestrijd stond, in verleiding gebracht door het aanbod en doordat hij zich ongemakkelijk voelde.

'Het is maar zes kilometer terug over de hei naar Settle en dan over de hoofdweg. Juffrouw Anona zal veilig zijn bij mijn familie in Wintersett.' Nu smeekte mama, snikkend in de gouden krullen van haar dochter, die kroesden van de vochtigheid.

'Ik vind het hier niet leuk, mama,' huilde ze.

'Ik weet het, maar denk eens aan die eerste Kerstmis toen de heilige moeder haar baby in een kribbe legde omdat er geen plaats voor hen was in de herberg. Wij liggen in een stal, net als zij, en jij ruikt als een pasgeboren kalf, niet naar huis en haard en rozenwater, maar naar een hooizolder. Pater Michael zal voor ons zorgen.' Mama huilde.

Dat was een schrale troost, want hij was oud en ziek en zwak, maar ze dacht aan Jezus in de stal en probeerde daar moed uit te putten. Ze lagen dicht genoeg bij de stoof om nog wat warmte op te vangen voor hun geplaagde handen en voeten. Het zou een lange nacht worden en ze was vreselijk moe terwijl ze daar in haar moeders schoot lag, maar had op een vreemde manier vrede met de situatie.

'Blijf hoop houden, mijn kleintje. Als tante Hester hoort wat ons is overkomen, zal ze overal bekendmaken wat deze dominee ons heeft aangedaan. De rechter zal ongetwijfeld mededogen hebben, zeker als hij sympathie voelt voor de zaak van de koning. Zo zijn er heel wat hier in de heuvels. Er zal ons niets overkomen.'

Ze keek hoe de sneeuw als ganzenveertjes neerdaalde op de karren en rollen touw aan de andere kant van het erf, waar nog steeds het geluid van een viool de stilte van de koude nacht verscheurde. Wat waren hun modderige sporen snel onder het wit verdwenen. Ze kon bijna niet geloven dat ze in deze miserabele toestand verzeild waren geraakt. Het moest wel een vreselijke nachtmerrie zijn. Straks zou ze wakker worden in haar warme hemelbed waarvan de gordijnen stevig waren gesloten tegen de tocht.

Thomas schudde hen wakker toen het licht begon te worden. 'Vrouwe Norton, ik heb iemand gevonden die met een kar naar het noorden trekt. Hij zegt dat hij uw dochter wil meenemen, maar niet verder dan tot de herberg bij de kruising bij Market Place. Daarvandaan moet ze haar eigen weg zoeken naar Wintersett en daar kunnen ze bericht sturen naar mevrouw Youell. Dat is het beste wat ik kan regelen, maar niemand mag er iets van weten. Ik zeg wel dat ze vannacht is weggeglipt.' De man fluisterde en draaide zich beschaamd om. 'Ik dacht dat dit bedoeld was om u bang te maken, vrouwe. Ik had nooit kunnen denken dat we in zulk vreselijk weer op strafexpeditie zouden gaan.'

'Dank je, Thomas, ik zal niet vergeten wat je hebt gedaan. Wakker worden, kleintje, word wakker...' antwoordde mama terwijl ze haar dochter heen en weer schudde. 'Nu moet je goed naar mama luisteren... Jij gaat met de voerman terug naar Settle en daar ga je naar het huis van de wijze vrouw in het hutje bij de poort van de kerk. Zeg tegen Goody Preston, de naaister, wat er is gebeurd. Blijf bij haar logeren tot tante Hester je komt halen en blijf op Wintersett tot ik je kom halen. Hoor je wat ik zeg? Ga niet in je eentje op pad. Zeg tegen de vrouw dat ik haar zal betalen als ik terugkom.'

'Ik wil niet weggaan, mama,' huilde ze, plotseling klaarwakker, en ze schudde heftig met haar hoofd. 'Stuur me alsjeblieft niet weg, ik wil bij jou blijven,' smeekte ze, en ze verborg hartverscheurend huilend haar gezicht in haar moeders mantel, maar mama duwde haar ruw van zich af.

'Ik begrijp het niet,' zei ze, terwijl ze haar moeder vertwijfeld aankeek. 'Waarom moet ik weg?'

'Omdat het een lange tocht is en ik niet weet waar dit alles eindigt,' kwam het antwoord. 'Ik ben degene die zich voor haar daden moet verantwoorden en bestraft moet worden, niet jij. Gedraag je netjes bij tante Hester en doe wat ze zegt. Ik kom je zo snel mogelijk halen. Vaarwel, mijn schat... Ga nu vlug, en moge God je behoeden.'

'Nee, mama, ik ga niet!' Ze klampte zich nog vaster aan haar moeders rokken, maar mama maakte haar handen los en legde haar hand op haar mond terwijl ze haar naar de schout duwde.

'We moeten de anderen niet wakker maken, ssst... Doe wat je moeder zegt. Jij bent voor mij het enige in de wereld en alles wat ik nog heb van Kit. Je moet behoed blijven voor kou en ijs. Wees dapper, net als je vader in de hemel.' Mama wuifde haar weg, alsof het haar niet kon schelen, en haar hart sloeg een roffel, als hagelstenen op glas.

12

WINTERSETT HOUSE
1653

Recept voor traditionele tarwepap

Neem de geplette korrels van ongepelde tarwe en doe die in gelijke delen melk en water en laat een nacht in een stenen schaal staan.
Breng langzaam aan de kook met broodsuiker tot de pap zo dik is als stroop.
Voeg naar smaak kaneel, nootmuskaat of honing toe.
Eventueel nog wat gedroogde vruchten.
Opdienen op de avond voor Kerstmis, gloeiend heet en met room of een scheut melk.

Het nieuws van Blanche Nortons aanhouding verspreidde zich als een lopend vuurtje, dat extra werd gevoed door geruchten en halve waarheden, en vond zijn weg over sneeuwbanken en de heide naar de haard van Hester. Niemand kon geloven dat hun dominee dergelijke drastische maatregelen had genomen tegen een van de leden van zijn parochie in Bankwell, tot een van de bedienden zich op sneeuwschoenen een weg baande tegen de berg op en hun vertelde hoe de politiemensen de mis hadden onderbroken, hoe Soberness Woodley de pannen pap had omgekeerd, het vlees van het spit had gerukt en Blanche en de oude pater Michael de sneeuw in had gejaagd.

De kerstperiode was rustig verlopen: gewoon een sabbat, gevolg door het normale winterse werk. Er kwamen geen onaangekondigde inspecties, want Nathaniel zorgde ervoor dat zijn knechten goed te eten hadden, en vioolmuziek en gokspelletjes werden buiten gehoorsafstand van zijn vrouw gehouden, die haar woord gestand deed en de dagen doorbracht met vasten en bidden, terwijl ze zich schuldig voelde omdat de sneeuw en de drukte haar voornemen om Blanche te waarschuwen hadden gedwarsboomd.

Ze had geen ogenblik gedacht dat de dominee zijn dreigementen in dit weer ten uitvoer zou brengen. Alle weerzin die ze voelde ten opzichte van haar zusters gedrag verdween onmiddellijk toen ze hoorde over hun benarde toestand.

'We moeten ze gaan helpen, Nate!' smeekte ze haar echtgenoot.

Hij keek op van zijn plek bij de haard en zoog aan zijn pijp van klei.

'Het is te laat om nu nog tussenbeide te komen, liefje. Blanche zal weer een boete krijgen. Het waait allemaal wel over, en we kunnen ze helpen als ze terugkomen,' antwoordde hij.

'Maar als ze nou weigert te betalen, of naar de gevangenis wordt gestuurd?' Haar gedachten vlogen alle kanten op. 'En we moeten aan het kind denken. Hoe kon Blanche toch zo koppig zijn? Het zit me helemaal niet lekker. Ik had een boodschap moeten sturen en haar moeten waarschuwen dat de dominee eropuit was haar tot voorbeeld te stellen,' zei ze terwijl ze de wol tussen haar vingers ronddraaide, maar telkens haar draad brak.

'Blanche is haar eigen ergste vijand. Hoe vaak heb je dat niet tegen me gezegd? Maak je niet druk... Het is een storm in een glas water!' Nathaniel strekte zijn leren laarzen naar het vuur om zijn voeten te warmen.

Het weer bleef slecht en bitter koud, eerst met sneeuwjachten en hagel, en vervolgens stormvlagen met regen die modderpoelen maakte van de doorweekte karrensporen en waarvan het dak vreselijk ging lekken. Ze stuurde een boodschapper naar Bankwell House om te zien of de Nortons al waren teruggekeerd, maar er was weinig nieuws te melden.

Het gerucht ging dat ze allemaal naar de gevangenis in York waren gestuurd en waren omgekomen in een sneeuwstorm. Toen werd er gezegd dat ze waren vrijgelaten en bij de rechter verbleven die ooit de zaak van de opstandelingen was toegedaan. Toen kwam Thomas Carr, onder bescherming van de duisternis en met de pet in de hand, om zijn trieste verhaal te vertellen, en ze wist niet of zijn pijnlijke relaas bestond uit leugens of waar was.

'De oude priester is onderweg gestorven,' stamelde hij. 'Hij is begraven waar hij stierf, zonder een behoorlijke ceremonie. Vrouwe Norton heeft de volle mep aan boete gekregen en komt hierheen om haar kind op te halen.'

'Welk kind?' vroeg ze, verbaasd dat hij vooruitgestuurd was als boodschapper. Een schout voelde zich meestal te groot voor een dergelijk eenvoudige taak, omdat hij aanzien genoot in de streek.

'Het kind van Norton is teruggestuurd en zou onderdak zoeken bij vrouw Barden bij de kerk en vervolgens hiernaartoe gebracht worden. Is dat niet gebeurd?' Hij keek haar aan alsof ze volledig op de hoogte was van alle plannen.

'Ik weet hier helemaal niets van. De afgelopen dagen zou niemand het hebben gewaagd met een kind op pad te gaan. Nonie is het best af bij vrouw Barden.' Ze veegde opgelucht haar voorhoofd af. 'Het is een hele troost dat mijn bloedverwante er genadig vanaf gekomen is.' Ze hield plotseling haar mond. Het was nooit verstandig al te veel te zeggen in de aanwezigheid van een schout.

'Je had gelijk, man. Het was maar een storm in een glas water waar ik me zo over opgewonden heb.'

Nathaniel keerde zich tot hun bezoeker. 'Het is jammer dat het kersttijd is, anders zouden we je de kruik gekruid bier aanbieden, een plak koek en een bord tarwepap voor al je moeite. Maar helaas, broeder Carr, we moeten ons houden aan de regels van de dominee, of niet soms?' Hij knipoogde en leidde hem weg voor een kruik warm bier.

'Je spreekt ware woorden, zonde dat ik het zeg,' antwoordde de politieman. 'Het is nu maar een schrale tijd, zonder een lichtpuntje om de donkere avonden door te komen. Als ik terugdenk aan vroeger, toen we in bed lagen... Ik bedoel... Nou ja, in moeilijke tijden zijn drastische maatregelen nodig, maar wat er schuilt er nou voor kwaad in een beetje vrolijkheid rond kerst?'

Nathaniel klopte hem instemmend op de arm. 'Wij zeggen niets, broeder Carr. We weten allemaal waar deze nieuwe vasten vandaan komt: van die schraalhans op het spreekgestoelte die ons een greintje vrolijkheid misgunt in deze donkere tijden. Ik vrees dat er nog meer slecht weer op komst is! Dat gedoe met onze zus Norton is zo kleingeestig dat het gewoon gemeen is. Wat vind jij?'

'Een slechtere hebben we de afgelopen jaren niet gehad. De oude priester was een aardige en vriendelijke man. Hij verdiende het niet om als een hond langs de kant van de weg te sterven. Het zit me erg dwars,' verzuchtte Tom Carr, en hij keek beschaamd bij de gedachte aan zijn aandeel in de affaire.

'Hoe zit het met schout Sickley? Denkt hij er net zo over als jij?' vroeg Hester zachtjes.

'Robert Sickley dient slecht één meester en dat is hijzelf en zijn huishouden,' antwoordde hij. 'Gaan jullie het kind halen, of wachten jullie tot vrouwe Norton dat op de terugweg doet? Ze kan niet ver achter me aan komen.'

'Ik durf te wedden dat de moeder zich op dit moment al onder hetzelfde dak bevindt. Ik zal inlichtingen inwinnen en een kamer klaarmaken, zodat ze hier een tijdje tot rust kunnen komen na die vreselijke gebeurtenis.' Ze knikte, opgelucht dat haar zorgen voor niets waren geweest. Ze kon zich nu lichter van hart aan haar taken wijden, lichtvoetiger ook, en ze betrapte zichzelf er tot haar schaamte op dat ze af en toe een oud kerstlied zong.

Eind goed, al goed, dacht ze. Blanche had een lesje geleerd. Niets aan de hand. Nate had gelijk dat ze zich te veel zorgen maakte. Ze dacht er verder niet meer aan terwijl ze een paar dagen later bezig was wol te spinnen voor het winterweven, boter karnde en vuile lakens, manchetten en kragen in de wastobbe stopte, tot er op een ochtend hard op de deur werd gebonsd en een stem boven de wind uitriep: 'Hester, Hester, laat me erin!'

Het keukenmeisje ging naar de deur zoals haar was geleerd, maar Blanche Norton stormde naar binnen met vuurrode wangen in een verder wit gezicht en haar witte haar achter zich aan wapperend. Haar muts stond scheef. 'Waar is ze? Nonie, mama is er!' riep ze naar boven.

'Waar is wie? Kalmeer een beetje, zus.' Hester was overvallen, met meel op haar gezicht en in haar werkjurk, en er lag modder op de stenen vloer.

'Is Nonie hier bij jou?' gilde Blanche buiten adem van haar tocht vanuit Settle de heuvel op.

Ze schudde haar hoofd. 'Nee, ik heb gehoord dat ze nog steeds bij die vrouw is. Ze is er nog niet. Er is tegen me gezegd dat jij haar zelf zou ophalen,' antwoordde ze, maar haar hart ging als een razende tekeer. Er klopte iets niet.

'Er is bericht hierheen gestuurd dat je haar moest ophalen. Ben je niet gegaan?' drong Blanche aan, terwijl ze met haar handen in haar gezicht wreef.

'Nee, ik weet nog maar pas wat jullie is overkomen,' zei ze buiten adem van angst. 'Ik dacht dat ze op jou zou wachten. Is ze niet bij vrouw Barden?'

Blanche ging op een traptrede zitten, half in zwijm, huilend en zichzelf wiegend van verdriet.

'De vrouw weet niets van de komst van mijn kind en heeft haar niet gezien. O, wat is er aan de hand? Wie heeft haar dan meegenomen?' Blanche stond op het punt haar zelfbeheersing te verliezen.

Ze was zo geschrokken van dit nieuws dat ze de meid wegstuurde om Nate te gaan halen. Hij zou wel weten wat er moest gebeuren en zeggen wat ze moest doen.

'Echt waar, zuster, God is mijn getuige, ik wist niets van mijn rol in jouw plannen. Nonie zit vast bij iemand anders in het dorp,' zei ze, in de hoop dat het ook zo was.

'Maar ik had tegen haar gezegd dat ze bij vrouw Barden moest blijven en daar niet weg moest gaan tot jij haar kwam halen, maar jij kwam niet!' Blanche gilde nu als een dier in nood. 'Ze moet in haar eentje op weg zijn gegaan naar Wintersett. Iemand moet haar hebben gezien. Wat is er toch met mijn kleintje gebeurd? Zeg alsjeblieft dat dit een nachtmerrie is en dat ik straks wakker word. Waar is Nonie?'

Nathaniel kwam binnen en voelde onmiddellijk dat er iets aan de hand was. Hij ging naast de ontdane vrouw op de trap zitten. 'Rustig maar. Vertel me eens precies wat er is gebeurd. Heb je haar met Thomas Carr teruggestuurd?' vroeg hij terwijl hij haar een glas warm, gekruid bier in de hand drukte, maar ze duwde het weg.

'Thomas is een stuk van de tocht met ons meegegaan. Hij heeft me geholpen haar op de wagen te verstoppen. Nonie huilde en wilde bij me blijven, maar het was het best dat we haar in veiligheid brachten, dat is toch zo? Heb ik het juiste gedaan? Zeg alsjeblieft dat dat zo is.'

'Hoe heette de voerman?' Nate ging door met zijn ondervraging en deed zijn best haar gedachten in de juiste richting te sturen.

'Dat weet ik niet,' bekende Blanche. 'Maar we hebben hem betaald om mijn kind naar de marktplaats te brengen, want van daaruit is het nog maar een klein stukje naar het huis van vrouw Barden. Ze is daar al zo vaak geweest.'

'Dus je weet niet hoe hij heet. Wie heeft gezegd dat hij te vertrouwen was?' Nate keek gealarmeerd naar zijn vrouw, die huiverde bij de gedachte dat Blanche haar kind aan een vreemde had toevertrouwd.

'Thomas de schout heeft alles geregeld. Ik heb hem mijn trouwring gegeven. Dat was het enige van waarde wat ik had om me ervan te verzekeren dat mijn kind in veiligheid zou worden gebracht. Heb ik daar verkeerd aan gedaan?' De weduwe zag er vreselijk ellendig uit en wiegde heen en weer van smart.

'Heeft de voerman gezegd in welke richting hij zou gaan? Wat voor lading had hij? Had je hem al eens eerder gezien?' zei Hester terwijl ze over de koude vingers van haar zuster wreef en probeerde wat leven in het verkleumde lichaam van Blanche te brengen. Ze was niet op een dergelijke tocht gekleed en als het kind ergens was achtergelaten, waar moesten ze dan zoeken?

'Hij was op weg naar Settle om daar de rivier over te steken en dan verder te trekken, denk ik. Heb ik er verkeerd aan gedaan?' smeekte Blanche.

'Was hij te vertrouwen, die vreemdeling? Hoe zag hij eruit?' vroeg ze vriendelijk, maar Blanche schudde haar hoofd.

'Net zoals elke andere marskramer in het duister, gewikkeld in lappen, maar zijn wagen was afgedekt. Ik vertrouwde hem op zijn woord. Hij beloofde dat hij haar bij de herberg bij de kruising zou afzetten. Daarna zou ze naar jullie komen. Thomas Carr kende hem. Je moet hebben geweten dat ik haar hiernaartoe zou sturen.'

Blanche keek zo kinderlijk verbaasd op dat haar maag samenkromp van angst.

'Maar ik wist van niets,' zei ze nogmaals. 'Dat heb ik ook tegen de schout gezegd. We hebben veel sneeuw en overstromingen gehad. Het is de afgelopen dagen nog geen weer geweest om een hond doorheen te jagen. Misschien verblijft ze in de herberg of heeft een vriendelijke ziel haar in huis genomen en zit ze nu bij een warm vuur. Wanhoop niet!' zei ze, maar haar woorden klonken hol.

'Ik had haar bij me moeten houden. Waar moet ik haar zoeken?' Blanche ontwaakte langzaam uit haar lethargie.

'We zullen de schouts en de wacht waarschuwen,' kwam Nate tussenbeide in een poging haar gerust te stellen. 'Die kunnen dan in het dorp huis-aan-huis vragen stellen. Anona is een verstandige meid. Die zou niet op pad gaan in dat slechte weer. Waarom heb je haar in vredesnaam weggestuurd?'

'Ik dacht alleen maar aan haar veiligheid. Ik was bang dat we naar York gestuurd zouden worden en zij zou nooit die honderd kilometer hebben kunnen lopen. Ik dacht dat ik deed wat het beste voor haar was. Ik heb haar toch niet nog meer ellende bezorgd?' Blanche huilde en Hester stonden ook de tranen in de ogen.

'Ik weet zeker van niet,' loog ze. Het was nog maar pas geleden dat het kind op pad was gestuurd. Maar zelfs één dag was een lange tijd om zonder dak boven je hoofd of andere beschutting door te brengen. Wat als... Haar gedachten vlogen naar allerlei mogelijkheden met verschrikkelijke afloop.

'We moeten onmiddellijk nog een keer met Thomas Carr praten. Hij moet weten wie die voerman was. Dan komt er een zoektocht, en nu knielen we en bidden om haar terugkeer.'

Blanche ijsbeerde de hele nacht over de stenen vloer en de volgende ochtend vroeg zat ze te paard, met Thomas Carr, die diepongelukkig naast haar reed omdat hij zichzelf de schuld gaf van de verdwijning van het kind.

Hester poetste en veegde en bad. Bezig blijven was de enige manier om dat akelige voorgevoel het hoofd te bieden. Hadden ze maar geweten dat Nonie zou komen. Het was een belachelijke opwelling geweest, met vreselijke gevolgen. Had het maar niet gesneeuwd. Was ze maar toegewijder geweest. Was die dominee maar niet zo toegewijd geweest in zijn deugdzaamheid. Heel Wintersett, tot de laatste man, had zich tegen hem gekeerd en liep de deur van zijn huis plat om te protesteren tegen zijn strengheid, die een onschuldig kind het leven kon hebben gekost. Niet één keer kwam hij bij Blanche informeren naar het verloop van de zoektocht. Ze wist niet wat ze moest zeggen toen Blanche langskwam.

'Ik ben vuur en ijs,' huilde Blanche. 'Mijn hart is bevroren, maar mijn hoofd staat in brand vanwege de onrechtvaardigheid. Het wordt tijd dat ik in een tijgerin verander en iedereen die me kwaad heeft gedaan naar de strot vlieg. Ik vermoord die verdorven kerel!' zei Blanche, en ze sloeg een kruis uit angst voor haar eigen moordzuchtige woorden. 'Wie zal me tegen mezelf beschermen wanneer ik in mijn wraakzucht opnieuw een stap naar voren doe? Hester, deze kwelling zal niet voorbij zijn voor ik mijn kind heb teruggevonden. Waarom duurt het zo lang?'

'Stil, zuster, kalmeer een beetje,' antwoordde ze. 'Laat de mannen zoeken en blijf even bij het vuur zitten.' Ze probeerde haar te troosten, maar Blanche schudde haar hoofd. 'Ik kan niet blijven zitten. Ik ga nog een keer terug naar Bankwell om te zien of er nieuws is.'

'Niet in deze storm, ik smeek je: blijf hier,' zei ze, maar de ontroostbare vrouw was de deur al uit. Ze staarde in de vlammen en hoopte dat haar angst zou verdwijnen, maar die bleef smeulen en haar ongerustheid aanwakkeren als de wind die aan het huis rammelde en niet wilde gaan liggen. Een nieuwe storm was onderweg.

13

DE ZOEKTOCHT

Het was koud op de wagen, met niets anders te doen dan maar zitten en naar het zwarte paard kijken dat struikelend zijn weg zocht door de sneeuw. Nonie was koud en nat, en ze rammelde van de honger. Hoe kwam ze hier? Ze bleef stilletjes zitten en hoopte dat die stinkende man haar niet weer zou knijpen met zijn knokige vingers. Als ik me heel stil hou, vergeet hij misschien dat ik er ben, dacht ze. Wat wilde ze graag dat ze bij mama was. De oude man op de bok bleef maar naar haar staren, dus ze schoof zo ver mogelijk bij hem vandaan.

Het was een smalle weg en het sneeuwde. Ze kon niet ver kijken. De man naast haar op de wagen was gekleed in zakken, droeg ruwe leren handschoenen zonder vingers en zijn benen waren omwikkeld alsof ze in het verband zaten. Zijn gezicht was overdekt met kraters, net als de weg. Als hij grinnikte, werd zijn ene tand zichtbaar en zijn uitpuilende ogen stonden haar helemaal niet aan.

Haar kleren waren zwaar van het vocht en haar mantel hield haar niet warm. De borstlap om haar middel was zo stijf als een plank en sneed haar bijna in tweeën. Hoe goed ze ook ingepakt was en hoewel haar haar in een strakke muts over haar oren zat, was ze ijskoud en waren haar vingers bevroren.

Ze hobbelden voort over het pad, maar het werd steeds moeilijker om vooruit te kijken, en de dampende oude knol struikelde weer en snoof. De natte sneeuw bedekte hun sporen en ze voelde gevaar. Waarom was ze hier alleen in het duister met die vreemdeling? We zijn verdwaald, dacht ze, en de vette grijns van de oude man had iets kwaadaardigs. Ze schoof verder bij hem vandaan, verder weg van de stank van mest en afval, en haar maag kwam in opstand. De angst greep haar naar de keel en de kou verstijfde haar benen en handen.

Ze trokken verder en verder, maar het werd in het halfduister steeds moeilijker om vast te stellen in welke richting ze gingen. Ze kende deze weg niet. Ze was nog nooit van Bankwell weggeweest, behalve als ze met mama ergens op bezoek ging.

Toen kwamen ze bij een steile helling en het arme paard gleed uit, waardoor ze tegen de vreemdeling aan werd geslingerd, die een kakelend lachje liet horen en haar tegen zich aan probeerde te drukken. Het paard raakte in paniek en trok steeds harder en harder; het gleed over het ijs, sneller, uitglijdend, sneller en sneller, en ze werden heen en weer geslingerd terwijl ze de heuvel af denderden. De oude man probeerde het dier met geroep tot bedaren te brengen, sloeg met de zweep en vloekte in een taal die ze niet begreep.

Ze klampte zich uit alle macht vast aan de zijkant van de oude houten wagen; ze stuiterde en botste alle kanten op en voelde zich misselijk worden. Ze schreeuwde luidkeels van angst om de dolle rit: 'Mama! Mama! Help ons!' Maar er was niemand die hen kon helpen. Het paard vloog uit de bocht tegen een stenen wal en de wagen sloeg om, boven op de man, die het uitschreeuwde van de pijn.

Nonie werd de lucht in geslingerd. De voerman kreeg het gewicht van de houten wielen op zijn rug; vaten vlogen in het rond en rolden als kanonskogels verder. Ze kwam ongedeerd in de zachte sneeuw terecht, maar haar hoofd tolde. 'Ik wil mijn mama, ik wil mama!' huilde ze in het ochtendlicht. Ze wist dat het spoedig lichter zou worden omdat ze een vage gloed aan de horizon zag. Ze hoopte op redding. Het sneeuwde niet meer en ze keek vol afschuw naar de man.

'Ik kan het wiel niet optillen,' riep ze, maar er kwam niemand. De man keek haar aan met een lege, starende blik in zijn ogen en zei niets meer. Het paard lag hulpeloos op zijn zij en ze plengde ijskoude tranen om het dier, want één been lag er helemaal verdraaid bij. Ze keek hoe de wielen van de wagen als in een droom vertraagd ronddraaiden. Ze deed een paar passen naar voren en weer naar achteren, en wist niet wat ze moest doen. Ze moest hulp zien te vinden, ze moest op zoek naar iemand. Ze wikkelde haar natte mantel om zich heen. Ze voelde het vocht in haar laarzen soppen en hoe haar rokken haar belemmerden. Kon ze beter teruggaan, de heuvel op, en de weg volgen tot ze weer bij mama was, of moest ze verdergaan zolang dat nog kon?

Als ze zou blijven lopen, zou mama misschien wel staan te wachten, maar ze wist de weg naar huis niet. De tranen rolden over haar wangen. Haar oren suisden en haar lippen deden pijn van de kou. Kon ik maar iets vinden wat ik herkende, maar deze stenen muren lijken in de sneeuw allemaal op elkaar, jammerde ze, en ze besefte dat ze hopeloos verdwaald was en dat er niemand zou komen om haar te helpen de weg naar huis te vinden. Blijf lopen, hield ze zichzelf voor. Wees een dappere meid, net zo dapper als papa, maar het was zo koud en het waaide zo hard en haar benen werden moe, slaperig moe. Ze kon haar benen of haar tenen niet meer voelen.

Het karrenspoor werd flauwer en smaller, en de sneeuwhopen waren zo hoog als bergen. Ze was zo moe en had zo'n slaap; toen ze even ging zitten om op krachten te komen voelde ze haar ogen dichtvallen.

Het zou spoedig licht zijn.

Het huis was smerig en door het in en uit lopen en het voeren van de beesten in dit slechte weer en de natte kleren was het hard toe aan een flinke schrobbeurt. Geen nieuws van Anona was goed nieuws, dacht Hester terwijl ze wachtte tot Nate opnieuw met lege handen thuiskwam en vertelde dat de schout geen spoor van het kind had gevonden.

Wie moet het Blanche vertellen, dacht ze. De Heer geeft en de Heer neemt, maar hoe kon iemand haar zus vertellen dat ze haar kind had overgeleverd aan de klauwen van de dood?

Er bestond geen steun, geen troost, en ze was blij dat die last niet op haar schouders kwam, want ze was plotseling zo doodmoe van alle verdriet en de onzekerheid.

Blanche at of dronk nauwelijks. Ze was alles kwijt wat haar dierbaar was. Haar geest werd gepijnigd; ze liep heen en weer als een wild dier, rook aan het kleinste beetje nieuws, vloog van hot naar her als een hond met vlooien, met gespitste oren, hoorde geluiden die er niet langer waren: het tinkelende gelach van Nonie die aan het spelen was, kinderliedjes en slaapliedjes zong of rijmpjes opzei, haar voetstappen die in de gang klonken. Ze was moe van het in kringetjes rondlopen, de uren van de dag aftellen, verlangend naar de geur van haar kind.

Er verschenen vreemde beelden voor haar ogen en in haar hoofd hoorde ze stemmen. Het ene ogenblik: 'Ze is dood', en het volgende: 'Nee, ze leeft.' IJspegels van twijfel kwamen los in haar hoofd en vielen als glas aan duizend stukken.

Het kostte haar zoveel tijd om van kamer naar kamer en van het huis naar de heuvel te schuifelen, en de sneeuw kwam almaar naar beneden en hield haar gevangen in zijn stille furie. Waar ze ooit rende, kroop ze nu in de richting van de in zijn witheid opdoemende spookbeelden.

De zoektocht mocht niet verslappen, besloot ze. Ik zal niet in dit vervloekte huis terugkeren voordat Nonie thuiskomt.

Nonie werd wakker op een stromatras met de geur van hete gortepap in haar neus. 'Eet op, kind, wie je ook mag zijn. Dit zal je botten verwarmen,' zei een norse stem.

'Waar ben ik?' vroeg ze, en ze keek om zich heen in de kleine hut die rook naar schapenwol en warme hond.

'Herder Ackroyd is degene die je halfdood heeft gevonden op de hei. Nog een geluk dat ik met de hond uit was om bij de ooien te kijken en ze uit de sneeuwhopen te bevrijden, en daar zie ik ineens voetsporen in de sneeuw. Ik had je op een haar na gemist. Ik dacht eerst dat het een hert was dat vastzat, maar toen zag ik een stukje van je mantel onder de sneeuw uitkomen. De Heer is je genadig geweest, meisje. Echt waar, want ik denk dat je, als ik een paar uur later was gekomen, al in het hiernamaals was geweest. Je hebt de hele dag en de hele nacht geslapen, dus kom nu maar overeind, eet je pap en vertel me wat er is gebeurd.'

Ze probeerde overeind te komen, maar alles draaide voor haar ogen en haar hand trilde toen ze van de pap probeerde te eten. Ze lag bij het vuur, in schapenvellen gewikkeld, en haar kleren hingen aan een haak te drogen. Er hingen potten en pannen en een geur van balsem en vet, en van rook die omhoogging en weer terugkwam.

De man was jong en had rode wangen. Hij was gehuld in een buis van leer en schapenvacht. Hij zat op een kruk en luisterde naar haar verhaal over de kerk en pater Michael, de zwarte kraai en de tocht door de sneeuw, en de wagen die omsloeg, maar alles liep in haar hoofd door elkaar, net als garen bij het kantklossen. Hij glimlachte echter geïnteresseerd en ze vertelde verder.

'Bankwell is een heel eind hiervandaan, kind. Volgens mij ben je helemaal de verkeerde kant op gegaan. Maar goed dat je daar gestopt bent. Je zou het in je eentje nooit hebben gered op de hei. Waar wilde je heen?' vroeg hij, en ze vertelde hem over tante Hester Youell op Wintersett.

'Daar heb ik over gehoord, dat klopt, dat is toevallig de dichtstbijzijnde plek om je af te zetten. Je moeder zal vreselijk ongerust worden als ze terugkomt, het arme mens, en dat allemaal vanwege een beetje kerst vieren, zeg je.' Hij zuchtte, zoog aan zijn pijp en staarde in het vuur.

'Als het morgen opgeklaard is,' ging hij verder, 'kunnen we met de hond oversteken. Ik weet een kortere weg naar Wintersett die ons een hoop geploeter door het moeras bespaart, maar eerst moet je uitrusten en soep en haverkoeken eten tot je weer aangesterkt bent. Je moet iets in die kleine maag van je hebben. Je bent vel over been,' lachte hij, en hij pakte een houten fluit en speelde een melodietje.

'We kunnen nu een paar kerstliedjes zingen als je dat leuk vindt. Dat verdrijft de tijd en als je klaar bent met eten, zal ik je leren hoe je er zelf een moet spelen,' beloofde hij.

Ze ging liggen; ze voelde zich warm, veilig en opgewonden: morgen zou ze naar huis toe gaan.

'Je hebt ons de stuipen op het lijf gejaagd, jongedame.' Hester glimlachte opgelucht. Iedereen was op zoek naar een spoor van de voerman, zelfs Nance, de meid, was op pad, toen herder Ackroyd kwam opdagen met het verloren schaap. Ze liet hem plaatsnemen en bedankte hem, gaf hem te eten en stuurde hem toen weer op pad met genoeg kaas en vlees om de komende paar weken door te komen, zo dankbaar was ze.

Het kind was te uitgeput om naar Bankwell te lopen. De lucht was vol vlokken en Blanche zou het goede nieuws te horen krijgen zodra Nate terugkwam van zijn zoektocht. Hester kon bijna niet geloven dat Nonie zomaar uit het niets was opgedoken.

'De Heer heeft waarlijk de wind doen liggen voor het geschoren lam! Laten we weer eens wat kleur op die wangen zien te krijgen, je uit die vodden en in iets warms hijsen. We willen toch niet dat je moeder je als een bevroren standbeeld terugvindt, hè?' Ze wist dat ze zich druk liep te maken, maar haar hart liep over van vreugde en opluchting. 'Eind goed, al goed, zeg ik altijd maar,' zei ze glimlachend, en ze draaide zich om naar het kind, maar het meisje lag opgerold bij het vuur en was al diep in slaap. Ze had het hart niet haar te storen.

Deze kerstperiode was wel chaotisch verlopen, met de paniek, de dominee en het weer dat ook nog een strenge winter beloofde, dacht ze terwijl ze naar de duisternis buiten keek. Plotseling wenste ze dat iedereen weer veilig onder één dak was, waar ze hen bij elkaar kon zetten en te eten kon geven, zodat ze de ophanden zijnde storm samen konden doorstaan.

Toen dacht ze aan de dood van de oude pastoor. Dat was iets wat Blanche het kind zou willen vertellen. Toen ze de deur en de luiken vastzette tegen de wind en het vuur oppookte, huilde de wind om de stenen muren en de tocht blies het stro over de vloer. Een ijzige kou kwam tevoorschijn uit de hoeken van het vertrek, kroop steeds dichterbij en deed het vuur bijna uitgaan, maar ze zorgde ervoor het goed afgedekt te houden. Ze zou de storm in moeten om extra turf uit de schuur te halen, maar de wind was zo sterk dat ze de deur niet durfde opendoen.

Ze werd plotseling angstig, alleen met een kind in een orkaan die aan het dak en de bomen rukte en die de sneeuw in felle vlagen voortjoeg. Dit was niet eerlijk. Dit was niet het welkom thuis dat ze zich had voorgesteld. Nate zou wel zo verstandig zijn ergens te gaan schuilen. Blanche zat veilig in Bankwell House. De zaken zouden er slechter voor kunnen staan, maar niet veel. De wind joeg de sneeuw op tot hoge banken die de achterdeur van de stal zouden blokkeren. De dieren zouden in de val zitten: de koe en het kalf, de kippen, de hond. Ze stond machteloos, en wat de schapen op de hei betrof: die zouden waarschijnlijk dagen ingesneeuwd blijven en hun eigen wol afrukken om nog iets om op te kauwen te hebben. De Heer geeft en de Heer neemt, zuchtte ze vol onbegrip over de wijsheid van de Almachtige om een dergelijke bezoeking op al die andere te stapelen.

Ze kon de storm horen huilen die de bekende vormen tot monsterachtige bergen, tot een bevroren landschap vormde waarin het huis geïsoleerd lag, en ze hoorde hoe het ijs aan de deur krabbelde en probeerde binnen te komen.

Ze zei een gebed voor de arme herder die op weg was naar zijn hut, die misschien wel bevroren bij een of andere muur lag, en ze dacht aan Blanche, die in haar koude huis liep te ijsberen, en de kilte kreeg haar hart in zijn greep. Bezig blijven, zei ze tegen zichzelf. Stop de kieren onder de deur en rond de luiken dicht. De stenen muren zijn dik. De Heer zal over ons waken. Het dak was haar grote angst: de zwakke plek die nog niet was gerepareerd. Dit zijn niet de muren van Jericho, zei ze dapper tegen zichzelf. Deze blijven staan.

Anona lag te snurken en Hester moest glimlachen om de onschuld van een kind dat kan slapen terwijl horen en zien je vergaat, zoals nu, nu de storm beukte en het huis op zijn grondvesten deed schudden. Ze moesten warm en droog blijven, en goed gevoed. Ze stond er alleen voor en dit betekende een proeve voor haar moed en vastberadenheid. Ze zou niet tekortschieten. Blanche zou haar kind heelhuids terugkrijgen. Dat was haar plicht, en Hester Youell was niet iemand die haar plicht verzaakte.

Blanche kon niet slapen en liep almaar wanhopig rondjes over de stenen vloer in afwachting van nieuws. Ze kon niet werkloos toezien en het zoeken aan anderen overlaten. Als haar kind ergens schuilde, moest ze gevonden worden. Ze moest de brug oversteken en eerst naar Gunnerside Foss en dan naar Wintersett gaan. Dat was met deze vreselijke storm de veiligste route. Ze zou naar Hester gaan en daar wachten tot er nieuws zou komen. Ze kon geen minuut meer in dit vervloekte huis blijven. Ze zou niet terugkomen voor ze Nonie weer aan haar zijde had.

De loodgrijze wolken in het noordwesten boezemden haar geen angst in, net zomin als de wind die haar rokken en mantel als een dwangbuis om haar heen wikkelde, waardoor ze slechts moeizaam vooruitkwam. Ze had een stevige stok in haar hand om zich in evenwicht te houden. Ze moest iets doen en Hesters gezelschap was beter dan niets.

Er liep een voetspoor over de beijzelde loopbrug en aanvankelijk stapte ze vastberaden voort, omhoog naar het smalle beekje waar ze beschut zou zijn tegen de ergste wind, en naar de plek boven, waar Nonie in het voorjaar altijd primula's en viooltjes, dotterbloemen en grasklokjes plukte. Als het weer warmer werd, zouden ze vroeg opstaan en iets in het water offeren en er een tijdje blijven zitten om naar het gekabbel te luisteren. Dat zouden ze doen als ze weer samen waren, en terwijl de stormwind haar in het gezicht sloeg, gaf die gedachte haar moed.

Toen ze dichter bij de rand van de beek kwam, werd ze zich bewust van het gevaar, want het omlaagstromende water was bevroren waar het op de stenen terecht was gekomen en vormde een laag ijs die in vreemde vormen was gebeeldhouwd. Het was nu zelfs te glad om te blijven staan en ze moest verder het bos in, dieper de duisternis in onder de takken die bogen onder het gewicht van de sneeuw; het was een diepe duisternis vol rondwervelende sneeuw, en hoe hoger ze kwam, hoe erger het werd.

Ze ploeterde voort van boom naar boom, elk een vriend die haar verder leidde, maar ze verloor haar gevoel voor richting terwijl ze door de sneeuwbanken worstelde en haar rok doorweekt raakte en haar in haar bewegingen belemmerde, maar ze hield haar staf stevig vast en die gaf haar het houvast om verder te gaan.

Al spoedig was alles één wervelende witte massa. Bevroren sneeuw striemde haar oogleden en geselde haar wangen als zweepslagen. Ze was blind, buiten adem, gevangen door het gewicht van de sneeuw op haar mantel, maar ze weigerde op te geven in deze verwarrende witte wereld.

De zon was nu nergens te zien, en de hemel evenmin, er was niets behalve de vage omtrekken van de bomen, niets wat haar kon leiden, behalve haar verlangen en vastberadenheid. 'Jezus, Maria, behoed mij!' smeekte ze hardop. Nergens was een lichtje te zien dat haar naar boven, naar de veiligheid van de velden van Wintersett kon leiden. Haar kreten gingen verloren in de wrede wind. De storm had zijn eigen woeste stem en zijn eigen verraderlijke licht, dat flikkerde en haar waarnemingsvermogen vertroebelde.

Toen stuitte ze in al die witheid plotseling op iets hards en langs: het einde van een stenen muur, en ze besefte dat ze de hoek van Gunnerside bereikt moest hebben, vlak bij waar het land van Hester begon.

Ze was zo moe dat ze alleen maar langzaam verder kon kruipen en ondertussen met haar stok voelen waar die dierbare stenen muur was. Ze betastte hem liefkozend met haar bevroren wanten; haar armen deden pijn van de inspanning en de sneeuw wervelde nog harder om haar heen, als een verstikkend witte deken.

Alleen het licht dat in haar hart scheen dreef haar nog voorwaarts, want ze voelde dat Nonie dichtbij was, haar verder leidde. 'Ik kom eraan, mijn kleine, ik kom eraan,' fluisterde ze. Vanwege haar stommiteit om Nonie in gevaar te brengen moest ze net zo lijden als het kind had gedaan. Het was allemaal háár schuld, het kwam allemaal door háár trots en ongehoorzaamheid, en ze werd nu terechtgewezen, maar ze zou niet toegeven aan haar zwakheid. De muur had haar tot hier gebracht en zou haar nog verder leiden, als ze maar volhield. Er was nu geen weg meer terug. 'Ik kom eraan, Nonie, mama komt eraan, wacht op mij!'

De sneeuw werd voortgejaagd door de wind en verblindde haar volledig, dus knielde ze met gebalde vuisten naast de muur en verborg zich voor zijn furie, als een verdwaald schaap dat beschutting zoekt. Ik kom, zuchtte ze.

Nonie werd plotseling met een schok wakker. 'Mama komt eraan. Ik heb haar gezien. Ze is niet ver weg,' zei ze, maar tante Hester schudde haar hoofd.

'Niet in deze sneeuwstorm, kind. Alleen een vrouw die niet bij haar volle verstand is zou in zo'n storm de deur uit gaan. Ze denkt aan je,' antwoordde ze, maar Nonie wist dat ze eraan kwam.

'Zullen we de deur opendoen en een lantaarn buiten hangen om haar de weg te wijzen?' drong ze aan, want ze had gezien dat haar moeder glimlachte en riep.

'Ben je gek geworden? We kunnen geen beweging in de deur krijgen door alle sneeuw waaronder we bedolven zijn. Dat is wat ons warm houdt. Kom hier en help me het vuur brandende te houden. Het zal zo wel over zijn en dan kunnen we op zoek naar je moeder en haar het genoegen schenken jou weer in levenden lijve te zien en niet in een droom.'

Ze veegden de sneeuw die onder het luik door was geblazen bij elkaar – schone sneeuw die zó boven het kleiner wordende vuur gesmolten kon worden. Alle brandhout was op, maar ze verbrandden het droge riet en het stro dat ze in bundels bonden, alles wat ze konden vinden om het vuur gaande te houden en te voorkomen dat het binnen begon te vriezen.

Aanvankelijk was het wel leuk om tante Hester te helpen bij het maken van soep en om bij de haard te liggen, tot het moment kwam dat ze het matras moesten verstoken, want het vuur was gulzig; maar het werd kouder en kouder en ze hadden alle kleren aan die ze konden vinden om nog een beetje warm te blijven. Toen vertrok de mond van tante Hester zich tot een smalle, rechte streep; ze glimlachte niet meer en wreef steeds maar in haar handen, en Nonie werd bang toen de kruk op het vuur werd gegooid.

'Jammer dat we geen joelblok hadden,' zei haar tante met een diepe zucht. 'Maar we moesten zo nodig de dominee gehoorzamen; wacht maar tot ik hem in mijn handen krijg. Geestelijke of niet, dit is allemaal zijn schuld. Een joelblok had ons keurig door al die twaalf dagen heen geholpen, storm of niet. We moeten de Heer smeken ons niet in verzoeking te brengen, maar ik kom wel in de verleiding om te dansen en kerstliederen te zingen om een beetje warm te worden.'

Ze sprong op en probeerde haar tante overeind te trekken. Die was best knap als ze lachte. 'Ik weet een dans. Ik kan een dansje doen.' Ze neuriede een wijsje.

'Stil! Wil je de toorn van God over ons afroepen? We mogen niet versagen, maar een statig bewegen over de vloer, een heilige dans met een beetje bewegen van de armen kan, denk ik, wel worden beschouwd als een offerande, een blijk van rechtschapenheid.' Haar tante kwam overeind en schudde haar armen uit, maar hun kleren waren bevroren en hun adem kwam als rook uit hun mond.

'Je hebt een drakenadem,' lachte ze.

'Dat is de ziel van de Heer, Anona, dat is alles. Hij zal ons warmen in Zijn glorie. We zullen de kamer vegen, nog meer water smelten en alles wat we kunnen vinden op het vuur gooien. Dat we hier vastzitten wil niet zeggen dat we als luie slonzen in bed blijven liggen. Als ons werk gedaan is, zullen we wat psalmen zingen om onze adem te verwarmen en dan wat wol spinnen,' zei tante Hester, maar ze schudde haar hoofd.

Ik kan niet meer, Hester, mijn oogleden zijn dichtgevroren, maar nog één stap, nog één vinger dichter naar het licht, nog één ademtocht en dan kan ik het licht van de lantaarn in de sneeuw zien. De hemel klaart op, want ik zie sterren en de maan zal weldra opkomen om mijn weg te verlichten. Deze muur is mijn rots geweest, mijn toevlucht en mijn kracht in mijn zwakheid. Hij brengt me steeds dichterbij. Ik ben zo moe, Nonie, maar ik mag het nu niet opgeven...

Hester kon de stilte buiten voelen. De wind had zijn gebrul gestaakt en er viel regen, er klonk getik tegen de luiken. Ze was het bangst voor regen na sneeuw en een snelle dooi met al die sneeuw op het dak, maar ze zei niets om het kind niet bang te maken.

Ze mochten de deur nog niet opendoen, al was het kind er in haar enthousiasme vast van overtuigd dat haar moeder in de buurt was. Ze wilde zelf net zo goed graag naar de verkleumde dieren in de stal die omkwamen van de honger, maar ze wist dat het stro en de mest ze warm zouden houden, en ze konden van de sneeuw eten. Ze voelde zich plotseling vreselijk alleen, met slechts haar gezonde verstand om haar te leiden en haar instinct om gevaar te zien.

De sneeuw zou hen nog een tijdje in afzondering houden en met de dooi zou redding komen. Er was water genoeg en een provisiekamer vol eten, voorraden die deze verstandige maagd precies voor een situatie als deze had aangelegd, maar ze maakte zich vooral zorgen om dat verwenste dak. Ze vertrouwde die doorweekte balken niet.

'Blijf dicht bij de haard, kind, en geen geklets meer over deuren openen.' Het vuur was uit en ze moest beslissen of ze haar mooiste kist en stoel zou opofferen. Ze zaten kleine slokjes te nemen van hun vlierbessensap en keken elkaar vol angst aan toen plotseling een donderend geraas en gekraak de kamer vulde. 'De schoorsteenmantel in, kind!' gilde ze, en ze greep haar kostbare last. Na die storm en ontij zou, als het aan haar lag, een rotte balk hen niet te pakken krijgen. De ronde hoek met zijn stenen boog en ruimte voor het vuur, de kleine haard, de fraaie decoratie van uitgesneden figuren – bladeren en zonnetjes aan de randen – moest hen nu redden. Nu zou blijken met hoeveel vakmanschap hij was gemaakt, terwijl de balken voor hun ogen naar beneden kwamen, sneeuw en nattigheid neerdaalden en stof hun de adem benam, maar er kwam lucht door de schoorsteen, een wind vol roet die naar beneden blies.

'Heer heb meelij met ons zondaren. Wees onze steun en toeverlaat in moeilijke tijden. Zing, Anona, zing en loof de Heer die boven ons alles bestiert, de Heer der schepping,' fluisterde tante Hester terwijl ze haar hand stevig vasthield, in de overtuiging dat deze beproeving niet was zoals het zou moeten zijn, maar ze kon niet meer doen dan bidden. 'Heer, als we deze zondvloed overleven, zal ik ervoor zorgen dat de geboorte van Christus in dit huishouden voortaan altijd op de oude manier zal worden gevierd, met feest en vrolijkheid, en de dominee kan naar de maan lopen. Hij, niet Blanche, was degene die Uw toorn over onze hoofden heeft afgeroepen met zijn moedwillige verwaarlozing van goedheid en liefdadigheid! Heb meelij met ons...'

Uit de notulen van de parochie: 12 januari 1653
Een grote berg sneeuw heeft Wintersett doen instorten en alles vernield behalve de schoorsteen.
Vrouwe Blanche Norton, weduwe van wijlen de heer Christopher Norton, is vlak in de buurt doodgevroren gevonden.
De vrouw des huizes en de dochter hadden zich verborgen in de schoorsteen en zijn gered.

14

UIT DE HALL

Mijn onderzoek heeft de doopcelen opgeleverd van de zoons van Hester en Nathaniël: Thomas, geboren in 1654, William en Christopher, een tweeling die bij de geboorte in 1660 is gestorven, en Martha, die in 1662 is geboren. Over Anona is niets te vinden, tenzij de Nan Ackroyd van wie sprake is betekent dat ze met de herder is getrouwd, maar dat lijkt me niet waarschijnlijk.

Na die rampzalige winter – en er zouden er nog vele volgen – werd het dak helemaal vernieuwd en werd het oude huis verbouwd. De initialen T.I.Y. op de lateibalk boven de deur zijn die van hun zoon, Thomas, en diens vrouw Isabella in 1685.

Overigens, nu ik eraan denk: zolang dit huis blijft staan, zal er altijd een bewoner extra zijn. Ze hoort bij het huis en doet niemand kwaad. We noemden haar altijd 'de lavendeldame', vanwege de geur van lavendel die in de hal en de keuken achter hing wanneer ze tijdens haar dagelijkse bezigheden door de muren liep. Ik heb af en toe een glimp van haar opgevangen en de geur geroken, maar ik ben niet zo paranormaal begaafd en anderen zeggen dat ze in eenvoudige zeventiende-eeuwse jurken gekleed gaat en dat het Hester wel moet zijn.

Ze voelt dat er verandering op til is en ze is de laatste tijd een beetje rusteloos, maar ze is een goedaardige geest en ik noem haar de wachter van deze haard, net als de Griekse godin Hedia. Het kan heel goed zijn dat jullie haar al ontmoet hebben tegen de tijd dat jullie dit lezen en jullie je afvragen wat ze hier doet.

Ze heeft soms zin om op te ruimen en dingen op een andere plek te leggen. Let daar maar niet op. Negeer haar onschuldige nukken en zeg tegen haar dat ze jullie met rust moet laten, dan doet ze dat ook. Ze verkeert in haar eigen tijd, niet in die van jullie, maar een oud huis is nooit compleet zonder een paar inwonende dolende geesten, zolang ze tenminste van het vriendelijke soort zijn. Wat de anderen aangaat: er zijn manieren om die aan te pakken.

Ik moet nog uitleggen dat de vierkante hall met de stenen vloer en de bewerkte eikenhouten trap ons niemandsland is, neutraal terrein dat Nik en ik allebei gebruiken. Daar is een telefoon, er staat een ronde eettafel, er zijn boekenplanken en er is een mooie open haard, die we gebruikten wanneer we feestjes gaven. De kerstboom ziet er altijd geweldig uit onder de trap en de lichtjes weerspiegelen dan op de portretten die langs de trap hangen. Dit jaar zal er geen staan.

De Yewells gingen, te oordelen naar de belastingen die ze moesten betalen en de kosten van hun afgescheiden banken in de kerk, gelijk op met de welvaart van de eeuw die volgde en Samuel Yewell draaide het huis compleet om, zodat het optimaal profiteerde van de zon en het zuidelijke licht.

Ik zal het licht en de frisheid van de zitkamer met zijn vensterbanken boven missen, maar ik dwaal af.

De taak voor vandaag is een begin te maken met de hall en de boeken uit te zoeken: die van hem, de mijne en de rest voor de bejaardenhulp. Mijn huisje heeft geen ruimte voor zoveel boekenplanken, dus elk boek moet zijn waarde bewijzen en met heel wat even geliefde exemplaren vechten om een plekje.

Het is erg makkelijk om andermans rommel weg te gooien, maar mijn eigen boeken zijn iets persoonlijks en ik heb nu geen zin erover na te denken. Het is veiliger met het verleden om te gaan als het om het verre verleden gaat. Het verhaal van Blanche is triest, maar ligt ver achter ons en ik kan haar pijn niet voelen. Ik vertel verhalen, anekdotes, stukjes sociale geschiedenis – legendes die in deze familie als erfstukken worden doorgegeven.

Deze hall ademt verleden: foto's, opgezette zalmen en stokoude alledaagse dingetjes. Je hoeft alleen maar langs de wanden te kijken om te zien hoe het DNA in de loop der eeuwen is doorgegeven: krullende, roodachtige gouden lokken en felle ogen, en van generatie op generatie dezelfde kin en oren, de aanleg om dik te worden en lange benen. Dergelijke dingen worden makkelijk geërfd en zijn eenvoudig door te geven aan Nik, maar het zal jullie die na ons komen allemaal niets zeggen.

Jullie zullen meer geïnteresseerd zijn in het huis en hoe het komt dat het zulke enorme ramen heeft, een stenen portiek, de ommuurde tuin en hoe het er op oude tekeningen uitzag. Je koopt de geschiedenis en de erfenis, niet ons, de overgebleven Yewells. We betekenen niets voor jullie, en gelijk heb je. Jullie brengen je eigen geschiedenis mee en zullen vol enthousiasme je stempel op dit huis drukken. Ik wens jullie alle goeds.

Ik had gehoopt datzelfde te doen toen ik in de familie trouwde, Lenora Ellen Frost met Thomas William Yewell, in juni 1944, maar ik kwam erachter dat ik in een gevestigde orde trouwde, een stevige berg aarde, en het was moeilijk mezelf in te graven, hier te wortelen en het gevoel te krijgen dat dit net zo goed mijn plek was als die van Tom. Het zou een tijdlang niet eenvoudig blijken met zijn moeder, Addy, bij ons, die voortdurend op me lette voor het geval ik een stommiteit zou begaan, wat ik ook een keer deed, en niet zo zuinig ook, maar dat is een ander verhaal.

Jullie zullen meer geïnteresseerd zijn in de merklap die ik nu aan het afstoffen en inpakken ben. De kleuren zijn nog steeds helder en de kruissteken intact. Hij is gemaakt door de vrouw van Samuel en het verhaal wil dat hij uit liefde voor haar het huis zo'n fraaie gevel en van die hoge ramen heeft gegeven. Vanavond zal ik alles neerkrabbelen wat ik van Ashebel Yewell weet; haar verhaal, als het klopt, is het waard te worden verteld.

15

DE LIEFDEVOLLE STEEK

De schone Philomel verloor haar spraak
en borduurde eindeloos haar gedachten.

WILLIAM SHAKESPEARE, *Titus Andronicus* 2 IV

Samuel Yewell was op slag verliefd toen hij het meisje van Cantrell in het oog kreeg terwijl ze op een mooi jachtpaard over de velden reed, schrijlings zittend als een jongen, niet op een dameszadel. Haar haar wapperde in de wind, haar muts stond scheef en haar gezicht zag rood van de opwinding terwijl ze de wind achternajoeg. Hij aanbad haar vanaf zijn plekje in de kerkbank rechtsachter de hoge, afgeschoten bank van jonker Cantrell in de kerk van de parochie van Wintersett, waar ze elke zondag samen met haar zuster zat.

Na de mis liep ze door de zijdeur naar buiten, kaarsrecht, trots, niet gemaakt of aarzelend zoals haar zus. Hij hoorde het geruis van de tafzijden jurken, want deze twee volbloed veulens, die zo op elkaar leken dat ze wel een tweeling konden zijn, gingen zo volgens de laatste mode gekleed dat andere meisjes er lomp en alledaags uitzagen. Maar de oudste was degene op wie hij viel, want haar tred was veerkrachtig en uit haar blik sprak stoutmoedigheid.

Ze was een schoonheid en Sam had een oog voor fraaie vormen: rechte benen en een mooie vacht bij een paard, een stevig achterste bij vee, verfijnde meubelen en architectuur. Hij herkende kwaliteit zodra hij die zag, en juffrouw Cantrell was eerste kwaliteit.

Hij was een goede boer, die veel zorg besteedde aan zijn fokkerij en belangstelling had voor de nieuwste technieken waarover op de markt gesproken werd. Hij had gelezen over de methoden van 'Turnip' Townsend, had stad en land af gelopen om informatie te vergaren en voorbeelden te vinden van hoe die goed in praktijk waren gebracht; hoe je vee succesvol kon laten overwinteren, hoe je het meeste profijt kon trekken van de Omheiningswet, hoe de opbrengst van zijn gewassen vergroot kon worden en hoe de kudde kon worden verbeterd door vers bloed in te brengen.

Het was een mooie tijd om een kleine landeigenaar te zijn met de ambitie om zijn aanzien in het district te vergroten. Trouwen met de dochter van de jonker was hoger mikken dan de meesten mannen deden, maar hij was van plan de Cantrells te laten zien dat een Yewell het overwegen waard was. Hij zou dit doel krachtdadig nastreven en met geen ander dan met haar genoegen nemen. Om dat te bereiken had hij een zware en lange campagne voor de boeg, maar hij was geen lijntrekker en had zich vast voorgenomen elke cent die hij had te gebruiken om zijn schapen, zijn wol en zijn winst te verbeteren.

Als oudste zoon had hij alleen zijn zieke moeder om voor te zorgen. Zijn zusters en broers waren getrouwd en woonden overal verspreid. Hij was een goede werkgever voor zijn bedienden. Zijn opleiding was eenvoudig, maar degelijk, en hij hield van muziek en dansen, maar was tot op heden nog niet doorgedrongen tot de danskringen van de gezusters Cantrell, Ashebel en Araminta.

Er zat een regelmaat in hun uitstapjes die niet erg moeilijk was vast te stellen. Hij wist wanneer ze erop uittrokken en zorgde ervoor op zijn beste paard langs te rijden, gekleed in zijn beste jas en vest en bruine driekantige steek, die hij zo regelmatig voor hen afnam dat ze zijn aanwezigheid al snel erkenden met een blik vanuit hun rijtuig.

Omdat ze de enige erfgenamen waren van het land van de jonkheer, vermoedde hij dat van hen verwacht werd dat ze een goed huwelijk zouden sluiten en geld zouden binnenbrengen voor het onderhoud van het landgoed, waarvan de muren niet in zo'n goede staat waren als de zijne. Daaraan kon je altijd zien hoe goed landerijen werden beheerd en hoe welvarend iemand was. Er gingen geruchten over de dure smaak van Edward Cantrell op het gebied van volbloeden en dat zijn rekeningen niet werden betaald en dat de winkeliers wanhopig werden wanneer ze weer een bestelling kregen. Het nieuws ging snel in de valleien en marktplaatsen. De Cantrells waren niet zo deftig als ze wilden doen geloven, in ieder geval niet in de ogen van de plaatselijke bevolking.

De zussen gingen soms op pad om zieken en weduwen liefdadigheid te betonen en dan werden ze slechts vergezeld door een mannelijke bediende. Sam hing dan soms als een escorte op straat rond en deed alsof hij toevallig in de buurt was. Een ontmoeting met hen als een gelijke lag niet binnen zijn mogelijkheden, maar hij had zo zijn plannen.

Zijn grootste kans kwam onverwacht toen hij juffrouw Cantrell op een ochtend in rijkleding in razende vaart de heuvel af zag komen. Een verdwaald hert schoot uit de bosjes tevoorschijn en maakte haar paard aan het schrikken, dat steigerde, haar op de grond wierp en er met een leeg zadel vandoor ging. Hij vloog als een bliksemschicht over de helling naar haar toe en hielp haar overeind. Ze was niet gewond, maar erg geschrokken en ze bedankte hem uitbundig.

'Bent u gewond?' vroeg hij terwijl hij zijn hoed afnam.

'Dank u, er is niets aan de hand. Dat stomme paard...' Ze glimlachte en uit de twinkelende ogen sprak dankbaarheid.

'Blijf hier, juffrouw,' zei hij, 'dan haal ik uw paard.' Hij deed zijn best om beschaafd Engels te spreken en niet met het zware Yorkshire-accent, en reed in de richting van haar paard, dat nu tevreden liep te grazen en zich gemakkelijk liet vangen en terugbrengen. Hij was ingenomen met het feit dat ze niet onmiddellijk wegreed, maar nog even bleef en zich formeel voorstelde.

'Ik ben Ashebel Cantrell,' zei ze beleefd, en hij dronk het beeld in van haar porseleinen huid, haar mooie tanden en gouden lokken, en hij durfde nauwelijks adem te halen, wilde dat dit ogenblik eeuwig zou duren. Hij vertelde haar waar hij woonde, zijn plannen met de boerderij, over zijn blinde, bedlegerige moeder en dat hij een goede hulp had. Hij nam het moment te baat en stond erop haar naar Bankwell, aan de andere kant van de brug over de rivier, te begeleiden, door de grote poort en tot aan de stal.

Hij was nog nooit zo dicht bij het met klimop begroeide landhuis geweest, maar hij zag dat het erf niet zo netjes geveegd was als het zijne. Daar moest hij maar moed uit putten, want de jonker kwam naar buiten en bedankte hem kortaf.

Sam maakte gebruik van deze introductie door elke gelegenheid aan te grijpen om het huis voor allerlei parochiezaken te bezoeken, om cadeautjes en nieuws aan de achterdeur af te leveren. Hij werd nooit bij de voordeur toegelaten. Hij ving af en toe door het tuinhek een glimp op van de jongedames, maar hij zag Ashebel maar één keer alleen: toen ze rondhing bij een raam en naar hem keek.

Hij deed zijn best om altijd op dezelfde dag en hetzelfde tijdstip te komen en ze hield zich altijd in zijn gezichtsveld op, naar hem glimlachend, en één keer zwaaide ze zelfs naar hem. Zijn hart sloeg over. Wat was hij verrukt over haar ingetogen aandacht, gevleid dat ze hem een blik waardig keurde. Zijn spiegel maakte hem duidelijk dat hij een goed figuur had: lange benen, dik blond haar, brede schouders die werden geaccentueerd door een vakkundig gemaakte jas, en stevige, ronde kuiten, die goed uitkwamen onder zijn kniebroek. Hij was een goede vangst voor de boerendochters, die begerig naar hem keken, en hij kon een redelijke horlepiep dansen, maar Ashebel Cantrell was van een ander kaliber. Hij had haar niets te bieden, behalve hard werken en een eerlijk leven zonder franje.

Hij werd geplaagd door zijn geweten dat hij verliefd was op iemand die zo ver boven hem verheven was en hij voelde zich aan zijn eer verplicht de jonkheer van zijn bedoelingen op de hoogte te brengen. Hij kleedde zich zorgvuldig in zijn beste corduroy jas, kamgaren kniebroek en gepoetste leren laarzen die blonken als een spiegel, en bond zijn haar strak in een staart.

'Wat is er aan de hand, Sam? Je hangt hier de laatste tijd maar rond als de lucht van gekookte kool.' De jonkheer was niet in de stemming voor kletspraatjes, maar Sam negeerde zijn onbeleefdheid, raapte al zijn moed bij elkaar en maakte zijn bedoelingen kenbaar.

'Ik neem de vrijheid, meneer, om mijn genegenheid voor uw oudste dochter, juffrouw Cantrell, uit te spreken. Zij heeft mijn aandacht getrokken met haar schoonheid, haar verstand en haar rijkunst,' zei hij snel, en in één adem was alles gezegd. 'Daarom zou ik graag mijn bedoelingen duidelijk maken...' ging hij verder, maar hij zag dat de jonker rood aanliep.

'O ja, jonge man? En wat brengt jou op het idee dat ik ooit met de gedachte zou spelen mijn dochter te gunnen aan een keuterboertje uit de heuvels?' De man keek hem minachtend aan, maar Sam liet zich niet intimideren.

'Ik heb niet de bedoeling die positie altijd te houden,' pleitte hij. 'Ik ben van plan meer land te kopen, mijn veestapel uit te breiden met sterke rassen, te profiteren van alles wat de wetenschap ons te bieden heeft en mijn boerderij te verbouwen tot een grootser geheel met kamers die geschikt zijn voor een echte dame: een zitkamer met een open haard voor steenkool, slaapkamers, een klein park en een ommuurde tuin. Ik heb mijn oog op uw dochter laten vallen en ik zal haar als een kostbaar juweel in de mooist denkbare zetting plaatsen,' antwoordde hij trots.

'O ja? Heb je al met dat juweel over je bedoelingen gesproken?' vroeg de jonkheer.

'Nee, meneer, niet openlijk. Dat zou niet zijn zoals het hoort, zonder uw toestemming. Een dergelijke brutaliteit zou ik me niet aanmatigen... want al ben ik geen edelman, ik zal me wel als zodanig gedragen,' antwoordde hij.

'Ik ben blij dat te horen,' zei de jonkheer nors. 'Want het is niet mijn bedoeling ook maar één van mijn dochters te verspillen aan eenvoudige zonen van de akker. Ze zijn voorbestemd voor hogere mannen dan jij, dus laten we het er verder maar niet meer over hebben. Uit mijn ogen, jongeman. Stel je ambities een eind naar beneden bij en dan zal het je uitstekend vergaan. Ik wens u goedendag.'

Zo werd hij afgewezen en werd hem alle hoop ontzegd om zijn zaak te bepleiten. Samuel Yewell was echter uit koppig hout gesneden en gaf het niet vlug op als het om zaken van het hart ging, en toen hij wegging was hij vastbeslotener dan ooit om zijn hartendief het hof te maken, met of zonder toestemming van de jonker.

Hij schreef verschillende brieven, die bij haar bezorgd werden, maar ze kwamen allemaal terug met het zegel nog intact. Hij verlangde ernaar haar in het dorp te zien, maar dat gebeurde niet. Toen besloot hij maar te wachten. Hij zou alles wat hij van plan was met Wintersett realiseren; hij zou zichzelf tot een gerespecteerd man in het gebied maken en geduld hebben, zoals Jacob met zijn Rachel, tot de weerstand van de jonkheer onder zijn volharding afbrokkelde. Het was geen eenvoudige taak die hij zichzelf had gesteld, maar er moest een manier zijn waarop hij zijn doel kon bereiken.

Alsof ze hem verder wilden ontmoedigen, werden de twee zussen naar de een of andere tante in York gestuurd om een opleiding te volgen aan een instituut voor jongedames waar ze de hogere kunsten van muziek, handwerken en schilderen kregen bijgebracht. Zoveel wist hij op te maken uit het geroddel van de bedienden. Hij probeerde zijn geliefde in het geheim te schrijven, maar opnieuw kwamen de brieven terug. Het leek maanden, zelfs jaren te duren voor hij hoorde hoe het hun verging, en het nieuws was niet goed.

De jonker zat onderuitgezakt in zijn kerkbank te slapen, ineengedoken en vaak dronken. Zijn dochters waren ziek geworden en lagen op sterven; ze waren te ziek om vanuit York vervoerd te worden, zo luidden de geruchten.

Sam viel op zijn knieën en bad. 'Ashebel. O, Ashebel. Het komt allemaal door mij, het is mijn schuld. Want jullie zijn omwille van mij de dood in gestuurd. Vergeef me alsjeblieft. Blijf leven, mijn parel, mijn schoonheid, leef en ik zal je geven wat je hartje begeert, ook al kost het me mijn leven,' bad hij. Toen het vreselijke nieuws kwam, was de jonkheer zelf te ziek om uit zijn bed te komen en wachtte af tot zijn enige dochter zou komen, maar niemand wist wie van de twee het had overleefd of wat hen had getroffen.

Sams hart sprong op omdat hij zeker wist dat het zijn geliefde was die naar huis zou komen en hij ging met hernieuwde moed verder met zijn voorbereidingen. Hij had zich maanden aan zijn hoop vastgeklampt en liet zich niet op andere gedachten brengen.

Ik kan dit niet langer verdragen: mijn maag komt in opstand door de stank van de ziekte in de straten. Wat zal papa zeggen als hij hoort dat mijn zus op sterven ligt en ik niet bij haar mag komen uit angst voor besmetting? Ik zoek troost in de steken die ik tel... twee, drie, één overslaan. Ik ben ons huis en de borders in de tuin aan het borduren.

Als ik het patroon volg, ben ik veilig in een wereld die ik voor mezelf heb gekozen: een zijden wereld vol kleuren en dromen waar ziekte en pijn niet bestaan. Vader zal me er de schuld van geven dat ik dit over ons heb afgeroepen door aan het zwerven te slaan.

Ik borduur dit voor mijn zus om haar ziekbed wat op te fleuren. Ik ben beter geworden, maar zij niet. Ik zal nooit meer rondwandelen te midden van de kwade dampen, samen met onze meid, die nu zelf doodziek in bed ligt. Ik verlang naar huis en iedereen die daar is – één, twee, drie, één overslaan... Ik moet blijven zitten en mijn gedachten in mijn werkstuk borduren zodat ze me niet kunnen kwellen. Ik ben zo bang.

Er gingen maanden voorbij voor Sam het nieuws hoorde dat zijn geliefde zou terugkeren naar Bankwell Hall. Wat verlangde hij ernaar haar te troosten en haar mooie gezicht weer te aanschouwen, haar weer over de velden te zien rijden, en hij was vastberadener dan ooit om haar het hof te maken, want hij had in haar afwezigheid niet stilgezeten. Hij wist dat ze nog ongetrouwd was, zelfs niet met iemand in York verloofd was en zich tot haar eigen kring beperkte en Bankwell slechts zelden verliet. Hij had geen tijd verspild om zijn eigen vooruitzichten te verbeteren en had ferme beslissingen genomen en zijn landerijen met stenen muren omringd. Hij was veel gaan lezen om zijn geest te scherpen en zijn spraak te verbeteren. Hij nam alleen genoegen met de beste stof en de beste kleermaker voor zijn uitmonstering.

Na verloop van tijd begaf hij zich op een mooi paard op weg naar de voordeur van Bankwell en deze keer zou hij zich niet laten wegsturen. Deze keer deed de vader niet zo hooghartig of minachtend over zijn komst. Lijden en teleurstelling hadden diepe lijnen in zijn knappe gezicht getrokken. De ontvangst was afwachtend maar beleefd, en hij nam plaats in de zitkamer als iemand die een dergelijke beleefdheid gewoon was. Hij bracht zijn condoleances met de dood van juffrouw Araminta over en die werden met een knikje in ontvangst genomen.

Nu werd het tijd om de jonkheer te bestoken met wat hij het afgelopen jaar allemaal had bereikt, en hij had de vrijheid genomen de tekeningen mee te brengen voor de nieuwe vleugel aan Wintersett; hij verklaarde zijn nog altijd voortdurende liefde voor juffrouw Ashebel Cantrell en zei te hopen op een gunstig antwoord op zijn aanzoek.

'Ik zal met niemand anders trouwen dan met haar,' verklaarde hij, en hij verwachtte dat hem de deur zou worden gewezen, maar de vader bleef zitten, trok aan het bellenkoord en liet zijn dochter komen om hem te ontmoeten. Zijn hart ging vreselijk tekeer in zijn borst.

Ze kwam binnen, nog steeds met een rouwsluier, ging stilletjes zitten en hoorde zijn condoleances aan zonder een woord te zeggen. Het lijden had haar erg veranderd. Ze was mager, bij het uitgemergelde af, ingevallen, met scherpere trekken, en het stralende was van haar wangen verdwenen. Hij herkende niet veel van de oude Ashebel, maar dat was begrijpelijk na het verlies van zo'n geliefde zuster.

Hij kwam drie keer op bezoek, en drie keer zat ze tegenover hem met haar bediende die zich als een afzichtelijke verschijning ophield in de schaduwen – een herinnering aan de pokken die hun van alle vreugde had beroofd, maar haar ongeschonden naar hem had teruggebracht.

Niets kon hem ervan afbrengen haar in alle ernst het hof te maken terwijl zij daar zat met haar borduurwerk in het licht, tellend en tellend, maar af en toe met een vage glimlach naar hem opkijkend.

Eén keer vroeg hij haar met hem mee door de tuin te wandelen. Het was hoogzomer en de rozen bloeiden uitbundig en hingen over de muren als geparfumeerde watervallen. Ze stond op en kwam tot aan de veranda, maar toen voelde ze zich draaierig en wilde geen stap meer doen, maar stuurde de dienstmeid in haar plaats.

De meid schreed zonder een woord te zeggen naast hem voort. Ze was lang en statig, maar de afzichtelijke littekens van de pokken waren nog zichtbaar onder haar voile en deden hem vol afschuw over het lot van zo'n jonge vrouw de andere kant op kijken. Ze voelde en rook aan elke roos, liet hem toen alleen en ging terug naar haar meesteres. Sam was opgelucht dat hij niet langer een gesprek gaande hoefde te houden.

Hij kreeg te horen dat Ashebel er niet meer te paard op uittrok. Ze ging niet meer naar de kerk vanwege een zwakte in haar benen die haar alle kracht ontnam, maar dat weerhield hem er niet van achter haar aan te blijven zitten. Ze zat uren achter elkaar te borduren en hij beloofde haar dat hij, wanneer ze eenmaal getrouwd waren, een zitkamer aan de zonkant voor haar zou bouwen met hoge ramen, zodat ze daar kon zitten en in alle veiligheid van het uitzicht kon genieten.

Hij was gesteld op de manier waarop ze zwijgend opging in haar borduurwerk en de patronen en voorbeelden volgde, elegante steken koos om afbeeldingen op het doek te toveren, gezichten en kleuren vulde in haar eigen unieke stijl. Hij was heel trots op haar voorname afkomst, alsof ze een prachtig ornament was dat zijn huis voornaamheid en elegantie zou verlenen. Hij wilde de hele wereld zijn kostbare juweel laten zien, de parel van onschatbare waarde waarvoor hij zo hard had gewerkt om die te verkrijgen en binnenkort zou zij naar het altaar van de kerk van Sint-Maxientius lopen en zijn vrouw worden.

Als hij al bedenkingen had over het feit dat zijn geliefde niet zo levendig en opgewekt was als hij zich herinnerde, dan sprak hij zichzelf bestraffend toe. Had ze immers niet een vreselijk verlies geleden? Het was allemaal nog vers en het kostte maanden en maanden om over een dergelijke gebeurtenis heen te komen. Verlies was als een wond die op ieder moment kon openbarsten. Tegen de tijd dat ze trouwden, moest er een huis worden afgemaakt en een huwelijksfeest worden georganiseerd.

Dan zou ze zeker wel opgewonden raken over haar nieuwe positie als zijn echtgenote. De frisse lucht en de wind op Wintersett zouden haar sombere gedachten wel verjagen, en hij zou haar alles geven wat ze op het gebied van aankleding voor het huis maar wilde hebben.

Het was geruststellend om te weten dat alles wat hij zo lang had nagestreefd eindelijk bewaarheid werd, en jonkheer Cantrell leek opgelucht dat de datum voor de trouwerij eindelijk was vastgesteld. Zo te zien stond hij te popelen om haar ergens anders onder te brengen, weg van alle herinneringen die haar verdrietig stemden. Zijn enige voorwaarde was dat het dienstmeisje, Minnie, met haar mee zou gaan bij wijze van troost. Ze zou zich op de achtergrond houden en geen problemen veroorzaken, maar Ashebel was op dit punt vastbesloten. Het zou kinderachtig zijn om haar zo'n kleinigheid te weigeren. Sam had haar niet in huis willen hebben, omdat ze een voortdurende herinnering aan het lot was, maar hij hield zijn mond.

Vraag me niet om naar buiten te gaan, papa. Ik heb gedaan wat me was gezegd. Waarom kan ik niet voorgoed hier blijven? Ik sta doodsangsten uit als ik de drempel over moet. U weet dat ik, als ik de hemel zie, geen adem meer krijg, mijn borst ineenkrimpt en ik zo'n pijn voel dat ik niet meer weet waar ik ben. Ik ga niet zonder haar. We zijn één. Ze is mijn armen en benen, mijn boodschapper. Stuur ons niet weg. Ik zal deze kamer niet verlaten, of nog een kruimel eten, als ik alleen word weggestuurd.

Ik weet dat de dokter zegt dat ik aan wisselende stemmingen onderhevig ben. Mijn baarmoeder zwerft op eigen houtje door mijn lichaam en alleen de aanraking door een echtgenoot kan me van die angst genezen. Ik kan de gedachte aan een dergelijke aanraking niet verdragen. Ik bloed als een rund, maar niets kan me zonder hulp naar dat altaar laten lopen.

Ik heb mijn naalden en vingerhoeden, mijn zijde en mijn patronen. Laat me hier blijven en mooie dingen maken, schilderijen om u te amuseren. Ik zal heel verfijnde steken voor u maken. Ik weet dat ik nooit uw lieveling ben geweest. U behandelt ons slecht door me te dwingen beneden mijn stand te leven, alleen maar omdat ik de drempel niet over kan.

Ik geef niets om deze jurk, de ragfijne stof ligt als een loden mantel op mijn schouders. Hij komt mij niet rechtmatig toe. Hoe kunt u me naar zijn zijde begeleiden als ik nauwelijks een stap kan doen zonder hulp? Stuur bericht dat ik te ziek ben. Laat de dominee komen, dan kan hij ons hier trouwen als het per se moet. Het kan me allemaal niet schelen. Waarom kijkt u me zo teleurgesteld aan? Ik kan het niet helpen dat ik bang ben.

U hebt ons naar York gestuurd. Ik kan niet helpen wat ons daar is overkomen.

Wat had hij zich vol hoop gekleed op die dag waar hij zo lang naar had verlangd. Hij droeg zijn mooiste gegalonneerde fluwelen jas en geborduurde vest. Van top tot teen in het nieuw. Hij wilde niet dat de mensen zouden zeggen dat een Yewell niet wist hoe hij zich voor een dergelijke gelegenheid diende te kleden. Toen werd alles op het laatste moment veranderd. Sam en de dominee moesten naar Bankwell Hall komen, waar ze in de stilte van de ontvangkamer werden getrouwd met maar een paar mensen die getuige waren van de gebeurtenis: slechts de jonkheer, de dienstmeid en Sams moeder, die Bankwell Hall werd binnengedragen in een rieten stoel.

Het was een vreugdeloze gebeurtenis. Ze kwam op hem toe gelopen, leunend op haar vaders arm en gekleed in paarse rouwkleding en grijze zijde, met een gewatteerde en geborduurde onderrok en een zwarte kanten omslagdoek om haar schouders, een kanten muts met daarbovenop een strohoed 'à la bergère'. Dat ze niet glimlachte kwam, zo nam hij aan, doordat ze aan haar arme zuster dacht die ze in York had moeten achterlaten en die nu geen getuige kon zijn van deze bruiloft. Zijn bruid raakte het huwelijksontbijt niet aan, maar zat daar maar zonder iets te zeggen en naar beneden te kijken en liefdevol aan het borduurwerk van haar onderjurk te voelen.

De dag werd verder overschaduwd door Ashebels weigering in de koets te stappen als haar meid haar niet bij de hand hield en Sam reed erachteraan en vroeg zich af wat er van zijn grootste plannen was gekomen. Er volgde uiteraard geen huwelijksreis. Bij hun aankomst op Wintersett, waar de nieuwe voorgevel haar glimmend welkom heette, keek ze nauwelijks op. Ze ging rechtstreeks naar haar slaapkamer en vroeg of ze niet gestoord kon worden, want de tocht had haar uitgeput.

Hij was zo blij geweest dat alles in gereedheid was gebracht voor haar komst. Er waren extra bedienden in dienst genomen, maar ze duldde alleen haar eigen dienstmeid bij zich, zodat ze er ongemakkelijk bij stonden en uiteindelijk werden weggestuurd.

Hij besefte dat zijn vrouw waarschijnlijk niet wist wat de plichten van een boerin waren en hij verwachtte evenmin van haar dat ze zich in de keuken zou vertonen of in de mindere delen van het huis. Zij was zijn uitspatting en zijn verantwoordelijkheid, en hij zou zichzelf tot de bedelstaf brengen om haar te geven wat ze verdiende.

Hij had de beste bouwers uit de omtrek in de arm genomen om de verbouwingen uit te voeren. Het pleisterwerk was sierlijk en aan het plafond van haar zitkamer hing een kroonkandelaar van fijn geslepen glas. Haar open haard was volgens het modernste ontwerp gemaakt en in de vuurkorf brandde een vrolijk kolenvuur. Hij had de trap laten omdraaien, zodat die naar de nieuwe ingang gekeerd stond, en de vloer was belegd met een mozaïek van gebakken tegels. In de zitkamer stonden haar mooiste stoel en spinet, het haardscherm en een divan, en er was voldoende ruimte om het allemaal naar haar eigen smaak in te richten.

Hij probeerde zijn teleurstelling niet te laten blijken toen ze weigerde mensen te ontvangen in haar zitkamer boven aan de gedraaide trap, maar voortdurend met hoofdpijn in haar kamer bleef. De jonkheer had haar een bruidsschat in de vorm van land meegegeven, maar hij zat diep in de schulden en maakte er geen geheim van dat hij zijn bezittingen misschien zou moeten verkopen en naar het buitenland zou moeten verhuizen. De bedienden gingen een voor een weg, in de war door dit huishouden waar de meid haar dagen aan de zijde van haar meesteres doorbracht met naaien en Sam nog niet één keer in haar slaapkamer was toegelaten om zich van zijn huwelijksplicht te kwijten. Dit was niet zoals het hoorde, die afwijzing waar hij steeds tegenaan liep.

De enige die bezorgdheid en consideratie toonde was de meid, die voelde dat hij ongelukkig was en beneden probeerde te komen om bij de overige bedienden in de keuken te gaan zitten, maar die negeerden haar vanwege haar mismaaktheid en bedachten smoesjes om van tafel te kunnen gaan. Sam restte niets anders dan de scherven van zijn gebroken geluk bij elkaar te rapen. Een mooi porseleinen ornament om te bewonderen was leuk en aardig, maar dit was Ashebel, die nutteloos was als vrouw én als ornament als er niemand was behalve hij om haar schoonheid te bewonderen.

Maar soms droomde hij 's nachts dat ze bij hem kwam en zich gretig aan hem overgaf, hem met warmte en passie omhelsde en dat ze elkaar vol hartstocht beminden. Dan werd hij uitgeput wakker en strekte zijn hand uit naar haar warmte, maar het bed was koud. Soms ving hij een vleug op van zoet parfum, rozenolie, op het kussen, maar hij wist dat hij zich in zijn wanhoop van alles verbeeldde om zichzelf te troosten. Soms ging hij even bij zijn vrouw kijken, maar de deur zat altijd voor hem op slot en hij durfde het slot niet open te breken. Allen de meid mocht naar binnen en hij voelde steeds meer weerzin tegen haar aanwezigheid.

Hij bracht meer en meer tijd door met zijn mannen op de markt, met kopen en verkopen. Alleen in dat opzicht ging het hem voor de wind en nam zijn aanzien in de streek toe. Hij werd gevraagd voor de functie van kerkvoogd en of hij de zaken van de kerkgemeente wilde waarnemen. Er waren meer dan genoeg kerkvergaderingen en comités om te zorgen dat hij zich niet verveelde. Hij hield zichzelf bezig, maar de droefheid in zijn hart en zijn teleurstelling waren zijn vaste metgezellen.

Hij voelde zich beroofd van zijn vreugdevolle vooruitzichten en ging in zijn gedachten na of de Cantrells hem misschien behekst hadden.

Zijn moeder kon niet zien wat er gaande was, zijn broers woonden her en der verspreid. Minnie, de dienstmeid, zorgde voor haar maaltijden en las de oude vrouw, die te slecht zag om haar misvormingen te zien, vaak voor. Zijn moeder prees Sam om zijn keuze, want de dienstmeid had een zachte, heldere stem en was prettig in de omgang met de patiënt.

Sam begon gewend te raken aan het opgezwollen gezicht en de pokdalige huid, maar ze was hem desalniettemin een doorn in het oog. Het deed hem pijn dat zijn vrouw de voorkeur gaf aan haar gezelschap boven het zijne en hem vol ongeloof aankeek als hij klaagde.

'Je wilde Ashebel Cantrell als vrouw, en hier zit ze dan. Je moet het nemen zoals het komt. Wees dankbaar dat mijn vader mij ten gunste van jou heeft weggegeven,' snauwde ze.

Hij was alleen in een huishouden vol vrouwen en hij haatte het. De kamers die hij met zoveel plezier had gemaakt en ingericht waren bedompt en stil. Soms, wanneer de leegte in huis hem te veel werd en hij de uitgestrektheid van de velden opzocht, ving hij een glimp op van de dienstmeid die met ferme pas in de richting van de waterval en de beschutting van de bosjes bij Gunnerside liep. Bij zonsopkomst en bij zonsondergang zag hij haar eenzame gestalte langs de muren zwerven. Ze vermeed alle contact met de dorpelingen, maar hield zich uitsluitend bezig met haar taak aan de zijde van haar meesteres of zwierf over de heide, waar niemand haar mismaaktheid kon zien.

Lelijkheid kent zijn eigen schoonheid, dacht hij toen hij zichzelf erop betrapte dat hij naar haar keek. Hoe kon ze naar haar spiegelbeeld in het water kijken of zichzelf in de spiegel of de grote ramen van de zitkamer zien zonder te moeten huiveren?

Hij was een man die van schoonheid hield in voorwerpen en versieringen. Hij was dol op de precisie en symmetrie van zijn voorgevel, van de verhoudingen ervan. Hij voegde veel gratie toe aan het silhouet van zijn oude huis. Dan had je nog het terras en de ommuurde tuin, die precies volgens zijn aanwijzingen was aangelegd. Er waren nieuwe bomen aangeplant waar zijn erfgenamen van zouden kunnen genieten en die het huis tegen de koude noordoostenwind zouden beschermen. Ashebel had nog geen voet over de drempel gezet om al zijn werk te bewonderen, maar het alleen maar door de ramen van licht bekeken.

Ik wilde dat ik de lucht mee kon nemen naar de tuin beneden, maar zodra ik een stap buiten de deur zet, kan ik geen adem meer halen en komt de aarde op me af om me te begroeten. Dit is nu mijn gevangenis, mijn fraaie kooi, maar ik ben net een nachtegaal die niet kan zingen. Ik voel me veiliger als zij in de buurt is en we samen vanaf de bank bij het venster naar buiten kijken en naaien, kijken naar een wereld waarin ik niet langer in vrede kan leven. Arme Samuel, beroofd van datgene waar hij zo naar verlangt; als hij eens wist welke last ik moet dragen en welke schuld ik voel omdat ik hen uit elkaar hou. We doen ons best het hem naar de zin te maken.

Sam kon Ashebel niet geloven toen ze hem vertelde dat ze in verwachting was.

'Wat is dat voor nonsens?' brulde hij. 'God is mijn getuige, dat moet een bastaard zijn, want ik heb geen kind bij je verwekt! Ik heb je met geen vinger aangeraakt sinds het moment dat we zijn getrouwd...'

'Stil, Samuel, wind je niet op, alles is onder controle, wacht maar af.' Ze glimlachte en haar blauwe ogen keken op van haar handwerk. 'Zie je, ik ben bezig met een Spaanse afwerking van de mouwen, laat het crème goed uitkomen door het zwarte draad. Het is allemaal nog erg pril, maar het kind is van jou, geloof me. Ik heb de heer om een wonder gesmeekt en Hij heeft er een verricht.' Ze keerde zich tot de meid, die zich zoals gebruikelijk met gebogen hoofd in de schaduw in de hoek ophield. 'Minnie, vertel eens over de ochtendmisselijkheid en de kwaaltjes. Kijk maar, mijn buik wordt al dikker,' glimlachte ze, en ze klopte erop met haar naaiwerk.

'Je bent gestoord!' snauwde hij. 'Ik heb geen moment bij je in bed gelegen om het huwelijk te bestendigen, dus hoe kan dit mogelijk zijn? Heb ik er niet alles aan gedaan om een goede echtgenoot voor je te zijn, alles, behalve dat?' Hij bloosde omdat hij zoiets in aanwezigheid van een bediende moest zeggen. 'Je vader heeft me bedrogen en jij hebt me mijn rechten ontnomen... Volgens de wet zijn we niet getrouwd. Dat weet ik wel. Hij had me moeten vertellen dat je ze niet allemaal op een rijtje hebt.'

Bij die woorden kwam Minnie overeind om haar meesteres te troosten en keek hem woedend aan. Ashebel keek glimlachend op en besteedde geen aandacht aan zijn woorden, alsof hij maar een grapje maakte. 'Hij begrijpt het niet, hè? Wat is de Heer toch genadig, maar alles staat hier in mijn borduurwerk... de hele waarheid.'

'Laat zien!' Hij greep het fijne katoen en smeet het vol afschuw op de grond. 'Jullie zetten me voor gek, jullie alle twee, en ik neem het niet langer. Het enige wat ik wilde was je gelukkig maken, en dit is mijn beloning. De jonkheer geeft me zijn krankzinnige dochter. Hij zag me aankomen en heeft me met jou afgescheept,' zei hij, en hij liep naar de deur.

De meid bukte zich, raapte zonder iets te zeggen de lap op en keek hem met haar vreemd gezwollen oogleden aan. Hij zag dat er tranen in haar ogen stonden.

'Heb geduld, echtgenoot. Maak jezelf niet te schande ten overstaan van Minnie. Alles zal je duidelijk worden en dan zul je het begrijpen,' voegde Ashebel eraan toe, maar ze stond niet op om hem ervan te weerhouden weg te gaan.

'Je spreekt in raadselen, vrouw,' riep hij terwijl hij de deur achter zich dichtsloeg en kokend van woede de trap af stormde.

'Arme man, hoe kan hij zich zo druk maken om zulke kleinigheden? Kom hier bij me zitten en maak je niet druk om dergelijke beledigende opmerkingen,' verzuchtte Ashebel.

'Ik maak me niet druk. Laat me iets kalmerends voor hem maken. Het is ook tijd om voor de oude vrouw boven te zorgen. Daarna blijf ik wel uit het zicht,' antwoordde Minnie.

'Maar ik heb je hier nodig,' zei ze.

'Je hebt je ramen en je zijde, je schilderijen... Laat de rest maar aan mij over,' antwoordde Minnie, en ze liep in de richting van de deur, maar de man stond vanuit de deuropening naar hen te staren.

Sam begreep er niets van. Wie was eigenlijk de vrouw des huizes en wie de dienstmeid? Het paste toch niet om zijn vrouw bevelen te geven?

'Je moet een dergelijke brutaliteit niet nemen,' zei hij. 'Ze is maar een dienstmeid, en nog lelijk bovendien. Ik snap niet dat je haar aanblik kunt verdragen.'

'Ik zie het niet. Ik kijk er niet naar.' Ashebel hield even op met haar naaiwerk. 'Ze is niet altijd zo geweest. Ooit was ze net zo mooi als ik. Ze mag niet worden weggestuurd, want ik ben haar veel verschuldigd. Ze is mijn armen en benen, mijn boodschapper en toeverlaat. We mogen nooit gescheiden worden en we praten over veel dingen.'

'Ik wou dat je eens met mij praatte. Je hoofd is altijd over dat verdraaide naaiwerk gebogen,' zei hij, vol verlangen haar in zijn armen te nemen en haar duidelijk te maken hoe eenzaam hij in dit huwelijk was.

'Ik maak een babyuitzet voor ons kind,' zei ze.

Sam gooide wanhopig zijn hoofd in zijn nek. 'Er is geen kind. Heeft dokter Edwards je al onderzocht?'

'We zullen zien. Ik laat geen kwakzalvers meer aan mijn lichaam zitten. Wacht maar en heb geduld. Het komt.' Met een glimlach richtte ze haar aandacht weer op haar naaiwerk.

Sam ging uitgeput zitten. Het had geen zin te proberen haar zover te krijgen dat ze meer naar buiten ging; dan zou ze alleen maar in elkaar zakken. Hij zou eigenlijk de apotheker moeten laten komen. Die kon haar kalmerende pillen geven. Maar om eerlijk te zijn wilde hij niet dat iemand zag in welke situatie hij verkeerde, zag welke slechte overeenkomst hij met de oude jonker had gesloten. Hij wilde niet dat ze naar een of ander gesticht werd gestuurd. Eerlijk gezegd slaagde de meid er altijd in haar rustig te krijgen en haar bezig te houden, tevreden in haar eigen kleine wereld. Zonder zo'n helper zou hij geen andere keuze hebben dan haar weg te stoppen.

Soms zag hij de dienstmeid bezig op de boerderij. Ze toonde belangstelling voor de veestapel, leerde melken en deed dat met zo'n zachte hand dat zelfs de meest rusteloze koe erdoor gekalmeerd werd. Ze schrokken niet van haar gezicht, maar leverden hun melk in haar emmer. Hij zag haar met de melkmeid bezig boter en kaas te maken. Ze ging met hen om op een manier alsof zij de leiding had en ze leken daar niet tegen in opstand te komen, wat vreemd was. Haar stem klonk zacht en beschaafd. Het enige wat hij wist was dat ze met Ashebel uit York was gekomen. Om eerlijk te zijn raakte hij gewend aan haar rustige manier van doen en haar aanwezigheid op de achtergrond, en zijn moeder keek uit naar haar bezoekjes.

'Ze leest als een dame,' zei ze. 'Ze moet wel heel erg mooi zijn, met zo'n stem.' Ze zuchtte en glimlachte. Hij had het hart niet haar de waarheid te vertellen en soms, wanneer haar geest haar in de steek liet, dacht ze dat de meid Ashebel zelf was. Hij had niet het lef haar tegen te spreken. Ashebel was te ziek om voor iemand anders dan zichzelf te zorgen.

Minnie paste zich aan het landleven aan op een manier waarop hij dat van haar meesteres had gehoopt. Haar wangen werden voller en haar haar glansde zoals dat van Ashebel nooit zou doen zolang het van de frisse berglucht werd afgesloten.

Alleen haar buik werd elke maand een beetje dikker en hij vroeg zich af hoe het zat met die nachtelijke dromen vol passie. Verborg zijn vrouw ook haar geheime lusten? Hij moest glimlachen bij de gedachte dat zijn grijze muisje van overdag 's nachts zo'n sloerie kon zijn en hem wild bereed tot hij kreunde van genot tijdens hun geheime steekspel.

Ten slotte kwam de dag dat Ashebel zelf hem op de trap tegemoet kwam en tegen hem zei dat ze bijna zover was, maar dat ze er niemand bij wilde hebben behalve haar dienstmeid.

'Ik zal dokter Edwards laten komen,' zei hij, plotseling ongerust.

'Nee, je kunt vrouwen maar het best zelf voor dergelijke dingen laten zorgen,' verzuchtte ze, terwijl ze haar buik met een dramatische kreun beetpakte. 'Laat ons maar begaan. Alles is in gereedheid gebracht in de kamer boven. Zadel je paard, vertel papa het nieuws en zeg dat hij moet komen om zijn kleinkind te begroeten. Neem de tijd, haast je niet terug, want het zal nog uren in beslag nemen. En er mag niemand naar binnen tot het achter de rug is.'

Hij had Ashebel nog nooit zo opgewonden gezien, zo levendig, en hij deed met plezier wat hem was gezegd, reed in galop naar de stad en stuurde een bericht mee met de postkoets dat de jonkheer moest komen. Dit was wat ze nodig hadden, dit kind zou nieuw leven brengen op de boerderij en zou Ashebel eens en voor altijd genezen van haar apathie. Hij zou het haar naar Araminta laten vernoemen als dat zou helpen haar verdriet te verdrijven. Hij stopte bij elke herberg om een toast uit te brengen op zijn nieuwe kind en hij kwam 'vers van de markt' terug. Hij kon niet wachten tot hij zijn erfgenaam mocht zien.

Zijn vrouw was een mysterie voor hem; overdag meed ze hem en 's nachts verslond ze hem in de duisternis achter de bedgordijnen. Ze kroop binnen en streelde hem; alleen haar handen stelden hem voor een raadsel: overdag borduurden die als razenden, waren ze wit en zacht, zo zacht als de zijde waarmee ze haar arme gedachten in borduurwerkjes en manchetten verwerkte. 's Nachts waren haar handen ruw en jachtig van de passie.

Toen hij thuiskwam, zat ze in het bed en hield de baby trots naar hem omhoog.

'Je zoon, zoals ik je had beloofd,' zei ze, lief glimlachend terwijl ze zich naar de meid wendde, die op haar gebruikelijke plek zwijgend in de schaduw zat. 'Is hij geen echte Yewell? Hij heeft jouw gouden haar!'

Hij moest toegeven dat hij het uiterlijk van zijn vader als oude man had en hij moest hem meenemen naar zijn moeder. Ze kon hem dan wel niet zien, maar ze moest het weten. Hij boog zich voorover om haar voorhoofd te kussen uit dankbaarheid voor deze verrassende gift, maar ze keerde hem haar wang toe.

'Ik ben zo moe na deze inspanning, maar pak mijn naaidoos, dan zal ik zijn naam borduren, de eerste van een hele serie,' glimlachte ze.

Hij keerde zich naar Minnie en gaf haar opdracht naar zijn moeder te gaan om het goede nieuws te vertellen, maar Ashebel verhief haar stem en schudde haar hoofd.

'Later, het arme kind is net zo moe als ik, want ze is de hele tijd bij me gebleven en heeft de baby veilig ter wereld gebracht. We moeten allebei rusten. Neem je zoon mee en laat hem zelf aan haar zien,' beval ze, en hij was dolblij haar zo levendig te zien. 'Doe de deur achter je dicht en laat alleen papa binnen wanneer hij komt. Ik wil geen bezoek, maar de dominee mag hem hier komen dopen als je dat wilt.'

Een paar dagen lang groeide Sams hoop op een wonderbaarlijke genezing van zijn vrouw. Ze was helemaal tot leven gekomen door deze baby, die ze George Thomas noemden, ter ere van de koning. Toen verviel ze tot zijn bittere teleurstelling weer in haar oude toestand, zat weer bij de grote ramen, hield met haar in kalfsleren laars gestoken voet de wieg in beweging, en borduurde, borduurde, borduurde. Hij zag geen moment dat ze hem voedde, maar de jongen leek te groeien als kool en hij stond erop dat hij in de kerk ten overstaan van de gemeente zou worden gedoopt.

Ashebel kon niet aanwezig zijn bij de doopplechtigheid omdat ze een koortsaanval had. George werd gedragen door de meid en gewiegd tot hij in slaap viel, en hij werd gedoopt terwijl de jonkheer barstte van trots bij de aanblik van zijn kleinzoon. Zijn dochter had haar plicht gedaan en een erfgenaam voortgebracht en hij leek erg opgelucht dat iedereen tevreden was met haar uitstekende werk.

Ik hoor hem huilen van de honger, maar ik kan hem niet helpen. Ik heb geen melk voor hem. Ik kan wat ik aan het borduren ben niet laten liggen om bij hem te gaan kijken. Ik ben moe. Zijn gehuil maakt ons 's nachts wakker, maar ik heb zulke mooie kleren voor hem genaaid, geborduurde mutsen en omslagdoeken, en ik heb geborduurd tot mijn vingers kapot waren. Zij zal voor hem moeten zorgen, onze kleine prins. Hij komt niets tekort, behalve een moeder, en ik kan niet zijn wat ik niet ben.

Sam kon de baby horen huilen van de honger. Waarom pakt niemand het kind op om hem te troosten? Hij zag Minnie zich over de overloop haasten en in haar haast liet ze een paar luiers vallen. Hij pakte ze op – de luiers waren nog warm van de strijkbout en roken naar lavendel – en liep achter haar aan Ashebels kamer in om ze te brengen, want nu was de deur eens niet op slot.

Hij deed de deur open en zag de pokdalige borst van de meid open en bloot en het kind dat er tevreden aan lag te zuigen.

'Wat ben je in godsnaam met mijn kind aan het doen?' schreeuwde hij, en de baby schrok, verwrong zijn gezicht en begon te krijsen. Ashebel keek geschrokken op en had voor een keer het fatsoen hem haar volle aandacht te geven. Minnie keek hem recht in de ogen, de brutale sloerie.

'Iemand moest het kind voeden. Hij heeft honger en Ashebel heeft geen melk. Voedsters zijn heel gewoon, heer,' zei ze zonder om toestemming te hebben gevraagd.

'Jazeker, en we weten ook allemaal dat een melkkoe eerst moet kalven voor de melk op gang komt. Een onvruchtbare koe kan geen kalf voeden. Hel en verdoemenis! Wat zijn jullie twee hellevegen van plan? Geef me mijn zoon...' Hij trok het kind van de borst en sloeg de deur achter zich dicht, razend van woede om deze misleiding.

Wat was er allemaal gaande onder zijn dak? Hij was dubbel bedrogen, door zijn vrouw en door haar meid. Van wie was deze bastaard? Ze hadden dit plan beraamd om hem te bedriegen, hem een kind te geven dat van de meid was, verwekt door een of andere ellendeling uit de herberg die te dronken was om haar gezicht te zien. Hoe kon hij hebben geloofd dat het zijn eigen erfgenaam was geweest?

Hij smeet het kind in de armen van de stomverbaasde melkmeid, zadelde zijn paard en steeg op, bond het krijsende kind in een doek stevig tegen zijn borst en ging er in dolle vaart vandoor. Plotseling stopte hij en keek naar het huis en naar de wereld die om hem heen in elkaar stortte. Wat zag het er groots uit, wit gepleisterd afstekend tegen het smaragd van het heidelandschap, de zon die de ramen in vuur en vlam zette, zo trots en voortreffelijk, zo vol verraad.

Plotseling had hij het gevoel dat alle kracht uit hem wegvloeide en zat hij uitgeblust in het zadel met het jammerende kind. Hij wilde zelf ook huilen van schaamte omdat hij zo dwaas was geweest zijn huis op drijfzand te bouwen, in plaats van op de rots van de waarheid. Het was gebouwd op het losse zand van trots en ambitie. Hoe had hij ooit kunnen denken dat hij kon wedijveren met de adel, terwijl hij maar een eenvoudige landeigenaar was, de zoon van een boer, die naast zijn schoenen was gaan lopen en nu ten val was gebracht door een frigide echtgenote en een verraderlijke dienstmeid in een huis vol samenzwerende vrouwen? Naar de hel met ze, allemaal! Hij keek naar het gezichtje van de kleine jongen, onschuldig en toch verdorven en hij voelde een steek van medelijden met de arme drommel. Hoe kon hij zich van deze vreselijke misleiding ontdoen? Toen zag hij dat er een paard achter hem aan kwam, een van zijn oude knollen, die als een razende over het veld galoppeerde. Op zijn rug zat een vrouw met een bruine mantel, die als een man te paard zat en als een bezetene reed.

De manier waarop ze reed had iets wat hem aan vroeger deed denken: aan die tijd dat hij in zijn jeugdige overmoed meende dat het voor hem mogelijk was om de jonge Ashebel Cantrell het hof te maken, voor ze ineenschrompelde tot dit harteloze, hersenloze, achterlijke schepsel.

Hij wilde huilen om al zijn dwaasheden, maar terwijl hij naar de gestalte keek die zich aftekende tegen de horizon, daagde er iets van herkenning – de vreemde gewaarwording dat zijn oude vlam was weergekeerd. Dit was Ashebel die hem kwam smeken, die hem kwam vertellen dat ze er spijt van had dat ze hem had misleid, die hem om vergiffenis kwam smeken en hem wilde vertellen hoeveel ze van hem hield.

Toen zag hij dat het de meid maar was, de monsterachtige Minnie in al haar pokdalige lelijkheid, die snel afsteeg en haar armen uitstrekte. Alarmklokken klonken in zijn hoofd: 'Hou vol, ze is een heks.'

'Geef me het kind,' eiste ze. 'Het is te koud. Geef hem nu!'

'Geen sprake van. Niet voor je me een verklaring geeft. Hij moet bij de schout worden aangegeven als vondeling,' voegde hij eraan toe, en hij zag hoe haar gezicht vertrok van angst.

'Ik smeek u om uw begrip. We hebben u misleid, dat is waar, maar luister alstublieft naar me. Geef me het kind, alstublieft.'

'Ik wacht. Jullie twee zouden met de zweep door de straten moeten worden gejaagd en aan de schandpaal worden genageld,' zei hij, en hij hield het kind stevig tegen zich aan gedrukt.

'En niemand zou het u kwalijk nemen, maar luister alstublieft voor u ons allebei publiekelijk veroordeelt. Het kind heeft een moeder nodig.'

'Waar is mijn vrouw? Ashebel zou hier moeten zijn, niet haar boodschapper,' redeneerde hij terwijl hij minachtend op haar neerkeek.

'Ik ben Ashebel Cantrell. Ik ben degene met wie je wilde trouwen.' De vrouw keek met gloeiende wangen naar hem op.

'Nee... Nee, dat kan niet waar zijn,' stamelde hij, en hij viel bijna uit het zadel van schrik, maar wist diep in zijn hart dat hij de vrouw die reed als de wind had herkend.

'Ik begrijp het niet. Ashebel zit bij het raam. Jij bent haar niet.'

'En zij is mij niet, maar Araminta, mijn zuster,' antwoordde ze zachtjes.

'Araminta is dood. Ze is in York gestorven. Haar vader heeft me dat verteld. Ashebel is degene die het heeft overleefd.' Sam was zo in de war dat hij in elkaar zakte, waardoor hij de baby pijn deed, die luidkeels protesteerde.

'Ik ben degene die de pokken heeft gekregen van de dienstmeid en ik ben degene die bijna is gestorven. Araminta geeft zichzelf de schuld van mijn ongeluk. Ze is altijd al een beetje zwak in het hoofd geweest en vader wist dat nooit iemand met haar zou trouwen. En wie zou zijn oudste dochter met haar misvormde gezicht willen hebben? We hadden geen andere keuze dan iedereen te bedriegen. Zij denkt dat ze de ziekte heeft meegenomen en dat ze me haar trouw verschuldigd is. Ze wilde voorkomen dat ik verstoten zou worden en heeft mijn naam aangenomen om mijn familie de schande te besparen. Ik kwam mee als haar dienstmeid, want ze kan niet zoals de meeste vrouwen naar buiten. Ze wilde me niet in York achterlaten, overgeleverd aan de genade van een gesticht. Ik heb alles aan haar te danken,' huilde ze. 'Geef me mijn kind, want God is mijn getuige, hij is echt van mij. Hij is het enige mooie wat ik nog heb. Scheid ons niet. Heb medelijden met ons allemaal,' smeekte ze, en ze viel op haar knieën.

'Hoe kan het dat je vader de waarheid niet heeft geraden?' zei hij smalend. 'Kent hij zijn eigen dochters dan niet?'

'Jij herkende je eigen geliefde toch ook niet? We zien wat we willen zien,' antwoordde ze. 'Jij wilde Ashebel en hij wilde haar ook, dus gaven we haar ongeschonden aan jullie terug, maar we konden de zwakheid niet lang verborgen houden.' Er viel een stilte.

Toen ging ze verder. 'Ik zag hoe je verliefd werd op het idee van Ashebel die je alle status en connecties zou geven die je zo graag wilde. Je bent uiteindelijk bedrogen door mijn vader, door ons allemaal, maar er is er geen zo blind als hij die niet wil zien.' Ze keek hem vol minachting aan.

'Zij kon nooit de vrouw zijn die ik voor je zou zijn geweest. Ik heb gezien hoe je worstelde om de verandering in haar manier van doen en haar houding te begrijpen. Zag je dan niet dat ik altijd al langer, gevulder, blonder was dan zij? Het is alleen maar de buitenkant die is beschadigd, niet mijn innerlijk of mijn geest. Die zijn niet veranderd, maar jij bent in mijn ogen harder en ruwer geworden.'

'Dat hoef je me niet te vertellen,' zei hij, terwijl hij uit het zadel gleed en het kind voorzichtig in haar handen legde. 'We zijn allemaal bedrogen, behalve deze jongen. Ik begrijp het niet. Mijn trots heeft mijn oordeelsvermogen vertroebeld. Ik had nooit met haar moeten trouwen nadat ik eenmaal had gezien hoe ziek ze was. Ik zag haar positie, niet de mens, en ik heb haar benadeeld, maar de jongen?'

Ashebel zuchtte en greep zijn hand. 'Ze heeft je geen dienst bewezen door met je te trouwen, maar een meisje staat machteloos ten opzichte van haar vaders wil, zeker een kind als Araminta. Ze wilde hem zo graag plezieren en mij eer bewijzen. Haar vreugde ligt in eenvoudiger dingen: met rust gelaten te worden...'

'Met haar naalden en vingerhoedjes.' Hij raakte wat milder gestemd nu hij de logica van haar argumenten inzag. In zijn hoofd klopte het allemaal, maar zijn hart was nog vol verwarring. 'Maar een zoon aangesmeerd te krijgen die niet van mij is...' riep hij.

'George is jouw zoon, God mag me dood laten neervallen als dat niet zo is.' Ze zweeg, boog haar hoofd en praatte verder tegen de grond. 'Zij was niet degene die in het duister naar je bed kwam.' Haar stem stierf weg. 'De duisternis bedekt vele soorten bedrog. Waar geen licht is, ben ik wie ik ooit was: mooi in jouw ogen, begeerlijk, losbandig en gewillig voor de man om wie ik gaf.'

Zijn hart ging tekeer bij de gedachte aan die nachten vol passie. Het was dus geen droom geweest. 'Dus daarom waren de handen die ik voelde ruwer en harder,' fluisterde hij, alsof hij tegen zichzelf sprak.

'Hier zijn ze, voel maar. Voel geen weerzin bij daglicht, want ze hebben je 's nachts veel vreugde gegeven,' fluisterde ze terwijl ze een hand uitstak zodat hij die kon bekijken.

'Nu weet je de hele waarheid. Alles. George is echt jouw zoon en ik ben zijn moeder: de verbintenis tussen een Cantrell en een Yewell, zoals je zo graag wilde. We kunnen je nu verlaten en je met rust laten, als je dat wilt. Er kan wel iets geregeld worden; een verhaal over een ziekte of wat dan ook zal voldoende zijn.' Ashebel liep terug naar het paard om het kind in het zadel te zetten. Ze glimlachte. 'Het is nooit te vroeg om een baby aan zijn paard te laten wennen.'

'Blijf,' zei Sam. 'Laten we samen langzaam teruglopen, zodat ik dit kan verwerken. Wie is er nog meer op de hoogte van dit bedrog?' Hij kon de gedachte dat de hele streek wist hoe hij was beetgenomen niet verdragen.

'Alleen wij drieën, dat is alles, ik zweer het. Sommigen vermoeden misschien dat er iets niet klopt, maar ze weten niet precies wat. Je lieve moeder kan ons niet zien en papa is voortdurend zo beneveld dat hij denkt dat ik niet meer ben dan een meid en een liefdadige gril van Ashebel.'

'Waarom moet er dan iets veranderen?' hoorde Sam zichzelf zeggen.

'Omdat het niet eerlijk is,' antwoordde ze zachtjes, en hij keek haar vol respect aan.

'Eerlijk ten opzichte van wie? God weet wat wij weten en wij weten wat we weten.'

'Hoe moet het dan met George als hij ouder wordt en er nog meer komen?' zei ze.

'Voor het oog van God ben jij zijn moeder. Jij voedt hem en zorgt voor hem, dat is het enige wat er voor hem toe doet,' voerde hij aan.

'Maar Ashebel... Ik bedoel Araminta?' zei ze.

'Zij heeft haar zijde, haar draad en naalden, en ze kan zoveel afbeeldingen krijgen als ze kan borduren terwijl ze voor het raam zit. Ze zal tevreden zijn dat haar leven veilig en onder onze bescherming verdergaat. Als ze niet kan leven zoals anderen, dan zullen we haar privacy beschermen en voor elkaar zorgen.' Hij kreeg plotseling het gevoel alsof er een knellende band van twijfel rond zijn hoofd werd weggenomen. Hij voelde hoe zonneschijn, daglicht en warmte Wintersett verlichtten.

'Het is niet goed, weet je. Ik moet vertrekken,' zei ze.

'Wil je bij ons weg, Ashebel?' vroeg hij.

'Nee,' antwoordde ze.

'Dat is dan dat, mevrouw. Uw meester heeft gesproken.' Hij glimlachte en raakte haar hand aan. Schoonheid ging verder dan een pokdalige huid.

Er is veel veranderd in het huishouden, en ten goede. Ik ben nu vrij om te naaien en te borduren, en de kleine Georgie voor te lezen nu Bella en de baby er zijn. Ik leer ze allemaal hoe ze moeten borduren. Bella wil het huis van de buitenkant borduren, maar aangezien ik nauwelijks een stap buiten de deur heb gezet, weet ik niet goed hoe het eruitziet. Ze pakt telkens mijn hand en trekt me mee naar de deur, en één keer lukte het me een paar stappen naar buiten te doen. Ik zou mijn ramen van het licht graag van buiten willen zien en haar een plezier willen doen.

Nu papa er niet meer is, kunnen we elkaar weer bij onze echte namen noemen. We leiden ons leven volgens onze eigen regels. Ashebel is de buitenvrouw die hen elke zondag allemaal mee naar de kerk neemt en Samuels nachtelijke behoeften bevredigt. Ik blijf thuis en zorg voor het linnengoed en ontvang af en toe bezoek, zoals de binnenvrouw betaamt. Er is veel te doen in het huishouden. Ik verblijf in mijn eigen kamer, maar ik ben nooit eenzaam, want ik heb de kleintjes om mee te spelen en we houden elkaar gezelschap. We gebruiken de thee samen in de zitkamer, wij drieën.

Niemand weet van onze geheime regeling, alleen mijn merklappen vertellen het verhaal. Het zit allemaal verborgen in de randen en de plaatjes, kijk maar goed, dan zie je het wel.

16

DE BRES IN DE MUUR

Elke familie heeft zijn geheimen en verhalen, en deze vormt daar geen uitzondering op. Geruchten over Sam en zijn twee vrouwen vonden een weg door fluisterende barsten en spleten, terwijl theekopjes rinkelden en stevige boerinnen met zuinige gezichten zeiden dat 'waar de oprijlanen lang en smal waren, zulke dingen en erger gebeuren'.

Ik hoop dat mijn versie van de gebeurtenissen de juiste is. Ik hou zo nu en dan wel van een goede afloop, of tenminste een waar eerlijke mensen een beetje gerechtigheid ondervinden. Hoe dan ook, Sam Yewell bouwde een fraai stuk aan het oude huis en het is zonde dat het zo verwaarloosd is, maar je hebt een dikke portefeuille nodig om alles in goede staat te houden en wij boeren hebben nou niet bepaald een goede tijd achter de rug.

Nik heeft nu zijn kantoor in wat Ashebels zitkamer was en die biedt geen fraaie aanblik: volgepropt met ordners en dozen. Zijn computer neemt de hele tafel in beslag met de printer, handboeken, stapels post en catalogi – de gebruikelijke rommel van een druk leven. Hij was maandenlang niet weg te slaan bij dat stomme ding. Dat was onze levenslijn, onze enige verbinding met de buitenwereld in de maanden dat we afgezonderd werden gehouden in verband met de pest. De open haard ligt vol sigarettenpeuken en snoepwikkels. Hij is aangekomen doordat hij een tijd maar wat heeft rondgehangen en niets heeft uitgevoerd behalve snoepen en drinken. Het zal een hele opluchting zijn als hij weer naar buiten kan, het veld in, en hij verder kan gaan met zijn leven. Het is niet gezond, al die stress en onzekerheid, maar daar zal ik het nu niet over hebben.

Jullie hebben gezien in wat voor staat het hier verkeerde toen jullie kwamen kijken. Ik heb gezien hoe sommige van de andere potentiële kopers naar de vochtplekken stonden te kijken, het vocht en oude peuken roken en de afgebroken ornamenten van pleisterwerk zagen. Zelfs met een schoonmaakbeurt en een bos bloemen was niet te verbergen geweest dat die arme oude zitkamer in verval is geraakt. Zoals ik je al heb verteld, heb je visie en moed nodig om dit oude krot aan te pakken; dat extra vleugje onbezonnenheid om van een varkensoor een zijden beurs weten te maken. Ze verdient het, de oude dame, en jullie hebben geluk en vastberadenheid nodig om je dromen te laten uitkomen. Ik wens jullie het allerbeste. Ik ben niet bitter gestemd nu ik weg moet, niet nu, ik heb mijn glorieuze momenten hier gekend. Het wordt tijd haar over te dragen aan een jongere generatie en jeugdig enthousiasme. Geloof me, dat zullen jullie nodig hebben.

Met dit getreuzel en sentimentele gedoe krijg je de boel niet opgeruimd, maar Nik is degene die deze kamer voor zijn rekening moet nemen. Hij verplaatst zijn kantoor naar de verbouwde schuur die een eindje verderop aan het pad aan je linkerkant staat. Dat was ooit het vakantiehuis dat we verhuurden, maar met het afgelopen jaar is daar een einde aan gekomen. Hij zal jullie niet lastigvallen, maar zijn tractor is elke ochtend een uitstekende wekker. We hebben jullie de omheinde wei en het land ernaast verkocht en voldoende bijgebouwen voor zakelijke doeleinden, maar het land moet in de familie blijven.

Nik zal alle hokken en werktuigen naar een van de verder weg gelegen schuren overbrengen zodra we toestemming krijgen om weer op het land te mogen, zodat we jullie niet in de weg zitten. Sinds de ziekte in Wintersett de kop opstak is alles schoongemaakt, geïnspecteerd en vrijgegeven. De gebouwen zijn stil en leeg en stinken een uur in de wind, ze ruiken meer als een ziekenhuis dan als een boerderij. Ik ben doodziek van die geur en de herinneringen, maar genoeg daarover.

Terwijl ik op het punt sta de zitkamer boven uit te gaan, valt me het gat in de muur boven de open haard op, waar de omtrek van een schilderijlijst op de geschilderde muur te zien is. Dat doet me eraan denken dat ik nog moet vertellen over die keer dat deze boerderij op een beroemd schilderij werd afgebeeld. Het heeft het huis jaren versierd, maar niet in mijn tijd.

Ze hebben me verteld dat het schilderij in de Victoriaanse tijd in een vergulde lijst boven de schoorsteenmantel hing, toen Wintersett het rechtmatig eigendom werd van de overgrootvader van Tom.

Hij was nogal een opvallende figuur en hij figureert in veel vlugschriften over het methodisme in de vallei: als weldoener, musicus, beschermheer en geheelonthouder. Hij hangt boven aan de trap, in een sepiafoto, compleet met baard en bakkebaarden, streng en eenvoudig en al wat ouder. Hij was in alle opzichten weer zo'n Yewell die eenvoudig begon, maar hij had altijd een twinkeling in zijn ogen en een geheim in zijn hart. Hij is nog wel een paar woorden waard.

17

DE SCHILDER UIT LONDEN
JULI 1816

Y***orkshire pudding***

Neem de eieren en klop het eiwit stijf, voeg bloem toe en klop het geheel tot een gladde massa.
Leng het beslag aan met zout water tot het de dikte van room heeft.
Laat even rusten.
Zet de oven op zijn heetst wanneer het rundvlees bijna gaar is en klaar om te worden bedropen, en giet de jus in een hete bakvorm.
Klop het beslag en giet het op de kokendhete jus.
Laat het vet van het rundvlees erbovenop druipen.
Bak tot het geheel gerezen en bruin is.
Dien onmiddellijk op met jus samen met de rosbief.

De jonge Josiah Yewell rende over het veld en volgde de voetsporen van zijn grote broers in het hooiveld. Het was de natste zomer die hij in al zijn elf jaar ooit had meegemaakt; zijn blote voeten sopten in het neergeslagen gras en zaadjes en grassprieten bleven aan zijn broek plakken. Ze waren nergens te zien; ze waren te oud om zich druk te maken om een jochie met knokige knieën dat nog op school zat en nog kleiner was dan zijn moeder.

Dit zou de tijd moeten zijn dat het hooi werd binnengehaald, dat op de velden het geluid van de zeis klonk, het graan in schoven werd gezet en het hooi in schelven, maar de oogst ging verloren door de regen.

Hooi in juni is goud waard,
Hooi in juli een vaatje drank
Hooi in augustus nog geen handvol stof en vult alleen de maag.

Zijn broek was zo doorweekt dat hij net zo goed kon gaan pootjebaden in het beekje onder aan de waterval van Wintersett en daar zag hij een heel vreemde man. Hij zat als een tuinkabouter over het water uit te staren met een boek vol lege bladzijden in zijn hand: een korte, gedrongen man met een bril, een haakneus en een rood gezicht.

Dit was geen moerasbewoner of een boer met een dikke broek en wollen jas. Boeren hadden nooit tijd om ergens naar te staan kijken, tenzij het vier poten had. Zijn laarzen waren van eerste kwaliteit leer en sterk gerimpeld door het lopen. Op zijn hoofd had hij een platte hoed, maar het vreemdste was dat hij in de schaduw onder een parasol zat en met grote snelheid tekeningen maakte. Zijn knapzak lag naast hem en bestond uit allerlei zakjes en riempjes. Hij had nog nooit zo'n draagtas gezien.

Josiah kroop stilletjes dichterbij, gefascineerd door de manier waarop de handen van de man als een razende over het papier gingen en hij zijn potlood geen moment oplichtte terwijl hij zich geïrriteerd naar hem toe keerde.

'Wat moet je, jongen?' zei hij kortaf met het accent van een vreemdeling. Josiah sprong de bosjes weer in en wist niet wat hij tegen de man moest zeggen.

'U tekent na,' was het enige wat hij kon bedenken toen de man opstond, van positie veranderde en hetzelfde tafereel nog eens begon te tekenen vanuit een ander standpunt om het water te vangen dat over de rotsen omlaagkolkte.

'Ik weet een veel betere waterval,' pochte hij, en hij wees in de richting van Gunnerside. 'Dit is maar een regenbuitje.' Josiah wist een echte stroomversnelling, een waterval, die aan het zicht onttrokken was, boven in het moerasgebied op het land van de Yewells.

'O ja?' antwoordde de man, en hij trok zijn wenkbrauwen op terwijl hij opkeek en deze toeschouwer opnam. 'En waar mag dat dan wel zijn?'

'Bij Gunnerside, meneer, een klein eindje die kant op. Ik kan u de weg wijzen als u wilt, want het pad is moeilijk te vinden.'

De kunstenaar kwam moeizaam overeind en klapte zijn parasol dicht, stopte zijn in leer gebonden boek in zijn knapzak en gluurde naar zijn nieuwe gids. 'Wie ben jij dan wel?'

'Josiah van Wintersett, meneer, de zoon van George Yewell, van daarginds.' Hij was trots op zijn boerderij en de hoge ramen die zijn grootvader in de vleugel aan de boerderij had laten maken om de stenen te verwarmen.

'Waarom ben je niet aan het leren, of ben jij soms een boerenzoon die geen opleiding krijgt?' De man keek hem streng over zijn brillenglazen aan terwijl hij zijn spullen inpakte.

'Ik krijg wel les. Maar de school is dicht omdat het hooitijd is, maar het weer zit ons lelijk dwars. Ik kwam hier om te zien of de vissen sprongen, maar ik zie niks.' Hij merkte dat hij maar doorratelde.

'Ik heb een hengel bij me, kijk maar,' zei de man glimlachend, terwijl hij een hengel tevoorschijn haalde uit de parasol, alsof hij een goocheltruc deed, en aas aan het haakje bevestigde. 'We zullen eens zien of ze willen bijten.' Hij ging onmiddellijk weer zitten en wierp in.

In al zijn zomers had hij nog nooit zo'n reiziger ontmoet. Het was waar dat er vreemdelingen rondzwierven; het was bekend dat wandelaars 's zomers de Yorkshire Dales in trokken, gewoon voor de lichaamsbeweging, maar voor deze boerenzoon was de hele dag rondzwerven een wel erg vreemde manier om je tijd door te brengen.

'U bent wel van ver gekomen om plaatjes te maken,' zei hij.

'Dit is mijn zomerreis. Hier voor je zit een schilder uit Londen die elk jaar in de zomer op reis gaat,' zei hij fluisterend, in de hoop een vis te verschalken.

Hij wist van het bestaan van schilderijen, want er hing er een in de oude kerk van Maria en Jozef en de baby in de kribbe. Hij was geen kerkganger, maar een methodist, en ze hadden nog geen kapel, maar kwamen elke zondag bij elkaar in een schuur. Zijn vader moest niets meer van de kerk hebben sinds hij op een keer John Wesley had horen preken op het marktplein. Dat had nog voor vreselijke opwinding in de familie gezorgd. Zijn vader had hem bijna onterfd omdat hij zich tot de andersdenkenden verlaagde, maar Josiah had het kerkschilderij in zijn vergulde lijst een keer gezien door de openstaande deur. Hij was gefascineerd geraakt door de schoonheid en de kleuren en hij vond het heel erg mooi, zoals het daar aan een van de stenen muren hing.

'Verkoopt u uw schilderijen?' vroeg hij terwijl zijn benen boven het water bungelden, maar ernaar verlangend nog eens een kijkje te kunnen werpen in het schetsboek. De enige boeken die hij kende waren de bijbel en het abc-boek op school. Hij had nog nooit eerder een boek met lege bladzijden gezien.

'Alleen als je zestig guinje kunt missen,' antwoordde de man. Er viel een stilte. Alleen het gezoem van de bijen in de vlierstruiken verstoorde de stilte. Hij kon niet geloven dat er zoveel geld bestond in de hele wereld en dat voor een beetje geklieder op een stuk papier. Hoeveel eersteklas rammen kon je niet voor zo'n bedrag kopen?

'Mag ik eens zien wat u maakt?' vroeg hij nieuwsgierig.

'Niet met die druppels die van de bomen vallen,' antwoordde de schilder. 'Het zijn maar schetsen, die ik ergens anders uitwerk. Ik laat mijn werk niet zomaar aan iedereen zien.'

'Ook niet als ik u een echt mooie waterval laat zien, meneer? U zult hem waarschijnlijk niet vinden als ik u de weg niet wijs,' onderhandelde hij.

'Brutale aap! Als jij me laat zien waar die wonderbaarlijke waterval is, dan laat ik jou misschien, heel misschien, een of twee schetsen zien, en alleen als het opklaart. Maar eerst moet ik mijn eten vangen, dus hou nu je mond.'

'Jawel meneer,' glimlachte Josiah Emmanuel, jongste telg van het geslacht Yewell, die heel goed wist wanneer hij zijn mond moest houden.

Gunnerside Force kwam door de recente regen op volle kracht bulderend naar beneden, stortte het water over enorme rotsblokken, dat in een nevel van schuim in een ravijn neerkwam, en de schilder uit Londen stond als betoverd te kijken. Josiah voelde dat hij het moment niet moest verstoren, want dan zou de man hem wel eens weg kunnen jagen. Hij was nieuwsgierig naar wat voor plaatjes hij uit zijn schetsboek tevoorschijn zou toveren.

'Laat me alleen, jongen. Ik werk nooit met toeschouwers.' De man besteedde verder geen aandacht aan zijn gezelschap en keerde zich gretig naar zijn ransel.

'Maar u had beloofd dat u me...' Josiah voelde zich bedrogen. Hij had de man toch zeker naar dit prachtige tafereel gebracht? En nu werd hij zomaar weggewuifd, alsof hij een vervelende vlieg was.

'Niet nu, knul,' zei de man. 'Breng deze vis naar je moeder en vraag of ze hem wil klaarmaken voor mijn avondeten. Gewoon rechttoe, rechtaan, zonder tierelantijnen, denk erom. En als ze een bed over heeft voor vannacht, dan zal ik haar voor het logies betalen en laat ik jou misschien een of twee bladzijden uit mijn boek zien.'

'Mijn moeder zal u niet teleurstellen, haar Yorkshire pudding is de beste in de wijde omtrek. We hebben veel kamers in ons huis.' Hij glimlachte. 'De weg naar de boerderij begint anderhalve kilometer verder op dit pad als u bij de splitsing rechts aanhoudt. U kunt ons huis niet missen, het heeft heel grote ramen die de zon weerkaatsen en van boven tot onder in brand lijken te staan.' Hij pakte de vis en liep in de richting van het pad.

'Wegwezen, en laat me werken voor het licht verdwenen is.' De schilder uit Londen stuurde hem met een handgebaar weg en begon het tafereel vast te leggen, maar de jongen was vreselijk opgewonden. Zijn moeder zag graag vreemden met geld op zak aan hun deur verschijnen. Ze kwamen met verhalen over verre plaatsen die ze als dure thee tot zich nam, genietend van elk slokje, de theebladeren uit haar theedoos steeds opnieuw gebruikend, telkens weer, en doorvertellend aan haar buren wat zij te horen had gekregen over hoe het er in de wereld aan toeging. Ze zou vanavond niet teleurgesteld worden.

Zoals beloofd kwam de vreemdeling toen de schaduwen op de velden langer werden en Josiah keek toe terwijl de man over het pad kwam aangelopen.

Er was een kromme man en die liep over een kromme weg...

Hij was moe van het wachten, zijn oogleden werden zwaar, maar hij had zich vast voorgenomen zijn beloning te krijgen. De vis zou niet op de bakplaat worden gelegd voor de vreemdeling door de keuken naar de woonkamer was. De meid hing rond bij de doorgang, zenuwachtig vanwege die mismaakte man met de manieren van een heer.

Vader was naar een bijeenkomst van het genootschap. Geen schilder uit Londen kon hem ervan weerhouden naar zijn doordeweekse kerkdienst en bijbelstudie te gaan. Josiah was bang dat zijn moeder hem naar bed zou sturen terwijl zijn broers stilletjes bij het vuur mochten blijven zitten en kijken.

Voldaan door de verse vis en groenten, een ribstuk, Yorkshire pudding en een stuk appelkaastaart liet de schilder uit Londen een tevreden boer.

'Kom jongen. Geduld moet beloond worden, vind ik,' wenkte de man terwijl hij zijn ransel oppakte om het in leer gebonden schetsboek tevoorschijn te halen, dat hij op tafel legde. 'Veeg eerst je vingers af.'

Dat liet Josiah zich geen twee keer zeggen en hij ging in het kaarslicht zitten en bestudeerde elke bladzij die hem werd voorgehouden. Het waren wonderbaarlijke taferelen, net als de illustraties in de bijbel die de predikant altijd bij zich had tijdens de zondagse dienst. Sommige waren gearceerd en gekleurd stukken lucht en donderwolken, grotten waar enorme watervallen uit de wand kwamen, burchten op hoge bergtoppen, rotszuilen met bliksemschichten die zich op het heidelandschap stortten. Er waren taferelen die hij herkende uit zijn eigen omgeving: Ingleborough Hill en Pen y Ghent, de rivier en de oude molen. Hij had zo lang als hij leefde nog nooit zoiets fantastisch gezien.

'Hoe kunt u onze wereld toch zo tot leven wekken? Het lijkt wel tovenarij. En dit zijn er nog maar een paar,' zei hij ademloos van bewondering. Was elk van deze tekeningen zestig guinje waard?

'Dit is niet het hele werk, maar alleen maar gedeeltelijke schetsen, geheugensteuntjes waarmee ik aan de slag ga als ik weer terug ben in Londen. Hier begint de inspiratie, wanneer ik in de regen sta, boven op de rots, en naar de wulp en leeuwerik luister... Je mag jezelf gelukkig prijzen dat je in zo'n glorieuze omgeving woont.' De kunstenaar wendde zich tot zijn moeder, die glimlachte en knikte.

Josiah geeuwde terwijl hij naar een zonsondergang keek die zijn aandacht had getrokken. 'Ik heb nog nooit een zonsondergang gezien zoals die daar.' Hij zei wat bij hem opkwam, eerlijk als een vermoeid kind. De schilder uit Londen keek een ogenblik naar zijn schets en glimlachte.

'Nee, jongeman, maar zou je niet graag willen dat dat wel zo was?'

Josiah lag rusteloos te woelen en te draaien in zijn bed. Hoe kon iemand zo'n fortuin verdienen met wat gekrabbel met pen, inkt en verf? Op ditzelfde moment lag hij als een geëerde gast in het hemelbed in de salon met zijn gordijnen. Hij had tot laat zitten praten nadat vader thuis was gekomen, die meer van hem wilde weten over de toestand in de wereld. Hij had bij de familie Fawkes in Farnley Hall gelogeerd en was een regelmatige bezoeker van Harewood House en andere voorname families in Yorkshire. Vader gaf hem vol trots een rondleiding door het huis en bekeek met open mond de schetsen. De volgende ochtend zou hij voorgoed vertrekken.

De jongen stond op bij dageraad, erop gebrand nog een laatste blik in de knapzak te werpen. Hij liep op zijn tenen de salon binnen en gluurde verlangend naar de plaatjes. De taferelen die hij herkende, raakten hem het meest. Zo moet God de wereld zien, dacht hij. Er waren zoveel herhalingen van dezelfde scène dat eentje toch zeker niet gemist zou worden?

Toen die gedachte eenmaal in zijn hoofd had postgevat, raakte hij die niet meer kwijt. Hoe zou hij zich ooit zestig guinje kunnen veroorloven? De schetsen waren van zijn eigen land. De vreemdeling gaf weer wat iedereen gratis kon bekijken, ving Gods wereld die nooit voor goud kon worden gekocht of verkocht. Had hij de kunstenaar niet de verborgen schoonheid van dit gebied getoond en hem veilig onderdak bezorgd?

Zijn vingers sloegen de pagina's om tot aan de schets van Gunnerside Foss en de vergezichten vanaf de hei bij Wintersett. Hij telde vijf schetsen en plotseling waren zijn vingers bezig er langzaam en voorzichtig één vel uit te halen tot het los in zijn trillende hand lag. Hij was geschokt door de buitensporigheid van zijn zonde, maar de schilder uit Londen sliep en verroerde geen vin.

Hij deed het boek dicht en legde het weer op zijn plaats. Hij zou die ene schets toch zeker niet missen?

Hij sloop de trap weer op, waarbij hij eraan dacht voorzichtig te zijn op de derde tree. Hij rolde het perkament op, wikkelde het in zijn beste linnen zakdoek en stopte het zorgvuldig achter het losse paneel in de muur van de schoorsteen waar hij al zijn schatten verborg: vogeleieren, een zilveren gesp, de zilveren munt die hij bij het water had gevonden. Hij wilde niet nadenken over wat hij zojuist had gedaan. Zijn vader zou hem helemaal kreupel slaan als hij het wist.

Hij kon niet meer slapen, geplaagd door schuldgevoelens, dus kleedde hij zich aan en rende naar de rotspunt vanwaar hij de zon langzaam kon zien opkomen. Dit was Gods zonsopgang en die zou gratis moeten zijn. Hij zou buiten blijven tot de schilder uit Londen allang vertrokken was.

'Wees niet nalatig in het onderdak bieden aan vreemdelingen,' zegt de schrijver van de Hebreeërs, 'want sommigen hebben zonder het te weten engelen gehuisvest.' Josiah dacht in de maanden die volgden vaak aan deze tekst en dacht dan aan de vreemdeling en zijn eigen diefstal. Die gedachte lag als een enorm rotsblok tussen hem en zijn Schepper en werd nooit uitgesproken tot hij zelf een volwassen, bemiddeld man was met een mooie sik en bakkebaarden.

Zijn broers hadden hun fortuin ver weg van de boerderij gezocht, in het leger, en kwijnden een voor een weg door ziektes die hun een vroegtijdig graf bezorgden.

De liefde voor dit land had hem sterk gemaakt. Hij hield zich bij zijn boeken, reisde als predikant door de streek en hield altijd een open oog voor mooie schilderijen en boeken, porselein en meubilair. Hij had na elke goede oogst in zijn huis geïnvesteerd. Hij bleef zijn geloof altijd trouw, ondanks die ene misstap, en hielp bij de aanleg van de fundering voor de kapel van Wintersett. Hij vertrouwde op de Heer om een goede vrouw voor hem te vinden, maar wanneer hij zijn blik over de kerkbanken liet gaan, zag hij niemand die zijn passie wekte.

Toen verscheen zij op een zondag als chaperonne van haar meesteres. Sommigen zouden hebben gezegd dat ze een koude blik in haar ogen had, maar hij zag ijs en vuur binnenin. Ze was een vreemde mengeling van wildheid en rust, als een mooie zomerdag die in onweer dreigt te eindigen. Eén blik in haar ogen en hij was verloren.

Er hing een waas van geheimzinnigheid rond haar afkomst en de omstandigheden eromheen. Er was sprake van een schandaal, maar hij zag alleen maar beschaving en waardigheid, samen met wat aloude sluwheid. Zijn hart werd op een vreemde manier verwarmd wanneer hij haar zag. Hij maakte haar het hof en ze was binnen een maand de zijne.

Zij was degene die hem de ogen opende voor de omvang van zijn diefstal toen hij haar bij wijze van verlovingsgeschenk de schets gaf, die nu in een vergulde lijst was ingelijst.

Hij stond in de salon van het oude Manor House om zijn zaak te bepleiten toen de meesteres de handtekening op de schets met belangstelling bekeek.

'Neem me niet kwalijk, maar wanneer hebt u dit gekocht? Meneer Turner is de meest gewilde kunstenaar van het land. Hoe komt u hieraan?' Ze tuurde over haar lorgnet naar zijn rood wordende wangen en keek hem argwanend aan.

Josiah wist wel iets van de beroemde meneer Turner, maar hij vertelde haar eerlijk over het bezoek van de schilder uit Londen en dat dit in feite een stukje was dat als het ware van zijn eigen land was genomen. Hij zag dat ze onder de indruk waren van het feit dat zo'n beroemde kunstenaar ooit zijn huis met een bezoek had vereerd. Ze namen aan dat de schets een geschenk was en hij wist wel beter dan ze uit de droom te helpen. Wat niet weet... Hij kreeg zijn zin en het was bijna Kerstmis.

Zijn bruid kwam op kerstochtend naar Wintersett en er was een grote bijeenkomst van buren en kerkgangers met tafels vol pasteien en ander eten. Susannah was het mooiste kerstgeschenk dat een man zich kon wensen. Ze was kostbaarder dan robijnen, ze schonk hem zonen en ze was met haar schoonheid en aard een sieraad voor zijn tafel.

Als hij haar soms aantrof terwijl ze onder de heggen op zoek was naar kruiden voor haar drankjes, of ze soms afwezig leek wanneer hij vroeg waar ze mee bezig was of uit de hoogte deed tegen sommige buren, dan betaalde ze dat veelvoudig terug door goede daden te doen met liefdadigheid en attentie. Ze had het vermogen om een zieke koe of dienstmeid te genezen.

Haar geest ging schuil achter nevelen en geheimen, maar ze was een goede huishoudster. Ze hield alles in de gaten wat de dienstmeiden deden, zodat de melkschuur er om door een ringetje te halen uitzag en de keuken gonsde van activiteiten.

Het schilderij van meneer Turner kreeg een ereplaatsje in de salon op de eerste verdieping, zodat iedereen het kon zien. Het gaf Wintersett House een zeker gezag en overzag al hun vrolijkheid met Kerstmis. Zijn schilderij was een teken van de grootsheid van de Heer, van voorspoed en een koopje van zestig guinje. Op een dag zou hij de rekening gepresenteerd krijgen voor zijn bedrog, maar nu nog niet, nu nog niet.

Hier moet ik even stoppen om jullie meer te vertellen over de beroemde schets. Ik vermoed dat jullie denken dat we hem ergens hebben verstopt, uit het zicht van de belastinginspecteur. Ik wou maar dat dat zo was, want het zou ons geweldig geholpen hebben als we de afgelopen paar jaar een of twee Turners hadden kunnen verkopen toen de markt voor lamsvlees en wol inzakte.

Toen ze eenmaal wisten hoeveel hij waard was, wilde iedereen de schets hebben, maar tegen het einde van zijn leven was hij ineens verdwenen en bij zijn dood werd hij geveild en de opbrengst werd nagelaten aan de missie van de methodisten.

De familie was woedend, vertelde de vader van Tom. Ze hadden jaren geruzied over wie de schets zou krijgen, maar de aasgieren kregen het lid op de neus toen een museum hem kocht en hij uiteindelijk weer aan de verzameling tekeningen van de Yorkshire Collectie werd toegevoegd. Het was maar een half-afgemaakte tekening, en Turner was zeer productief. Misschien dat ik de tijd kan vinden om zijn werk te gaan bekijken in de Tate Gallery nu ik bijna een gepensioneerde dame ben.

Er is meer te vertellen over die oude Josiah dan dit verhaal. Hij was nogal fanatiek waar het zijn Kerk betrof en hij viel de toenmalige dominee voortdurend lastig met zijn streken. Anglicanen en methodisten gingen in die tijd niet goed samen. De Kerk maakte het stichten van een eigen kapel in Wintersett zo moeilijk mogelijk. Josiah was niet zo'n kerkganger die zijn geloof samen met zijn zondagse pak in de kast hing. Er is een verhaal dat het waard is om verteld te worden over hoe hij muziek naar de vallei bracht en hoe hij aan zijn bijnaam 'meneer Kerstmis' kwam.

18

MENEER KERSTMIS
1855

Kerstpastei uit Yorkshire
Neem een kalkoen, een gans, een haas, een kip, een duif, worstvlees, gehaktvulsel en zes hardgekookte eieren.
Been de vogels uit, goed kruiden en in elkaar stoppen.
Stop de gans in de kalkoen, de haas in de gans, de kip in de haas, de duif in de kip en vul alle ruimte op met worst en gehakt en in vieren gesneden hardgekookte eieren.
Naai de kalkoen dicht.
Maak ondertussen het bladerdeeg voor de pastei.
Neem een kilo fijne bloem en een halve kilo gekookt niervet.
Kneed zorgvuldig tot het deeg glad en stevig is en laat op een koele plek rusten.
Leg het platgerolde deeg over een hoge bakvorm. Snijd er een deksel uit en versier zoals gebruikelijk voor de gelegenheid.
Leg het vlees in de deegvorm, plaats het deksel, bestrijk met geklopt ei. Laat langzaam in de oven bakken, ten minste vier uur.
Maak een hartige gelei van de uit de botjes getrokken bouillon die eerst is gezeefd en afgekoeld, en waarvan het vet is afgeschept. Voeg dragonazijn en zout toe.
Schenk de vloeistof heet in de pastei. Leg het deksel terug en laat het geheel afkoelen.
Geniet er in alle rust van, gegarneerd met gekonfijte vruchten van het seizoen, maar geef de korst aan de vogels.

Op kerstochtend droeg de wind het klokgelui door de vallei naar de toppen, maar Josiah werd al bij het aanbreken van de dag wakker, lang voor het beloftevolle gebeier klonk. Dit was de dag dat alles zou beginnen, de dag dat zijn plannenmakerij vrucht zou dragen.

Voor Josiah Emmanuel was dit een heilige dag, niet omdat het zijn eigen verjaardag was, maar omdat het een gewijde dag was waarop de mensen hun beste kleren – hoge hoeden, tweedjasjes – konden dragen, ruisend in zijden jurken konden lopen en konden pronken met nieuwe leren handschoenen. De geur van gebraden gevogelte, kruidkoek en pasteien hing overal; het was een dag dat ze de Heer konden loven, welke dag van de week het ook was. De poorten van de molen waren gesloten en de luiken van de winkels waren dicht.

Het was een dag die niet te vergelijken was met andere sabbats, met zang en lekker eten; alle gezinnen, hoe eenvoudig ook, deden hun best om vrolijkheid rond hun haardvuur te brengen en gezellig bij elkaar te zijn.

Hij deed zijn best ervoor te zorgen dat geen van zijn mannen iets tekort kwam en dat Sukies meiden bij hun ouders in het dorp op bezoek konden. In de kapel zouden traktaties worden uitgedeeld, er zou een theemiddag worden gehouden voor de leerlingen van de zondagsschool en het nieuwe jaar zou worden verwelkomd met een nachtelijke dienst.

Kerstdag was altijd gereserveerd voor bezoeken van de ene boerderij aan de andere en voor feestmaaltijden, maar de dag moest beginnen met aanbidding, en het gelui van de klokken herinnerde de gemeente eraan dat ze zich moesten verzamelen voor de viering.

Het zat hem dwars dat Sint-Max het monopolie op luidklokken had. De ouderlingen van zijn kapel vonden klokken, net als kaarsen, te rooms voor hun diensten. Zij hadden een handklok, die zijn geklingel over de velden liet horen en de gelovigen opriep, maar het was maar een schamel wapen tegen laksheid en onverschilligheid.

In Wintersett was je van de kerk of van de kapel, anglicaan of methodist, zwart of wit, schaap of geit. Er bestond geen halfslachtigheid als het op trouw aankwam. Er waren er maar weinig die van kamp veranderden wanneer ze eenmaal in een bepaalde hoek gedoopt waren.

Hoe hij ook in de verleiding kwam om een kerkdienst te midden van hulsttakken en kaarslicht bij te wonen, deze Yewells waren onwrikbaar verbonden met de zaak van John Wesley. Wat verlangde deze boer er vreselijk naar om de aanwezigheid van de andersdenkenden duidelijk te laten blijken te midden van het klokgelui van de gevestigde orde, om het op de manier van de methodisten te doen en een dag van soberheid en ordentelijk vermaak uit te roepen, in plaats van de dronken fratsen die onder het mom van festiviteiten plaatsvonden in de Eagle, waar boerenpummels bijeenkwamen en hun zuurverdiende loon verdronken en hun gezinnen aan hun lot overlieten.

Matigheid werd vaak vergeten in de kersttijd. En dit was nou precies de dag om ervan te getuigen dat het geschenk van Kerstmis niet zomaar verkwanseld mocht worden, maar in soberheid gevierd diende te worden. Klokken waren niet voldoende om die boodschap te laten doordringen. Daar waren stemmen voor nodig, gezang en, bij het begin van die dag, een schouwspel om het geheel op te vrolijken.

Wat Wintersett nodig had waren straatzangers: een optocht van getuigenis op kerstochtend, iets om de wereld kond te doen van de geboorte van Christus. Zijn plan groeide in de loop van maanden van een klein zaadje tot een enorme boom van overtuiging, en deze ochtend zouden ze iedereen verrassen.

Hij zat zijn zoons achter hun vodden: ze moesten zich snel aankleden, de ijslaag op het water in de wasteil kapotslaan, de luilakken met de lekkerste havermout uit hun bed lokken, zich warm aankleden vanwege de kou, en zorgen dat de wagens opgetuigd waren voor hun tocht naar het dorp.

'Moet ik mee?' geeuwde Sukie, die er niet veel voor voelde onder haar donzen dekbed vandaan te komen. 'Er is nog zoveel te doen op kerstochtend, als we tenminste nog voor het donker wordt willen eten,' zei ze.

Hij wilde zijn vrouw, de mysterieuze liefde van zijn leven, graag haar zin geven, maar voor één keer moest ze een voorbeeld zijn. Ze was de laatste tijd nogal laks in haar bezoek aan de kapel. Hij stelde geen vragen wanneer ze beweerde dat ze last had van hoofdpijn of misselijkheid. Hij wist dat zij de gezondste van allemaal was en er onder alle omstandigheden op uittrok voor haar vreemde expedities.

'Uit de veren, mijn liefste. We zullen deze zalige ochtend de harten van Wintersett verwarmen met onze lofzangen, en ik heb je nodig aan mijn zijde. Het werk kan deze heerlijke ochtend wachten,' zei hij.

'Waarom maak je je altijd zo druk? Wat is er aan de hand? Ik wilde dat je me vertelde wat er van ons verwacht wordt,' protesteerde ze terwijl ze haar witte haar tot een vlecht om haar hoofd draaide.

Hij genoot er altijd van om haar zich te zien aankleden, al dat kant en die ruches, het vleugje muskusroos op haar huid. Sommige mensen in de gemeente vonden dat ze wat lichtzinnig was in de keuze van haar kleurige kleding, haar zwierige mantel, haar hoeden en parasols. Ze zag er niet uit als de vrouw van een boer, en het was nu juist een van de geneugten van zijn huwelijk dat hij nooit wist wat ze zou gaan doen, waar ze nu weer enthousiast over zou worden. Ze had zo lang getreurd om hun zoon, Will, maar had veel troost geput uit haar ommuurde tuin en haar geneeskrachtige kruiden. Hij was het niet altijd eens met haar vreemde rituelen, maar die schreef hij toe aan vrouwenkwaaltjes en hij sprak er verder niet over.

Het gezelschap ging in het duister op pad, een rij wagens die voorploeterde over het karrenspoor terwijl het daglicht aanbrak: strepen citroengeel en zachtpaars die voor de verandering rustig weer beloofden.

Tegen de tijd dat ze Wintersett bereikten, stond er al een groepje puffend en blazend en met hun klompen op de straatstenen stampend te wachten: de brigade trouwe christelijke volgelingen die hun hoofd met sjaals omwikkeld hadden tegen de kou. Mannen met spijkerlaarzen droegen manden met liedteksten en kinderen speelden al tikkertje bij de brug over het beekje op de bleek.

De laatste die arriveerde was uiteraard meneer Jagger met zijn zoon en ongetrouwde dochter en een hele rits bedienden, die er onder hun mooiste mutsen maar kouwelijk uitzagen. Het was bijna acht uur voor de belangrijkste van het gezelschap schaapachtig kijkend zijn gezicht vertoonde.

Harold Fothergill stak zijn zilveren trompet in de lucht en zijn zoon, Mason, droeg een trommel voor zijn buik. Zij zouden de processie leiden.

'Zijn we er allemaal?' Josiah telde de koppen. Alleen de oudjes hoefden niet mee te doen aan het ritueel.

'Schiet op. Ik heb honger,' mompelde iemand in de gelederen. 'Wat is het eerste gezang?'

'Je mag kiezen: "Gegroet schone dag" of "Christenen ontwaakt",' riep de koorleider aan de kop van de stoet.

'Als ik wakker moet zijn en dingen moet doen, zie ik niet in waarom anderen lekker in hun bed zouden mogen liggen,' was het algemene gevoelen.

Er klonk tromgeroffel, de trompet werd opgewarmd, en daar gingen ze, in een lange stoet, zingend op het ritme van de trommel terwijl ze hun best deden de melodie van de trompet te volgen, maar in hun enthousiasme om warm te blijven viel de stoet zo vaak uit elkaar dat ze steeds moesten blijven staan om de staart weer bij de kop te laten komen.

'Christenen ontwaakt' en 'Gegroet schone dag' klonk het luidkeels door de ijzige morgenlucht, waardoor zelfs het sluimerende kerkhof en de doden werden gewekt. Gordijnen bewogen, hoofden verschenen aan deuren en ramen, nieuwsgierig naar wie dat kabaal veroorzaakte.

'Zalig Kerstmis! Hij is geboren!' riep Josiah naar iedereen die verbaasd kwam kijken wat dat lawaai en onvaste gezang te betekenen hadden. Ten slotte bleven ze staan bij de Spread Eagle, die poel des verderfs waar de methodisten uitsluitend in tijden van nood kwamen wanneer ze cognac nodig hadden om de stervenden een opkikker te geven.

Ze zongen ieder gezang op het papier en sommige zelfs twee keer, ze zongen tot ze schor waren. Onder de enorme beuk, die op menige zomeravond schaduw verschafte aan de consumenten van sterkedrank, loofden ze de Heer en verkondigden het Woord in de vrieskou van de morgen.

De herbergier, die in de slaapkamer aan de voorkant van de herberg sliep, werd in zijn rust gestoord en wilde hun net onder uit de zak geven, toen hij de hoge hoed van de zoon van de eigenaar van de molen zag die in het geheim heel wat avonden drinkend met zijn kornuiten doorbracht in de achterkamer. Althans, dat wilden de geruchten.

'Wie heeft op zo'n dag Jantje Hop nodig om de geest te verlichten?' Josiah was er trots op dat er nog nooit een druppel van dat satansbrouwsel over zijn lippen was gekomen en dan glimlachte Susannah en klopte op zijn hand terwijl haar ogen ondeugend fonkelden.

Ze eindigden met een gebed, dat werd uitgesproken door de dominee, en gingen in de houding staan om het volkslied te zingen.

Dat zal ze leren, dacht hij. Wij waren hier voor de klokken begonnen te luiden, en volgend jaar zou het nog beter zijn, met een echte fanfare en misschien wat solozang, maar dit was een goed begin.

Hij had droge lippen en was toe aan een ontbijt, maar eerst moesten ze de verkleumde volgelingen in het klaslokaal van de kapel opwarmen met thee en een stuk kerstcake.

Hij stond buiten het grijze stenen gebouw, trots dat de naam Yewell in een van de funderingsstenen was gehouwen. Wij zullen hier altijd zijn, dacht hij, en dat was het moment dat hij het idee kreeg voor een *Messias* in de kapel: één grote stortvloed van kerstmuziek met extra zangers, een uitgebreid orkest misschien; dat zou die aan de overkant van de weg leren hoe de advent hoort te beginnen.

Toen was het tijd om de wagens weer in te laden voor de tocht naar boven om de rest van de dag met vrienden en buren te vieren. Ze zouden van boerderij naar boerderij gaan voor een praatje tot hij 'zat' was van gebraden vlees en pastei, cake en pudding. Je kon niet zeggen dat ze in de vallei niet wisten hoe je gasten moest ontvangen.

Hij was er trots op dat hij een van de eersten was met een schitterende kerstboom, met flikkerende kaarsjes aan de takken en een emmer water voor het geval dat. De trifle van Susannah was in de wijde omtrek beroemd; de cake was geweekt in haar speciale likeur, die een blos op de wangen toverde, en haar gemberbowl kwam aan als een mokerslag en maakte de tongen los genoeg voor een paar liedjes bij haar piano.

Het feest zelf betekende een beproeving voor de broekriem en de likeur stroomde de hele avond terwijl er in de hall zo werd gedanst dat de schilderijen van de muren kwamen. Hij werd ieder jaar op tweede kerstdag wakker met een buik als een varken en met een tong die aanvoelde als een lap leer, maar het was het allemaal waard.

Hij genoot ervan de gezichten van de kinderen te zien als ze in hun kerstkousen graaiden en er een fluitje, mandarijn en munten uit visten. Voor elk van hen was er altijd een boek over de verleidingen en gevaren van drank en over het lijden van kleine heiligen die hun leven gaven om hun vaders tot inkeer te brengen. Voor Sukie was er altijd een sieraad, afkomstig van de juwelier in de stad – een broche, een speld, een armband van kleurige stenen. Hij zou voor haar de zon en de maan uit de hemel hebben geplukt.

Soms, wanneer de kinderen lagen te slapen, trof hij haar aan terwijl ze in haar tuin heen en weer liep, ineengedoken tegen de kou, en naar de sterren aan de hemel keek.

'De duisternis is verdreven en het nieuwe leven is wedergeboren,' verzuchtte ze dan. 'De hemel zij geprezen.' Vervolgens keerde ze zich met een glimlach en een twinkeling in haar ogen naar hem toe en zei: 'Kom met me bij het joelvuur zitten, meneer Kerstmis, dan drinken we een kopje vrolijkheid...'

'Het kopje dat vrolijk maakt, maar niet benevelt,' voegde hij eraan toe, omdat hij aan thee dacht, maar zij glimlachte dan en zuchtte.

'Deze avond vraagt om iets speciaals. Ik wil dat je een van mijn nieuwe bessenrecepten probeert, gekruide bramen met honinglikeur, zegeningen van de aarde,' zei ze, en hij knikte. Hoe kon hij weigeren? Haar experimenten bleken altijd buitengewoon smakelijk, zelfs al hield hij daar de volgende dag een vreselijke hoofdpijn aan over. Hij begreep nooit goed waarom. Misschien was het maar beter om dat niet te weten, maar hij wist vrijwel zeker dat de Heer hem een beetje losheid niet zou misgunnen op hun gezamenlijke verjaardag.

19

UIT DE ZITKAMER

Ze zingen op kerstochtend nog steeds in alle vroegte kerstliederen; als je wilt kun je meedoen. Het is tegenwoordig een gemeenschapsgebeurtenis – toeristen, weekendgasten en de plaatselijke bevolking, van alle gezindten en geen enkele, stampen met hun voeten om warm te blijven onder die rotte oude boom die binnenkort omgehakt wordt.

Mijn huisje bevindt zich in de vuurlinie, maar ik zal me niet bij jullie voegen. Kerstmis is tegenwoordig niet meer 'mijn ding', zoals ze vandaag de dag zeggen. Ik heb lang genoeg meegedaan aan die gemaakte vrolijkheid en festiviteiten. Nu kan ik eindelijk eens doen waar ik zin in heb en in bed gaan liggen met een goed boek en een doos handgemaakte bonbons van Humphrey, maar ik denk dat de oude Josiah het allemaal met een twinkeling in zijn ogen gadeslaat.

Nik heeft een verzameling prullaria van hem in een doos. Tom was om de een of andere reden erg sentimenteel over de verzameling van zijn overgrootvader en heeft die doorgegeven. Er zitten programma's tussen van oude *Messiassen*, concerten en toneelstukken, uitnodigingen voor bruiloften en begrafenissen, zwartgerande ordes van erediensten; de verzameling beslaat het hele leven in de vallei, maar de interessantste items zijn in vloeipapier gewikkeld. Er is een serie oude kerstkaarten, sommige met de hand versierd met sentimentele gedichten, die hij in de loop der jaren aan zijn vrouw heeft gestuurd en ondertekend heeft in zijn kriebelige handschrift.

Hij koos bloemen en Dickensiaanse taferelen: koetsen en paarden, sneeuwlandschappen en glinsterende triomfbogen van hulst. Er zijn ook eenvoudigere waar zijn adres op gedrukt staat en die uit een catalogus komen. Hij was een goed mens, die alleen het goede zag in zijn medemens. Geen zwerver ging ooit hongerig bij zijn deur vandaan, geen enkele verzoek om een aalmoes werd genegeerd. Hij stond op het standpunt dat elk mens iets goeds in zich had.

Wel jammer van zijn vrouw. Op de foto zit ze streng naast hem, met een ernstig, zedig gezicht en scherpe trekken. Susannah was op haar oude dag een echte slavendrijver, de schaduw van zijn opgewektheid. Na zijn dood werd ze nog strenger.

Niemand weet wat zich afspeelt achter de deuren van welk huwelijk dan ook, behalve dat van onszelf. De Yewells hebben altijd een merkwaardige voorkeur gehad voor sterke vrouwen, zoet en zuur, ondeugende en pittige vrouwen. Ik vrees dat niemand van ons van goede komaf was, of een meegaand type, kameraadschappelijk of een echte boerenvrouw. We hebben ze allemaal het leven zuur gemaakt, en Susannah was geen uitzondering.

Het enige wat ik van haar weet is een glimp van een in leer gebonden notitieboek waarin ze haar recepten, zalfjes en drankjes opschreef. Mijn schoonmoeder, Adeline, hield het me een keer onder mijn neus toen ik nog maar net getrouwd was. 'De heks van Wintersett' noemde ze haar.

'Dit gebeurt er nou als een man zich het hoofd op hol laat brengen door een mooie bos haar. Eén streng blond haar kan meer trekken dan honderd span ossen,' waarschuwde ze, en ze gooide het in het vuur. Ik was te onervaren – en nog maar net getrouwd – om te protesteren, maar het intrigeerde me wel.

20

HET KINDERKERSTFEEST

Lenn was in het instituut bezig tumtum aan cocktailprikkers te rijgen voor de kerstkaarsjes. Er blies een tocht van windkracht 9 onder de deur door die zich door geen gordijn liet tegenhouden. Ze zag geen kans de dodelijke vermoeidheid of de pijn die achter in haar keel brandde van zich af te schudden. Ze had over haar hele lichaam pijn, maar belofte maakt schuld. Ze voelde zich schuldig dat ze Nik haar rammelkast niet had geleend, maar dat zou hebben betekend dat ze weer helemaal terug de heuvel op had moeten lopen naar Wintersett House, en daar was geen denken aan. Het had geen zin om tegen hem te zeggen dat ze zich niet goed voelde. Hij zou alleen maar tegen haar zeggen dat ze niet wijs was om er nu uit te gaan. Op sympathie vanuit die hoek hoefde ze niet te rekenen.

De kinderkerstdienst was een jaarlijks terugkerend evenement, dat gegarandeerd een volle kerk en een flinke opbrengst voor de liefdadigheid betekende. Het Wintersett Instituut moest meer dan honderd sinaasappels voorzien van cocktailprikkers met snoep, een kaarsje en een rood lint, en dat betekende alle hens aan dek. Ze was blij dat de Partridges betrokken waren bij het kerstspel van school. Tijdens de viering van Kerstmis hoorde bij iedereen een beetje godsdienst centraal te staan. Het had geen zin je een christelijk feest toe te eigenen als je dat niet ook een beetje respect betoonde.

Het was een samengeraapt stelletje in het WI, jong en oud, plaatselijke mensen en 'nieuwkomers', carrièrevrouwen en huisvrouwen. Het dorp zou een stuk slechter af zijn zonder hun activiteiten, vooral 's winters, wanneer de sombere grijze dagen en lange nachten sonberheid en eenzaamheid veroorzaakten.

Het was een lastig karwei voor oude vingers, dat gedoe met dat lint om de sinaasappel, noten en rozijnen en snoep aan prikkers rijgen en de kaarsjes in de sinaasappel stoppen. Als de inspectie wist wat de kinderen allemaal uitspookten met die brandende kaarsen, was Kinderkerst allang verboden geweest.

De dorpelingen waren waakzaam en zorgden voor zichzelf. Ze hielden de brandende kaarsen goed in de gaten tijdens hun tocht van de zijdeur bij het altaar helemaal tot aan de westdeur. Ze glimlachte bij zichzelf toen ze dacht aan de dienst van vorig jaar, toen zo'n snotneus het haar van zijn zus in brand stak en het verschroeide. Alleen het feit dat ze gewaarschuwd werden door de stank had kunnen kon voorkomen dat ze al haar haar kwijtraakte!

Brandende kaarsen in het donker wisten kinderen nog steeds verrukt tot zwijgen te brengen. Verwende koters moesten leren dat er kinderen waren die minder geluk hadden dan zij: vluchtelingetjes, misbruikte kinderen, wezen, verwaarloosde kinderen in de hele wereld.

Kerstmis had al jaren geen betekenis meer, dacht ze verdrietig. De jaarlijkse rituelen werden nog uitgevoerd omwille van het verleden. Als het een optie was geweest had ze allang niet meer meegedaan, maar ze maakte nog elk jaar kalkoen klaar voor Nik, kocht een van haar eigen plumpuddingen terug bij de kraam van het WI en deed haar plicht. Geen uitspattingen meer en geen drinkgelagen. Ze wisselden symbolische cadeaus uit: een cd voor hem en een boekenbon en een glas sherry voor haar, en ze bewaarden één dag lang de vrede.

Ze stuurde nog steeds kaarten naar een paar verre vrienden, maar ze bedankte voor alle uitnodigingen uit het dorp om iets te komen drinken, want ze had geen zin in prietpraat en de schijn ophouden. Een van de voordelen van oud worden was dat ze kon doen en laten waar ze zin in had en zich tegenover niemand hoefde te rechtvaardigen.

Toen er nog kinderen in huis waren, deed ze al het werk dat met Kerstmis gemoeid was uit liefde, hoe weinig het haar diep vanbinnen ook deed. Maar Kerstmis beloofde iets dat het voor haar nooit had kunnen waarmaken: vrede, vreugde, in de mensen een welbehagen en alle wensen vervuld. Het enige wat het echter met zich mee leek te brengen was ruzie, teleurstelling en katers. Het kostte jaren van inspanning om die wonderlijke familietradities, die rare gewoonten die iedere familie kent en die ouders in de loop der jaren doorgaven aan hun kinderen, te veranderen.

Na de prachtige Duitse Kerstmis was Kerstmis nog jaren een echt onstuimig feest geweest, met een open huis en kinderen, baby's en feesten, maar na de dood van Sylvia in december was het moeilijk geworden de feestdagen te vieren. Het werd een betekeningloos ritueel, dat ze alleen omwille van Nik volhielden. Er werd een poging gedaan om de dag te eren.

Lenn ging naar het toilet en vond haar jas in het gangetje. Ze wilde stilletjes wegglippen nu ze haar aandeel met de sinaasappels had geleverd. Ze wilde iets op het kerkhof leggen. Het werd tijd dat ze haar respect betuigde met een bos bloemen uit haar tuin. Grappig dat er altijd wel een bloem te vinden was, zelfs in de winter – een *Vibernum tinus*, winterjasmijn, en een paar kerstrozen die samen met wat groen en linten een boeket vormden.

De overige graven waren bedolven onder hulstkransen waarin plastic bloemen waren gestoken; ze deden haar denken aan de graven in Frankrijk, met hun opzichtige bloesems van was. Het was bitter koud toen ze bukte om de dode bloemen te vervangen en ze voelde zich duizelig. De grond leek omhoog te komen en plotseling zat ze op het grind en draaide de hemel boven haar in het rond. Ze was helemaal klam van het zweet toen de eerste hagelkorrels en natte sneeuw haar wangen deden afkoelen.

Dit was het moment voor een slok van tante Susannahs vuurwater uit het medicijnkastje, dat doordringend ruikende mengsel van vlierbessenlikeur, kruiden en alcohol dat je gehemelte verbrandde. Dat zou korte metten maken met deze verkoudheid en een heet bad zou de pijn in haar botten verlichten. Ze wilde Edie in de dienst zien en naar haar gezicht kijken bij Kinderkerst. Het zou het meisje goeddoen te midden van leeftijdgenoten te zijn.

Edie keek naar de twinkelende lichtjes van de kaarsen voor de ramen van de kerk van Sint-Maxientius.

Het was fantastisch om er in het donker te zitten en ze was helemaal niet bang toen ze het wachtende publiek en alle kinderen in hun kostuums voor het kerstspel zag zitten. De lovertjes kriebelden aan haar oren, maar haar vleugels zaten op haar rug en ze voelde zich heel belangrijk.

Mevrouw Bannerman had precies uitgelegd hoe het zat met de kerstkaars: de sinaasappel was de wereld, het rode lint eromheen was het kruis en de kaars was het licht van de wereld. De snoepjes en de noten waren Gods gaven die gedeeld moesten worden. Ze kon niet wachten tot ze haar tanden in de tumtum kon zetten en hoopte maar dat ze geen gombeertje op een stokje zou krijgen. Daar had ze een hekel aan. Mevrouw Bannerman was bezig de kleintjes die een kleed op hun rug en een schapenmombakkes voorhadden in een rij te zetten.

Edies wens een van de engelen te mogen zijn was uitgekomen; ze droeg een kroon van klatergoud en lovertjes, en ze had echte vleugels. Oma Partridge was erg verdrietig omdat ze haar niet kon zien zingen, maar mama had beloofd dat ze een foto zou sturen.

Haar vriendinnen, Karly en Millicent, bedienden de taperecorder, speelden gitaar en zongen kerstliedjes. Edie wilde dat ze ook daar vooraan zat, in plaats van hier achter, maar de liedjes klonken niet zo geweldig als zij haar mond opendeed. Dan klonk alles raar. In het flakkerende kaarslicht kon ze mevrouw Yewell zien, die maar zat te hoesten en niezen.

Ze waren allemaal samen in de Freelander gekomen omdat het was begonnen te sneeuwen, voor het geval het een sneeuwstorm zou worden. Fantastisch.

Nog maar een week en dan zou de kerstman naar Wintersett komen. Ze had ervoor gezorgd dat haar brief in de schoorsteen was gestopt. Haar groene takken begonnen al uit te drogen en om te krullen. De dennennaalden vielen al van hun kerstboompje, dat in een pot stond. Mammie zei dat het in hun kamer te warm was voor een boom. De kleine boom was voldoende, vond ze, tot pappie op de avond voor Kerstmis de grote zou brengen.

Ze hadden op school een heleboel versieringen gemaakt: kerstmannen met een baard van watten, sterren van brooddeeg. Mevrouw Yewell had haar geholpen papieren kettingen te maken en had haar een adventskalender gegeven met raampjes die je open moest doen. Ze had ze stiekem allemaal opengemaakt en toen weer dichtgestopt. Het was allemaal zo spannend toen de kaarten begonnen binnen te komen die waren doorgestuurd van Sutton Coldfield, en er lagen twee pakjes te wachten onder de boom.

Edie was teleurgesteld geweest toen ze mevrouw Yewell gingen ophalen, want er was helemaal geen kerstsfeer in het grote huis, geen versieringen, geen boom, geen pakjes, helemaal niks. Dat was wel erg verdrietig. De kerstman kwam toch ook bij oude mensen?

Het dorp Wintersett had zijn eigen kerstboom en ze was erheen gegaan om te kijken hoe de lichtjes werden ontstoken. Een van de hulpjes van de kerstman – die inspringen als hij het te druk heeft – had gevraagd of ze vanaf tien terug wilden tellen, en plotseling waren overal om de dorpsbleek de lichtjes in de bomen en de lichtjes achter de ramen aangegaan.

Ze wist van het licht en van de langste nacht van het jaar. Ze was ook op de hoogte van Zweedse lichtkronen en het kerstkaarsje van het Kindeke Jezus. Nu de scholen dichtgingen voor de vakantie, moest ze maar een paar weken stoppen met leesles, had mammie gezegd, maar ze hield wel haar geheime dagboek bij, dat ze in een tas onder de stoel in de auto had verstopt zodat mammie het niet zou lezen.

Ze zouden algauw teruggaan naar het huis van oma en dan zou ze naar een andere school moeten, maar daar wilde ze nu niet aan denken. Ze zag hoe mammie in het donker glimlachend naar haar zat te kijken, en ze wilde maar dat pappie hier was, maar hij kwam nooit naar uitvoeringen, want hij was altijd druk ergens anders. Ze vroeg zich af of hij hen wel zou kunnen vinden, want hij had nooit gebeld om een boodschap achter te laten. Soms vroeg ze zich af of hij wel zou terugkomen, maar beloofd is beloofd, en hij had haar beloofd dat ze een grote kerstboom mocht uitzoeken.

Toen ze met de kerstkaarsjes naar buiten het donker in gingen sneeuwde het hard, maar mevrouw Yewell was net de mevrouw van het weer op televisie en zei dat de sneeuw niet zou blijven liggen. Edie keek door de sneeuw naar de twinkelende lichtjes en vond het een fantastisch schouwspel, maar de arme mevrouw Yewell begon te rillen en mammie zei dat ze niet lekker was en dat ze naar huis moest. Dus bleven ze niet wachten op de warme wijn en de pasteitjes, maar Edie pakte nog gauw een kerstkransje dat was versierd met zilveren balletjes.

De schoolkinderen hadden alle hapjes voor bij het kerstspel gemaakt, het deeg gerold voor de pasteitjes en de koekjes met vormen uitgestoken. Ze had hier veel meer plezier dan ze ooit op een andere school had gehad. Daar was het vlak voor de vakantie meestal alleen maar repetities en rapporten.

Het was wel raar dat je zomaar tegen het hoofd mocht praten zonder eerst de hele tijd je hand op te steken of in de rij te staan. Iedereen was dol op mevrouw Bannerman, ook al was ze streng en schreeuwde ze, en dat was wel raar!

Tegen de tijd dat mevrouw Yewell in de auto zat, moest mammie heel langzaam de heuvel op rijden, de hele weg worstelend met de versnellingspook terwijl de auto krakende geluiden maakte; de sneeuw ging weer over in neergutsende regen en de betovering was verbroken.

'U had vanavond niet met ons mee moeten komen,' zei mammie tegen de oude mevrouw. 'U bent niet in orde.'

'Dat kom allemaal wel goed als ik een nacht goed geslapen heb. Er is niets aan de hand. Ik hoop dat je het allemaal leuk vond, Edie,' zei mevrouw Yewell.

Edie knikte. 'Gaan we kerstkransjes maken?'

De twee vrouwen lachten. 'Vanavond niet, schat. Een andere keer misschien... als je lief bent.'

Toen Kay en Edie de volgende dag langskwamen voor wat eieren, keek meneer Mopperkont erg bezorgd en zei dat mevrouw Yewell met griep in bed lag.

'Koppig oud mens, ze wil niet luisteren! Ze wil niet dat ik de dokter laat komen en heeft dit jaar haar griepprik niet gehaald. Dat krijg je ervan.'

Mama ging even bij haar kijken en kwam weer naar beneden met een lijst van dingen van de apotheek. 'Het staat me niet aan zoals haar borst klinkt, Nik,' zei ze. 'Ik vind dat ernaar gekeken moet worden. Ze is te oud om het op zijn beloop te laten.'

Edie vond de gedachte dat iemand met Kerstmis in bed moest liggen maar niks. 'Hoe moet dat dan op eerste kerstdag?' Dat was het enige waar Edie naar uitkeek.

'Zover is het nog lang niet,' zei mama. 'Als ze antibiotica slikt, is ze tegen die tijd weer opgeknapt, dat weet ik zeker.' Maar Edie liet zich niet van de wijs brengen.

'Kunnen we haar dan geen Kerstmis bezorgen?' zei Edie hoopvol terwijl ze naar meneer Mopperkont keek. Waarom stond hij altijd aan zijn pijp te lurken?

'Dat is aardig van je,' zei de boer. 'Kerstmis is niet moeders favoriete bezigheid. Ze zal blij zijn dat ze het niet hoeft mee te maken, denk ik.'

Edie keek hem stomverbaasd aan. 'Maar iederéén viert Kerstmis,' wierp Edie tegen, maar de boer lachte alleen maar.

'Niet in Wintersett, hier niet,' antwoordde hij. 'Al een hele tijd niet meer.'

Edies mond viel open en ze keek haar moeder vertwijfeld aan. 'Wij vieren toch wel Kerstmis, hè?'

'Maak je maar geen zorgen,' knipoogde ze. 'We laten de Scrooges hun eigen gang gaan.'

Nik besteedde de volgende ochtend aan het uitzoeken van de rommel in de dozen die in de kast op zolder stonden. Het stof drong in zijn neus, maar hij wist waar hij naar zocht: een stel oude leren hoedendozen die vol zaten met de kerstverzameling van Josiah Yewell. Hij bekeek de papieren met veel interesse. Deze dozen hadden al jaren het daglicht niet meer gezien en nu kwamen de herinneringen terug aan hoe zijn vader de inhoud trots met hem had doorgenomen, hoe hij hem had uitgelegd wat de betekenis was van sommige al lang vergeten gebeurtenissen in de streek die Josiah als districtsadministrateur van de methodisten in de loop der jaren zo zorgvuldig had vergaard.

Er waren foto's, programma's van concerten, getuigenissen, diensten, verjaardagen, uitnodigingen voor bruiloften en begrafenissen, prachtig uitgevoerde zwartomrande ordes van eredienst. Het hele leven in het dorp Wintersett en de vallei lag hier voor hem. Hij stelde met enige droefheid vast dat het allemaal niet veel waard was. Hij kon het beter aan een plaatselijk archief schenken. Hij vond het nogal zelfzuchtig dat hij er zelfs maar aan dacht om zo'n erfenis te verkopen, maar zijn gevoel zei hem dat als hij zich goed herinnerde er iets van waarde tussen zat, en toen vond hij ze.

Gewikkeld in vloeipapier lag daar de mooiste serie kerstkaarten die hij ooit had gezien. Sommige waren met de hand geschilderde liefdesbrieven aan Josiahs vrouw, Susannah, en waren met veel oog voor detail gemaakt, verfijnd in hun sentimentaliteit en onschuld, en ondertekend in het fijne handschrift van Josiah zelf. Andere waren gedrukte, commerciële kaarten die Kerstmis uit de tijd van Dickens in volle glorie lieten zien: koetsen met paarden in de sneeuw, kerktorens die glinsterden van het handgeschilderde stofgoud. Er was een fraaie uitklapkaart in de vorm van een prieel in een rozentuin, met twee tortelduiven op het dak en boeketten bloemen met een uitschuifbaar kaartje waarop stond:

Onder het zoete prieel van liefde,
O, een zalig en gelukkig kerstfeest,
Vriend!

Een andere wereld, een andere planeet, dacht hij weemoedig bij zichzelf. Die lang vervlogen tijd dat Wintersett House zijn bloeitijd kende, vol van Josiahs schatten, zijn hartelijkheid en goede humeur. Hij stond bekend om zijn trucs met dozen en zijn goochelkunsten. Zijn vader had hem eens verteld dat hij een man was die alleen het goede in de mens zag. Geen zwerver werd ooit met een lege maag bij zijn achterdeur weggestuurd, geen verzoek om een aalmoes was aan dovemansoren gericht. Jammer dat hij met zo'n viswijf was getrouwd.

Nik glimlachte bij zichzelf toen hij naar haar portret keek dat aan de muur langs de trap hing, vanwaar ze omlaaggluurde met haar scherpe trekken en bleekblauwe ogen. Hij moet er zijn handen aan vol hebben gehad om die feeks te temmen, dacht hij. Niemand zei ooit veel over Susannah. Zij was de schaduw van Josiahs opgewektheid, vond men.

Maar, niemand weet wat zich achter gesloten deuren afspeelt. Alleen de kaarten spraken al van zo'n liefde voor haar dat de familielegende het misschien wel bij het verkeerde eind had. Ze kon in ieder geval goed koken en haar receptenboek was een verzameling van de meest fantastische gerechten en jams.

Afgezien van de kerstkaarten was er niet veel aan de verzameling. Hoe haalde hij het in zijn hoofd om de verkoop van deze familieschatten te overwegen? De tekening die aan Turner werd toegeschreven zou de enige zijn, uit wanhoop verkocht. Het was uiteraard niet nodig, maar hij haalde alle andere van de muur – gewoon, voor alle zekerheid.

Er lagen oude kleren, stevig ingepakt, jurken uit de Victoriaanse tijd zo te zien, platgedrukte schoenen, een muffe lucht van vergane zijde. Niets van belang, behalve een bruine mantel met een voering met een rijke schakering aan manen en sterren, met de hand gemaakt, en met rafelende randen – een vreemd kledingstuk, dat eruitzag als de mantel van een goochelaar, maar te klein was voor een man. Hij gooide het op de grond. Misschien dat Edie het wilde gebruiken voor haar verkleedspelletjes. Zo'n kind was ze wel.

Onderin lagen samengeperste bladeren, laurier, zo te ruiken, en nog een in leer gebonden notitieboek. Op de eerste bladzij stond geschreven:

Persoonlijk
Susannah Yewell, haar kruidenboek

Nik ging op de dichtstbijzijnde hutkoffer zitten en begon te lezen, aanvankelijk alleen maar nieuwsgierig, toen vol verbazing.

21

DE DOCHTER VAN DE DOMINEE

Persoonlijk
Susannah Yewell, haar kruidenboek
1860
Om de geest open te stellen drink eerst thee van rozemarijn, tijm of duizendblad. Verbrand laurierbladeren, bijvoet en alsem om de geest te vervoeren naar waar hij heen moet. Om een kamer te bevrijden van het kwaad is wierook van den, jeneverbes en ceder het best. Leg ter bescherming tegen het kwaad verse of gedroogde marjolein in elke kamer en ververs die bij iedere nieuwe maan.

Herstelgelei

Stop een koeienpoot in een aardewerken pot met twee liter verse melk, zestig gram visgelatine en zestig gram gesnipperde hertshoorn.
Zet de pot in de steenoven, meteen nadat het brood eruit is gehaald, laat staan tot het tot de helft is ingedikt.
Schep, wanneer het is afgekoeld, het vet eraf. Drink er, opgewarmd, iedere ochtend en iedere avond een kopje van. Dit moet zes weken worden volgehouden om de herstelgelei effectief zijn werk te laten doen; daarom moet een oude vrouw of een ziekenbroeder die van deur tot deur gaat er altijd voor zorgen voldoende voorraad bij zich te hebben.

Susannah Yewell ontdekte rond Kerstmis 1860 hoe ze met overledenen kon praten en dat ze een wilde, rusteloze geest bezat die zich niet liet temmen door het christelijk geloof, ongeacht het aantal oneindige preken dat ze in die tochtige kapel moest doorstaan. Terwijl ze daar zedig zat, gekleed in kap en mantel, met haar zoons op een rijtje naast zich, voelde ze hoe haar geest onbelemmerd ver over de velden zwierf naar veel machtiger krachten.

Niet dat ze zich beklaagde. Josiah was alles wat ze maar kon wensen in een echtgenoot: vriendelijk, hoffelijk, toegeeflijk en gul. Ze had drie prachtige zoons, die haar aanbaden: Samuel, Joseph, John Charles en nog een vierde die daar ergens rondhing. Ze waren allemaal, op één na, knappe knullen, stevige eiken die tot het einde van de eeuw zouden meegaan.

Will was altijd haar oogappel geweest, maar hij was maar geleend. Ze voelde dat hij elke winter tussen leven en dood zweefde. De gulzigaards stonden klaar om hem van haar af te nemen, maar ze had hem zeven jaar bij zich weten te houden. Zijn hart was nooit sterk geweest, maar ze had zoveel opgepikt van de apotheker en van de kruidenkennis van de magiër dat ze hem bij zich kon houden. Maar ondanks haar inspanningen werd hij bleek en lusteloos, tot hij alleen nog maar kon toezien terwijl de anderen speelden.

Wat had het haar pijn gedaan om te zien hoe haar jongste, Jo, hem qua postuur en vitaliteit voorbijstreefde. Ze zag hoe het vuur in zijn blik afnam, maar hij bleef omdat zij dat afdwong.

'Ik zou wel een maand kunnen slapen, mam,' zei hij dan glimlachend.

'Het is bijna Kerstmis, hou vol. Wat een feest zal het zijn als de kerstman komt,' moedigde ze hem aan, maar zijn blik werd glazig en zijn adem ging zwaar, en hij viel in haar armen in slaap.

Ze rouwde met zo'n heftigheid dat mensen bij haar uit de buurt bleven. Er klonk een boosheid in haar stem, een verstikkende bitterheid, die haar lange tijd verteerde.

'Een mens ziet nooit al zijn kinderen opgroeien,' zeiden ze bij wijze van troost. 'Dat is Gods manier om je op de proef te stellen.'

Ze wilde niets meer te maken hebben met zo'n zelfzuchtige godheid. Wat verlangde ze ernaar te weten dat haar kind nu gelukkig was en vrij van pijn en ziekte. De rest van haar leven zou zijn geest haar nooit verlaten. Hij was met haar hart verbonden als door een leren teugel. Eén rukje en ze voelde hem naast zich staan, maar zijn afwezigheid veroorzaakte een pijn in haar hart die geen kruidendokter kon genezen.

'O, Will,' huilde ze, 'waar ben je gebleven? Ik zou je overal naartoe willen volgen, maar nu ben je naar een plek gegaan die ik niet kan vinden. Ik moet je terugvinden.'

Zo verloor ze zichzelf in haar 'studies' zoals Josiah het noemde. Haar recepten waren haar trots, haar huishouden was haar koninkrijk, en toen haar dagen geteld waren bleef haar geest niet rondhangen. Maar haar dorst naar kennis werd nooit volledig gelest, tot de dag dat de dochter van de dominee op bezoek kwam en haar vertelde dat er nog een andere manier was.

Susannah wist dat ze anders was dan de anderen in Wintersett vanaf het moment dat ze in een spiegel keek en haar vreemde gelaatstrekken zag. Niet dat er spiegels waren in het tehuis waar ze op een winterochtend langer geleden dan ze zich kon herinneren op de trappen te vondeling was gelegd. Ze gaven elke vondeling een bijbelse naam op alfabetische volgorde en zij viel onder de S. Ze stond als dienstmeid slechts bekend als Susannah en ze klom na deze schandelijke start op tot kamermeisje. Josiah was degene die haar een koosnaampje gaf: Sukie. Dat was te luchtig, te frivool, vond ze, maar ze legde zich erbij neer.

Bij de vijver zag ze pas dat haar haar sneeuwwit was, niet blond en gebleekt, zoals dat van andere meisjes in Yorkshire, en dat haar ogen zo flets waren dat ze bijna roze leken. Ze verafschuwde licht en ze noemden haar 'sneeuwuil'.

De winter was haar jaargetijde. De helderheid van het zonlicht deed pijn aan haar ogen. Ze wende aan 'Witje', aan 'Melkgezicht'; ze wende eraan dat ze een gril van de natuur was, maar met haar uitzonderlijkheid ging een gevoel van mystieke kracht samen.

Ze voelde soms dingen voor ze gebeurden, ze kon de dolende geesten in de atmosfeer ruiken. Licht en schaduw, goed en kwaad, vriendelijkheid en kwaadaardigheid waren dingen die ze gemakkelijk in andere zielen herkende, maar Wills geest kon ze niet vinden.

Ze begon als dienstmeid en werd toen kamermeisje. Ze steeg in aanzien tot ze in Wintersett belandde, in het huishouden van de katoenmagnaat Elias Jagger en zijn vrouw. Ze waren strenge methodisten en in de kapel ontmoette ze Josiah voor het eerst.

Hij zat onbeschaamd achter haar aan. Hij zag alleen maar haar bleke schoonheid en rustige gedrag. Hij zag in iedereen een warm hart waar zij afgunst voelde, jaloezie en kilte. Ze greep met graagte de mogelijkheid om haar eigen huishouden te voeren, behandelde haar personeel eerlijk en met gezag, waarvan ze het gevoel had dat dat eerder gevreesd dan gerespecteerd werd. Het deed haar pijn dat ze niet de liefde wist op te wekken die haar echtgenoot zo gemakkelijk betoond werd.

Zij was degene die hem plaagde met de achternaam Yewell en de eerste die hem 'meneer Kerstmis' noemde, omdat hij de beroemde kerstverhalen van Dickens met zoveel hartstocht beleefde. Ze kreunde toen hij alle verschoppelingen en zwervers uit de gemeenschap uitnodigde om ze van een feestmaal te laten genieten – niet in de keuken, zoals ze had gehoopt, maar in de eetkamer.

Er was samenzang, een toneelstuk met kostuums, er werd met veel ceremonieel vertoon een joelblok in de haard gelegd, traditionele tarwepap gegeten en voldaan aan al die andere gebruiken in Yorkshire. Haar echtgenoot gedroeg zich eerder als een leerjongen dan als een volwassen landeigenaar. Dat alles zonder een druppel alcohol om de gelegenheid te vieren.

'Wie heeft er nou bier nodig om de vreugde te vergroten?' zei hij dan glimlachend, niet wetend dat in haar bowl een flinke scheut kruidenwijn was verwerkt en dat de trifle die hij at boordevol zelfgemaakte sherry zat. Wat niet weet...

Toen Will nog leefde, had ze het hartverwarmend gevonden om te zien hoe verrukt de kinderen waren over hun cadeautjes en de spelletjes, maar toen hij eenmaal niet meer bij hen was, vond ze het moeilijk om enthousiasme op te brengen voor zijn streken. Josiahs feestelijkheden werden elk jaar uitbundiger, alsof hij het verlies van zijn kind wilde compenseren.

Soms voelde ze een kwaadaardige kracht, waar die ook mocht zijn, aan het werk, een geest die ronddwaalde in de heuvels rond Wintersett. Ze voelde gevaar en wilde zich de kennis eigen maken over hoe ze zo'n gejaagde geest kon bedwingen.

In die tijd begon ze verhalen en overleveringen te verzamelen over kruiden. Ze experimenteerde met hoeveelheden: hoeveel gram, hoeveel van een brouwsel had je nodig om hoofdpijn te genezen, of maagkrampen, misselijkmakende duizeligheid? Ze vroeg de knechts van Josiah een muur voor haar te bouwen om haar planten te beschermen tegen de voortdurend waaiende wind die de stekjes kapotblies voor ze goed wortel konden schieten. Ze kocht zoethout en suikerbrood, specerijen om hoesttabletten en hardgekookte verzachters voor een zere keel te maken. Haar vlierbessenlikeur zorgde ervoor dat luchtwegen openbleven gedurende die donkere maanden wanneer de kou over de heide aan kwam waaien en je tot op het bot verkleumde.

Naast haar studies van de kruiden hield ze zich bezig met het bedenken van gerechten die aan Josiahs zoete smaak beantwoordden. Ze bleef laat op, tot lang nadat de bedienden naar bed waren gegaan, en stelde recepten samen voor haar eigen voldoening: ze voegde kruiden en aftreksel van opium toe, probeerde drankjes uit die haar tot een hoger bewustzijn moesten brengen.

Soms dronk ze haar eigen aftreksels om haar eigen onrust te bedwingen. Vaak klonk er dan een klaaglijk gehuil in de wind, een doordringend gekrijs buiten in de storm waarin het verdriet in haar eigen hart weerklonk, en dan vroeg ze zich af of het Will was die probeerde weer contact met haar te krijgen.

Er hield zich een soort bondgenoot in de buurt op, een vriendelijke ziel die haar inspanningen bezag. Ze had verhalen gehoord over vrouwe Hester. Woorden waren overbodig, want zij waren van hetzelfde soort, vastbesloten dit huis tegen verder kwaad te beschermen.

Ze vreesde ziekte; die kwam altijd met de sneeuw en de duisternis, die sluier van mist die haar scheidde van haar kind. Wat verlangde Susannah ernaar hem nog een keer in haar armen te houden en zijn hoofd te ruiken en haar gezicht in zijn haar te stoppen.

Ze bewandelde heel wat merkwaardige wegen in haar zoektocht naar de waarheid, bezocht predikanten die op de kansel in extase raakten en vreemde, onverstaanbare klanken uitbraakten; rondreizende lieden die hun tent opzetten bij de rivier en allerlei toverkunsten beloofden. De meesten waren bedriegers, kwakzalvers en charlatans die de goedgelovigen hun zuurverdiende geld afhandig maakten en er weinig voor teruggaven. Slechts één keer hoorde ze de waarheid, kon ze oprechtheid onderscheiden van bedrog, en toen begon haar tocht naar verlichting.

Het was herfst toen een rondtrekkende prediker tijdens het oogstfeest kwam preken. Hij was een kleine, kalende man, wijs geworden op zijn vele reizen naar afgelegen kapellen als de hunne. Hij kwam met zijn dochter aan zijn arm en preekte in schuren, kapellen, of zelfs in het open veld. Het gerucht wilde dat hij als kind bij de Wesleys aan tafel had gezeten.

Zijn dochter – althans, zo noemde hij haar – was zo lang als hij klein was. Ze had ogen als een waakzame havik, haar zo zwart als een raaf, ook al lag de tijd dat ze nog kinderen kon krijgen ver achter haar. Haar zwijgende aanwezigheid had iets zo magnetisch dat Susannah het gevoel kreeg dat er vuur brandde in die zwarte kolen die haar ogen waren. Wanneer ze bewoog, sloeg haar doffe mantel, die de kleur van pasgeploegde aarde had, open en werd de felgekleurde voering zichtbaar, een lappendeken van verschillende materialen in alle kleuren van de regenboog. Naar buiten toe wekte ze de indruk van een degelijke matrone, maar onder de oppervlakte lag een overvloed aan kleur. Madeline Perviss was meer dan ze leek te zijn.

Het was de gewoonte dat de predikant thee en eten werd aangeboden, zeker wanneer het weer zo slecht was. Josiah, districtsadministrateur en gastheer, zorgde met zijn gebruikelijke hoffelijkheid voor zijn gast, en het werd aan Susannah overgelaten om voor de vrouw te zorgen. Ze raakte opgetogen door het besef dat hier iemand was die een verhaal te vertellen had, die kennis had die haar eigen krachten ver te boven ging.

Terwijl ze een wandelingetje maakten door haar ommuurde tuin, keek de vrouw geïnteresseerd naar de heuvels in de verte, de ver weg gelegen toppen, de hemel en naar haar armetierige kruidentuin. Ze bleef staan en keek haar diep in de ogen, alsof ze daarin haar zielenpijn kon lezen.

‘Hier heb je je handen wel aan vol,’ zei ze, en haar donkere ogen fonkelden.

‘Ja, het is een woeste omgeving, maar de kudde werpt goede lammeren en levert voldoende op voor goede boter en kaas. Onze kinderen gedijen in deze frisse lucht beter dan kinderen uit de stad,’ antwoordde Susannah, die niet goed wist waar ze op doelde.

‘Ik heb het niet over deze wereld,’ zei ze, en ze keek Susannah recht in haar bleke ogen. ‘Ik zie dat je beter bent toegerust voor duisternis dan voor zonlicht. Bescherm dat wat van jou is tegen gevaar.’

Susannah voelde dat er meer zou volgen, dus gaf ze geen antwoord. De vrouw ging verder. ‘Wees niet bang. De oude manieren zijn nog steeds de beste. Laat de priesters en predikers hun gang maar gaan. Zij kunnen de stortvloed van ellende niet keren. Dit is niet altijd een gelukkige plek,’ voegde ze er terloops aan toe.

Susannah voelde hoe ze ineenkromp. Hoe durfde ze zoiets te zeggen? ‘Wat bedoel je?’ zei ze kortaf, maar ze wist dat ze de waarheid sprak.

'Vergeef me mijn directheid. Ik heb het niet over deze wereld, maar over de volgende en de arme dolende zielen die geen rust kunnen vinden, die samen met de wind om je huis zwerven. Je hebt bescherming nodig tegen hun kwaadwillendheid.' Het gezicht van Madeline lichtte vastberaden op, alsof een magnetische kracht bezit van haar had genomen.

'Ik heb gebeden om iemand die me de weg zou wijzen,' hoorde Susannah zichzelf fluisteren.

'En ik ben gezonden om je antwoord te geven. De Godin zorgt voor haar uitverkorenen. Waarom denk je dat we deze uitnodiging hebben geaccepteerd? Ik zag in mijn dromen een huis op een heuvel met ramen die in brand leken te staan, ver in het noorden, te midden van grauwe stenen dijken.'

Haar woorden klonken feitelijk, rustig en vol vertrouwen, terwijl ze in de zitkamer boven van hun thee dronken en bewonderende blikken wierpen op Josiahs beroemde tekening in zijn vergulde lijst.

'Jij hebt ook krachten. Je hoeft ze alleen maar te gebruiken. Ze moeten op de rotsen geslepen worden om ze aan te scherpen. Hoe bescherm je jezelf?' Madeline boog zich voorover en raakte haar elleboog aan.

'Ik zeg mijn gebeden, net als elke andere goede christen,' zei Susannah, en ze voelde zich in de verdediging gedrongen omdat ze besefte dat ze van niets wist.

'Roep dan de vier engelen uit de vier hoeken van de wereld te hulp: Raphaël uit het oosten voor de voorkant, Gabriël uit het westen voor de achterhoede, Michaël uit het zuiden voor je rechterkant en Auriël uit het noorden om je linkerkant te beschermen. Wanneer je voelt dat je in gevaar bent, moet je deze sterke machten oproepen om de strijd aan te binden met je belager. Laat hun namen rondzingen, telkens weer, tot de aanval voorbij is.'

Madeline ging staan en liep in de invallende schemering naar het raam. Ze keerde zich om en keek haar gastvrouw aan.

'Slaap altijd in een kring van licht,' zei ze. 'Draag altijd beschermende kruiden bij je, naai ze in je mantel, zoals ik ook heb gedaan. Ik zie dat er lijsterbes en vlier bij het huis groeit. Heb je heksenstenen in de stal?'

Ze heeft het over hekserij. Susannah slikte in de wetenschap dat alleen bijgelovige lieden stenen met natuurlijk gevormde gaten in hun stallen hingen. Ik zit met een toverkol te praten, dacht ze, en ze durfde nauwelijks adem te halen uit angst dat ze iets verkeerds zou zeggen.

'Dat zijn heidense gebruiken,' antwoordde ze nauwelijks verstaanbaar.

'Dat zijn gebruiken van vroeger, zo oud als de heuvels, net zoals deze krachten oude krachten zijn die zich niet storen aan de grenzen van tijd of plaats.' Ze reikte haar de hand als teken van vriendschap. 'Er is niets verkeerds aan het gebruik van natuurlijke machten om duisternis en onwetendheid te bestrijden.'

'Wat vindt dominee Perviss daarvan?' vroeg Susannah, die precies wist wat Josiah van een dergelijke aanbidding van de godin zou vinden.

'Hij heeft niets over mij te zeggen, net zomin als ik iets over hem te zeggen heb. We zijn kalk en kaas, zon en maan. Ik bemoei me niet met hem en hij stelt geen vragen. Je hoeft dus niet bang te zijn voor beschuldigingen uit die hoek,' antwoordde ze.

Ze werd beurtelings warm en koud bij de gedachte dat iemand hen over dergelijke praktijken zou horen praten. Maar toch was ze geïntrigeerd, voelde ze zich aangetrokken, betrokken, en ze luisterde in ademloze stilte.

'De oude gebruiken bestaan uit stille, op zichzelf staande rituelen, die in het geheim al naar gelang de seizoenen uitgevoerd worden, binnen een magische kring,' ging ze verder. 'Ze worden doorgegeven met een doel en wanneer je ze negeert, doe je dat op eigen risico. Ik geef alleen door wat ik geleerd heb. Ik kan niet verdergaan dan de wetenschap die ik zelf vergaard heb. Ik stuur alleen daar waar sturing nodig is.' Madeline sloeg haar mantel open en toonde de opgenaaide zon en maan en sterren en de glorieuze zonsondergang van zijde.

'De rest komt vanzelf en op zijn tijd. Je hebt het "gezicht", dat weet ik zeker, anders zouden we dit gesprek niet voeren. Je hebt het van je moeder en zij van de hare. Jij zult het doorgeven aan een van je kinderen of kleinkinderen, net zoals je je witheid zult doorgeven. Zij moeten ermee doen wat hun goeddunkt.' Madeline zweeg toen ze het terneergeslagen gezicht voor zich zag. 'Ik zie dat deze wetenschap je zorgen baart...'

Susannah keek op en probeerde te begrijpen wat ze bedoelde. 'Ik heb mijn liefste kind verloren. Het enige wat ik wil weten is of hij ergens is waar het veilig is,' fluisterde ze, aarzelend om haar diepste verlangens te uiten.

'Er zijn manieren om de doden te bereiken, maar je moet jezelf en alles om je heen beschermen,' luidde haar antwoord.

'En hoe pak ik dat aan, juffrouw Perviss?'

'Noem me om te beginnen Madeline. Ik ben je gids. Ik heb nu niet veel tijd, maar ik kom wanneer je me oproept. Ik zal je de rituelen leren, en hoe je dit huis moet ontdoen van alles wat het kwaad doet. Er is een juiste en er is een verkeerde manier om dat aan te pakken, en ik zal je schrijven en vertellen wat de juiste manieren zijn. Begrijp je wat ik zeg?'

Ze knikte gehoorzaam. Die macht hier tegenover haar liet zich niet tegenspreken. 'Het klinkt een beetje als een nieuw recept, hè?'

Madeline glimlachte en haar donkere gezicht veranderde in een stralende zon.

'Nu laat je zien dat je het begrijpt. Ja, precies: zoals een nieuw recept; je hebt ingrediënten nodig en werktuigen en een scherp oog voor de details. En dat heb je in overvloed.'

'Mag ik het allemaal stap voor stap opschrijven? Ik kan goed schrijven.' Er borrelden een heleboel vragen in haar op, net jam die aan de kook was. Ze zou zich zekerder voelen als alles op papier stond.

'Ik zal je schrijven en al je vragen beantwoorden, maar wees voorzichtig met je recepten. Ze zouden wel eens verkeerd kunnen worden uitgelegd. Er heerst veel angst voor de oude gewoonten en rituelen en voor het spreken met de doden,' voegde Madeline eraan toe terwijl ze huiverend haar mantel vaster om zich heen sloeg, want de wind rammelde aan het venster en huilde alsof hij protesteerde.

'Is dat wat ik moet doen: met de doden praten?'

'Als de omstandigheden zich voordoen, zul je de kracht vinden om de dolende ziel tot luisteren te manen,' antwoordde ze. 'Je moet hun de hand reiken en de weg wijzen naar rust en vrede; je moet vermoeide zielen rustgevende dromen bezorgen, de angst voor hun eenzame graf wegnemen. Ik kan je leren wat ik weet en jij moet het doorgeven. Anders is deze lange omweg naar het noorden tevergeefs geweest.'

Madeline sprak zo gezaghebbend dat Susannahs hart als een wilde tekeerging toen ze dacht aan de enorme verantwoordelijkheid. Wees voorzichtig met wat je wenst, peinsde ze; je zou het wel eens kunnen krijgen.

Ze was op zoek geweest naar kennis, maar had nooit gedacht dat die in deze vorm tot haar zou komen, en ze was bang. 'Ik begrijp niet waarom je bent gekomen.'

'Dat geloof ik... Maar dat komt wel, dat beloof ik je. Het leven is maar een reis, een cirkel van meisje via moeder naar oude vrouw, van kind weer terug naar kind vol wijsheid. De cyclus van elk leven draait als een wiel dat voortrolt naar het licht.' Madeline stond op om de Turner van dichtbij te bekijken.

'Zie je, deze man tekent al met de ogen van een kind. Hij mist niets, maar voegt veel toe,' zei ze glimlachend terwijl ze weer ging zitten.

'Jij en ik en anderen zoals wij hebben de verantwoordelijkheid om licht te brengen in de duisternis, zodat het licht wordt voortgeplant via onze kinderen en kindskinderen... Kijk niet zo zorgelijk. Natuurlijk vereist dat geduld, oefening en vastberadenheid. Je hebt alle drie in overvloed. Kom, schenk de theepot nog eens vol en pook het vuur op, dan kunnen we aan de eerste les beginnen.'

22

VANAF DE OVERLOOP

Hier moet ik mijn fantasie laten rusten, want ik verzin dit verhaal terwijl ik het vertel. Susannahs studies zijn niet voor openbaar gebruik. Ze heeft dit huis op haar eigen manier gediend, zoals alle echtgenotes van de boeren hier hebben gedaan.

Ik hou er niet van me te bemoeien met dingen die ik niet begrijp. Haar verdriet ken ik maar al te goed, en dat laat je de rest van je leven nooit met rust, maar wat leven na de dood aangaat en praten met de overledenen... Dat is niks voor mij. Als je dood bent, ben je dood, zeg ik altijd maar. Als het om religieuze zaken gaat ben ik meer Moeder Aarde dan God de Vader. Ik heb me nooit veel aan de Kerk gelegen laten liggen, maar heb me wel altijd aan de christelijke feestdagen gehouden, behalve de laatste tijd dan. De spiritualiteit hier in de heuvels en in de vriendelijkheid van de buren de afgelopen maanden is voldoende voor me. We zijn bedolven onder medeleven en brieven en aanbiedingen voor hulp, maar ik heb geen moment verwacht dat er een zwerm engelen zou neerdalen om ons uit de brand te helpen. Je staat er in deze wereld alleen voor, denk ik, maar ik vermoed dat sommige mensen nauwer verbonden zijn met de krachten van goed en kwaad dan anderen.

Mijn echtgenoot, Tom, is nooit gezegend geweest met helderziendheid, maar Sylvia wel. Ze liep altijd van alles te roepen. Zij was degene die me heeft voorgesteld aan de oude Hester, de lavendeldame. Kinderen zien dingen die wij niet kunnen zien. Hun ogen zijn geopend, ze kijken fris en onbevooroordeeld de wereld in. Ik ben me ervan bewust dat ik het nog niet eerder over Sylvia heb gehad. Zij is niet bedoeld voor de openbaarheid.

Ik kan alleen maar gissen naar wat Josiah van het hocus-pocusgedoe van zijn vrouw vond. Liefde maakt blind, zeker wanneer die wanhopig vasthoudt aan het ideaalbeeld. Hij gaf toe aan haar grillen en ideeën, zolang ze die binnenshuis hield, binnen de familie, en ze niet werden blootgesteld aan openbare kritiek. Haar ongelovigheid moet hem heel verdrietig hebben gemaakt en een bedreiging hebben gevormd voor zijn eigen rotsvaste geloof. Hij moet het gevoel hebben gehad dat hij tekortschoot omdat zijn kerkelijke rituelen niet genoeg voor haar waren.

Ik denk dat zijn geduld zo af en toe wel eens opraakte, en dan sleepte hij haar mee naar sociale gelegenheden en bijeenkomsten, alleen maar om te bewijzen dat zijn echtgenote een trouw en degelijk aanhanger van de leer was. De schijn ophouden was belangrijk; dat is het nog steeds, maar er is tegenwoordig minder sprake van hypocrisie. Susannah was degene die haar kerkkleren na elk uitstapje met een zucht van verlichting weghing.

Ik heb met Susannah te doen vanwege haar eenzaamheid en haar verdriet. Adeline, mijn schoonmoeder, had geen goed woord voor haar over. Zij vond haar een kwade kracht in huis, maar dat is niet eerlijk. We vinden allemaal hindernissen op onze levensweg. Sommigen vliegen daar als echte kampioenen overheen, maar anderen worden opgehouden door elke nieuwe uitdaging, klauteren zo goed en zo kwaad als ze kunnen over de enorme rotsblokken op hun pad en geven het halverwege uitgeput op. Addy was zelf absoluut geen heilige, maar ze was wel uit het hout gesneden waarvan kampioenen worden gemaakt.

Ik zit naar een groot vloerkleed te kijken dat ze heeft gemaakt van lompen en restjes stof. Dat ligt hier al op deze plek zo lang ik hier in huis ben en het gaat mee als ik wegga. Ik moet altijd aan haar denken en glimlachen als ik haar werk zie. Het is in al zijn bontheid zo weinig op zijn plaats.

Zij was wat ze noemen spijkerhard en nogal zuur, maar ze was best aardig tegen mij, ook al vond ze me maar onberekenbaar en niet echt een geschikte vrouw voor haar zoon. Zij was het neusje van de zalm en ik kon niet aan haar tippen.

Ze heeft me ooit eens verteld over haar grote moment in de zomer van 1927, toen de hele wereld naar Wintersett kwam voor de totale zonsverduistering. Dat was in alle opzichten het grootste spektakel van de wereld.

23

DE DAG DAT DE ZON OPHIELD TE SCHIJNEN

Zonsverduistering
29 juni 1927

De gezinshoofden wordt erop gewezen dat Wintersett precies in de zichtlijn ligt van de plek die de Koninklijke Sterrenkundige heeft gekozen voor zijn observatorium. Om de observatie zo goed mogelijk te kunnen uitvoeren is het van belang dat de atmosfeer zo helder mogelijk is. Men heeft vastgesteld dat belemmering van het zicht onder meer wordt veroorzaakt door rook, vooral tijdens het aansteken en aanwakkeren van de vuren, die vervliegt als de vuren uitgebrand zijn.
Gezinshoofden wordt vriendelijk verzocht zich op de ochtend van de zonsverduistering tussen 5.30 en 6.30 uur te onthouden van het aansteken of aanwakkeren van vuur, zodat de atmosfeer in de periode dat de waarnemingen worden gedaan zo helder mogelijk is.

T.E. Pearson
Klerk van de Districtsraad, 24 juni 1927.

Adeline smeet het pamflet op tafel. 'Als ik nu nog één woord hoor over die verdraaide verduistering...' riep ze naar haar echtgenoot Bill, die bij de achterdeur zijn laarzen stond uit te schoppen, en ze gooide zijn mok thee om over het schone tafelkleed. 'Kijk nou toch wat ervan komt,' mopperde ze. 'Wat een hoop gedoe om niks. Je zou denken dat het het einde van de wereld was!'

'Ja, kind,' zei haar schoonvader, Jose Yewell. 'Wie weet wat Onze-Lieve-Heer, die rond het middaguur Zijn sterren aan de hemel laat staan en de zon laat ondergaan, in al Zijn goedheid voor ons in petto heeft. Het staat allemaal in het Boek der Boeken. Ik ga naar het hoogste punt om voor mijn schepper te staan. Dan ben ik dichter bij de hemel, mocht ik in glorie opgenomen worden, en jij zou hetzelfde moeten doen.'

Joseph Yewell was een predikant van de oude stempel: vreselijk praatziek, doortrokken van de bijbel, pas tevreden dat hij zijn plicht tegenover God had gedaan wanneer hij de gemeente tot groot enthousiasme had gebracht en Adelines zondagse braadstuk was verdroogd omdat zijn preken zo lang duurden.

'Nou, nou, zulk gepraat wil ik niet horen waar de kinderen bij zijn,' zei ze toen ze zag dat haar jongste zoon met ogen op steeltjes stond te luisteren. 'Ik heb het al druk genoeg met het ontbijt voor al die mensen die in drommen de heuvel op komen om een goed uitzicht te hebben.'

Ze wist dat Bill hun naam had opgegeven bij het Verduisteringscomité, om, wanneer de wereld naar Wintersett kwam, te zorgen voor parkeergelegenheid op hun akkers, een warm ontbijt en onderdak voor de nacht. Al dat werk zou wat extra geld in het laatje brengen, dat in de herfst goed van pas zou komen als de jongens kleren moesten hebben voor de winter: klompen, schoenen, schooluniformen. Er waren grenzen aan wat er van het huishoudgeld kon worden gekocht, maar ze zou doen wat ze kon en de inkomsten opstrijken. Dat was waar het allemaal om draaide bij de zonsverduistering.

Ze hadden zeven slaapkamers en de jongens konden bij elkaar kruipen, opa Jose kon wel een nachtje op de zolder van de stal slapen en zij zouden in de zitkamer op een kermisbed slapen. Ze zou tien shilling rekenen voor een overnachting in haar mooiste slaapkamers plus ontbijt.

Het parkeren zou het pakkie-an van Bill en de oudste jongens worden, maar hij liep nu al te zeuren over hoe nat de lente was geweest en hoe slecht de zomer tot dusver, en hij wilde niet dat zijn akkers werden omgeploegd door banden of dat voertuigen zijn lammeren bang maakten. Zij stelde voor hun grond open te stellen voor kampeerders, tenten en fietsers, en minstens een shilling per persoon te vragen. Het was maar voor één nacht.

'Je bent een harde vrouw,' glimlachte Bill terwijl hij met voldoening van zijn thee dronk.

'Iemand hier in huis moet hard zijn,' wierp ze tegen. 'Jij bent zo zacht als boter en zit met je kop in een melkemmer, en opa leeft in een andere wereld. Die zit dag en nacht op zijn knieën te wachten tot hij tot de Heer wordt geroepen. Als duizenden sukkels naar boven willen klauteren om goed uitzicht te hebben, laat ze er dan ook maar voor betalen, zeg ik maar.'

'Dat is nauwelijks christelijk te noemen, lieve Addy,' probeerde hij haar met die twinkelende blauwe ogen van hem te plagen, maar ze liet zich niet van de wijs brengen.

'Het leven heeft me geleerd dat je in deze wereld niets voor niets krijgt. Mijn Wilf is gevallen voor koning en vaderland en heeft me laten zitten met drie kinderen die te eten moesten hebben en kleren nodig hadden. Toen zijn we allemaal bijna ten onder gegaan aan de griep. Je moet je kansen grijpen, dat weet jij net zo goed, en zoiets als dit, hier midden in de vallei, komt in ons leven geen tweede keer voor. Zo gauw de schaduw voorbijtrekt, pook ik het vuur op en maak honderd keer ontbijt als het moet. Denk eens aan het geld.'

'Er is meer op de wereld dan geld, Addy,' zei opa Jose.

'Ik heet Adeline, zoals je heel goed weet, maar geld stinkt niet en het zorgt voor ons eten en onze kleren. We leven van ons verstand en van het land. Het land kan ons dit jaar een extraatje opleveren, dat is alles,' antwoordde ze, en ze snoof bij de gedachte aan alles wat zij en Elsie, haar inwonende dienstmeid, aan voorbereidingen hadden te treffen voor de hordes uit de stad zouden komen. 'Ik heb het er niet zo op dat die stadse lui overal gaan en staan waar ze maar willen, muren kapotmaken en overal hun rommel achterlaten, stelen en de beesten bang maken. Ik blijf ze wel uit de weg.'

'En zij zullen jou ook niet graag in het holst van de nacht tegenkomen als je in zo'n slecht humeur bent. We moeten in plaats van een bord met PAS OP VOOR DE STIER een bord met PAS OP VOOR DE BOERIN neerzetten,' lachte Bill, maar zij kon er niet om lachen.

Adeline was in tweeërlei opzicht een Yewell: door haar afkomst, want zij was de kleindochter van de oude Josiah en Susannah, en door haar huwelijk met haar achterneef, William, die haar als huishoudster in huis had genomen toen ze in de Eerste Wereldoorlog weduwe was geworden. Zijn moeder ging achteruit en had hulp nodig. Wilfrid Cowgill, haar echtgenoot, was beroepssoldaat in het regiment van de graaf van Wellington en Adeline had geen huis om naar terug te keren met Albert, Herbert en Gilbert, 'de drie Bertjes', toen hij tijdens de Slag om de Somme sneuvelde in het bos van Martinsart.

De moeder van Bill overleefde de griep niet en Bill trouwde met haar; ze vermoedde omdat het huis een vrouwenhand nodig had. Ze was klein, mager en niet knap, maar ze was niet vies van werken. Ze baarde hem negen maanden na hun trouwen een zoon. Het was geen huwelijk uit liefde, maar het kwam hun goed uit en ze kwamen allebei uit een familie van hardwerkende boeren en pretentieloze kerkgangers.

Het was een huis vol mannen, met opa Jose, haar zoons, knechten en overhemden die gestreken moesten worden. Tom, hun zoon, had een dubbele dosis Yewell-koppigheid meegekregen, maar ook een verrassend knap uiterlijk, en hij was de mooie jongen van de vallei, de stralende prins met gouden lokken en staalblauwe ogen die werden omlijst door lange, vrouwelijke wimpers. Ze noemden hem 'Zonnestraaltje', tot hij uitgroeide tot een vervelende, kleine dondersteen, de schrik van de zondagsschool, en hij zijn uiterste best deed niet onder te doen voor zijn stiefbroers. Hij werd Gils broeder in het kwaad zodra hij hem kon bijhouden.

Niet dat ze geloofde in verwennerij of voortrekkerij, maar Tom wist hoe hij op haar gemoed moest werken. Ze was niet iemand die zich optutte om haar man te behagen. Ze droeg het liefst donkere kleuren en had kortgeknipt haar. Dat was makkelijker in toom te houden, al klaagde Bill wel dat ze eruitzag als een jongen.

Ze kookte eenvoudige maaltijden, zonder 'toeters en bellen'. Ze maakte pastei met konijn en puddingen die aan de ribben plakten, eten dat stond in de maag en de honger op afstand hield tot de volgende maaltijd. Op een drukke boerderij was geen tijd voor ingewikkeld bakwerk en opschepperij, zei ze, dus het menu van de dag werd met militaire precisie bepaald: braadstuk, koud vlees, gehakt, pastei, kliekjes, stoofpot. Wie had er nou een kalender nodig als je aan haar maaltijd kon zien welke dag van de week het was?

Terwijl ze bezig was met haar ochtendkarweitjes liep haar hoofd om van de lijsten en opdrachten in verband met de komende invasie. Deze keuken was haar wereld en zij regeerde er als een sergeant-majoor. Soms hoorde ze haar eigen bevelen en dan vroeg ze zich af waar haar bruuske manier van doen vandaan kwam. Ze had het gevoel dat dat kwam doordat ze al op jonge leeftijd voor zichzelf had moeten zorgen en door het schuldgevoel omdat ze er niet was geweest toen haar ouders stierven.

Zij waren boeren verderop in de vallei en hadden een koe geslacht voor eigen gebruik, en toen andere koeien dood neervielen en er werd ontdekt dat miltvuur de oorzaak was, was het voor hen al te laat om nog te kunnen overleven. Ze woonde bij een tante in Settle en mocht geen contact meer hebben. Ze zou hen nooit meer zien of afscheid van hen kunnen nemen, en ze was te jong om de redenen te kunnen begrijpen en dacht dat ze werd gestraft.

De boerderij werd dichtgetimmerd en het land was waardeloos geworden. Er zou bij haar leven nooit meer op geboerd worden. Ze was het onderwerp van nieuwsgierigheid en medelijden. Wie wilde een kind van slachtoffers van miltvuur op zijn land?

Wilf nam bij de eerste oproep dienst. Voor Kerstmis zou alles voorbij zijn, zei hij. Hij wilde iets van de wereld zien, maar hij kreeg slechts spaarzaam verlof en elke keer was het resultaat dat zij met een baby aan haar borst zat, en toen een nieuw verlies dat ze onder ogen moest zien. Ze was ziek van verdriet. Ze wilde nooit meer iemand die haar zo na stond, maar Bill was familie en dat was veilig; hij was vriendelijk en druk met zijn eigen oorlogsinspanning. Hij had medelijden met haar en ze gaf zich gewillig aan hem over. Hij was jong en onervaren op het gebied van de liefde, en zij spijkerde hem op dat gebied bij.

Het was prettig om omhelsd en gestreeld te worden, maar dat andere vond ze een beetje overschat. Na Tom wilde ze geen kinderen meer. Ze bewaarde een douche onder haar bed en dat leek uitstekend te werken zolang ze 'haar plicht doen', zoals zij het noemde, rantsoeneerde. Als Bill al teleurgesteld was, zei hij daar weinig van, omdat hij respect had voor zijn vrouw, en ze besefte dat ze het buitengewoon getroffen had met zo'n echtgenoot.

Ze leefde al haar dankbaarheid uit in de efficiënte manier waarop ze de melkschuur, het boter maken en het hele huishouden regelde. Laat niemand zeggen dat Adeline Yewell haar plicht verzaakte, stof liet liggen of een luie moeder was die haar zoons in grauwe in plaats van witte overhemden liet rondlopen, of waar schraalhans keukenmeester was. En nu zou ze ervoor zorgen dat het geldkistje op de schoorsteenmantel tegen het einde van de zonsverduistering vol zat. Zij zou die zonnedans geen blik waardig keuren.

Tom was vreselijk opgewonden. Ze hadden het op de dorpsschool over de zon en een bezoeker had een toverlantaarn en plaatjes meegebracht. Toen gingen de gordijnen dicht en liet hij zien hoe de maan voor de zon schoof en hoe het licht drieëntwintig seconden lang zou worden verduisterd. Het zou heel erg donker worden, maar hij hoefde niet bang te zijn dat het licht vernietigd werd, zoals Gil beweerde. Gilberts klas maakte een werkstuk en hij wist er alles van. Hij ging maar door over 'de Totale' en daarom wilde iedereen het allemaal bij zijn huis komen bekijken.

Heel belangrijke mensen zetten hun telescopen neer bij Giggleswick, beneden in de vallei, en de prins van Wales zou komen kijken als hij tijd had. Opa Jose zei dat ze allemaal elke avond moesten bidden om helder zicht, voor een wolkeloze hemel, anders zou niemand iets zien.

Pap had het druk en mam rende heen en weer met een roodaangelopen gezicht en riep tegen Elsie dat ze dit op moest ruimen, dat aan de kant moest zetten en alles moest schoonmaken. Ze keek de hele tijd vreselijk boos.

Gil was van plan auto's te gaan spotten, want er zouden duizenden auto's en motorfietsen hun kant uit komen. Hij kon zich niet voorstellen dat er zoveel auto's op de wereld waren. In Wintersett hadden alleen de jonkheer en de dokter een auto.

Toen de eerste auto's met knarsende versnelling de heuvel op kwamen, zaten ze op een hek dat de weg afsloot voor de lammetjes op de hei. Gil was degene die het hek opendeed voor de chauffeur, die een stofbril en leren helm droeg. Tom zwaaide naar hen en de dames glimlachten. Toen stak de man Gil een penny toe om het hek ook weer zorgvuldig achter hen dicht te doen en ze ruzieden erover hoe ze die zouden besteden.

Er waren drie hekken op strategische punten in de weg vanuit het dorp over hun stuk hei. Als ze er op twee gingen zitten en Herbert ook zou helpen, zouden ze een overvloed aan penny's binnenhalen.

Wat begon als een spelletje werd al snel een doodserieuze onderneming om ervoor te zorgen dat elk hek dichtbleef, geopend werd en na elk voertuig weer netjes werd gesloten, waarna er een beloning werd verwacht. De fietsers hadden er geen problemen mee de hekken zelf open en dicht te doen, en knikten vriendelijk, maar gaven niks. Motorrijders en motoren met zijspan waren al niet veel beter, maar de grote, statige auto's leverden het meest op. Tom had nog nooit zoveel geld gehad: een zak vol halve en hele penny's, munten van drie penny en zelfs een paar zilveren munten van sixpence die ze kregen toegeworpen door dames die zijn stomme krullen streelden.

Dinsdag tegen de avond kwam er een niet-aflatende stroom auto's de heuvel op die de nacht op de heuvel wilden doorbrengen om daar te wachten op de zonsverduistering van halfzes. Gil kwam tot de conclusie dat ze 's nachts het meeste geld konden verdienen door automobilisten en motorrijders met lantaarns de weg te wijzen naar de parkeerterreinen.

'Het is ons geheim,' fluisterde Gil. 'We gaan gewoon naar bed en dan sluipen we later naar buiten. Voor middernacht wordt het toch niet donker. En je houdt je mond, hoor!'

Tom was nog nooit om middernacht op geweest. Hij was een beetje bang in het donker, maar met Gil naast zich zou hij doen wat hem werd gezegd, en volhouden. Iedereen wist dat er flink gefeest zou worden in de vallei: bals ter ere van de verduistering, filmvoorstellingen, cafés zouden de hele nacht open zijn, middernachtelijke partijtjes. De krant stond vol van de dingen die stonden te gebeuren en opa Jose las het allemaal met een treurig gezicht voor. 'Dit is niet de manier om je voor te bereiden op de wederkomst van de Heer: in dronkenschap en dansend. Ze zouden in gebed moeten knielen en de Heer moeten vragen om genade voor de zondaren en Hem smeken zijn woede in te tomen. Er wordt veel van ons verwacht, jongens,' vermaande hij.

Tom was zo opgewonden dat hij klaarwakker op zolder lag en door het raam naar buiten keek terwijl bij de voordeur de bezoekers arriveerden die in de mooie kamers aan de voorkant van het huis zouden overnachten. Zijn moeder had haar mooiste schort voor en merkte geen moment dat zij met z'n tweeën vanuit hun uitkijkpost alles gadesloegen. De gedachte dat vreemden 's nachts zijn po onder het bed zouden gebruiken stond hem niet aan, maar mam had hem een draai om zijn oren gegeven en gezegd dat hij zijn brutale mond moest houden.

Waar moesten ze al hun geld verstoppen? Hij probeerde zich de snoepwinkel in het dorp voor te stellen met een schap vol stopflessen: veelkleurige zuurtjes, droptongen en gemengde tumtum, zoete brokken en chocola. In gedachten gaf hij zijn geld wel tien keer uit. Voor het eerst in zijn leven zou hij rijker zijn dan hij ooit had durven dromen.

Hij viel eindelijk in slaap en droomde van auto's die door de lucht dansten en munten die als regen naar beneden kwamen. Gil maakte hem plotseling wakker en riep in zijn oor: 'D'r uit! Hoogste tijd om aan de slag te gaan... het raam door.'

Uit het zolderraam klimmen was geen bezigheid voor bangeriken. Gil had de oude truc met de aan elkaar geknoopte lakens zo goed mogelijk uitgevoerd, maar de lakens kwamen niet helemaal tot aan de grond. Hij liet zich het laatste stuk gewoon vallen, rolde in het gras en gebaarde naar Tom dat hij moest volgen. Hij was doodsbang in het donker, maar deed zijn best om dapper te zijn en klom achterstevoren naar beneden met zijn voeten tegen de muur, tot hij aan het einde van de lakens kwam en moest loslaten. Hij werd verrast door de sprong, viel opzij en stootte zijn elleboog. De tranen stonden hem in de ogen, maar Gil trok hem ruw overeind en hij vertrok zijn gezicht van pijn.

'Schiet op, slome... Kom mee,' fluisterde Gil, en Tom spande zich tot het uiterste in om niet in huilen uit te barsten terwijl ze naar de schuur liepen om de lantaarns te pakken. Gil wist hoe hij ze moest aansteken.

'Ik kan er nu niet een dragen – m'n arm,' zei hij, en hij wees naar zijn elleboog. Gil rukte de lantaarn uit zijn handen.

'Geef hier en ga naar het hek,' klonk het commando, en hij hobbelde verder terwijl hij Gil voortdurend in de gaten hield. Verderop in het veld hoorde hij de schapen blaten vanwege het lawaai van harmonica's en grammofoons dat door de nacht klonk. Er leken wel honderden vuren te twinkelen op de hellingen, kampvuren en flakkerende stormlantaarns. Het leek wel of er een leger was neergestreken op de heuvels dat zich opmaakte voor een of andere grote slag. Zijn vader zou woedend worden vanwege alle rommel.

Hij kon een slang van licht zien die zich slingerend een weg zocht over de weg langs de rivier in het dal: auto's die langzaam noordwaarts kropen om het grootse schouwspel bij te wonen. Deed zijn arm maar niet zo'n pijn, maar Gil bleef hem opjagen in de richting van zijn hek.

'Ik kan het hek niet opendoen, Gil. Mijn arm doet pijn,' zei hij.

'Doe niet zo slap.'

'Dat doe ik niet! Kijk dan zelf! Hij steekt heel raar uit,' snauwde hij, en hij slikte zijn snot weg.

'Dan zullen we het samen moeten doen. Maar je krijgt mijn deel van het geld niet.' Gil keek naar zijn arm. 'Dit was mijn idee.'

'Het is niet *míjn* schuld dat ik niks kan met mijn arm. Waarom zijn we niet gewoon de trap af gelopen?' Tom probeerde zich groot te houden, maar de pijn was nu bijna ondraaglijk.

Gil besteedde geen aandacht aan zijn protest en deed wat hij kon, maar de inkomsten vielen tegen met maar één hek dat ze konden openen, tot hij de andere twee openzette en tegen de chauffeurs zei dat hij ze alle drie had geopend.

Tom had het gevoel dat hij de boel in de steek liet, maar zelfs Gil begreep dat er iets niet klopte.

'Hij steekt heel raar uit. Je kunt maar beter naar huis gaan,' riep hij. Maar ze wisten allebei dat hij als ze hem erop betrapten dat hij niet in bed lag, een flink pak slaag zou krijgen omdat hij in het donker rondscharrelde en geld aannam van vreemden. Het was beter om bij Gil te blijven tot het licht werd en dan net te doen alsof ze vroeg waren opgestaan. Hij was zo moe; hij wilde niets liever dan ergens in een hoekje kruipen en slapen, als hij tenminste kans zag op een comfortabele manier te gaan liggen.

Het was een mooie, zwoele zomernacht en de opwinding steeg toen de dageraad aanbrak boven de vallei. Het beloofde een heldere dag te worden met goed zicht. Tom lag in het gras tegen de muur en liet de achterblijvers aan Gil over; zijn oogleden werden zwaar en al snel lag hij te dromen van een prachtige zonsverduistering.

Jose Yewell zat hoog op de heuvel en verbaasde zich over de massa mensen die zich nu op de hellingen hadden verzameld, en hij dacht aan de Bergrede. Hij had uit de eerste hand vernomen dat alleen een wonder voor een heldere hemel kon zorgen, want hij was de avond ervoor bij de gebedsdienst geweest, waar hij over de eerwaarde Charles Tweedale, vicaris van Weston, had gehoord, die zich had verbonden aan het gezelschap van de Koninklijke Sterrenkundige bij het observatorium in Giggleswick met de bedoeling ervoor te zorgen dat er een onbelemmerd zicht was op de zonnecorona.

Hij had laten weten dat alle christenen moesten knielen en bidden om het wegtrekken van de wolken te bewerkstelligen, want hij had in een droom gezien hoe een grote, donkere wolk het zicht zou belemmeren als er niet werd ingegrepen. Jose kwam tot de conclusie dat hij op z'n minst de wacht kon houden aan de andere kant van de heuvel om eventuele noodsituaties het hoofd te bieden. Het was maar beter als de anglicaanse en protestantse Kerk samenwerkten voor ieders bestwil. Hij had geprobeerd Bill erbij te betrekken, maar die had het te druk met het kalmeren van zijn rusteloze koeien. Het gerucht ging dat dieren wild konden worden bij de eerste tekenen van schaduwen en duisternis.

Addy vragen had geen enkele zin. Die zat tot haar ellebogen in het bakmeel om zachte broodjes te bakken zolang de haard nog warm was. Ze was zo hard als een bikkel aan de buitenkant, maar hij wist dat ze een goed hart had. Het was jammer van Jack en Nance, en een vreselijke ramp wat hun was overkomen. Het had hun dochter getekend en hij snapte niet waarom Bill zich tot haar aangetrokken voelde, maar ze runde de boerderij volgens het boekje. Hij had helemaal niets op haar aan te merken, maar ze mocht zich wel eens een beetje ontspannen. Hij zag haar nooit eens zitten en een beetje dagdromen; ze was altijd bezig. Er verscheen nooit een lachje op haar gezicht en hij had het gevoel dat een beetje vrolijkheid haar goed zou doen, barsten zou veroorzaken in dat stijve masker, dat er daardoor bijna knap uit zou zien. Maar hij moest niet over anderen oordelen. Ze had een zwaar leven en veel verdriet gehad, dacht hij, en hij wilde maar dat ze ergens een beetje vreugde voor zichzelf vond.

Hij keek aandachtig naar de hemel. Het was nu halfzes en al licht, maar in de verte zag hij bewolking die hun uitzicht zou kunnen belemmeren. Al spoedig speelden de wolken en de zon verstoppertje. Zijn vestzakhorloge vertelde hem dat het tien minuten over zes was en een dikke, zwarte wolk schoof steeds verder in de richting van de zon. Het stond op het punt te beginnen en de menigte op de heuvels stond klaar met hun brillen en beroete glasplaten. Iedereen probeerde uit alle macht de wolken zijn wil op te leggen, zodat ze uiteen zouden gaan. Dit was voor hem het moment om op zijn knieën te vallen en zijn armen uit te strekken, ongeacht de nieuwsgierige blikken van de omstanders. Terwijl de wolk onheilspellend verder trok, was dit het moment om de Heer te loven.

'O, Heer van hemel en aarde, richt Uw blik op de wonderen van het uitspansel... Stuur die wolk alstublieft een klein beetje lager,' smeekte hij. Een eenzame stem in de verwachtingsvolle stilte en spanning, want plotseling waren er alleen de zon en de maan die er door een venster in de hemel naartoe kroop.

'Kom, Addy, laat dat allemaal maar even en kom naar het wonder kijken,' riep Bill vanuit de deuropening naar zijn vrouw. 'Kom naar de zonsverduistering kijken.'

'Laat me met rust, Bill, ik heb het veel te druk,' zei ze kortaf, maar hij liep op haar af en pakte haar ruw bij de arm.

'Je doet nu eindelijk eens een keer wat je gezegd wordt. Er is meer in het leven dan pannenkoeken en gebakken spek. De pap blijft wel even goed. Toon eens een beetje leven, vrouw...' Hij trok haar mee het erf op en de hoek om naar de oostkant van het huis, dat uitkeek op de bergen, waar de mensen in de dieper wordende duisternis als mieren rondkropen.

Toon eens een beetje leven – het mocht wat, dacht ze, terwijl ze naar de uiteengevallen wolk keek en zag hoe de schaduw over de zon kroop. Plotseling werd het kouder en de duisternis viel snel in. En de stilte was zenuwslopend. Ze was blij dat Bill naast haar stond. Er viel een diepe stilte in de menigte. Een stilte die te snijden was, zo volkomen en krachtig. Toen kwam de voortsnellende schaduw over de rotsen alsof de vleugels van een zwarte engel de aarde beroerden, een spookachtige schaduw des doods die als een gordijn over hun hoofden trok.

Ze zag hoe de zwarte maan het zonlicht verslond. Bill hield het beroete glas voor haar gezicht en ze keek even naar de corona van vuur en boog haar hoofd.

Alle zangvogels zwegen en de kilte deed haar huiveren, want ze had het gevoel dat de hele wereld weggevaagd was en een ogenblik raakte ze vreselijk in paniek. Hoevelen van haar voorouders hadden in doodsangst naar die geheimzinnige gebeurtenis gekeken die zich voor hun ogen voltrok? De plotselinge duisternis moest hen hebben vervuld van angst en afschuw.

Ze dacht aan haar vader en moeder, aan Wilf en de vreselijke oorlog. Al dat verdriet, al dat lijden – en waarvoor? Ze werd overmand door treurnis en verdriet, en tranen welden op in haar ogen. Het zat daar allemaal in die donkere schaduw die leven en warmte en geluk wegvaagde, alle schaduwen van haar leven bij elkaar. Maar zelfs deze schaduw kon de stralen en het vuur van de zon niet uitwissen. Het was een illusie, voortgekomen uit de tijd en omstandigheden, een hersenschim. De zon was ondanks alles vol brandend leven, de kroon van vuur zou weten te overwinnen. Elke van deze drieëntwintig seconden leek wel een eeuwigheid van lijden dat werd verbrand, verslonden in de hitte van het leven.

Zou de zon hen ooit weer in haar heldere licht zetten? Stel nou dat opa Jose gelijk had en dit het einde van de wereld was? Was zij er klaar voor om voor haar schepper te verschijnen, deze trieste, jonge vrouw die oud en verschrompeld was voor haar tijd? Het liefst van al wilde ze dat het voorbij was, dat kleur en leven zouden terugkeren en de warmte weer in haar hart kon vloeien, zoals vroeger toen ze nog klein was, een eeuwigheid geleden. Ze keerde zich naar Bill om met nieuwe ogen naar hem te kijken: haar echtgenoot, haar jongens, haar huis, haar leven. Dit was wat er nu toe deed, niet de levens uit het verleden.

Plotseling was het voorbij en verdween de schaduw. 'De Totale' was voorbij en het werd weer licht. De wolken kwamen aangestormd en trokken een gordijn voor de zon. Er viel niets meer te zien.

Er steeg een enorm gejuich op – een mengeling van opluchting en opwinding – toen het donkere moment voorbij was en nieuw leven was geboren. De hei weerklonk van het geluid van voertuigen en gebulder van motoren die werden gestart. Het leven zou al snel zijn gewone loop hernemen, maar Addy stond als aan de grond genageld door datgene waar ze net getuige van was geweest: iets zo onverwachts, zo persoonlijks, verlichtends. Het voelde alsof het een boodschap was die alleen voor haar bestemd was. Het was alsof de schellen haar van de ogen vielen en of ze alles in een nieuw licht zag.

Het groen op de velden was helder en intens, de grijze muren stonden scherp afgetekend, het windje dat haar wangen streelde voelde fris aan. Ze zag de roze rozen die tegen de muur bloeiden en hun geur bereikte haar neus. Ze keek naar de voorkant van het huis, alsof ze zich voor het eerst bewust werd van zijn grandeur. Dit is mijn thuis, mijn familie. Bill stond daar in zijn werkkleren, ruikend naar het boerenerf, en krabde op zijn hoofd vanwege het schouwspel dat hij zojuist had gezien.

Ze zag Jose zwaaiend met zijn armen van de berg af strompelen, ongetwijfeld vol van de gedachte dat zijn gebeden de hemel hadden opengebroken. Herb en Albert wandelden te midden van de menigte en keken geïnteresseerd naar de meisjes. Maar door het hek kwam Gil, die een hartverscheurend huilende Tom met zich meesleepte.

'Mam, mam!' riep Gil. 'Tom heeft zijn arm pijn gedaan.' Ze rende naar hen toe om haar kind te troosten. 'Wat is er gebeurd, grote knul?' zei ze, maar één blik op zijn elleboog was genoeg om haar te vertellen dat ze naar dokter Murray zouden moeten om de arm in het gips te laten zetten.

'Heb je het gezien?' vroeg Gil terwijl hij verwachtingsvol naar haar opkeek.

'Natuurlijk,' glimlachte ze. 'Het was zo geweldig dat je er tranen van in je ogen kreeg. Zoiets zet je aan het denken.' Tom begon weer met grote uithalen te jammeren.

'Doet het zo'n pijn?' vroeg ze.

'Ik heb het niet gezien,' snikte hij. 'Ik heb het allemaal gemist. Ik was in slaap gevallen en hij heeft me niet wakker gemaakt.' Ze nam hem in haar armen om hem te troosten en deed haar best zijn pijnlijke arm niet aan te raken. 'Je bent nog jong genoeg om het nog eens mee te maken,' was het enige wat ze kon zeggen. Ze had het zelf ook bijna gemist en dat zou heel jammer zijn geweest, peinsde ze. Zij zou geen tweede kans krijgen in haar leven.

Wat opa Jose betrof waren er die ochtend in juni twee wonderen gebeurd. Het eerste was makkelijk: het opentrekken van het wolkendek, zodat zij als enige in het hele land goed zicht kregen op de totale zonsverduistering, maar het tweede was moeilijker te definiëren. Het was alsof de eclips een grote verandering in hun huishouden en in Addy teweeg had gebracht die hij niet kon begrijpen.

Niet dat ze vaker een glimlach toonde of meer zorg besteedde aan wat ze aantrok, maar het was net alsof ze een tekening was die wat was opgefleurd met een beetje waterverf. Haar breipatronen werden vrolijker en haar schorten kregen een beetje rood en blauw en kleurigheid.

Ze sausde de muren van de zitkamer in warme aardetinten. Bloemen vonden hun weg naar vazen en in de winter haakte ze, samen met Tom en Gil en Bill, een groot kleed voor in de hall, waarvoor ze oude kleren van zolder gebruikten. Het ontwerp was een grote zon met een maan er half voor, dan er helemaal voor en vervolgens er voorbij. Dat was om goed te maken dat Tom alles was ontgaan en om haar voeten en rug rust te gunnen, want er was weer een baby onderweg.

Toms elleboog was nogal een rommeltje en hij moest verschillende keren naar het ziekenhuis. Hij was verdrietig omdat hij extra uitgaven veroorzaakte, maar zoals Addy zei: 'Ik heb toch gezegd dat het extra geld van de verduistering van pas zou komen? Waar het om gaat is dat jij weer helemaal beter wordt, grote knul.'

24

VANAF DE ZOLDER

Net als Tom sliep ik door de hele verduistering heen, maar om een andere reden: ik was toen nog geen drie jaar oud. Maar ik heb er wel iets van gezien in 1999 en ik begrijp wat Addy bedoelt met de duisternis die als een gordijn over de hei glijdt.

Ik ben geboren op een zuivelboerderij in de buurt van Bankwell. Mijn sprookjeswereld was er een van boeken en studie, want ik wilde leraar worden en reizen maken. Tom en ik leerden elkaar kennen op een van de vele bijeenkomsten voor jonge boeren en we bekeken elkaar verlegen; hij in zijn serge pak met glimmend gepoetste laarzen en ik in mijn bloemetjesjurk en witte sokjes.

Ik had gehoopt naar de universiteit te mogen, maar toen de oorlog uitbrak, was het alle hens aan dek. Mijn vader geloofde niet in een opleiding voor meisjes en er werd van mij verwacht dat ik mijn moeder in de melkschuur een handje zou helpen met kaas en boter maken voor de markt. In die tijd sprak je je ouders niet tegen, maar deed je wat je gezegd werd, en ik vluchtte al jong in een huwelijk met een knaap die ik nauwelijks kende en verruilde het ene aanrecht voor het andere.

Addy Yewell vond mijn vaardigheden in de keuken aanvankelijk maar niks. Ze noemde me 'juffrouw Neus in de Boeken'. Lezen was mijn lust en mijn leven, mijn manier om te ontsnappen en om te leren, en ik besteedde geen aandacht aan haar stekelige opmerkingen. We gingen zo goed mogelijk met elkaar om; twee vrouwen in één keuken, dat zal nooit gemakkelijk gaan. In die tijd vertelde ze me alles over de zonsverduistering die haar hele levenshouding had veranderd. Ik zag dat zelf niet zo, maar je wist nooit wat er in iemands hoofd omging.

Ik las in die tijd vrijwel uitsluitend Russische literatuur en ik had *Oorlog en vrede* gelezen voor Sylvia begin 1944 werd geboren. Haar komst veranderde alles en Addy en Bill aanbaden haar; ze kleedden haar als de kleine prinses Margaret Rose. Ze waren nooit ver uit de buurt van haar kinderwagen, druk bezig speelgoed en kleertjes te maken. Ik deed eindelijk eens iets een tijdje goed.

Ik zou kunnen zeggen dat de oorlog aan Wintersett voorbijging. We konden onszelf wat voedsel betrof voorzien. We werkten voor de Overwinning en volgden de aanwijzingen van het ministerie van Landbouw tot op de letter: we ploegden land dat we niet gebruikten en plantten en zaaiden gewassen waarvan we wisten dat ze zouden mislukken. We namen landmeisjes en gewetensbezwaarden in dienst, later zelfs krijgsgevangenen. Midden in de winter stortte er een oefenvlucht neer op de hei, en wrakstukken en lichamen lagen her en der verspreid. We hoorden het gebrom van de nachtelijke Duitse aanvallen die af en toe een bom lieten vallen voor ze de Noordzee weer overstaken. Het was een oorlog die op het platteland weinig teweegbracht, maar die desalniettemin vreselijke gevolgen had, want hij kostte ons Gilbert. Hij sneuvelde bij het oversteken van de Rijn en de kleine Edith, Addy's nakomertje, verdween naar Leeds en kwam daarna niet vaak meer thuis.

Bill en Addy hadden er veel verdriet van en ze stierven voor hun tijd binnen een jaar na elkaar, dus ik was blij dat ze in ieder geval de vreugde van Sylvia hadden gekend, ook al was het dan maar even.

Ik kom langzaam maar zeker aan het einde van het verhaal over Wintersett House. De rest van mijn verhaal is persoonlijk, té persoonlijk om met vreemden te delen. Grappig dat het nu een gewoonte van me is geworden om dingen op te schrijven; het is het eerste wat ik 's ochtends doe of het laatste 's avonds voor het slapengaan. Ik noem ze mijn ochtendbladzijden, een dagboek achteraf, denk ik, en dat werkt tot dusver zeer vertroostend.

Ik heb jullie een rondleiding door het huis gegeven en beschreven hoe het eruitziet. Er is sinds de oorlog niet veel veranderd. We hebben een paar verwarmingsradiatoren geplaatst, badkamers gebouwd, en natuurlijk zijn er nu vaste aansluitingen voor gas, water en licht. Het is comfortabeler dan vroeger, maar wanneer ik de meubelen wegsleep en de schilderijen van de muur haal, zie ik het verval, de gaten in de muur, de vlekken in de vloerbedekking en nog meer vocht. Dat zullen jullie allemaal moeten oplossen.

De enige plek waar we nog niet zijn geweest is de zolder boven aan de houten trap, waar een paar kamers zijn die met elkaar verbonden zijn en die in de loop der tijd dienst hebben gedaan als achtereenvolgens bediendevertrekken, speelkamers, treinstations en nu de plek waar onze rommel ligt opgeslagen.

Terwijl ik weer eens puffend die trap op loop, weet ik wat ik er zal aantreffen. Het cliché wil dat zolders geheimzinnige schatkamers zijn, waar al die voorbije levens liggen zonder dat ze aan een nader onderzoek worden onderworpen; al die spullen die in de loop der jaren zijn vergaard, herinneringen aan vervlogen tijden. Het spijt me jullie teleur te moeten stellen. Hier liggen geen familiegeheimen verborgen waar jullie je aan kunnen verlustigen, alleen maar koffers en tassen gemaakt van oude gordijnen, een modeltrein nog in de doos die wacht op taxatie, tennisrackets en beenstukken voor cricket, de overblijfselen van een verkleedkist vol rare kostuums die alleen nog maar geschikt zijn voor de voddenboer, een doos schoolrapporten die jaren geleden al weggegooid hadden moeten worden, dekens in kisten, en oude kampeerspullen.

Ik kom hier zo'n beetje ieder jaar en heb alles steeds weer meedogenloos afgewogen. Ik heb altijd geweten dat dit moment een keer zou aanbreken, maar het valt van sommige spullen niet mee om ze weg te gooien, en mijn gedachten worden in beslag genomen door alle gedoe rond de verhuizing, lijsten die afgewerkt moeten worden, dingen die moeten gebeuren, adreswijzigingen, advocaten. Ik heb geen zin in deze grootscheepse opruiming.

Er is een kist met kinderkleren en speelgoed, een paar 78-toeren platen, wat kerstversiering in een gehavende doos, een leest en nog wat onduidelijke dingen die voor niemand iets te betekenen hebben behalve voor mij. Alle spullen die ieder tot dit moment uit zijn hoofd had gezet en die nu liggen te wachten op de laatste kritische blik: een leven dat erop wacht weer tevoorschijn te worden geroepen door de aanraking van mijn hand.

Hoewel ik al zo vaak in deze verzameling heb zitten snuffelen, word ik door sommige dingen toch nog verrast. Het zijn de kleine dingen die het ergst zijn. Hun eenvoud grijpt me naar de keel. Ze betekenen een stevige stomp in de maag, maar het moet gebeuren. Ze nemen me mee naar een andere tijd en een andere wereld, toen ik een heel andere vrouw was dan nu. Ze stellen zich op in het gelid, klaar voor inspectie en klaar om te worden opgeruimd.

Hier zijn geen Ming-vazen of een verzameling zeldzame postzegels verstopt. Nik heeft de kerstkaarten van Josiah veilig opgeborgen om door te geven wanneer de tijd daarvoor rijp is. Er is geen geheime la met brieven, of zelfs maar een stapel oude botten verborgen in een koffer. Het spijt me dat ik jullie moet teleurstellen. Het enige wat hier te vinden is, zijn herinneringen. Dit is de plek waar de pijnlijkste naartoe verbannen zijn. Ze zullen nooit helemaal verdreven worden, maar verstoppen zich onder de dakspanten, schimmelen weg in plastic tassen, maar zijn nooit helemaal vergeten. Er zijn stukjes en beetjes die ik nu onmiddellijk zou willen weggooien, zonder ze te bekijken, maar dat getuigt niet van respect tegenover de doden.

De enige reden dat ik hier ga zitten en dit karwei uitvoer is dat jullie dan de rommel niet hoeven uit te zoeken en geen oordeel kunnen vellen. Dit wordt allemaal de trap af gezeuld en voor altijd uit het huis verwijderd, naar de vuilnisbelt, naar Niks schuur, en sommige spullen gaan met mij mee naar mijn huisje.

Grappig hoe ons leven teruggebracht kan worden tot een paar vuilniszakken vol. Dat is wat er van ons overblijft, onze restanten keurig in een lijkenzak geritst, klaar om op een hygiënische manier te worden verwijderd. Ik wil hier boven niets voor jullie achterlaten. Het is onze geschiedenis, en als die ergens op een rommelmarkt terechtkomt, dan is dat mijn beslissing, en niet die van jullie.

De vloer zal netjes worden aangeveegd en dan kunnen jullie de zolder vullen met je eigen rommel, wie jullie ook zijn. Jullie zullen deze ruimte vullen. Ik heb alle rekeningen vereffend, alles in goede orde achtergelaten. Alles wat ik verder nog te schrijven heb, komt niet in dit boek. Ik zal nu waarschijnlijk geen tijd meer hebben voor verder onderzoek en overpeinzingen. Onze geschiedenis in dit dorp is te achterhalen. Er leven nog genoeg mensen die je alle sappige details kunnen vertellen, maar sommige details weet niemand, alleen ik.

Of ik mijn kennis doorgeef of niet hangt ervan af hoe ik met al deze beschuldigende dozen weet om te gaan. De tijd om te schrijven die me nog rest moet ik besteden aan een brief aan mijn zoon waarin ik alles uitleg, alles eens en voor altijd goed voor hem op een rijtje zet. Wanneer deze grote schoonmaak achter de rug is, komen de verhuizers om het porselein en het meubilair in te pakken en dan wordt alles verdeeld. Dan kunnen we verder.

Maar hoe kan ik aan Nik uitleggen wat al deze dingen te betekenen hebben?

DEEL II

BRIEF AAN NIK

25

BIJ DE HAARD

Ik was al jaren van plan onze geschiedenis en jouw geschiedenis voor je op papier te zetten, nog voor we door die vreselijke gebeurtenissen van de afgelopen jaren niet meer met elkaar praatten, wat we wel zouden moeten doen. Ik heb het gevoel dat ik je een verklaring schuldig ben over heel veel dingen, en ik weet dat opschrijven een laffe oplossing is, maar het is de enige manier die ik kan bedenken om alles in het reine te brengen. Wat je met die kennis doet, is aan jou, zoon.

Toen we de laatste keer over dit onderwerp spraken luisterden we geen van tweeën; we hadden het te druk met elkaar beschuldigen. De stilte tussen ons heeft in de loop der jaren onze genegenheid, communicatie en begrip aangetast. Mij valt op dit punt net zoveel te verwijten als jou. We maken nu allebei een frisse start, en voor mijn gevoel is het nu tijd om met een schone lei te beginnen.

Wat ik op het punt sta je te gaan vertellen is voor mij moeilijk te beschrijven, maar ik zal zo eerlijk mogelijk zijn. Het is allemaal erg lang geleden en het waren andere tijden.

Probeer die sprong met me te maken, terug naar je kindertijd, naar een Wintersett waar winters nog echte winters waren en de sneeuwhekken maanden moesten blijven staan, waar de treinen nog op tijd leken te rijden, al heb ik daar zo mijn twijfels over. De post werd nog twee keer per dag bezorgd en soms moest Alf, onze postbode, over de muren lopen om ons te bereiken. Pap en ik leidden twee verschillende levens: ik vanuit de keuken, hij vanuit de stal. We woonden afgelegen, waren af en toe zelfs volledig afgesloten, en we waren zelfvoorzienend. Je weet vast nog wel hoe het was.

Paard-en-wagen was ons belangrijkste vervoermiddel, maar we hadden ook een kleine grijze tractor. Melk kwam uit de kan en water pompten we uit de welput, die we afgesloten hielden omdat we bang waren dat jullie erin zouden vallen. Dat was de tijd voordat de televisie de wereld regeerde en we zorgden zelf voor onze afleiding. Nieuws haalden we uit de wekelijkse *Gazette* en hoorden we op de radio die op batterijen werkte.

Wat heb ik de laatste paar dagen terugverlangd naar die zwart-witwereld, roet op de sneeuw, rook op de stenen, een tijd dat we allemaal dachten dat we het verschil wisten tussen goed en kwaad, en toen je anglicaans of protestant was en daartussen niets bestond. De oorlog werd gewonnen, maar de vrede viel niet mee door de rantsoenering en de grauwe saaiheid, en doordat dingen moeilijk te vervangen waren. Er was lastig aan knechts te komen, want de soldaten zaten nog midden in de demobilisatie en we moesten de mensen in dienst nemen die we konden krijgen.

Het enige aantrekkelijke waren de filmvertoningen en de bibliotheek. We waren heel onschuldig, tevreden met avonden bij het haardvuur spelletjes spelen, lezen, bingo spelen, met elkaar of met bezoek, concerten in het dorpshuis en zelfbedacht vermaak.

Dat wilde niet zeggen dat we geen dromen hadden voor een betere toekomst. Ik heb er niet altijd zo saai en stevig uitgezien, ingepakt in dikke kleren en laarzen. Ik was jong en was vol van mijn eigen onvervulde dromen, Nik. Ik wilde dat jij veel meer te kiezen zou hebben dan ik ooit heb gehad.

Toen begon een merkwaardige periode waarin passie kleur op mijn wangen bracht en plotseling op mijn stoep stond. De liefde kwam als een wervelwind de hall binnenstormen en sleurde me mee in een duizelingwekkende dans.

Ik werkte hard, en ik was mijn leven en de voortdurende inspanning om de eindjes aan elkaar te knopen een beetje beu. Ik was jong en gezond. Ik kon de trap met drie treden tegelijk op rennen, de hele dag werken en de hele avond dansen. Je bent maar één keer jong – jong en dwaas soms, en vol ondeugd.

Voor ik dit huis voorgoed verlaat moet ik je het hele verhaal vertellen. Het is een verhaal dat bij de haard begint. Ik zag een tijdje terug een televisiedocumentaire die die tijd terughaalde: die Duitse Kerstmis van 1946, en ik zit hier met een oud huishoudboekje voor me dat Addy me heeft gegeven voor ze stierf. Het staat vol met recepten en hier staat er een voor ganzenvet. Waren Bill en Addy er maar geweest om me raad te geven.

Geloof me, die twee staan vooraan om me de schuld te geven.

26

DE DUITSE KERSTMIS
DECEMBER 1946

Kerstmis staat voor de deur en de gans wordt vet...
Mogelijk gebruik van ganzenvet:
Klop met room en azijn, citroensap, fijngehakte uitjes en peterselie om er broodbeleg van te maken.
Leg een heet flanellen kompres met vet op de borst om benauwdheid te bestrijden.
Het is een zalfje voor de handen van de meid of voor de uiers van de koe of lippen van een kind om te voorkomen dat ze bij koud weer barsten.
Wrijf leer ermee in, laat een nacht intrekken om het leer soepel te maken. Verwijderen met zadelzeep of leervet.
Verwarm het vet en masseer in de oren en tussen de kussentjes van de poten van de hond om rauwheid door de sneeuw te voorkomen.
Geschikt om hoorns en hoeven, snavels van alle beesten die naar een show moeten mee op te poetsen en zo de natuurlijke kleur te versterken.

'Er komt in dit huis geen Duitser binnen! Dat is niet eerlijk!' snauwde Lenn. 'Goed zo, Sylvia, blijf roeren met die houten lepel!'

Sylvia was nu bijna drie; ze stond op een stoel bij de keukentafel en likte met een vergenoegd gezicht het beslag van haar vingers.

Het was een roerende feestdag, de eerste zondag van de advent, de 'verheffingszondag', waarbij de Lofzang van Maria 'Hoog verheft nu mijn ziel de Heer...' de gelovigen eraan herinnerde dat hun plumpudding nog moest rijzen. Ze legde al maanden gedroogd fruit opzij om er zeker van te zijn dat ze voldoende had om er samen met de geraspte wortel, gedroogde bessen, noten en suikerstroop overheen te doen.

'Je mag een wens doen. Dan krijg je een cadeautje uit de zak van de kerstman,' beloofde ze haar dochter glimlachend.

Konden Bill en Addy maar zien hoe flink Sylvia werd met haar zachte blonde haar in twee vlechten. Ze miste Addy's bevelen en aanwijzingen bij het bereiden van de kerstmaaltijd. Boerin of niet, ze zat nog steeds liever met haar neus in een boek dan in de oven. Wat wilde ze nu graag dat ze beter had opgelet bij de wijze lessen van haar schoonmoeder.

'Ik wil een...' onderbrak Sylvia haar gedachtegang.

'Stil!' zei ze, en ze hield haar hand op Sylvia's mond. 'Als je het hardop zegt komt je wens niet uit, schat.'

Toen zag ze Tom in de deuropening staan, die het laatste restje van zijn tabaksrantsoen stond te roken. Precies degene die ze wilde zien.

'Hoe heb je onze naam kunnen opgeven zonder het er met mij over te hebben?' fluisterde ze. 'Alsof ik al niet genoeg te doen heb zonder ook nog eens vreemdelingen te moeten ontvangen. Hoe heb je dat in vredesnaam in je hoofd kunnen halen?' zei ze. 'Ik dacht dat we niet met de vijand mochten verbroederen?' Haar accent werd altijd sterker wanneer ze kwaad werd.

Tom Yewell keek op van zijn thee.

'Dat kan nu, na de twaalfde van deze maand, wel. Het wordt tijd na al dat werk dat die mannen hier hebben gedaan – stallen uitmesten, muren bouwen, bij weer en wind buiten. Als er ooit ergens sprake was van slavenarbeid...' ging hij verder toen hij haar met haar hoofd zag schudden. 'Het is niet meer dan eerlijk om eenzame mannen tijdens de kerstdagen een beetje naastenliefde te betonen. Kom op, het is maar één dag... Waar is je gevoel voor naastenliefde, Lenora Yewell?' Hij vuurde zijn beste wapen op haar af: een glimlach die net zo breed was als gul.

'Dat heb ik niet voor Duitsers. Niet na wat Hitler in Belsen heeft gedaan en na wat er met jullie Gilbert is gebeurd... Ze hebben ons genoeg afgenomen. Gil heeft geen kerstcadeautje gekregen toen hij de Rijn overstak, alleen maar een kogel in zijn hoofd.' Hoe kon hij vergeten dat hij zijn beste maat in 1945 was kwijtgeraakt? En het knaagde nog steeds dat zijn broer de hele oorlog zonder een schram was doorgekomen tot die laatste grote aanval.

Ze zette de puddingvorm met een klap op het schap in de provisiekamer. 'Zo,' zei ze. 'Daar kan hij vannacht blijven staan met een scheutje cognac uit het medicijnkastje erover om hem een beetje pit te geven. Ik denk dat ik zelf ook wat moet innemen om die bittere pil te verwerken die je me net hebt bezorgd! Kom Sylvia, misschien dat een goede fee ons wat zilverwerk bezorgt om in de plumpudding te stoppen.'

Tom bleef onaangedaan staan kijken toen ze zich weer tot hem wendde.

'Trouwens, hoe moeten we krijgsgevangenen ontvangen? Ze spreken natuurlijk geen woord Engels en mijn schoolduits ben ik allang vergeten,' mopperde ze terwijl ze met veel misbaar alle vuile pannen in de gootsteen zette. 'We hebben voor de rest van ons leven genoeg van die taal gehoord. Het is niet eerlijk dat je me hier zo mee overvalt. Heb ik er dan helemaal niks over te zeggen?' Ze keek Tom woedend aan met blauwe ogen die vuur spuwden. Ze waren nu vier jaar getrouwd. Hij was ouder, rustiger en bedachtzamer dan zij ooit zou kunnen zijn als het over dergelijke zaken ging.

'Het is voor je eigen bestwil, schat. Je bent de afgelopen jaren hard geworden...' begon hij.

'Wat had je dan verwacht? We zijn binnen een jaar jouw broer en je ouders kwijtgeraakt. Ik weet dat we de oorlog hebben gewonnen, maar daar lijkt het niet erg op wanneer ik naar de markt ga met mijn mand aan mijn arm. Ik krijg steeds minder waar voor mijn geld en ik moet steeds meer bonnen inleveren. Heb je al geprobeerd in de winkels iets voor Sylvia te vinden? De kinderen verdienen het verwend te worden, niet volwassen mannen die hun kanonnen op ons hebben gericht.' Ze stond in vuur en vlam; haar blauwe ogen schoten vuur van verontwaardiging bij de gedachte dat ze met een Hun aan tafel moest.

Tom legde zijn vinger op haar lippen. 'Zo is het wel genoeg, meid, de muren hebben oren. Bederf de verrassing voor de kleine nou niet. Sylvia krijgt wat haar toekomt, dat is altijd zo geweest. Ik weet dat het twee karige kerstfeesten zijn geweest. Laten we nu eens gek doen – waarom slachten we geen gans en delen we die met anderen? Waarom bezorgen we een vreemdeling niet een Kerstmis die hij nooit zal vergeten? Dat kamp daar op de hei is allesbehalve een luxehotel. Ze zitten allemaal als beesten opgesloten in kooien. De krijgsgevangenen hebben hun schuld afgelost, schat. Ze zouden naar huis gestuurd moeten worden in plaats van hier in die kou opgesloten te zitten. Toon een beetje medeleven, Lenn.'

Tom drong met zijn ouderwetse goedheid door haar pantser, diezelfde goedheid, die vriendelijkheid die haar van meet af aan zo had aangetrokken. Haar eigen moeder zou gewild hebben dat ze grootmoedig zouden zijn ten opzichte van de vijand, maar het stuitte haar tegen de borst om dat toe te geven.

'Je bent veel te slap,' snauwde ze. 'Als ik mijn zin kreeg zouden ze elke bomkrater dicht moeten gooien en hier moeten blijven tot elke steen weer op zijn plaats lag.' Ze had alle schade gezien op het nieuws in de bioscoop. Haar oorlog in Yorkshire was draaglijk geweest in vergelijking met het lijden in de steden, in de ruïnes van Sheffield en Manchester, Liverpool en Londen. Het ergste wat zij hadden meegemaakt waren een paar verdwaalde bommen die de schapen bang maakten, en een buslading evacués.

'Ik heb nooit geweten dat je zo'n fanatiekeling was, Lenn,' zei Tom, verbaasd over haar heftigheid. 'De mannen die daar zitten zijn gewillige werkers geweest, beleefd, en hebben nooit moeilijkheden veroorzaakt. Laten we ons grootmoedige overwinnaars betonen en vriendschap sluiten met onze vijanden. Denk er eens over na, Lenn, geef ze een kans. Ga mee naar de kerk en zie met eigen ogen wat voor soort mensen het zijn. Je zult verbaasd staan,' voegde hij eraan toe, en Lenn haalde haar schouders op en probeerde zijn argumenten te negeren. Ze ging tegenwoordig nog maar zelden naar de kerk.

'Als jij het zegt,' zei ze, haar neus ophalend, en ze ging zonder overtuigd te zijn verder met haar werk.

De volgende dag zag ze het contingent kampbewoners naar de voorste banken in de kerk schuifelen, gekleed in donkere pakken met hun overjas over hun arm en hun soldatenmuts in hun zak gepropt, en plaatsnemen aan de linkerkant van het gangpad. Ze telde er veertig die naar de preekstoel en de dunne pijpen van het orgel staarden. Ze was uit nieuwsgierigheid meegekomen om te zien hoe de machtige overwonnenen eruitzagen. Ze zaten in stilte, met als uit steen gehouden gezichten, niet onderdanig, maar enigszins geboeid door de gelegenheid, zich bewust van vijftig paar ogen die in hun rug prikten.

Ze moest toegeven dat ze er niet bepaald als het Herrenvolk uitzagen in hun versleten uniformen, maar hun stemmen fleurden het gebruikelijke gezang wat op terwijl ze de tekst van de dienst lazen, die zowel in het Duits als het Engels was getypt. Ze gedroegen zich heel keurig en ze werden voor het einde van de dienst weer naar buiten gedreven, de kille ochtendlucht in, en naar hun barakken in de heuvels gemarcheerd. Waarom voelde ze zich zo ongemakkelijk bij de gedachte dat zij straks van haar braadstuk met alles erop en eraan zou genieten terwijl die mensen door de hagelbuien naar hun barakken moesten lopen?

'Niemand mag de toegang tot het Huis des Heeren worden ontzegd, hè schat?' fluisterde Tom, alsof hij haar gedachten kon lezen. 'Kijk nou toch eens naar ze. Het zijn gebroken mannen, hun hele wereld is ingestort, je kunt niet anders dan medelijden met ze hebben: jonge kerels ver van huis die geen idee meer hebben wie ze zelf zijn. We moeten een beetje vergevingsgezind zijn.' Daar kon je op vertrouwen, Tom had voor iedereen een vriendelijk woord.

Sylvia kwam aangerend uit zondagsschool, vlechten achter haar aan wapperend en met nog maar één strik. 'Krijgen wij er ook een? Sally krijgt er een... Mag ik er een hebben?' riep ze.

'Wat hebben?' vroegen haar ouders, terwijl ze hun dochters vlechten weer in orde brachten. 'Schiet op, ga je strik eens zoeken. Die groeien niet op mijn rug!'

'Mag ik een mof met Kerstmis?' Sylvia kon een enorme flapuit zijn, dacht ze, maar ze zei geen nee.

'We zullen wel zien,' zei ze tot haar eigen verbazing. Waarom zeg ik nou zoiets, dacht ze. Misschien omdat het zo'n sombere decemberdag was. De kraaien krasten boven haar hoofd en toen ze opkeek zag ze de rij sjofele mannen om de scherpe bocht in de weg verdwijnen. Het was een somber vooruitzicht die lange voettocht te moeten maken en ze zou een triomfantelijk gevoel moeten hebben, maar in plaats daarvan voelde ze dat een vreemde droefheid haar kille voornemen deed smelten. Ze kregen niet bepaald een warm welkom op die kale heuvel, maar wiens schuld was dat? Als ze in hun eigen land waren gebleven, zou dit allemaal niet zijn gebeurd en dan zou Gil nog leven.

Tom had gelijk: ze was hard geworden. Net alsof ze zichzelf stug wilde houden, strak ingesnoerd, in een keurslijf, onbuigzaam. Dat was haar manier om, toen ze geconfronteerd werden met de vijand, te doen wat er gedaan moest worden. En nu zat die vijand naast hen in de kerkbank en bad tot dezelfde God, en dat was allemaal erg onlogisch. Waarvoor was er dan zoveel opgeofferd?

Het was tijd om in beweging te komen; ze trok haar handschoenen recht en ging op zoek naar het lint. Dat zou niet vanzelf opduiken.

De vreemdelingen zouden op eerste kerstdag komen, na de kerkdienst, waarin een groep krijgsgevangenen zo intens en mooi 'Stille Nacht' zong dat er onder de aanwezigen nauwelijks iemand was die geen traantje wegpinkte. Zelfs zij had zich neergelegd bij hun bezoek, in de wetenschap dat zij aan thuis en hun familie dachten. Je kon ze een beetje echte Yorkshire-gastvrijheid toch niet misgunnen.

Na de dienst schudde iedereen de mannen de hand en verzamelde zich in groepjes voor hun bezoek. Zij werd voorgesteld aan Hans Braun en Klaus Krause, maar ze keek hen niet aan. Het was lastig om Hans met zijn lange benen in hun auto te krijgen; hij zat voorin bij Tom, terwijl zij achterin gepropt zat met de ander en Sylvia als buffer tussen hen in.

De mannen bleven stijfjes voor de deur van de boerderij staan. Hans moest zich bukken om zijn hoofd niet te stoten aan de bovendorpel. De andere gevangene stond met zijn hakken te klakken en hield een pakje onder zijn arm. Toen keek ze hem in het gezicht en ze zag alleen maar een paar verdrietige ogen, met de kleur van dof leisteen, en er ging een schok van herkenning door haar heen. Ze moest toegeven dat hij best knap was, op een Duitse manier. Die ogen waren de felste die ze ooit had gezien en die blik sneed als een mes door haar ziel. Hij zag er niet uit als de Hun zoals ze zich die had voorgesteld, maar als een vermoeide ziel, verdwaald in een wereld die hij niet begreep.

'Dank u voor Kerste-mis *wilkommen*,' zei Klaus Krause hakkelend, en Tom schudde hem warm de hand.

'Kom binnen! Jullie zijn van harte welkom... Dit is Lenora, mijn vrouw en dit is kleine Sylvia,' voegde hij eraan toe terwijl zijn dochter opgewonden om het pakje onder de arm heen draaide.

Het brutale nest, dacht ze. Het pakje was in oud bruin papier gewikkeld en ze was geraakt doordat ze de moeite hadden genomen iets mee te brengen. Klaus zag de andere ingepakte geschenken onder de boom en legde hun bijdrage erbij. Sylvia stond te trappelen om de cadeautjes uit te pakken, maar ze had haar kerstkous en haar grote cadeau van de kerstman al gehad, dus moest ze wachten. Je moest een kind niet verwennen, zelfs niet met Kerstmis.

'Kom in de keuken.' Ze wilde nu dolgraag met de maaltijd beginnen. Ze zou hun wel eens even iets laten zien, ook al had ze dan nog nooit een gans gebraden. Hoe vaak had ze niet bij Addy rondgehangen terwijl die de vogel klaarmaakte voor de oven en was ze op het laatste moment weggejaagd? Addy had haar keukengeheimen bewaakt alsof het om staatszaken ging.

De schaal appelmoes was makkelijk genoeg en ze had eraan gedacht de borst met kruiden in te wrijven voor de gans de oven in ging en daar bleef sudderen terwijl zij in de kerk zaten. Met een beetje geluk zou hij bijna gaar zijn.

De tafel in de eetkamer was gedekt met het mooiste damasten kleed en versierd met zelfgemaakte knalbonbons en papieren feestmutsen. Als het dan moest gebeuren, dan zou het ook goed gebeuren, en geen halfslachtig gedoe omdat deze mannen toevallig moffen waren.

Ze zag de mannen zenuwachtig om zich heen kijken en de stiltes waren gênant. Geef hun iets te doen, dan voelen ze zich beter op hun gemak voelen, dacht ze. Tom had andere plannen en haalde een stoffige fles pastinaakwijn tevoorschijn die was bewaard voor speciale gelegenheden. Die was nog van voor de oorlog. Op de dampen alleen al kon je de motor van een Spitfire laten lopen, zo droog en scherp was de wijn, die zo krachtig was dat het gauw gedaan zou zijn met ieders stijfheid.

De kok had het veel te druk met de voorbereidingen om mee te doen met de verbroedering. Ze liet de mannen alleen met hun wijn en was druk bezig in de keuken toen Klaus kwam vragen of hij kon helpen; een man in de keuken die bereid was een vinger uit te steken was iets waar ze in de vallei nog nooit van hadden gehoord, dus liet ze hem bestek en glazen naar de eetkamer brengen, die voor deze speciale gelegenheid helemaal was ontruimd en was versierd met verbleekte papieren slingers en klokken, en waar een kolenvuur in de haard brandde. Ze wilde niet dat een Duitser de indruk kreeg dat Engelsen niet beschaafd waren.

Er stond een bos kerstrozen op tafel, bij elke plek lag een zelfgemaakte knalbonbon en Sylvia sprong van opwinding op en neer. De geur van de gans deed iedereen watertanden. Het beslag voor haar Yorkshire pudding lag te rusten en die zou als voorgerecht worden geserveerd, zoals de traditie voorschreef. Ze hoopte dat die zou oprijzen als de zon.

'Het is *gut*... dat u ons *willkommen* heet.' Het Engels van Klaus was net zo stoffig als haar schoolmeisjesduits, maar ze wisten zich verstaanbaar te maken. Het feit dat hij zo graag wilde plezieren was zenuwslopend en ze werd er alleen maar nerveuzer van. Dit was haar grote moment; ze zou die vreemdelingen wel eens laten zien wat de keuken van Yorkshire inhield en ze wilde alles tot in de puntjes verzorgd hebben, en geen gedoe, maar het was tijd om hem de keuken uit te jagen en voor de gans in de oven te zorgen. Ze vroeg zich af of ze het vlees had moeten bedruipen, maar het was altijd riskant om de ovendeur open te doen, omdat je dan zoveel warmte kwijtraakte. Had ze maar beter opgelet hoe Addy het deed. Nu was het haar beurt om de keukenprinses te zijn en alle lof toegezwaaid te krijgen. Ze deed de oven open, terwijl Sylvia om haar heen hing en zeurde om priklimonade.

Hans en Klaus werden aangetrokken door de heerlijke geur en Tom stond klaar met de fles wijn om de glazen bij te vullen. De explosie van rook en vet die volgde toen de gans als een kanonskogel door de keuken vloog joeg hen alle kanten op.

Hans trok Sylvia uit de gevarenzone terwijl heet vet als een stroom lava uit het bakblik op de stenen vloer stroomde, en Klaus trok Lenn weg van het gloeiend hete vet, weg van het gevaar. Tom gleed in zijn haast uit, waardoor de fles wijn kapotviel en de inhoud door het hete vet ontbrandde en de vloer meteen in vuur en vlam stond. Hans gooide een tafelkleed op de vloer om de vlammen te doven.

Het was net een vloedgolf en ze slaakte een vreselijke gil van ellende. 'Mijn gans, mijn gans! Het kerstdiner!' huilde ze terwijl Klaus haar stevig tegenhield.

'Koudmaken... *Achtung!*'

'Vergeet die gans nou maar. We hadden wel kunnen verdrinken in al dat vet!' gilde Tom. 'Laat maar op de grond liggen. Ik ken Lenn, we kunnen het later wel van de vloer eten.' Hij zag de vrolijke kant van het ongeluk al in. 'Je had wel geroosterd kunnen worden in die lawine. Heb je er niet aan gedacht het vet weg te scheppen, schat?'

Lenn schaamde zich te veel om naar hem te luisteren. 'Het diner is bedorven...' Ze rukte zich los uit Klaus' greep en rende slippend over het vet in de richting van de trap, stormde naar boven naar haar slaapkamer en smeet de deur achter zich dicht. Ze gooide zich op het bed, vol schaamte, woede en frustratie. Het was bedorven, haar prachtige maaltijd was bedorven, en het was allemaal haar eigen schuld, en dat nog ten overstaan van vreemden ook. Dit was niet te verdragen. Ze kon haar gezicht nooit meer laten zien nu ze zich zo te schande had gemaakt. 'Ik ben een domme gans, dat is een ding dat zeker is,' snikte ze. De geur van gebraden vet en vlees zweefde door het trapgat en ze deed haar best om de verleidelijke aroma's niet op te snuiven.

Er klonk een klop op de deur en Toms stem klonk lachend door het sleutelgat. 'Kom nou naar beneden, schat. Alles is nog niet verloren. We hebben de reddingboot gebeld om ons te komen halen...' Hij lachte. 'Je had de gezichten van die mannen moeten zien: echt een plaatje. We doen een schort voor en als het vet een beetje is afgekoeld kunnen we de vogel nog wel redden. Wie weet ervan, behalve wij?'

Lenn slikte haar beschaamdheid weg en voelde zich dwaas vanwege haar uitbarsting. Nu had ze de natie te schande gemaakt met haar rare streken, maar ze hadden allemaal wel geschroeid, verbrand of nog erger kunnen zijn en dan zou ze een internationaal incident hebben veroorzaakt: 'Boerin ontdoet zich van krijgsgevangenen tijdens kerstdiner.' Ze veegde haar tranen af en waste haar gezicht, deed de deur open en ging naar de troep beneden.

De vloer leek wel een ijsbaan. De gans lag alweer in een grotere schaal, nog steeds dik en eetbaar. De groenten waren gaar en niets weerhield hen ervan te gaan eten. De mannen hadden alles gebruikt wat ze konden vinden om het vet op te deppen, het gebroken glas was opgeveegd en ze keken allemaal schaapachtig op toen ze in de deuropening stond. Ze hadden zich flink tegoed gedaan aan de pastinaakwijn. Ze hadden Sylvia aan tafel gezet, zodat ze niet in de weg kon lopen, maar het was de aanblik van Lange Hans met zijn schort voor die probeerde het vet op te ruimen waardoor Lenn in schaterlachen uitbarstte.

'We eten dit jaar wat later,' mompelde Tom met een twinkeling in zijn ogen en hikkend van de lach. Iedereen lag slap van het lachen, en lachen kent geen taalbarrières. Het ijs was gebroken, het ontdooien gebeurde snel. Sylvia maakte een glijbaan op het vet in de gang.

'Kerstmis staat voor de deur en de ganzen worden vet...'

Nu kon Kerstmis pas echt goed beginnen.

De gans was dik en sappig, ondanks zijn vreemde dans door de keuken, en de mannen vielen aan alsof ze uitgehongerd waren. De plumpudding was zoals hij hoorde te zijn, compleet met cognac. Sylvia vond het zilveren muntje, zoals altijd, en Tom deed, net als anders, zijn mond open van verbazing en haalde er een biljet van een pond uit en iedereen moest lachen.

Onder het genot van de laatste pastinaakwijn probeerde Lange Hans, die geen woord Engels sprak, uit te leggen wat ze in Duitsland aten met Kerstmis en Klaus vertaalde alles zorgvuldig.

'Op kerstavond zetten we een kaars in de vensterbank voor kerstkinder... het kerstkind. Hoe zeg je dat? We hebben grote kerstboom en veel fruit en *stolls*... kerstbrood.'

'Kunnen wij dat ook doen?' Sylvia was dol op alles wat met het Kindeke Jezus en de kribbe te maken had.

Lange Hans haalde versleten kiekjes van zijn vrouw en zoons tevoorschijn, die hier en daar kaal waren geworden door het vele betasten. Het gezicht van de vijand veranderde met de minuut meer van woestelingen zonder gezicht in gewone jonge mannen die hun werk deden en hun geliefden hadden moeten achterlaten. Klaus haalde een foto van zijn vader en moeder tevoorschijn. Tom vroeg waar ze woonden.

Klaus schudde zijn hoofd. 'In Dresden, maar niet meer... Ik ben bang dat ze zijn gedood.'

'Je wilt vast graag naar huis,' antwoordde Tom, en Lenn voelde haar vijandigheid verdwijnen als mist op een warme ochtend.

'Ik vraag en vraag om naar huis te mogen, maar Dresden is nu van de Russische soldaten. Ik wil mijn zussen vinden,' antwoordde Klaus.

Toen voelde ze waar die droevige blik vandaan kwam. Al haar vooroordelen leken oneerlijk in het licht van zijn overduidelijke lijden. Zijn rustige gelatenheid beviel haar, maar ze werd afgeleid door zijn knappe uiterlijk, de kromming van zijn hals, de sterke handen met de donsachtige haartjes op de ruggen. Hij had kunstzinnige vingers. Ze vermoedde dat hij muzikaal was. Hij had een litteken dat langs zijn oor naar beneden liep en ze vroeg zich af in welke slag hij zijn oorlogswond had opgelopen. Hij zag haar kijken en voelde er glimlachend aan.

'Ik ben uit een raam gesprongen... Ik was stoute jongen!' Hij glimlachte en ze bloosde omdat hij had gezien dat ze zat te staren. Naarmate de middag vorderde werd het gezelschap aan tafel luidruchtiger en toen de gasten voor de thee arriveerden van de nabijgelegen boerderijen, zaten ze nog steeds aan tafel en was er niets opgeruimd. De middag was gewoon spoorloos verdwenen.

Het verhaal van de dansende gans werd telkens weer verteld en de keukenvloer werd aan een gedegen onderzoek onderworpen. De boeren hadden hun eigen gezelschap krijgsgevangenen meegenomen en in een mum van tijd was alles opgeruimd en waren ze klaar voor het echte feest.

Iedereen stroomde naar de zitkamer voor samenzang en gezelschapspelletjes: ezeltje-prik, knipoogje, blindemannetje.

Sylvia wilde steeds maar paardjerijden. Ze was echt een plaatje met haar mooie fluwelen feestjurk met het bewerkte lijfje. Lange Hans stootte steeds zijn hoofd tegen de balken en brulde het uit.

De oorlog leek plotseling heel ver weg en al haar vooroordelen leken kinderachtig. Tom had gelijk: het was een echte Kerstmis, vol vergiffenis voor onze vijanden, een volle maag en domme spelletjes – een dag buiten de werkelijkheid, al moesten de schapen nog steeds worden gevoerd en karweitjes nog steeds worden gedaan. Lange Hans en zijn vrienden gingen die samen met Tom doen.

Er waren heel wat helpende handen toen de avondmaaltijd moest worden klaargemaakt: koud vlees, Wensleydale-kaas, trifle en kerststol, en Lenn was zich ervan bewust dat Klaus' ogen haar de hele tijd overal door de kamer volgden.

Het was alsof er een onzichtbaar web alleen om hen tweeën werd gesponnen; een vreemde aantrekkingskracht van verhitheid en lichaam, een gevoel zoals ze nog nooit eerder had ervaren; een verlangen in haar lendenen om haar hand uit te steken en zijn wang aan te raken, om zijn hoofd tussen haar borsten te begraven: een plotselinge vonk van bewustzijn dat die man precies dezelfde aantrekkingskracht voelde.

Word wakker, stom kind, probeerde ze zichzelf tot de orde te roepen. Dit was belachelijk. Je bent een vrouw met een kind, een trotse meid uit Yorkshire, niet een of andere del. Hij is je gast, een vreemdeling, een Duitser, je vijand. Het is de wijn die zijn werk doet. Kerstmis is maar een stom feest!

'*Frau* Lenore, ik wil u bedanken voor uw *wilkommen*, u bent... hoe zegt men dat, *gemütliche frau*, een lieve dame, mijn hart loopt over. We hadden zo'n *wilkommen* niet verwacht. Engelsen zijn anders dan we dachten. Ik begrijp het niet, maar ik proost op u,' zei Klaus terwijl hij zijn hakken tegen elkaar klikte en zijn hoofd boog, en ze voelde hoe haar handen trilden toen ze de glazen van het dienblad pakte.

Binnen in haar borrelde iets als belletjes in sodawater. In de drukte van haar eigen rommelige keuken gebeurde er iets wat zo onverwachts was, zo warm en zo wonderbaarlijk, dat ze nauwelijks adem kon halen.

Hoe kon het dat ze verliefd aan het worden was op een volslagen vreemde, op iemand die ze nog maar een paar uur eerder voor het eerst had ontmoet? Dat was zo'n dwaasheid die alleen maar in de film voorkomt. Ze wist niets van de man of van wat hij had gedaan. Hij kon wel vrouwen en kinderen hebben afgeslacht, Toms broer hebben neergeschoten of joden hebben uitgeroeid, en toch werd ze meegesleurd in een draaikolk van verlangen wanneer ze in die fonkelende grijze ogen keek. Het enige wat ze wilde was zich op het vloerkleed in zijn armen storten en dat de hele wereld verder zou verdwijnen. Als Addy en Bill haar schandalige gedrag konden zien, als een loopse teef, zouden ze diepteleurgesteld neerkijken op deze waanzin. Wat zou die arme Tom van haar fantasieën vinden?

Ze voelde aan haar mooiste winterkleren, blij dat ze haar best had gedaan. Haar rode wollen jurk, zo rood als kersen, deed haar lichaam goed uitkomen en benadrukte haar volle borsten en slanke taille. Ze was wel gedrongen gebouwd, maar in de juiste verhoudingen. Haar haar was van voren opgestoken en hing van achteren los, soepel en glanzend van gezondheid. Haar beste kousen waren keurig versteld; ze wilde alleen dat het echte nylon kousen waren en niet deze van dik garen. Godzijdank had ze haar best gedaan zich speciaal voor deze dag te kleden.

Iemand wond de grammofoon op en zette hun collectie dansplaten op – Joe Loss, Hutch en walsen van Strauss – en ze schoven de tafel in de hall aan de kant om ruimte te maken. Tom en Sylvia sprongen door de kamer en Lange Hans danste met de puisterige dochter van hun buurman die vijf akkers bij hun vandaan woonde.

Alsof hij haar gedachten las, pakte Klaus haar bij de hand en wervelde zo met haar door de kamer dat ze duizelig werd. Wat kon hij goed dansen – niet met twee linkervoeten, zoals Tom, maar hij maakte ingewikkelde passen en ze moest haar best doen om zijn bewegingen te volgen; ze gaf zich over aan zijn armen en liet haar lichaam met het zijne versmelten, draaiend en wervelend als Fred Astaire en Ginger Rogers. Ze voelde zijn adem, het gekriebel van zijn uniform. Zijn geur was zoet en ze voelde de nabijheid van zijn lippen. Ze wilde dat dit ogenblik eeuwig zou duren en dat er nooit een einde zou komen aan deze dans. Ze wilde dat de toeschouwers verdwenen en dat de kleur op haar wangen hun niet zou opvallen. Wat was het moeilijk om haar zelfbeheersing niet te verliezen.

Ze keken elkaar een ogenblik aan en hielden elkaars blik lang genoeg gevangen om te weten wat er gaande was, een kort ogenblik van herkenning, een uitwisseling die heel kort was, maar ook heel betekenisvol, zo allesverterend in zijn hartstocht dat Lenn niet kon geloven dat niet de hele kamer aanvoelde wat er tussen hen beiden gaande was.

Dit is hem. Dit is hem. Dit is waar we thuishoren, samen: de aanraking van zijn vingers was schokkend van intensiteit, als elektriciteit die door alle aderen in haar lichaam schoot, het vuur in haar schoot was gewoon onfatsoenlijk. Zo had ze zich met Tom nog nooit gevoeld. Hun liefdesspel was zacht en liefdevol, nooit een dergelijke rauwe honger. Ze voelde zijn eigen reactie en trok zich een beetje terug. Er begon meer te koken dan alleen het water in de ketel!

'Ik moet de keuken gaan opruimen,' wist ze zwakjes uit te brengen, en Sylvia danste door de hall. 'Dans met me, dans met me.'

Ze stond in de deuropening gebiologeerd te kijken hoe Klaus haar kind van de vloer tilde. Hij was slank en lang, met een profiel dat eerder aan een Griek deed denken dan aan een nazi. Eén kort ogenblik was ze bijna jaloers op haar eigen kind. Toen keek hij op en glimlachte, en was die jaloerse pijn verdwenen.

Dit is Wintersett, niet Hollywood, verzuchtte ze. De oorlog was voorbij en deze man was ver van huis en hongerde naar vrouwelijke aandacht. Hij was geen Heathcliff en zij was al evenmin Cathy Earnshaw. Dit was dan misschien wel Brönte-gebied, maar de romantiek was hier dun gezaaid. Klaus genoot er gewoon van een dag in vrijheid door te brengen. Meer had dit allemaal niet te betekenen. Maar toch...

De thee werd boven geserveerd, in de zitkamer die het toneel was geweest van zoveel van de beroemde kerstvieringen van Josiah Yewell. Hij keek neer vanaf zijn foto bij de deur, blij dat Kerstmis weer naar 'Het Groene Dal' was gekomen. De schaal met sandwiches, schaaltjes trifle en een blik toffee van Sharp gingen rond. Met Kerstmis was niets op rantsoen. Bonboekjes en rantsoenering werden terzijde geschoven wanneer Wintersett een 'knalfuif' gaf. De riemen werden een gaatje losser gezet, stropdassen gingen af en korsetten werden losgehaakt naarmate de hitte van het vuur, het eten en de drank zich deden gelden. Buren, soldaten en kinderen zaten stil en tevreden dicht opeengepakt, verzonken in een mijmering over betere tijden, voordat de oorlog hen vijanden van elkaar had gemaakt. Ze begonnen kerstliedjes en liedjes uit de shows te zingen.

Klaus had een plekje voor haar vrijgehouden op de vloer terwijl iemand een spookverhaal begon te vertellen over de *barguest*, de geheimzinnige witte hond die door de valleien zwierf en het voorteken was van dood en verderf. Terwijl ze op de vloer bij het vuur zaten, voelde ze hoe zijn hand de hare zocht en er stevig in kneep. Vervolgens liefkoosden zijn vingers haar handpalm zo zachtjes dat ze week werd van genoegen.

Ik hoor dit niet te doen, zo onder de ogen van mijn echtgenoot, dacht ze, maar ze voelde zich als een strakgespannen stuk elastiek dat op het punt van knappen stond. Als hij had gezegd: 'Laten we hier wegglippen, naar boven naar je bed gaan, de kleren van ons lijf rukken en de hele nacht de liefde bedrijven', dan zou ze als een lammetje hebben gedaan wat hij zei, maar hij sprak geen woord. Hoe had hij ook gekund?

Hij was te gast en was aan hen verplicht. Zij was gebonden door plicht en trouw. Hartstocht en overspel waren dingen die Emma Bovary en Anna Karenina in boeken overkwamen, niet die brave Lenora Yewell, boerenvrouw, onlangs benoemd tot secretaris van het vrouweninstituut.

'Gaan we nu de pakjes onder de boom openmaken?' zeurde Sylvia, die ze de hele tijd al vol ongeduld in het oog had gehouden. Ze was moe, had te veel gegeten en was eraan toe om naar bed te gaan. De betovering moest een keer worden verbroken.

'Straks, schat,' fluisterde ze, omdat ze haar hand nog niet uit zijn greep los wilde maken, of het gevoel van haar dij tegen de zijne kwijt wilde raken. Voelde Julia zich zo op de avond voor ze haar lot onderging? Was dit wat ze noemden de donderslag bij heldere hemel, de donder en bliksem van liefde op het eerste gezicht? Ze slaakte een zucht toen de ziekmakende gedachte bij haar opkwam dat ze dit intense gevoel nooit meer zou beleven en ze was bijna niet meer in staat weerstand te bieden. Klaus zou vertrekken en dan zou het gedaan zijn met elkaar aanraken; maar ze wilde achter hem aan rennen en hem smeken haar ergens in het geheim te ontmoeten zodat ze zich konden overgeven aan hun lust. Sylvia voelde dat ze met haar gedachten ergens anders was en trok zachtjes aan haar mouw.

'Alsjeblieft, mammie... Ik wil de cadeautjes openmaken.'

Tom knikte vanaf de andere kant van de kamer en Sylvia rende de trap af om het bruine pakketje te halen dat met een stuk touw was dichtgebonden. 'Mag ik dit openmaken?'

Sylvia scheurde het papier eraf en tot ieders verbazing kwam er een prachtig huisje van houtsnijwerk tevoorschijn, een Zwitsers chalet, geschilderd in heldere kleuren.

'Het is een huis van peperkoek! Mag ik het opeten?' riep Sylvia, en Klaus schudde lachend zijn hoofd. 'Het is een huisje voor je poppen, *fräulein* Sylvie. Zie je, de voordeur kan open. Ja? Het is een huis uit *mein heimat*... vaderland.' Klaus glimlachte trots op hun handwerk.

'Het is prachtig, net het huis van peperkoek van Hans en Grietje,' riep Lenn uit. 'Heel hartelijk bedankt, maar het had echt niet gehoeven.'

'Ja, maar het klopt wel,' zei hij. 'Mijn *heimat* is het Zwitserland van Duitsland. Thuis hebben we voor Kerstmis altijd markten, waar we huisjes en kaarsen verkopen voor de kinderkerst: houten speelgoed, *glühwein*, warme wijn met... kruiden. Maar dat is er nu allemaal niet meer, denk ik,' zei Klaus.

'Zeg eens dank je wel, Sylvia. Het is een erg mooi huis voor poppen. Ga de pakjes voor het bezoek eens halen,' commandeerde Tom, en Sylvia vond de pakjes en gaf er een aan Hans en een aan Klaus.

'Voor ons... Hans, dank je...dank u.' Ze openden hun cadeaus alsof ze van goud waren. De inhoud bestond uit niet meer dan een paar wanten en een das. Klaus keek haar recht in de ogen en ze bloosde, beschaamd als ze was dat ze de wanten en dassen gewoon van de stapel had gepakt. Symbolische cadeautjes voor vreemden – alleen waren ze nu geen vreemden meer en ze wilde dat ze iets beters had gegeven.

Ze knikte en gebaarde: 'Nu ik jullie heb ontmoet, zal ik voor jullie allebei iets breien.' En ze voegde er wijzend op Toms trui aan toe: 'Een voor jou en een voor jou, ja?'

Iedereen lachte, maar de Duitsers keken met tranen in hun ogen naar hun cadeaus. '*Danke, danke*, vrolijk kerstfeest,' stamelde Hans, de vriendelijke reus, met een brede glimlach.

'Jullie zijn erg *gut* voor ons, je schudt ons de hand en geeft ons dingen. We zullen dat nooit vergeten,' zei Klaus met een verstikte stem van dankbaarheid.

'Kom op. Niks daarvan, laten we bij de piano wat gaan zingen...' Tom voelde zich nooit erg op zijn gemak wanneer emoties een rol gingen spelen. Ze zongen tot ze hees waren – kerstliedjes, Duits en Engels –, sloegen elkaar op de rug, en ze werd misselijk toen ze de wijzers van de klok steeds verder zag draaien tot het tijdstip dat de vrachtwagen hen kwam ophalen.

De hemel was helder en onbewolkt. Het kerstkaarsje van Sylvia in de vensterbank brandde zachtjes. Het moment van weemoed zou voorbij zijn voor het goed en wel was begonnen.

In de daaropvolgende weken breide ze met vederlichte vingers die truien – eenvoudig van stijl, maar van de beste wol, met de hand gesponnen en geverfd. De trui voor Hans was zo enorm dat er een hele vacht voor nodig was, maar na haar gierigheid had ze zich vast voorgenomen hun echte cadeaus te geven. Toen ze klaar waren pakte ze ze in en leende de bestelwagen, die ze bij de poort van het kamp zou achterlaten zodat ze de pakketjes persoonlijk kon overhandigen. Ze moest Klaus nog een keer zien, maar het weer had andere plannen.

Het slechte weer zette met zo'n hevigheid in dat ze weken vastzaten in de ergste winter sinds mensenheugenis. De sneeuw lag zo hoog dat de mannen over de stenen muren moesten lopen en vliegtuigen voer voor de dieren op de getroffen boerderijen op de heide moesten droppen.

Ze was er zo druk mee om haar gezin warm en de magen gevuld te houden dat ze geen tijd had om aan Klaus te denken. Hun flirt met Kerstmis was niet meer dan een herinnering, maar toch liep ze soms te dagdromen: als... Dan legde ze haar handen om de ijspegels om die dwaasheid te vergeten, maar het verlangen om hem weer te zien ging maar niet weg.

Op een ochtend vroeg in maart kwamen de twee mannen op sneeuwschoenen naar de boerderij om te helpen de schapen uit te graven die op de hei in de sneeuw gevangenzaten. Het enige wat ze van Klaus kon zien waren zijn ogen die tussen besneeuwde wimpers naar buiten keken; verder ging hij schuil onder jassen en dassen en zag hij eruit als een sneeuwpop, maar haar hart maakte een sprongetje van vreugde.

'Kom binnen. Kom je warmen,' riep ze uit, en Sylvia sprong hun in de armen. Lenn stond te trillen door het onverwachte van hun bezoek. Hoe vaak had ze 's nachts niet bij de grote ramen gezeten en naar de sterren gekeken en gedroomd dat ze op datzelfde moment ergens alleen waren en dat ze alles zei wat op haar hart lag. Het enige waar ze nu aan kon denken was Hans wegsturen, zodat ze Klaus voor zich alleen had, maar de ochtend verstreek en er was van alles te doen en Tom had meer dan genoeg werk voor ze.

Tegen de tijd dat ze klaar waren en wilden vertrekken, loeide buiten gelukkig opnieuw een sneeuwstorm en het was niet veilig om hen terug te laten ploeteren naar het kamp. Ze aarzelde geen ogenblik en maakte bedden voor hen in gereedheid in het huis en zorgde ervoor dat ze een warm bad konden nemen om hun bevroren, pijnlijke ledematen te verwarmen.

Er werd geen woord gewisseld, er was geen enkele sprake van intiem contact tussen hen beiden terwijl ze die avond de trap op liepen, maar ze was van plan er op de een of andere manier voor te zorgen dat ze alleen zouden zijn.

Ze lag in bed zonder ook maar de minste behoefte om te gaan slapen en wachtte tot het stil werd in huis. Toen glipte ze in haar ochtendjas en liep naar de trap om naar de keuken te gaan, waar het vuur opgebankt was. Bij de deur van de kamer van de mannen hoestte ze en maakte genoeg lawaai om de doden te wekken, maar niemand verroerde een vin. Ze wachtte en wachtte terwijl de moed haar in de schoenen zonk en ten slotte ging ze langzaam de trap weer op naar haar slaapkamer, met het ziekmakende gevoel dat ze was afgewezen.

Toen zag ze de flikkering van licht onder de deur van de zitkamer boven en deed de deur zachtjes open, half en half in de veronderstelling dat het een vonk van het vuur of haar verbeelding moest zijn geweest, maar daar zat hij te wachten, met zijn armen om zijn knieën geslagen. Hij keek op en glimlachte. '*Liebchen*. Ik moet je spreken. Ik denk voortdurend aan je, dag en nacht.'

'En ik aan jou,' fluisterde ze. 'Ik dacht dat je me vergeten was. Ik heb je trui naar het kamp gestuurd.' Ze ging huiverend naast hem zitten in de duisternis.

'Ja. Ik zal je goedheid nooit vergeten. Ik zal hem altijd dragen. Ik moet binnenkort terug. Ik wil niet naar huis, maar dat wordt wel van me verwacht.' Hij boog zijn hoofd tot op zijn knieën en ze voelde dat hij huilde. In een oogwenk had ze haar armen om hem heen geslagen en ze hield hem in haar armen terwijl ze samen heen en weer wiegden en ze huilde om de hopeloosheid van hun liefde voor elkaar. Het was een dwaze, domme, sentimentele liefde, maar in de duisternis bij het flakkerende kaarslicht, in de ijzige kou van de zitkamer, klampten ze zich aan elkaar vast. Hun lippen vonden elkaar en hun lichamen spanden zich tot het uiterste in om wat ze voelden tot uitdrukking te brengen; wat er tussen hen voorviel was net zo natuurlijk als praten of ademhalen. Waarom kostbare tijd verliezen als een lichaam zoveel meer kan uitdrukken?

Er bestond geen schaamte, alleen maar wanhoop en het gebruikmaken van de gelegenheid. Gevangen in die omhelzing verdwenen al haar bedenkingen in een primitieve drang om te paren en zich over te geven. Pas later, in haar koude bed met Tom die snurkend naast haar lag, drong tot haar door dat wat ze had gedaan roekeloos en onvergeeflijk was. In het koude ochtendlicht wist ze dat ze haar gezin had verraden, maar ze voelde zich op geen enkele manier schuldig, alleen maar verdrietig en wanhopig omdat Klaus moest vertrekken.

Toen de wegen zo ver vrij van sneeuw waren dat er weer gereisd kon worden en ze een uitnodiging kregen voor het concert in het kamp, wist ze diep vanbinnen dat Klaus weg was en ze werd misselijk bij de gedachte aan wat ze zo hartstochtelijk had gedaan zonder een ogenblik aan anderen te denken, aan haar kind, aan Tom, maar tegen die tijd had ze andere zorgen aan haar hoofd.

27

UIT MIJN SLAAPKAMER

Ik sta hier terwijl de tranen over mijn wangen stromen en weet wat voor aanblik deze kamer zal bieden als alles er eindelijk uit verdwenen is: het dressoir, de hoge ladekast en al dat zware Victoriaanse meubilair dat we van Josiah hebben geërfd. Dit was mijn toevluchtsoord, mijn troost, hier kon ik me al die jaren geleden verbergen. Het zal allemaal naar een veiling moeten, want het kan de trap niet op in mijn huisje en jullie zullen het niet in de schuur willen hebben, maar mijn tranen hebben niet echt iets met de verhuizing te maken.

Wie zei ook weer: 'Alle hartstocht eindigt bij de graftombe van Julia'? Ik probeer geen uitvluchten te verzinnen, ik wil alleen maar zeggen dat ik jong was, vol romantische ideeën en me verveelde doordat elke dag hetzelfde was. Ik was van mijn stuk gebracht door een knap gezicht, de ellende van de oorlog en een eenzame jongeman. Er was niemand die me kon waarschuwen voor de macht van fysieke aantrekkingskracht en romantische droombeelden; ik had beter moeten weten, maar ik wilde hem en ik kreeg hem. We werden één en dat was het. Het gebeurde maar één keer, maar één keer is genoeg, geloof ik.

Tegenwoordig vertrekt niemand een spier als ze pakken wat ze hebben willen. Ga je gang, zeggen ze tegen jonge vrouwen. Neem wat je hebben wilt en geniet, maar in mijn tijd was dat niet zo. We werden opgevoed volgens de doctrine van Sint-Augustus: 'Pak wat je wilt en je zult ervoor betalen.'

Klaus was mijn 'Totale', mijn zonsverduistering, een van de voor mij beslissende momenten, de ontmoeting die mijn leven voorgoed zou veranderen. Hij was de schaduw voor onze zon, het 'het-moment' dat anderen overkomt, maar jou niet.

Het was nooit mijn bedoeling geweest overspel te plegen, om zo zwak en schaamteloos te zijn, maar diep in mijn hart was ik nog maar een kind, een meisje vol romantische ideeën, een vrouw met behoeften die dit huis nooit zou kunnen vervullen: liefde voor muziek en toneel, dromen over verre reizen, filmfantasieën over romantische hartstocht. Wat heb ik zitten huilen onder *Brief Encounter* terwijl Tom lag te snurken.

Klaus was mijn Trevor Howard-moment, mijn mysterieuze vriend, mijn verloren liefde, en ik dacht dat ik dood zou gaan toen hij werd gerepatrieerd en verdween. We kregen de volgende Kerstmis nog een keer een kaart van hem, een aandoenlijk briefje, zorgvuldig geformuleerd, dat meer verborg dan het vertelde.

Lieve vrienden in Engeland. Ik denk aan vrolijk kerstfeest in Wintersett. Ik zal nooit vergeten, Lenore, Sylvie en Tom. Het is moeilijk om te schrijven wat ik hier zie, maar jullie zijn altijd in mijn gedachten en zulke gelukkige gedachten komen nooit meer terug, vrees ik.

Jullie oprechte vriend, Klaus.

Toen verdween hij, en hij liet het aan mij over om met mijn schuldgevoel in het reine te komen. Je moet begrijpen dat het een merkwaardige wervelwind van een romance was die uit het niets kwam en weer in het niets verdween, en alleen maar verwoesting in zijn kielzog achterliet.

Ik weet niet wat er met dat kersthuis is gebeurd dat ze voor ons hadden meegenomen. Het vertelde over harmonie en vergiffenis, welbehagen voor allen, maar later vertelde het mij over wat had kunnen zijn: die geheime hartstocht die werd gewekt en weer doofde, allemaal binnen een paar weken. Ik moet ervan blozen als ik eraan denk hoe dom het allemaal was. Sylvia haalde het telkens tevoorschijn en ik stopte het dan steeds weer stiekem terug op zolder. Het was een te pijnlijke herinnering aan mijn schuld.

Hoeveel nachten heb ik zijn naam niet in de ijsbloemen op de ramen zitten krassen, terwijl ik uitkeek over de velden en me afvroeg of Klaus ooit nog aan me dacht?

Dat was een tijd dat het leven leek stil te staan, erop wachtte dat het licht van de sterren zou neerdalen om me mee te voeren naar zijn armen. Dan keek ik weer omlaag naar de versleten handgeknoopte tapijten en de wastobbe, en wist ik dat ik aan de aarde vastgeklonken was, vastgenageld door plicht en trouw aan Wintersett House en aan iedereen die binnen zijn muren sliep.

Ik was geen Assepoester en hij had geen glazen muiltje waarmee hij me voor zich kon opeisen en kon meenemen naar een sprookjeskasteel, maar elke vrouw heeft recht op haar dromen als het dagelijks werk haar zware dagen en lange nachten bezorgt. Ik ben geboren om boerin te worden, gedreven te worden door plichtsbesef, en er wordt van me verwacht dat ik het welzijn van mijn gezin vóór dat van mezelf laat komen.

Eén ogenblik vol romantiek en vuur in mijn kille bestaan heeft dit hart maanden daarna gaande gehouden. Het vuur van onze liefde is nooit helemaal gedoofd; dat gloeit nog steeds, het beroert mijn koude ziel terwijl ik voor het haardvuur zit te dromen. Het heeft me ervoor behoed dat ik gek werd toen de nachtmerrie van de echte werkelijkheid begon.

Misgun me mijn Duitse Kerstmis van zo lang geleden niet, onze dansende gans en die eenzame krijgsgevangenen, of Klaus en zijn onvervulde hartstochten en verloren dromen.

Wie zei ooit dat verloren liefdes degene waren die het langst bleven bestaan? Klaus is in mijn gedachten nooit gestorven, want hij heeft zijn eigen gift van het leven achtergelaten, dat weet ik zeker, maar het valt niet mee om te schrijven wat er vervolgens gebeurde.

28

HET FEEST VAN SINT-NICOLAAS
6 DECEMBER 1947

Addy's adventskrans

1 dl warm water; 2 theelepels gedroogde gist; 450 g broodmeel; 1 theelepel gemengde specerijen; 3 ons gedroogde vruchten; sap en geraspte schil van een sinaasappel; 30 g poedersuiker; 1 afgestreken theelepel zout; 30 gram amandelen, gepeld en fijngehakt; 2 geklopte eieren

Maak de gist klaar, los 1 theelepel suiker op in lauw water, giet dit over de gist en laat tien minuten staan. Zeef zout, specerijen en suiker en vermeng dit met gedroogd fruit en noten. Voeg sinaasappelsap, de gesnipperde schil, het gistmengsel en de eieren toe aan het meel. Maak er deeg van en kneed tot het elastisch is. Doe het deeg in een ingevette plastic zak en laat het anderhalf uur rijzen in een warme kamer. Haal het eruit, kneed een tweede keer en vouw dubbel. Vorm een ring en plaats die op een ingevette bakplaat en laat opnieuw dertig minuten rijzen. Bak gedurende twintig minuten in het midden van een matig warme oven, temper dan de warmte en bak nog eens dertig minuten of tot de onderkant van het brood hol klinkt als je erop klopt.
Smeer de ring wanneer deze nog warm is in met marmeladeglazuur of met kaneel en suiker, stroperig opgelost in water.
Versier de ring met rode kersen, engelwortel of noten.

'Je bent gek dat je in jouw toestand naar buiten gaat,' gilde Tom Yewell, maar Lenn was vast van plan naar de repetitie in het dorp te gaan. Het was de laatste voor het concert dat zaterdag zou plaatsvinden. Ze wilde naar buiten nu ze die vrijheid nog had. Binnenkort zou de keuken helemaal vol staan met emmers vol luiers en slabbetjes, alles wat bij een nieuwe baby in huis hoorde.

'Vanavond gebeurt er nog niks,' riep ze terug. 'De vroedvrouw is langs geweest en die heeft gevoeld.' Ze was niet in de stemming om zich als een drachtige zeug op stal te laten zetten. Ze was er helemaal niet voor in de stemming, om de waarheid te zeggen.

Ze was heel makkelijk zwanger geworden van deze baby en het erge was dat ze niet wist of dat was gebeurd tijdens die ene keer met Klaus of tijdens die nacht dat Tom en zij ophielden met elkaar af te snauwen toen ze ingesloten waren door de sneeuw en ze het beste maakten van de voorraden die nog over waren en voor het eerst in wat een heel lange tijd leek weer met elkaar vrijden.

Het was zo'n verraad. Ze was helemaal niet toe aan nog een kind en al helemaal niet aan een kind dat door verraad ter wereld kwam. Ze had genoeg aan Sylvia. Tom wilde graag een zoon en hij was maar aan haar hoofd blijven zeuren om het nog eens te proberen. Als hij de waarheid wist zou hij niet zo staan te trappelen. Maar de waarheid was dat zij het niet wist en het ook niet kon zeggen, en haar bloeddruk was huizenhoog van de zorgen.

'Je wilt alleen maar een zoon om de boerderij voort te zetten. We houden alles voorlopig nog maar even bij het oude,' had ze gezegd toen het al te laat was. Ze was zo opgezwollen als een aangespoelde walvis en wachtte tot de vliezen zouden breken. Maar vanavond zou dat niet gebeuren, dacht ze. Ze was eraan toe om eens lekker te zingen.

De repetities voor de *Messiah* waren haar enige kans om een keel op te zetten en alle emoties een uitweg te bieden, de zorgen, de schaamte, de onzekerheid. Die muziek had iets waardoor haar borst zwol van trots, wat haar onrustige ziel beroerde en haar rust gaf van die maalstroom van schuldgevoelens, en ze zou gaan, baby of niet. Die moest maar op zijn beurt wachten.

Een deel van haar wilde dat dat gezwel zou blijven waar het was en op de een of andere manier langzaam zou wegsmelten, maar Tom was enorm opgetogen. Hij vertroetelde haar alsof ze een van zijn stamboekooien was, een van zijn beste fokdieren, en, dacht ze, op een bepaalde, grappige manier was ze dat ook. Hij rekende op haar om het geslacht voort te zetten. Het was niet eerlijk om tegen hem te liegen, maar wat kon ze anders?

Nadat Klaus was weggegaan, was er niets meer eerlijk geweest en ze zag vreselijk tegen de komende weken op, als de herinneringen aan hun enige samenzijn weer boven zouden komen en de pijn van haar verraad haar zou verscheuren.

Dit was geen tijd om een kind ter wereld te brengen. Niemand wist van haar dilemma en haar angsten. Hoe dan ook, de beslissing was haar uit handen genomen.

Was het maar niet de periode rond kerst geweest, met alle brieven, pakjes en kaarten uit Duitsland. Er was nieuws van Lange Hans over zijn eigen zoontje en alleen maar de ansichtkaart van Klaus. Kon ze hem maar vertellen wat er aan de hand was.

Hoeveel miskramen had ze gehad na Sylvia's geboorte? Drie, vier? Allemaal kleine sterfgevallen, en daarna niets meer. Ze had zich erbij neergelegd dat Sylvia enig kind zou blijven, maar toen ze die ene vreselijke misstap maakte was ze meteen 'met kip geschopt', zoals een van de knechts het noemde. De brutaliteit!

'Ik hoop dat je weet wat je doet,' zei Tom toen hij haar een jas zag aantrekken die gapend openstond bij haar dikke buik. 'Het wordt een koude avond en er ligt waarschijnlijk ijzel op het asfalt. Ik wil niet dat je in het donker rijdt als het glad is. Als je dan zo nodig moet gaan, blijf dan vannacht in het dorp bij Peggy. Zij zorgt wel voor je, maar waarom je er nou midden in de winter op uit moet... Wat is er mis met je eigen haardvuur en mijn gezelschap?' zei hij, en zijn blauwe ogen keken strak in de hare. Ze kon hem niet recht in de ogen kijken uit angst dat hij haar schande zou zien en ze wendde haar blik af.

'Er komen nog genoeg avonden bij de haard als het eenmaal echt winter wordt en ik een baby aan de borst heb, dus gun me nog even mijn vrijheid zolang het nog kan. Het is maar voor één avond,' zei ze snibbig.

'Ik zal vreselijk ongerust zijn,' zei hij, en dat vond ze heerlijk.

'Dan neem ik een postduif mee in een mandje en die laat ik dan morgenochtend met een briefje aan zijn poot gaan, als dat je gerust kan stellen,' zei ze, en ze klopte op haar buik. 'Deze heeft geen haast om te komen, let op mijn woorden. Het is een luie bliksem en hij schopt ook niet vaak.'

Daar was verder niets tegen in te brengen, want ze hadden geen telefoon en dit was hun gebruikelijke manier van communiceren als ze weg was.

Messiah-avond was de enige keer dat ze zeker was van een beetje vrouwelijk gezelschap en grapjes kon maken met de alten terwijl ze wachtten tot de anderen kwamen. Het koor was samengesteld uit alle dorpskoren in het district en in de streek was het beroemd om zijn vertolking van het 'Hallelujah'.

Waarom werd de *Messiah* nooit gezongen, maar altijd uitgevoerd, alsof het om het bouwen van een huis ging, vroeg ze zich af.

Elk jaar rond deze tijd kwam in de eerste weken van december het Oratorium van Händel tevoorschijn, en over heel Yorkshire genomen moest er elke avond van de week wel ergens een uitvoering van de *Messiah* zijn. De meesten van hen kenden het stuk uit hun hoofd, want zij trokken van kapel naar kapel om de andere koren bij te staan.

Terwijl ze in de kerkbank zat te wachten tot de dirigent zijn stokje zou pakken en de solisten hun stembanden hadden opgewarmd, voelde ze de houten bank in haar rug bijten. Ze had een kussen meegebracht, maar dat leek niet te helpen. Ze gingen staan om te zingen, en wat een opluchting was dat. De tocht naar het dorp Wintersett was een hobbelige rit geweest en nu moest ze ervoor boeten.

Het was zo'n repetitie met stoppen en weer beginnen die maar niet goed op gang leek te komen. Alles ging mis: de bassen vielen te laat in, de sopranen zongen vals, maar gezien de leeftijd van sommigen was dat niet verbazingwekkend. Ze gingen telkens op spectaculaire wijze de andere kant op dan de mannenstemmen.

'Nu we het toch hebben over "Wij zijn gelijk dwalende schapen": dames, let alstublieft op de maat,' riep de koordirigent, en de aderen stonden duidelijk afgetekend aan zijn slapen van inspanning. Het ging niet geweldig, maar zij waren de Huddersfield Choral Society niet, maar gewoon een stelletje wevers, boerenvrouwen en onderwijzers, allemaal stevig ingepakt tegen de kou, en oude dorpsnotabelen die graag mee wilden doen.

Samen worstelden ze verder; ze zongen zichzelf hees en de machtige muziek liet de kracht van hun stemmen tot duizelingwekkende hoogten stijgen. Haar stem sloeg over bij de B-mineur en af en toe klonk er op een verkeerd moment gepiep, maar ze legde haar hele ziel en zaligheid in de repetitie.

Op dat moment, door die muziek, kon ze al haar zorgen vergeten en zich helemaal uitleven, maar de pijn in haar rug werd maar niet beter. Ze voelde zich tegen de pauze zo akelig dat ze buiten een eindje ging lopen om even de benen te strekken. Misschien had ze toch thuis moeten blijven en met haar voeten omhoog blijven zitten zoals Tom had voorgesteld, maar ze wilde dolgraag even van al dat gedoe verlost zijn. Maar de kerk had haar alleen maar doen denken aan die zondag het jaar ervoor, toen ze Klaus voor het eerst had gezien. Ze kon van wanhoop wel in tranen uitbarsten.

Ze ging terug naar haar plaats en probeerde haar gezicht niet van pijn te vertrekken tijdens het overdonderende 'Amen'-koor, maar een enorme wee trok haar buik samen en ze moest gaan zitten. Nou, dat was geen winderigheid en het lag ook niet aan de vispastei, zoveel was zeker, en ze haalde een paar keer diep adem en dacht aan de jongste manie voor de geest die de baas was over materie. Ik zal en moet 'Worthy as a Lamb' zingen, ook al wordt het mijn dood, besloot ze, en ze ging staan om enige hartstocht in het refrein te kunnen leggen.

Tegen het einde van het koor was ze verlamd door emotie en inspanning, en ze realiseerde zich met een ziekmakend gevoel dat de komst van deze baby niet zou wachten tot het einde van de repetitie. De geboorte van Sylvia had uren geduurd, maar dit kind protesteerde krachtig tegen het feit dat ze aan het zingen was en baande zich zelfs terwijl ze probeerde te zingen een weg naar buiten.

Ze fluisterde tegen haar vriendin Peggy Oakworth en samen schuifelden ze weg, wankelend tussen de kerkbanken door naar de vestibule, met het halve getrouwde vrouwelijke deel van het koor achter zich aan. Daar zat geen vroedvrouw bij.

Iemand ging naar de kiosk om van daaruit de dokter te bellen, terwijl iemand anders Elsie Fothergill ging halen. Die had dertien kinderen en woonde vlakbij.

'Ik denk niet dat meneer Händel ooit dergelijke spectaculaire gevolgen van zijn "Hallelujah" heeft voorzien,' hijgde ze tussen twee weeën door; ze wist dat er binnen niet al te lange tijd iets bloederigs en vies op de geboende vloer van de vestibule zou glippen.

Er was een plaquette aan de muur bevestigd waar ze zich op concentreerde tot ze de naam van Josiah zag, een van de regenten, een van de stichters. Heb je nou je zin, meneer Kerstmis, verwenste ze hem. Mannen, wisten zij veel?

Het gerucht ging dat hij hier zoveel tijd doorbracht dat Susannah op een avond een kussen naar beneden had gegooid en had geroepen dat hij hier dan maar moest gaan slapen als het allemaal zo belangrijk voor hem was. Ze zouden niet kunnen begrijpen in welke tweestrijd ze stond, en Bill en Addy evenmin, of Annie en Ernest Frost, haar ouders.

Er klonken primitieve geluiden en vreemd gekreun, allesbehalve muzikaal, daar op de vloer, te midden van kussens en paardendekens en overal kranten toen de ongeduldige baby zijn glibberige hoofd in de wereld stak en zijn eerste teug adem nam. Het was een jongen.

Elsie verzekerde zich ervan dat de baby ademde en vanuit het stomverbaasde koor klonk gejuich en applaus en een levendige uitvoering van 'Er is een Kindeke geboren'.

Zo'n drama had Wintersett Chapel niet meer meegemaakt sinds die keer dat de dominee een formele klacht had ingediend over de processies op kerstochtend die hem uit zijn sluimeringen hadden gewekt toen ze pal onder zijn raam bleven staan zingen, wat zijn vrouw danig had geïrriteerd.

De Ierse vroedvrouw verscheen toen alles vrijwel voorbij was, maakte de baby schoon en legde hem in haar armen, en ze keek neer op het verwrongen paarse gezichtje. Ze had gedacht dat ze de vader in de zoon zou herkennen, maar dit kind zag er net zo uit als alle andere pasgeboren baby's: gerimpeld en opgezwollen, en zij voelde zich verdoofd en uitgeput.

'En hoe ga je deze knappe jongen noemen?' wilde de vroedvrouw weten. 'Händel...?'

'George Frederick...?' lachte Peggy.

Ze was zo uitgeput dat ze nauwelijks kon denken.

'Nou, ik meen me te herinneren dat 6 december het feest van Sint-Nicolaas is, dus dit is... de echte Santa Klaus,' zei de vroedvrouw, die vastbesloten was haar steentje bij te dragen.

'Klaus...' Ze huilde bij de herinnering aan die prachtige ogen en hun passie. Niklaus... te buitenlands, maar Nicolas, waarom niet? Ze keek naar het kleine gezicht en wendde zich teleurgesteld af. Wat zag hij er anders uit dan Sylvia, maar Nicholas kon ermee door als naam. Nicholas Thomas. Het leek beter om niet alles op één kaart te zetten.

Deze plotselinge bevalling bezorgde haar geen vreugde, alleen maar een ziekmakend gevoel van schaamte. Ze was niet de vrouw die ze dacht te zijn nu ze Tom zo had bedrogen, maar wat niet weet, wat niet deert. Ze zou de rest van haar leven met dit schuldgevoel moeten leven. Dat zou haar straf zijn.

Sylvia zou dol zijn op haar kleine broer en hem vertroetelen. Kon ze zelf maar liefde voelen voor deze hummel in haar armen, maar ze voelde niets. Dat zou misschien later wel komen als ze hem eenmaal mee naar huis, naar Wintersett, had genomen.

Wintersett... Arme Tom, verzuchtte ze. Hem stond een geweldige verrassing te wachten wanneer de duif morgenochtend op het dak landde.

29

DE KAPTAFEL

Ik moet nu even uitrusten en gaan zitten. Het is hier donker, doordat de kaptafel het licht van het raam wegneemt. Er staan aan weerszijden staande schemerlampen. Daar zat Sylvia altijd te spelen met mijn potten crème en lippenstift en met mijn kralen en sjaals. Dan danste ze voor de spiegel, met mijn hoge hakken aan en verkleed in die jurk met lovertjes die ik voor een jachtbal had gekocht.

Het blad is nu leeg, afgezien van een stel in zilver gevatte borstels en een parfumverstuiver van blauw glas die op een blad hoorde, samen met twee glazen kandelaars die allang naar een rommelmarkt zijn verdwenen. Nu staan er 's morgens alleen maar pillen en zalfjes om me te begroeten en me eraan te herinneren dat ik oud en versleten ben, hoge bloeddruk heb en een hart dat af en toe een slag overslaat. Er staan maar twee foto's en ik neem er één voorzichtig in mijn handen.

Je zou elke babyverkiezing in de wijde omtrek hebben gewonnen, met je bos krullen en bolle wangen. Jouw geboorte heeft voor ons Kerstmis toen een heel speciale betekenis gegeven.

Ik weet wat je nu wilt gaan vragen. De waarheid is, mijn zoon, dat ik het niet weet en nooit heb willen weten. Soms, als ik naar je kijk, zie ik alleen maar wat ik wil zien. We hebben altijd op elkaar geleken, jij en ik: blond, met krachtige gelaatstrekken. Je ogen zijn helemaal van jezelf en lijken op die van niemand anders. Je hebt nooit te klagen gehad over bewonderende blikken.

Ik weet dat deze waarheid het beeld zou vernietigen dat je had, dat het je erfenis was van Tom en de Yewell-genen, en dat het je strijd om dit land in de familie te houden voor niets zou doen lijken.

Je bent mijn kind, vuur van mijn schoot, verwekt in dit huis, als het gevolg van één wilde nacht, of als het resultaat van jaren van trouwe liefde voor de enige vader die je ooit hebt gekend. Je maakt net zozeer deel uit van Wintersett als wie ook.

Voor mij ben je een Yewell van Wintersett. Het is niet je afkomst die me verscheurt, maar het feit dat ik je alles, behalve mijn hart, heb geschonken.

Je hebt er niet om gevraagd op de wereld te worden gezet. Ik heb mijn plicht gedaan en ik heb jou onrecht aangedaan. Je was zo'n prachtige baby, een gemakkelijk kind, en je hield net zo van muziek als ik. We hadden een innigere band moeten hebben.

Is al dat gezang voor je werd geboren tot je doorgedrongen? Dat heb ik me vaak afgevraagd. Zelfs als peuter had je al gevoel voor muziek en sloeg je als een echte trommelslager de maat bij de muziek van de grammofoon.

Wat heb ik veel van je gemist, maar het is toch nooit te laat om het goed te maken, hè?

In mijn hand houd ik nu de andere foto, van onze dochter; een gewoon gezicht met vlechten en linten in het haar, met haar zwarte gabardine jas en laarzen aan in de winter van 1952, met haar ogen knipperend tegen de zon en met een brede glimlach. Sylvia moet het toen naar haar zin hebben gehad. Vergeef me dat ik van onderwerp verander, maar voor ik kan uitleggen wat ik allemaal voel, moet ik de moeilijkste woorden van allemaal opschrijven. Er is een verband.

Het is dat verhaal dat je maar al te goed kent, het verhaal waaronder je je hele jeugd hebt geleden. Ik schrijf het niet om te choqueren of iemand de schuld te geven, maar om het allemaal te kunnen begrijpen. Ik moet het in gedachten herleven. Ik hoef alleen maar vlaggen en wimpels te zien en rood, wit en blauw om me de kroning van 1953 weer voor de geest te halen.

Het zag er zo echt uit, zo levendig, dat ze de foto bijna uit haar handen liet vallen van verrassing. Ze staarde lang en intens naar Sylvia's gezicht om te zien of haar lippen bewogen, maar dat was niet zo.

'Waar moet ik zoeken?' zei ze in geluidloze samenzwering. Er volgde slechts stilte. 'Als je wilt dat ik het vind, zul je me moeten helpen. Mijn benen doen pijn en ik heb geen röntgenogen.' Er kwam nog steeds geen antwoord.

Wat had ze dan ook van een foto verwacht? Eerst Josiah en nu Sylvia; ze lachte en voelde zich plotseling lichter. Ze waren van plan hier Kerstmis te laten plaatsvinden.

Ze pakte allebei de fotolijsten op. Eén ding was zeker: die twee zouden zich niet meer kunnen verstoppen. Ik zet jullie allebei in de zitkamer, midden in alle drukte, waar jullie thuishoren. Het wordt tijd dat ik met allebei mijn kinderen pronk, naast mijn trouwfoto, besloot ze.

Maar waar was het kersthuis gebleven? Het moest bij de kerstspullen zijn ingepakt. Er viel niet aan te ontkomen: ze moest op de vliering gaan zoeken, maar dat hield in dat ze de donkere trap op moest naar de grote zolder met al die lege kamers en theekisten. Het stof zou haar op de longen slaan zodat ze naar adem snakte, maar het was allemaal voor het goede doel.

Als je de schat wilt vinden, mijn kind, dan zul je ernaar moeten zoeken, besloot ze. Ze ging op haar langzame zoektocht van de ene zolderkamer naar de andere, snuffelde in koffers en kisten vol vochtige gordijnen en oude kleren, maakte dozen vol tennisrackets, hockeysticks, voetbalschoenen en scheenbeschermers open, maar vond niets.

Al die troep moest weg, zag ze. Ze rommelde in laden die volgepropt waren met breipatronen en oude tijdschriften. Er stonden kisten vol boeken en schilderijlijsten, oude schoenen. Het stof kriebelde in haar neus en maakte haar aan het niezen, maar ze was als een fret in een konijnengang en liet zich niet tegenhouden.

Sommige kamers stonden vol oud meubilair waarvan ze het bestaan was vergeten. Genoeg om een klein huis mee te meubileren? Er stond hier genoeg spul om een heel appartementengebouw mee vol te zetten, dacht ze terwijl ze tussen de spullen op de vensterbanken zocht en naar buiten naar de vallei keek, die baadde in de middagzon.

Dit zou een prachtige slaapkamer zijn, een plekje voor een kind, en hij zou felgeel geschilderd moeten worden, met gouden sterren op het schuine dak en al het speelgoed in de inloopkast. Het zou een geweldige babykamer zijn, en dan zou je twee verdiepingen lager al dat gehuil ook niet horen. In de kast vond ze de speelgoedboerderij van Nik en een paar tractoren, en ze ging zitten en speelde er even mee. Er waren plastic koeien en schapen en zelfs een paar bomen. Er was een tovertekenblad, waarop lijnen verschenen als je aan een paar knoppen draaide. Dit zou ze meenemen naar de kamer van Edie. Die zou het leuk vinden om van alles te tekenen en dan weer uit te vegen.

Plotseling hoorde ze geritsel van papier en een krabbelend geluid achter de muur. Misschien zat er een muis om haar de weg te wijzen, of iets ergers. Maar toen ze er voorzichtig naartoe kroop om te vragen of het wilde helpen, schoot het verschrikt door een gat weer de muur in. Ze staarde over de velden en stelde zich voor hoe het zou zijn als er weer schapen en koeien zouden lopen, als de tractor over de strak onderhouden akkers op de hellingen zou rijden. Als...

Er zou in haar leven geen vee meer rondlopen of een kinderkamer komen op Wintersett. Er was niets meer, behalve herinneringen, dromen en verlangens. Ze kon de rivier zien die beneden als een glinsterend zilveren lint op een groene jurk door de vallei slingerde. Hier klonk geen stem die haar hielp de versieringen terug te vinden.

Teleurgesteld stommelde ze langzaam over de overloop boven met zijn kamers links en rechts. Hier was niets anders dan een verzameling muffe rommel die lag te wachten op een rommelmarkt. Het was hopeloos, maar dat stemmetje bleef haar maar aansporen: 'Zoek het kersthuis.'

'Ik doe mijn uiterste best, maar je helpt niet erg!' snauwde ze in de lucht. 'Probeer zelf maar eens iets te vinden in deze troep!' zei ze boos terwijl ze zich voorzichtig een weg baande op de smalle trap.

Boven haar was een daklicht, en een lichtbundel waarin stofdeeltjes glinsterden viel in het trapgat terwijl ze op het punt stond zich om te draaien en weg te gaan. Het licht scheen als een zoeklicht op een kast onder de trap waarvan ze het bestaan was vergeten. Meer uit frustratie dan uit hoop trok ze aan de knop en deed de deur open.

Het was wéér een donker gat, maar zelfs in de duisternis kon ze in de lichtbundel iets zien glinsteren, een goudkleurig lint, een paar gouden ballen, en ze haalde opgewonden de dozen tevoorschijn. Hier moest het zijn.

'Dank je, Sylvia,' zei ze terwijl ze opgewonden de dozen pakte. Er waren slingers en papieren klokken, glazen snuisterijen en mooie kerstversieringen in een doos die zorgvuldig in vloeipapier waren verpakt. Er was een koffer vol ditjes en datjes, een koperen kandelaar met bazuinengeltjes die in het rond dansten, een sneeuwhuisje, net zo een als zij als kind had gehad, verfrommelde feestmutsen en sterren aan een touwtje. Alle herinneringen kwamen weer boven, alle feestelijke Kerstmissen trokken aan haar geestesoog voorbij.

Ze was ongetwijfeld warm, maar er was nog geen spoor te bekennen van dat waar ze naar zocht. Toen zag ze het pakket in het bruine pakpapier op de achterste plank en trok het naar het licht. Ze ging buiten adem op de bovenste tree zitten en pakte het voorzichtig uit. Vervolgens verscheen er een brede glimlach op haar gezicht en zei ze nog maar eens een hartgrondig 'dank je wel' toen het kleine huis uit het papier tevoorschijn kwam.

Het zag eruit als een Zwitsers chalet, met een flauw aflopend dak waarop sneeuw was geschilderd. De ramen hadden luiken en rood-groen gestreepte bloembakken. Het zag eruit als het huis van een koekoeksklok, alleen kon hiervan de hele voorkant open en dan werden er vier kamertjes zichtbaar. Het was ongeveer zo groot als een pak cornflakes.

Het was maar een Zwitsers chalet, geen echt poppenhuis, en het was kleiner dan ze zich herinnerde, maar het was onbeschadigd. Het bevatte geen meubilair. Het was niet meer dan een geschilderd omhulsel, maar het zag er heel mooi uit. Het zou een ereplaatsje op de eettafel krijgen.

Ze stopte alle dozen in willekeurige volgorde terug in de kast. Nik kon dit later allemaal naar beneden halen en haar helpen het uit te zoeken. Dit pakje was wat ze wilde.

'Zoek het kersthuis! Nou, dat heb ik gevonden,' zei ze, tevreden glimlachend terwijl ze met haar vingers over het houten huis ging. 'Je was geen engel, hè, je was gewoon een klein meisje dat kattenkwaad uithaalde. Al die jaren heb ik je zo onwerkelijk gemaakt dat Edie denkt dat je een engel bent en Nik jaloers werd op de herinnering aan jou. Het spijt me.' Ze wachtte even; ze wist dat ze in zichzelf liep te praten, maar de stem die ze had gehoord had erg echt geleken.

Ze zou er in geen duizend jaar aan hebben gedacht om het kersthuis tevoorschijn te halen. 'Je hebt gelijk, Sylvia. Het is tijd dat het weer eens wordt gelucht.'

Het kon mooi op de tafel in de hall die tegen de deur was geschoven, zodat haar deel van het huis afgescheiden was van dat van Nik. Wat kunnen mensen toch stom doen: met de rug tegen elkaar wonen en net doen alsof de ander geen recht heeft op de andere helft van het huis, en dat allemaal vanwege slechte herinneringen en jaloezie.

Ze besloot dat het tijd werd om de mahoniehouten tafel weer op zijn plek in het midden van de kamer te zetten, met een gesteven damasten tafellaken en met de zilveren kandelaars erop. De magere vingers met de bobbels klopten zachtjes op het huisje. Er moest ook een kerstboom komen. Waar zou die moeten staan? Haar fantasie sloeg op hol.

Hij moet onder de trap komen, met een heleboel lichtjes, zodat meneer Kerstmis hem vanaf zijn plekje aan de muur kon zien en zou weten dat er kerst werd gevierd. Toen ze onder aan de trap kwam, was ze blij dat ze weer even kon gaan zitten. Ze slaakte een diepe zucht en staarde naar de haard.

Dat was nog zoiets dat pijn deed aan haar ogen. Het rooster was stoffig en leeg, maar ze had de energie niet om hem schoon te maken. Er moest een mand houtblokken worden gehakt als ze morgen een fatsoenlijk vuur wilden laten branden.

Hoe moesten ze dat in vredesnaam allemaal in één dag voor elkaar krijgen: eten, wijn, versieringen, boom en cadeautjes? Dat zou voor wie dan ook een flinke opdracht zijn, kreunde ze, en ze schudde haar hoofd.

'Was ik maar een klein beetje jonger.' Ze keek naar het portret van Josiah om steun te zoeken, maar hij vertrok geen spier.

Ze moesten samenwerken, twee paarden voor dezelfde wagen spannen. Dat zou de last verlichten. Het was per slot van rekening Sylvia's idee, dacht ze. En Sylvia was altijd dol geweest op Kerstmis. Ze hadden een gans en tientallen vleespasteitjes. Nik kon een boom omhakken en Kay zou een handje toesteken waar ze maar kon.

Ze glimlachte bij de gedachte dat ze alle ingrediënten voor een echte kerst bij de hand hadden: eten, een boom, meer dan genoeg kaarsen. Maar wat nog beter was: Kerstmis had een kind en een kribbe nodig, goede vrienden aan tafel en wat domme spelletjes.

Ze stond op, wreef over haar knieën en zocht haar wandelstok. 'Ik denk dat je je eigen Kerstmis maakt, en het is de gedachte die telt, niet de kosten. Heb ik gelijk, of niet, meneer Kerstmis?' zei ze, en ze keek naar zijn portret. 'Kerstmis begint met de juiste gedachte en hoop in het hart. Nou, wat hebben we nog meer nodig? O ja... een kerstman. Die kunnen we Wintersett toch niet laten overslaan op zijn ronde?'

Nik kwam terug van boodschappen doen en trof Wintersett aan in het brandpunt van activiteiten, en voor hij het wist was hij met meubels aan het slepen. Hij had een lijst gekregen van dingen die nog voor het donker gedaan moesten worden. Zijn moeder doorzocht zijn keukenkastjes om te zien wat er in voorraad was, toen Pat Bannerman met een enorme bos geurige lelies een praatje kwam maken.

Ze kreeg stoffer en blik in haar handen gedrukt, mestte de haard uit en mocht toen gaan zitten voor een kop thee en een pasteitje.

'Ik ben bang dat het kerstdiner dit jaar een Jacobsbijeenkomst, een geloofsmaaltijd, zal worden.' Lenn keek naar haar zoon om te zien of hij commentaar had. 'Iets met brood en vis, en nu ik het er toch over heb: als we dit goed willen doen, dan moet je de zitkamer boven in orde maken. Die zal flink gelucht moeten worden. Er moet ergens een rustig plekje zijn waar wij oude dametjes ons dutje na het eten kunnen doen. Kan ik dat aan jou overlaten?' Ze keerde zich naar hem toe. 'Wat heb je gekocht? In die kasten van jou zit nog niet genoeg om onze huismuis te eten te geven. Trouwens, ik zal de grote keuken nodig hebben, Nik, als je het niet erg vindt. We moeten elkaar niet in de weg lopen.'

Hij had zijn moeder in maanden niet zo opgewonden gezien. In jaren niet, om eerlijk te zijn.

'Vraag me nooit meer om op de avond voor Kerstmis boodschappen te gaan doen, moeder. Het leek wel een veemarkt – niets voor slappelingen. Je zou bijna denken dat de winkels een maand dichtgaan in plaats van een dag. Ik heb nog nooit zo'n drukte gezien,' zei hij terwijl hij zijn oude laarzen aantrok en in de richting van de deur liep.

'Je doet maar wat je niet laten kunt, blijf maar zo lang als je wilt. Ik ga de frisse lucht in. Ik zal wel wat hout hakken. De weerberichten zijn niet al te best.'

'Zoek maar een mooie boom uit, zoon. Ik wil hem hebben staan tegen de tijd dat ze thuiskomen. We zullen ze eens laten zien dat we hier net zo goed Kerstmis kunnen vieren als in Sutton Coldfield.'

Lenn stond net op het punt om bezem, veger en het mandje boenwas en stofdoeken te pakken om eens flink aan de slag te gaan in de kamer boven, toen twee van haar vriendinnen van het Wintersett Instituut langskwamen met cadeautjes voor Edie. Voor ze konden gaan zitten en de aanval inzetten op de pasteitjes, zette ze hen aan het vegen, stofzuigen en stof afnemen, tot de zitkamer boven helemaal tot haar tevredenheid was schoongemaakt.

Er hingen dikke gordijnen die waren gevoerd met oude wollen dekens om de kou buiten te houden; de chintz overtrekken van de meubels waren verbleekt van ouderdom, maar het was een elegante kamer, met de juiste afmetingen en afgeschoten met turkoois geschilderde panelen. Het tijdschrift *Country Living* zou hier iets moois van maken, dacht ze glimlachend terwijl ze roet en as uit de haard veegde en aanmaakhout klaarlegde. De lelies die Pat had gebracht vulden de kamer met hun zoete geur.

Toen Edna Danby langskwam werd ze erop uitgestuurd om wat takken groen te halen: hulst met bessen, klimop en bladeren van de struiken in de voortuin. Er was geen tijd om er iets moois van te maken, maar toen reed de bestelwagen van de bloemist voor met een enorme roze kerstster, die een plekje zou krijgen in de bloembak en de kamer zou opfleuren, en een hulstkrans voor de voordeur.

Langzaam maar zeker kwamen de kamers tot leven en de trommels vol pasteitjes die ze in haar wanhoop had gebakken raakten snel leeg. Iedereen was dol op haar gebakjes, die ze maakte met amandelen, boter en geklopt eiwit. Het huis rook nu naar warm gebak en kruiden, kaneel, sinaasappel en kruidnagelen. Er stond deeg voor krentenbrood te rijzen in met doek bedekte schalen en buiten klonk het geluid van hout dat tot aanmaakhout en blokken werd gehakt. Wintersett kwam door al dit gedoe tot leven en toen de kerstkaarten werden opgehangen, de hulst aan de schoorsteenmantel werd bevestigd en het koper zo was gepoetst dat het wel goud leek, had ze nog nooit een kamer gezien die zo'n metamorfose had ondergaan.

Nik nam een spade mee het bos in en ging op zoek naar een kerstboom. Hij herinnerde zich hoe hij dat vele jaren geleden met zijn vader had gedaan, hoe ze zich het hoofd braken over welke de goede was, de juiste vorm had, de langste was, de groenste, en ze hadden er altijd een gevonden die precies goed was voor het plekje onder de trap. Hij keek over de stille velden. Hij zou eigenlijk bezig moeten zijn de schapen te voeren en degene die hoog in de heuvels liepen te controleren, want er was slecht weer op komst. Er zat sneeuw in de lucht – kerstsneeuw, precies dat waar de stadse lui zo dol op waren, maar dat voor de boeren altijd ellende betekende. Maar niet dit jaar. Het bos was stil en hij wist dat hij alleen was, dat de gekwelde geest rust had gevonden, en hij hoopte dat hij haar verschijning nooit meer zou zien.

Hij hoopte maar dat hij de juiste cadeaus had gekocht voor iedereen. Hij was naar de kleine juwelierswinkel in Duke Street gegaan om een aandenken voor Kay en het kind te kopen. Gewoon een porseleinen herdershond, een uit de *Border Acts*-collectie die zo populair was bij de boeren in de vallei – niet te protserig of sentimenteel, maar van goede kwaliteit en met de hand beschilderd. Hij was dit niet van plan geweest, maar na wat ze de laatste tijd allemaal hadden doorgemaakt... Toen zag hij een terriër met bijna dezelfde tekening als Muffin.

Hij zag kans om nog even binnen te wippen bij de winkel die de beste met de hand gemaakte bonbons van de stad verkocht. Hij zou zijn moeder ook iets extra's geven. Tjonge, tjonge, de oude Josiah zou trots zijn op dit vertoon van de kerstgedachte, glimlachte hij. Hier was geen enkele sprake van schijnheiligheid! Hij voelde zich sinds zijn uitval tegen zijn moeder niet op zijn gemak en wilde het goedmaken.

Hij merkte dat zijn moeder helemaal opleefde bij de gedachte aan deze kerstviering. Dat zag hij aan de manier waarop ze links en rechts bevelen uitdeelde en het oude huis weer tot leven wekte. Hij had nog iets in petto voor Edie, iets waarvan hij hoopte dat ze het leuk zou vinden. Hij ging er maar van uit dat het weerbericht voor één keer klopte, anders zou ze heel teleurgesteld zijn.

30

OP DE GROTE DAG VAN DE KONINGIN
2 JUNI 1953

Kroningskip

1 gekookte kip
1 gesnipperde ui
Dijonmosterd
kerrypoeder
mayonaise (geen slasaus)
dikke room
druiven indien voorhanden

Fruit de uien in boter, laat ze niet aanbranden.
Voeg een afgestreken eetlepel Dijonmosterd toe en 1 theelepel kerrypasta, breng langzaam op temperatuur en roer tot er een stevige pasta ontstaat.
Laat volledig afkoelen.
Zeef de pasta door een fijne metalen zeef
Voeg de dikke room en de mayonaise toe: 1 dessertlepel per keer tot een vleugje smaak is bereikt.
Snijd de koude kip in kleine stukken.
Halveer de druiven en roer alles door de saus.
Schep alles op een grote schaal en breng garnering aan
Serveer met een salade en stukken ananas uit blik.

Er was nog zoveel te doen voor het straatfeest van die middag en Lenn was zo afgeladen met werk dat ze niet wist waar ze moest beginnen. Er moest een schaal kip worden klaargemaakt volgens het WI-recept en het was een vervelend karweitje de gekookte kip in redelijke stukken van het bot te krijgen.

Nik zat met zijn speelgoedtractor aan haar voeten te spelen en Sylvia zat aan de radio geluisterd en luisterde naar Audry Russell, die een beschrijving gaf van hoe Westminster Abbey eruitzag voor de kroning die die ochtend zou plaatsvinden.

'Het regent in Londen op de grote dag van de koningin,' riep ze terwijl ze nog meer plaatjes uit *News Chronicle* knipte voor haar plakboek over de koninklijke familie.

Voor een meisje van negen nam ze de hele vertoning en ceremonie erg serieus. Ze besteedde uren aan het inkleuren van de kostuums en kroontjes, en haar moeder was onder de indruk van het resultaat. Ze was een wandelende encyclopedie wat alles betrof wat met de scepter en de rijksappel, de kroon van koning Edward, de Koh-i-Noor-diamant en de robijn de Zwarte Prins te maken had.

Meneer Samson, het hoofd van de school in Wintersett, had dit grootse moment gekozen als onderwerp voor het hele semester en Sylvia had ieder detail in zich opgezogen. Geschiedeniswerkstukken, tekeningen en schilderijen en aardrijkskunde – ze moest toegeven dat hij er werk van had gemaakt. De werkstukken werden opgehangen aan de muren, zodat de ouders ze konden komen bekijken, en Tom en zij waren maar wat trots geweest op Sylvia's handgeschilderde banieren vol heraldieke symbolen.

Het viel niet mee om niet naast je schoenen te gaan lopen van trots, dacht ze glimlachend, als je dochter zo op je leek en net zo geïnteresseerd was in tekenen en geschiedenis. Het werk van Nik, dat in de kleuterklas hing, was erg basaal. Zijn interesse ging niet verder dan zijn speelgoedboerderij en -tractoren, zijn verzameling van verschillende schapenrassen. Hij was het gelukkigst wanneer hij buiten met Tom op het land bezig was voor de kudde te zorgen na het lammeren.

Wanneer ze hem samen met Tom zag, werd ze gerustgesteld en werd haar geweten gesust. Als er ooit iemand een boer in de dop was geweest, dan was het Nik in zijn corduroy broek en rubberlaarzen. Met zijn op maat gemaakte pet en zijn eigen herdersstaf zag hij eruit als een kleine oude man. Tot dusver had hij nog geen enkele academische belangstelling getoond. Hij leerde maar moeizaam lezen en schrijven, had weinig zin om zijn handschrift te oefenen en in dat opzicht was hij een typische boerenzoon uit de vallei. Als iets geen vier poten of vier wielen had, was hij er niet in geïnteresseerd.

Sylvia probeerde over hem te moederen, maar hij zei dat ze de baas speelde en ze hadden steeds ruzie. Ze leidden hun parallelle levens en hadden weinig gemeen. Ze glimlachte bij zichzelf in de wetenschap dat ze Sylvia dicht bij huis hield en haar leerde hoe ze tovercakejes moest bakken en hoe ze die mooi kon glazuren en hoe ze moest borduren, maar in de eerste plaats toch hoe ze van boeken kon genieten en hoe ze dingen te weten kon komen.

Geen kind van haar zou ooit zonder boeken of informatie zitten en als ze verder zou willen leren, dan zou zij ervoor zorgen dat haar dochter die kans kreeg, ook al zou dat betekenen dat ze voortdurend moest vechten tegen die houding die de Yewells eigen was.

Ze ging verder met haar nieuwe recept. Het was een hele klus en ze wilden om halfelf in het dorp zijn om de kroning te kunnen zien op de gehuurde televisie. Het zou er afgeladen zijn, want het dorp had het geluk dat het de beelden rechtstreeks ontving van de mast op Winter Hill in Lancashire. Het scherm was maar vijfentwintig centimeter in het vierkant, maar niemand wilde het schouwspel missen. Ze had liever gewacht tot ze het op het grote scherm in Technicolor in het filmhuis kon zien wanneer al het gedoe voorbij was, maar Sylvia riep iedereen bij elkaar om mee te gaan, zodat ze alles konden zien op hetzelfde ogenblik dat het gebeurde.

Niet dat ze iets tegen al die vaderlandsliefde had, maar het betekende zoveel extra werk. Je had het sportdagcomité, de optocht, het festival van schoolkoren, de praalwagens, een danswedstrijd en WI-activiteiten en wedstrijden; er moest gebakken worden voor het kinderfeest op de dorpswei en voor de ouden van dagen, en dan moesten nog voor de middag de versnaperingen worden klaargemaakt voor de Gekke Cricketwedstrijd, waarbij mannen zich verkleedden als vrouw en vrouwen als man, en het verkleedpak van Nik voor school moest ook nog af.

Sylvia had gesmeekt om een speciale jurk voor de gelegenheid en ze kon geen weerstand bieden aan de aanbieding op de markt van rood-wit-blauwe bobbeltjesstof waar ze een jurk van kon maken. Ze vonden bijpassende linten voor haar staartjes en ze vond zichzelf helemaal je-van-het.

Sylvia trok haar jurk bij het krieken van de dag aan en ging bij de radio zitten met haar vlaggen en kroon die ze van ruwe katoen en goudverf had gemaakt, terwijl Nik opging in zijn eigen wereld van driewieler en speelgoedauto en geen oog had voor de opwinding die zich van zijn zus meester had gemaakt.

Tom had het te druk om mee te gaan naar de stad, maar er zou later op de avond een grote barbecue worden gehouden bij de Spread Eagle en dat was meer iets voor hem.

Het was onaangenaam en vochtig die ochtend. Ze ving geluiden op van de opgewonden menigte die juichte bij alles wat bewoog en de regen op de gebruikelijke stoïcijnse Britse manier trotseerde. Dit was geen zinderende junidag; het was eerder lente dan zomer, maar ze waren gewend aan negen maanden winter en drie maanden slecht weer, zoals de oude grap hier luidde. Zolang de kinderen hun feestje maar hadden en stoom konden afblazen met sport en dans. Als het helemaal uit de hand liep, konden ze zich altijd nog terugtrekken in het dorpshuis en daar de tafels op schragen opstellen. Waar zouden ze zijn zonder plastic regenjassen, paraplu's en rubberlaarzen?

De schapen en koeien hadden er geen idee van dat het kroningsdag was en hadden hun dagelijkse zorg nodig, dus ging het leven op Wintersett zijn gewone gang. Feestdag of niet, de veestapel kwam op de eerste plaats.

Ze moest toegeven dat ze wel een beetje opgewonden was over deze dag en over het feit dat ze een gezellige middag zou doorbrengen met haar vriendinnen in het grijze stenen dorp vol kleine huisjes. De manier waarop Wintersett tegen de grote heuvel aan genesteld lag, had iets wat haar geruststelde. Het was dichter bij de plek waar ze was geboren, dichter bij de beschaving, compact en vriendelijk, met volop winkels en, na de stilte op de velden, bedrijvigheid.

Haar leven was een voorspelbare cyclus van seizoensgebonden werk: lammeren, scheren, hooien, oogsten, dekken, mesten en lammeren. Alles wat een verandering betekende – markt, bezoek, Kerstmis – was altijd van harte welkom.

Voor het eerst in tijden had ze het gevoel dat haar leven op orde was, en stabieler; het ergste van de oorlogsellende was achter de rug. Er waren nog steeds dingen op de bon, maar de kinderen hadden nu tenminste weer snoep. De prijzen op de markt gingen omhoog en het gevoel overheerste dat deze nieuwe koningin een tijdperk van voorspoed en hoop inluidde. Vanmorgen nog was het nieuws gekomen dat de Mount Everest bedwongen was door Hillary en sherpa Tenzing en dat de vlag nu wapperde op de hoogste berg van de wereld. Geen wonder dat Sylvia liep te springen van opwinding. Wat heerlijk om jong te zijn, met je hele leven nog voor je, verzuchtte ze terwijl ze vol trots naar haar dochter keek.

Nik was al dat gepraat over 'de honing' beu. Hij wist wel wat honing was: niks bijzonders, het zat in een potje met een gouden etiket, en soms op een feestje kreeg je het op je pannenkoek. Hier, op deze boerderij, hadden ze echte zelfgemaakte stroop, maar die uit een potje was zoeter en geler, en mam gebruikte hem soms om geglazuurde appels te maken als ze niet genoeg suiker had.

Hij was het zat dat Sylvia maar doorging over 'de honing'. Hij moest in de houding gaan staan en 'There'll Always Be An England' zingen en 'And Did Those Feet', en toen hij maar wat aanrommelde, sloeg mevrouw Barnes hem met een liniaal tegen zijn benen zodat hij rechtop ging staan. Ze lieten hem hardop zingen omdat hij maat kon houden, maar hij wilde liever op de handtrommel of de tamboerijn slaan of de triangel laten klingelen. Daar kreeg hij nooit de kans voor omdat hij zuiver kon zingen, en degenen die dat niet konden kregen de beste dingen te doen. Het was niet eerlijk.

Hij wilde wel naar het feest, maar niet verkleed als een 'honingkannetje'. Mam had twee vormen uit karton geknipt en Sylvia had ze goud geverfd en er een heleboel plaatjes van de koningin op geplakt. Hij voelde zich net een meisjesblouse met een handvat aan de zijkant en hij zei dat hij niet ging.

'Als jij je kostuum niet draagt, ga je ook niet naar het feest, mannetje!' zei mam. Hij zocht steun bij pap, maar die schudde alleen maar zijn hoofd en zoog aan zijn pijp.

'Doe nou maar wat je moeder zegt, jongen,' zei hij. 'Dit is haar afdeling, niet de mijne.' En dat was het dan; het had geen zin te protesteren als ze één lijn trokken. Sylvia stond te lachen in haar stomme jurk en zag eruit als een gestreepte zuurstok.

Nu was het bijna tijd om te gaan en iedereen liep maar in het rond en hij stond in de weg, dus besloot hij naar buiten te glippen om op de binnenplaats op zijn driewieler te gaan rijden. Hij wist dat mam tegen hem zou zeggen dat hij geen modder op zijn korte broek en glimmend gepoetste schoenen moest krijgen.

Hij wilde de televisie zien, maar hij zou in de verdrukking komen als iedereen zich eromheen verdrong. Hij ging liever op het grasveld met de andere jongens voetballen, tot het tijd was voor het feest, of oefenen voor het hardlopen en de handicaprace.

Hij was goed in hardlopen en achter de meisjes aan zitten op het schoolplein om aan hun haarlinten te trekken en hun rokken op te tillen. Hij was zo vlug dat ze hem niet te pakken konden krijgen, maar af en toe kreeg hij een draai om zijn oren van mevrouw Barnes, omdat hij stout was. Hij haatte haar.

Dus deed hij net alsof hij naar het gemak buiten ging en liet de deur op een kier staan, maar rende naar de schuur die het verst weg lag om zijn driewieler te pakken zodat hij net kon doen alsof hij Stirling Moss was en *broem-broem* kon doen. Als hij later groot was, zou hij op een tractor rijden, met een paard-en-wagen en in een sportwagen, en dat allemaal op één dag.

Er was niemand op de binnenplaats, maar de tractor stond bij de schuurdeur geparkeerd, dus klauterde hij op de bestuurdersstoel en maakte zijn gebruikelijke *broem-broem*-geluid. Hij zag Sylvia, die hem met de handen op haar heupen stond te roepen.

'Ga weg daar... Je mag daar helemaal niet zitten. Het heeft geregend en mam zegt dat je je niet vies mag maken. Het is vandaag de grote dag van de koningin.'

Hij negeerde haar. Hij kende geen koningin, alleen de pompoenprinses. Zijn zus kon ontzettend bazig doen. Tractoren waren voor jongens, niet voor meiden. Wat wist zij er nou van?

'Nog even,' riep hij terug.

'Kom eraf. We gaan zo weg. Mama wordt boos, hoor!' Ze kwam naar hem toe om hem eraf te trekken.

'Ga weg, rotmeid,' schold hij.

'Ik zeg tegen mama dat je loopt te schelden, hoor. Kom eraf, dan zeg ik niks,' zei ze terwijl ze naar boven klom om hem eraf te trekken.

Hij bleef met de versnellingspook spelen en aan alle knoppen trekken, en de sleutel zat in het contact, dus draaide hij eraan – gewoon, om haar te laten zien dat hij wist hoe het moest. De tractor kwam brullend tot leven, steigerde en kwam toen weer neer, en er was een bonk en hij werd meegesleurd en kon hem niet stoppen, en toen werd hij opzij geslingerd door de klap. Hij gleed weg en klampte zich vast, maar de tractor reed achteruit tegen de muur en hij gilde, en iedereen kwam naar buiten gerend en haastte zich langs hem heen.

Pas toen hij zich omdraaide, zag hij de zwarte laarzen op de grond liggen en er zaten benen in de laarzen en er lag een jurk in de modder.

Mam kwam aangerend en ze gilde, en plotseling stond Rob, de knecht, aan het stuurwiel te rukken; hij kroop achter het stuur en liet de tractor zachtjes naar voren rijden, en er was een hoop geschreeuw, en Mavis, de inwonende meid die mama altijd in de melkschuur hielp, trok hem naar binnen en uit de weg. De deur werd met een klap achter hem dichtgeslagen.

Hij kon ze horen roepen en iemand kwam naar binnen gerend om een ambulance en dokter Murray te bellen. Mavis duwde hem naar de voorkant van het huis en daar moest hij gaan zitten.

Hij zag telkens maar die laarzen, Sylvia's laarzen, en hij begreep niet waarom ze niet aan de kant sprong. Hij was koud en rillerig, en heel erg bang. Hij had iets verkeerds gedaan en Sylvia was achterovergevallen. Hij wist op dat moment dat er voor hem geen televisie, geen feest of wedstrijden op de dorpswei zouden zijn.

Mavis duwde hem zijn slaapkamer binnen en gaf hem een glas citroenlimonade, maar hij was misselijk. Hij kreeg te horen dat hij niet naar beneden mocht komen of lastig mocht zijn. Hij ging op de vloer zitten met zijn houten garage en speelgoedautootjes, maar een eeuwigheid kwam er helemaal niemand en toen Mavis eindelijk kwam, kon hij zien dat ze haar best deed om niet te huilen.

'Waar is Sylvia?' vroeg hij, maar Mavis weigerde hem aan te kijken. 'Waar zijn mam en pap? Wat is er aan de hand? Mag ik naar beneden?'

'Sylvia is er niet meer,' fluisterde ze. 'En jij moet je heel rustig houden en lief zijn voor je pappie en mammie. Ze zijn bezig.'

Hij begreep niet waar ze heen was. Was ze naar het honingfeest, zonder hem? Waarom was ze niet gekomen om dat tegen hem te zeggen? Hij begon te snotteren en snoot zijn neus in zijn trui, klom in bed en rolde zich op tot een bal. Hij wilde verdwijnen, gaan slapen en weer wakker worden. Dan zou het weer ochtend zijn.

Het was het geluid van het gekibbel buiten waardoor Lenn haar baktafel in de steek liet en naar buiten ging om te zien wat er allemaal aan de hand was. Het gebrul van de tractor, terwijl ze wist dat Tom ergens op het land bezig was, maakte haar duidelijk dat er iets niet goed zat. Robbie was er als eerste bij en probeerde het wiel van de tractor weg te trekken van de schuurdeur en met een uiterste krachtsinspanning het kind los te trekken. Ze zat gevangen tussen het wiel en de schuurdeur, werd verpletterd door de twee krachten en de snelheid waarmee het ongeluk zich had voltrokken.

Plotseling ging alles vertraagd en leek het alsof de beelden omgeven werden door een waas. Ze kon de grijze, bewolkte hemel zien en de merel horen die op het dak van de schuur zat; ze zag het stro en de modder aan de banden, en de geur van verschroeid rubber drong in haar neus. Alles leefde en was duidelijk en helder, en ze zag zichzelf terwijl ze neerkeek op haar prachtige dochter en haar modderige jurk met het rood, wit, blauw en bloed.

Mavis trok Nik weg van het schouwspel en Tom kwam aangerend en zag er plotseling zo oud uit als de drieëndertig jaren die hij telde.

'Doe iets, Tom,' hoorde ze zichzelf gillen terwijl ze naar Sylvia's met bloed besmeurde gezicht keek, dat onder de schaafwonden zat en een rare kleur had. Ze lag daar zo rustig en stil, en dat lag helemaal niet in haar aard. Er kwam een dun stroompje bloed uit haar oor en ze begon te schudden en te schokken.

'Doe iets, Tom. Laat iemand alsjeblieft iets doen.' Ze gilde zo hard dat ze dacht dat de hele vallei haar hulpgeroep kon horen.

Toms gezicht was grauw en stond verbeten. Hij nam Sylvia in zijn armen en ze zag de tranen over zijn wangen rollen. Het was de aanblik van die tranen waardoor haar hart versteende.

'Mavis heeft de dokter gebeld,' probeerde Robbie, maar het drong niet tot haar door.

'Nou, blijf daar niet als een zoutzak staan. Breng haar naar binnen, dan kunnen we haar warm maken. Als het water kookt kunnen we haar wat thee geven.' Plotseling zag ze overal mogelijkheden. 'Ik zal wel wat leven in haar wrijven. Haal haar bij die verdomde tractor vandaan.'

Tom bewoog nog steeds niet, maar hij keek op. 'Het is te laat, schat, ze is er niet meer. Onze Sylvia is er niet meer.'

'Doe niet zo stom. Ze is alleen maar bewusteloos,' wierp ze tegen. 'Breng haar naar binnen, naar de warmte. Ze heeft alleen maar dat dunne jurkje aan. Ze vat nog kou. Breng haar naar binnen, dan lappen we haar weer op.' Ze hoorde haar eigen stem alsof die van heel ver weg kwam – kortaf, koel, zakelijk.

'Wat weten mannen hier nou van, hè Sylvia? Ik heb je zo weer op de been. Je snakt alleen maar even naar adem. Mammie zorgt wel voor je.'

Tom droeg Sylvia naar de keuken en ze veegde al haar gebak aan de kant en legde een kleed op de tafel, zodat het meisje dicht bij het fornuis kon liggen. Ze begroef haar onder dekens en een warm kleed. Haar gezicht was blauw en paars en grijsgevlekt, en haar ogen zaten stijf dicht. Ze zag er zo klein uit onder die stapel beddengoed. Ze ging in de weer met een spons en een schaal ontsmettingsmiddel, veegde de modder en vuiligheid van haar gezicht, wreef haar verstijfde vingers met alle liefde die ze in zich had, maar ze werd niet wakker.

'Kom nou, Sylvie, wakker worden... Het is kroningsdag en we moeten naar een feest,' drong ze aan terwijl ze het gejuich hoorde dat uit de radio kwam. 'Je wilt de grote dag van de koningin toch niet missen?'

'Zet dat rotding uit!' schreeuwde Tom. Ze kon zien dat hij de wanhoop nabij was, maar het drong niet echt tot haar door. Er drong niets tot haar door, alleen maar dat Sylvia diep in slaap was en geen aanstalten maakte wakker te worden.

'Nee, niet uitzetten. Sylvia wil ernaar luisteren. Ze wil weten wat er in Londen gebeurt, voor haar schoolwerkstuk. Zet harder.'

Tom zette het toestel uit en greep haar bij de arm. 'Hou daarmee op, Lenn, hou jezelf niet langer voor de gek. Het is gebeurd; er zit geen leven meer in haar,' zei hij.

'Waag het niet tegen me te zeggen dat er geen leven meer in mijn dochter zit. Voel maar, ze is warm. Ze komt zo wel bij. Raak haar niet aan!' Ze joeg hen allemaal weg en waakte nog over haar toen dokter Murray met een ernstig gezicht door de deur binnenstapte, met de veldwachter, die zijn pet onder zijn arm hield, in zijn kielzog.

'Kom mevrouw Yewell, geef me de kans om Sylvia te onderzoeken.' Hij deed een stap naderbij en glimlachte.

'Ik ben zo blij dat u er bent. Misschien dat u mijn man weer wat tot zijn verstand kunt brengen. Hij denkt dat Sylvia dood is, maar ze slaapt alleen maar. Ze heeft nauwelijks een schrammetje. Ze zou ons op kroningsdag toch niet in de steek laten? Ziet u wel, ze is helemaal mooi aangekleed, klaar om te gaan,' zei ze, en ze schudde haar hoofd.

Ze gaven haar een drankje waar ze een droge mond van kreeg en de kamer begon te draaien, en plotseling kon ze nauwelijks meer haar ogen openhouden. De rest was een wazig niets.

In de dagen die volgden kroop ze naar boven naar bed, in de hoop op vergetelheid, in de hoop dat kroningsdag opnieuw zou aanbreken, zodat ze de zaken anders kon regelen, maar wanneer er weer een nieuwe dag aanbrak, kroop ze weer naar beneden en hoopte op een nacht waar nooit een einde aan zou komen.

Voor Nik was er geen feest of verkleedpartij, er werd niet meer gepraat over de 'honingdag'. Voor hem was er alleen nog maar een zwarte armband en een vreemde geur die door het hele huis hing. Mensen klopten hem op zijn hoofd en spraken fluisterend over hem, alsof hij er niet was. Het enige wat hij wist, was dat Sylvia was weggehaald en dat hij haar nooit meer zou zien. Ze was naar een plek gegaan waar hij niet bij haar kon komen. Op een ochtend stond ze tegen hem te schreeuwen en nu was ze weg.

Al haar kleren en speelgoed verdwenen uit haar kamer en die werd helemaal leeggehaald en de deur ging op slot. Hij wilde zo graag vragen waar ze nu woonde, maar haar naam mocht niet meer worden uitgesproken.

Billy Fothergill zei op het schoolplein dat ze naar Jezus in de hemel was gegaan en in een kist was gestopt en nu op het kerkhof lag, maar hij wist dat hij niet mocht gaan kijken. Het was net alsof Sylvia nooit bij hen in huis had gewoond, nooit tegen de trapleuning had geschopt en nooit op haar kop had gekregen omdat ze aan het pleisterwerk zat te pulken. Er waren geen foto's en er werd tegen hem nooit meer over haar gesproken.

Eén keer waagde hij het om te vragen waar Sylvia was en toen was mama huilend de kamer uit gerend.

'Val je moeder niet lastig, jongen. Daar raakt ze maar van streek van. Sylvia was te goed voor deze wereld. Ze hadden haar nodig als engel in de hemel,' zei pap met zachte stem en zonder hem aan te kijken. Dat was het enige antwoord dat hij ooit kreeg, dus hield hij op ernaar te vragen. Wanneer die twee één lijn trokken, kwam je nergens.

31

IN DE SLAAPKAMER

En dat is het dan wel zo'n beetje, jongen. Ik zit hier in mijn slaapkamer naar haar foto te kijken, de enige die ik ooit op mijn kaptafel heb durven laten staan. Slaapkamers zijn van die persoonlijke ruimtes, en het voelde goed om haar hier in haar schooluniform en haar vlechten en loshangende linten naar me te laten knipogen vanuit haar zilveren lijst. Sylvia was nooit iemand die je deelde.

Het is moeilijk om te wachten tot er iemand door de keukendeur naar binnen komt met een volle schooltas, vol kletspraatjes en roddels uit het dorp en een hele serie vragen. Het valt niet mee te wachten op een stem die roept: 'Mam, ik heb honger!', en ik die zeg: 'Voeten vegen!' Die stem klinkt nooit.

Ik kan niet uitleggen hoe ik toen reageerde. Je kunt dat vreselijke moment wanneer het leven een lichaam verlaat nooit meer terugdraaien en je komt er niet achter wat de zin is van de dood van je eigen kind. Het kostte Sylvia maar een paar seconden om ons te verlaten; haar ribben waren vermorzeld en haar schedel was verpletterd.

Je eigen kind begraven is een gruwel in dit aardse bestaan en je raakt er nooit overheen. Het is tegennatuurlijk. Ik was zo boos dat ik haar naam niet in het openbaar kon uitspreken. Ik droom nog steeds hoe ze op Bess, de zwarte pony, rijdt en ik zie haar met haar vlechten die vanonder haar rijcap bungelen, gekleed in haar lichte overgooier en haar sokken en haar lange benen die wel stokjes leken.

Sylvia, mea filia pulchra wilde ik in Latijn op haar grafsteen. Ik wilde mijn verdriet verbergen in woorden die niet iedereen zou kunnen begrijpen. Ik kon er maar niet over uit dat ze nooit oud zou worden of zou trouwen en zelf kinderen zou hebben of zou rondtrekken door de wereld en doen waar ze zin in had, maar het ergste van alles is dat ik jou haar dood nooit heb vergeven.

Daar, het is eruit, neergeschreven en benoemd. Ik gaf jou de schuld. Ik heb je gestraft met mijn stilte en mijn afstandelijkheid, en mijn hart breekt bij de gedachte aan wat ik je moet hebben aangedaan, hoe ik jou belast heb en je heb beschadigd.

Het was een ongeluk, gewoon een van die dingen die op een boerderij kunnen gebeuren als je niet voorzichtig bent. Een boerderij is een gevaarlijke plek voor kinderen. Sylvia stierf omdat ze op het verkeerde tijdstip op de verkeerde plek was. Dat is wat mijn verstand me zegt; ze is niet verdronken of omgekomen bij een verkeersongeluk, niet verdwaald in de heuvels en ontvoerd, maar het is gewoon in haar eigen achtertuin gebeurd, waar ze veilig had moeten zijn, en die dag is er tegelijk met haar iets diep binnen in mij gestorven.

Ik heb geprobeerd de waarheid over het ongeluk voor je verborgen te houden. Jij zat op die tractor en het was de sleutel die werd omgedraaid die haar vermoord heeft, niet jij. Je was nauwelijks meer dan een baby. De tractor had nooit zo, met de sleutel in het contact en onder zo'n vreemde hoek, mogen blijven staan. Je hebt het allemaal gezien, maar we hebben je nooit de kans gegeven erover te praten, hè? We dachten dat we er goed aan deden om alles te verzwijgen. We probeerden te doen alsof er niets was gebeurd.

In die tijd bestond er nog geen begeleiding voor rouwverwerking. Hard werken en zwijgen werd als de beste remedie beschouwd. Dus gingen we zo goed en zo kwaad als het ging verder met ons leven en het ritme van de seizoenen. Mensen uit de vallei uiten hun verdriet niet – althans, dat deden ze tot nu toe niet. De herinnering aan die vervloekte dag kan niet worden weggenomen, hoe hoog de stapel bloemen bij de schuurdeur ook zou zijn. Dat zou mijn kind niet bij ons terugbrengen.

Ik moest elke ochtend met mijn emmer kippenvoer langs die deur. Wat haatte ik die tractor, maar je kunt hem niet doodschieten, en ik was blij toen Tom hem inruilde voor een nieuwe. Ik haatte mezelf omdat ik leefde en zij dood was.

Daarom woonde ik liever aan de voorkant van het huis, als je het weten wilt: zodat ik de andere kant op kan kijken, weg van die herinneringen die me in mijn dromen achtervolgen.

Tom beschuldigde me ervan dat ik te hard tegen je was. Hij koos sindsdien altijd jouw kant. Hij was niet boos op je. Hij nam het zichzelf kwalijk dat hij de sleutel had laten zitten, waardoor jij ermee kon spelen. Ik gaf iedereen de schuld, maar vooral mezelf, omdat ik het gevaar niet had gezien, en omdat ik er niet snel genoeg bij was geweest. Ik neem het mezelf kwalijk dat ik je niet alles heb uitgelegd. Ik denk dat mijn boosheid de rest van mijn leven als door een lekke zeef uit me is gesijpeld. Ik ontwikkelde een dikke huid om mijn pijn te verbergen. Ik kon mijn verdriet niet delen met Tom. We gingen er ieder op onze eigen, trotse manier mee om. Het is in de loop der jaren tussen ons komen te staan, al die onuitgesproken wrok en 'wat als...'

'Het heeft geen zin het steeds weer op te rakelen,' zeiden we dan. We trokken steen voor steen een muur tussen ons op. Ik kon mezelf niet toestaan ooit weer van iets te houden, want datgene waar ik van hield werd me afgenomen: eerst mam, toen Klaus en vervolgens Sylvia. Het leven was niet langer veilig. Mij kon het ergste overkomen, en dat gebeurde ook en dat zou weer kunnen gebeuren, redeneerde ik. Sylvia's dood was tevens de begrafenis van ons gezinsleven, denk ik.

Ik voelde me gestraft, echt gestraft vanwege Klaus, vanwege mijn affaire, voor mijn verraad, en dat wat echt van mij was moest worden ingeleverd vanwege al mijn leugens. Het ergste was dat ik zo eenzaam was in mijn schuldgevoel. Het heeft me mijn hele leven achtervolgd.

Je bent altijd Toms knul geweest en Sylvia was mijn kameraad. Ik hield haar bij me in de buurt. Toen zij er niet meer was, stond ik alleen.

Wat zou ik nu graag willen dat ik beter had geweten en al mijn aandacht op jou had gericht, het kind dat ik nog had om te koesteren; dat ik je had overstelpt met liefde en vrolijkheid, maar dat heb ik niet gedaan. Ik hield je op een afstand. Ik kan nu alleen nog maar zeggen dat het me spijt en ik wilde dat we die wijsheid achteraf tóén hadden gehad en niet nu, maar niemand kan de klok terugdraaien. We moeten met onze fouten leren leven en er iets van zien te maken.

Je moet zo vol vragen zitten en in de war zijn, geplaagd worden door je eigen herinneringen aan die dag. Tom heeft me een keer verteld dat je tegen hem had gezegd dat je je niets van het ongeluk kon herinneren. Dat het één groot niets is, en aan de ene kant ben ik daar blij om, maar aan de andere kant weet ik dat het je beschadigd heeft.

We hebben gedaan wat we dachten dat het beste was. We ruimden Sylvia's speelgoed op en daarmee haarzelf ook. We hebben haar in dozen gestopt en die vervolgens op zolder gezet, we hebben kostbare herinneringen weggegeven.

Ze was uit het oog, maar niet uit het hart. Ontkenning is geen remedie tegen verdriet. Dat weet ik nu ik een oude vrouw ben. Het heeft me mijn hele leven gekost om daarachter te komen. We hebben haar en jou een heel slechte dienst bewezen door haar te verstoppen. Maar ik heb onlangs al haar foto's weer opgehangen en jullie krijgen samen een ereplekje op de schoorsteenmantel, naast Tom en T-Jay onder het waterverfschilderij van de boerderij dat we voor ons veertigjarig huwelijk hebben laten maken.

Het doet me verdriet dat jij en ik nooit over Sylvia hebben kunnen praten. De enige keer dat we erin slaagden het onderwerp ter sprake te brengen eindigde dat in een vreselijke ruzie.

Jij en ik lijken te veel op elkaar: trots en koppig en bovendien snel op de teentjes getrapt. Jij hebt in de loop der jaren je eigen zorgen en teleurstellingen te verwerken gekregen. Ik denk dat je het gevoel had dat ik op alles wat je deed kritiek had, vooral op de keuze van je vrouw, maar ik wil nu graag mijn kant van het verhaal van die ruzie vertellen.

Ik begon mijn leven als getrouwde vrouw met mijn schoonmoeder op sleeptouw. Dat was heel normaal op een grote boerderij. Ik moest me neerleggen bij de manier waarop de dingen op Wintersett werden gedaan, dus ik stelde me bescheiden op en probeerde me niet te bemoeien met jou en je vrouw, ook al zag ik dat ze een ramp was die zich alleen nog maar hoefde te voltrekken.

Ik heb mijn goede raad veel te lang voor me gehouden om je nog te kunnen redden, maar ik kon haar niet alles te gronde laten richten wat we in de loop van generaties hadden opgebouwd. Iemand moest de waarheid zeggen en het spijt me alleen dat alles door mijn bemoeienis tot uitbarsting is gekomen. Ik wilde niet negatief zijn, maar mijn ervaring had me verwrongen. Je kunt met de beste bedoelingen heel verkeerde dingen doen. Wanneer zal ik het ooit leren?

'Smart heeft geen vleugels. Zij is de ongenode gast die zich tussen ons en het vuur bij de haard neervlijt en niet weggaat en zich niet laat verplaatsen.' Arthur Quiller Couch schreef dat na de Eerste Wereldoorlog. Ik heb zijn uitspraak jarenlang in mijn hoofd met me meegedragen.

Ik denk dat dit wel ongeveer samenvat waarom ik niet kan wachten om afscheid te nemen van dit huis, hoeveel ik er ook van heb gehouden, maar ik heb het gevoel dat waar ik ook ga mijn gast met me meegaat, tenzij wij tweeën voor eens en voor altijd vrede kunnen sluiten.

32

AMANDA

Uittreksel uit de Gazette *van zaterdag 27 juni 1981:*

De Boer Die Wil Een Vrouw
De plaatselijke agrariër Thomas Yewell, zoon van meneer en mevrouw Tom Yewell van Wintersett, is zaterdag in de Sint-Maxientiuskerk in Wintersett in het huwelijksbootje gestapt met juffrouw Amanda Jayne Parkinson, dochter van meneer Leslie Parkinson van Kirkby Overblow bij Harrogate en mevrouw June Carlile uit Barslow, Derbyshire.
De bruid, die werkzaam is als freelance model en graag paardrijdt en tennist, arriveerde in een door paarden getrokken rijtuig, gekleed in een jurk van fijne zijde, compleet met parasol en sleep, en bezet met parels en afgewerkt met kant. Haar nichtjes, juffrouw Tamzin en juffrouw Tamara Parkinson, traden op als bruidmeisjes en waren gekleed in matroze zijden jurken en droegen boeketjes.
Na de receptie die werd gehouden in een tent op het terrein van Wintersett, het huis van de bruidegom, vertrok het paar voor een huwelijksreis naar een Grieks eiland. Ze zullen zich vestigen in Wintersett.

Voor Amanda Parkinson was die eerste aanblik van Wintersett House voldoende om haar ervan te overtuigen dat haar instinct haar niet had bedrogen toen ze Nik Yewell eruit pikte in die groep dronken, jonge boeren tijdens het kerstfeest van de Vereniging van Jonge Boeren in Harrogate. Hij had iets, met zijn blauwe ogen, iets kouds, ijskoud, maar ijs is vuur, en dat in combinatie met zijn lange benen, blonde kortgeknipte haar en gelaatstrekken die deden denken aan Robert Redford, Paul Newman en Michael York. Hij zag er goed uit in smoking, gladgeschoren en nog nuchter genoeg om op te vallen te midden van zijn maten.

Dit avondje uit was een beslissing op het laatste moment geweest. Jonge boeren waren nu niet bepaald haar idee van bruisend gezelschap, maar ze had geen relatie en was toe aan een verzetje. Haar laatste opdracht als model voor een modehuis in Leeds was een saaie bedoening geweest en ze was haar eigen gezelschap zo beu dat de kans om oorlogskleuren op te doen en zich in feestkleding te hullen precies de afleiding vormde die ze nodig had.

Ze was blij dat ze haar crèmekleurige nauwsluitende jurk had aangetrokken, die haar atletisch gevormde ledematen en rondingen goed deed uitkomen terwijl ze naar het toilet liep om nog een drupje van haar favoriete Rochas op te doen. Ze bleef even staan om haar eigen spiegelbeeld te bewonderen: grote groene kattenogen, met rouge geaccentueerde jukbeenderen, subtiele lippen en een bos blond geverfd haar waar ze nog even haar hand doorheen haalde om die net-uit-bed indruk te wekken.

Eens model, altijd model, glimlachte ze tegen zichzelf. Ze wist hoe ze ergens binnen moest komen of vertrekken. Hij hield haar aandachtig in de gaten en probeerde een nonchalante, maar toch geïnteresseerde indruk te wekken en nu zou ze toeslaan. Hij zag eruit als het type met uitgestrekte landerijen, een stal voor haar paard en precies de manier van leven waar zij naar op zoek was: een kruising tussen 'Southfork, Dallas' en het Darrowby van James Herriot was prima wat haar betrof.

Ze dansten de hele nacht en zaten bij het ochtendgloren in zijn jeep boterhammen met bacon te eten die ze hadden gekocht in een truckerscafé dat de hele nacht open was. Ze vond zijn enthousiasme over zijn fokprogramma's, zijn frisse adem en de twinkeling in zijn ogen leuk. Ze zou zich moeten verdiepen in al dat schapenfokkersgedoe en ze was teleurgesteld toen hij vertelde dat hij zestig kilometer verderop boerde op de hei bij Nergenshuizen. Hij beloofde dat hij haar zou bellen, en meer kon ze op een eerste avond niet verwachten. Zelfs zij was niet wanhopig genoeg voor een vluggertje met een vreemde, hoe ze hem ook zag zitten.

Drie weken later nam hij haar mee naar Wintersett, dat hoog in de besneeuwde heuvels lag. Ze snoof met voldoening de lucht op. Die was fris en tintelend. Dit was het leven ver verheven boven de rivier, maar het was afgelegener dan ze had verwacht. Kilometers in de omtrek was er geen ander huis te zien.

Eén blik op die rij sierlijke vensters die glansden in het licht van de laagstaande zon en ze wist dat ze met dit huis moest trouwen. De aanblik ervan vervulde haar met opwinding bij de gedachte aan alle mogelijkheden. Binnen was het somberder en vervallener dan ze had verwacht; het stond er vol met donker eiken meubilair en overal was lambrisering. De zitkamer boven kwam rechtstreeks uit Jane Austen.

Er was niemand thuis om hen te begroeten omdat zijn ouders bij vrienden op bezoek waren. Ze hadden het hele huis voor henzelf, aten in de plaatselijke pub en vrijden de hele nacht in Niks slaapkamer.

Hij was gretig, ongepolijst maar adequaat, ook al was hij een beetje onervaren, en toen ze 's morgens wakker werd en tussen de gordijnen met franje van het hemelbed gluurde, probeerde ze zichzelf voor te stellen wat ze met deze kamer kon doen als ze de kans kreeg. Dan zou ze hem veranderen in iets dat een artikel in *Yorkshire Life* waard was.

Hoe beter ze het huis bekeek, hoe meer ze ervan overtuigd raakte dat het haar taak was om het de twintigste eeuw binnen te loodsen met een moderne, volledig uitgeruste keuken en een behoorlijke badkamer, en op weg naar huis kocht ze haar eerste exemplaar van *Bride's Magazine*.

De plek voor een feesttent op het terrein zou papa's goedkeuring wel kunnen wegdragen. Hij zou er wel voor zorgen dat ze niets tekortkwam op haar grote dag. Ze zou haar dagen slijten samen met Nik en voor de veestapel zorgen, over de velden rijden op Jupiter, en misschien wilde mevrouw Yewell haar leren hoe ze moest bakken, maar dan moest ze wel eerst wennen aan de stank van het erf die binnenkwam zodra je de keukendeur opendeed. Ze zou mammie en Guy in Derbyshire bellen om te vertellen dat ze de man van haar dromen had ontmoet.

Haar ouders waren gescheiden toen ze dertien was en opgesloten zat in het gesticht dat Sint-Alfreda's kostschool aan de kust van Oost-Yorkshire was. Toen ze zestien was, werd ze van school gestuurd omdat ze betrapt was op het roken van wiet, maar pappie schoot haar te hulp en zorgde ervoor dat ze een secretaresseopleiding en een cursus voor modellen kon volgen. Haar ouders probeerden het allebei goed te maken met haar en haar broer Giles, maar zij koos ervoor om bij pappie te blijven en hij kocht haar eerste paard, Jewell, voor haar bij wijze van troost. Paardrijden was een manier om in conditie te blijven en ze wilde er dolgraag mee doorgaan. Pappies vriendin, Ros, woonde bij hen in, samen met haar vreselijke tweeling. Het huis raakte overbevolkt, ook al had zij haar eigen flatje boven de garage.

Nu maakte ze een positieve levenskeuze, zoals ze dat in de tijdschriften noemden. Ze zou het modellenwerk opgeven en snel leren om de vrouw van een boer te worden. Het zou superromantisch worden en haar vriendinnen zouden groen zien van jaloezie wanneer ze eenmaal echt haar plekje in Wintersett House gevonden had. Niks vrije tijd was beperkt en tegen de tijd dat ze weer op bezoek kwam, hadden ze andere dingen aan hun hoofd.

'Dit is Amanda, moeder, mijn verloofde,' flapte Nik eruit terwijl hij een handvol gelakte nagels en een antieke gouden ring met saffieren en diamanten onder haar neus duwde. Het meisje zag eruit als een modepop. Lenn was te geschokt om te reageren, maar Tom redde haar.

'Aangenaam kennis met je te maken, Amanda,' zei hij glimlachend, en hij bekeek de ring aandachtig. 'Dit is nogal een verrassing, Nik. Als ik me niet vergis, heeft die ring daar ooit om de vinger van mijn grootmoeder gezeten,' voegde hij eraan toe, en ze kon zien dat het hem pijnlijk trof dat zijn zoon hem niet in vertrouwen had genomen.

'Als ik had geweten dat we iets te vieren hadden, zou ik een echte maaltijd hebben gekookt in plaats van zo'n eenvoudige hap. Ik geloof dat je hier al vaker bent geweest?' Dat was alles wat ze aan beleefdheid kon opbrengen, want ze wist donders goed dat de halve boerenbevolking van de vallei haar fraaie Mini een hele nacht geparkeerd had zien staan aan het einde van de oprijlaan. Hier ontging niemand iets.

Ze bekeek het meisje en probeerde haar leeftijd te schatten. Ze was ouder dan ze aanvankelijk had gedacht, slank, blond – heel anders dan Niks gebruikelijke stevige vriendinnen. 'Dus jullie hebben elkaar bij de Jonge Boeren ontmoet?' zei ze bedachtzaam, zich ervan bewust dat Harrogate tegenwoordig vol zat met meisjes met parels en ongeschikte kleding. 'Zo hebben pap en ik elkaar ontmoet. Het is een prima huwelijksmarkt. Het is logisch dat boeren iemand van hun eigen soort willen trouwen. Waar boeren je ouders?'

'O, ze zijn geen boeren!' Amanda lachte. 'Pappie importeert leren spullen uit Europa en mammie woont in Derbyshire met Guy.'

'Het is een zwaar leven, zo'n grote boerderij als deze,' antwoordde ze zonder veel enthousiasme. Dat arme kind had geen flauw idee zoals ze daar stond met haar kalfsleren laarzen, suède broek en leren vest en een das om haar nek, terwijl ze vreselijk haar best deed om eruit te zien als iemand die van het platteland kwam, maar duidelijk door en door een stadse was. De moed zonk haar in de schoenen.

Maar er zou nog wel tijd genoeg zijn om haar tot de orde te roepen of haar weg te jagen, dacht ze. Een paar weekends met Nik de stal uitmesten en de velden intrekken zouden een goede test zijn voor haar vastberadenheid. Ze zou zich beter voelen als die gelakte nagels tot normale proporties waren afgesleten en ze een overall en rubberlaarzen droeg.

Tom stond vriendelijk te glimlachen en vond haar een echt poppetje, een oogverblindende verschijning en precies wat Nik nodig had om hem tevreden en gelukkig te maken. Wist hij veel?

Ze maakte zich de laatste tijd zorgen om zijn gezondheid. Hij viel af en hij hoestte te veel. Ze had geprobeerd hem van zijn pijp af te krijgen, maar dat liet hij zich niet zeggen. Hij had de afspraak met de dokter afgezegd omdat er te veel werk op de boerderij was, maar ze zou hem naar het ziekenhuis slepen, al was dat het laatste wat ze deed.

'Je hebt maar één stel longen,' zei ze. 'Het is bijna lammertijd en je bent niet in conditie.'

'Ik wil graag helpen met de kleine lammetjes,' piepte Amanda.

'Nee, geen sprake van,' snauwde Nik, en hij bloosde.

'Waarom niet? Ik moet toch ergens beginnen?' zei ze.

'Dat vertel ik later wel,' fluisterde hij, en hij keek de andere kant op.

De manier waarop hij haar de mond snoerde had iets wat Lenn verbaasde. Ze had haar zoon nog nooit zo onhandig meegemaakt, dus probeerde ze op een ander onderwerp over te gaan.

'Jullie hebben toch nog geen datum vastgesteld of zo?' vroeg ze, meer uit beleefdheid dan uit interesse.

'Nou, eigenlijk zitten we aan juni te denken,' zei Nik zachtjes.

'Komende juni?' zei Tom. 'Dat is we erg snel. Dan moet er geschoren worden, gehooid...'

'We dachten dat we het daar misschien tussenin konden doen, als jullie dat goedvinden,' antwoordde Nik, en hij keek naar de grond.

'Vanwaar die haast?' lachte ze, maar ze kreeg het vervolgens koud. 'Moeten jullie ons soms nog iets vertellen?' zei ze terwijl haar keel dichtkneep.

'Eigenlijk, nou... eh.' Nik zag roze en kon niet uit zijn woorden komen.

'Ik ben zwanger,' zei Amanda glimlachend. 'Is het niet geweldig?'

Niemand had het hart iets te zeggen, maar het gerammel van de theekopjes was oorverdovend.

'Hoe krijg je het voor elkaar, stomme sukkel, hoe kun je vandaag de dag nou nog een meisje zwanger maken! Heb je nog nooit van voorbehoedsmiddelen gehoord? Ik dacht dat al die meiden tegenwoordig aan de pil waren, of heeft deze jongedame het soms expres gedaan? Dat zou me niets verbazen.' Ze spuugde de woorden uit terwijl ze de Mini van Amanda brullend het pad af hoorden rijden, terug naar het oosten. 'Ze is niet geschikt voor het boerenleven, dat ziet iedereen.'

Nik schudde zijn hoofd. 'Het was een ongelukje, een misverstand. Maar als je haar beter leert kennen, zul je zien dat ze het graag wil leren. We vroegen ons af of we de receptie hier mogen houden.'

'Ik zou toch gedacht hebben dat zij zo iemand was die liever een receptie in een chic hotel had dan een kopje thee in de zitkamer.' Ze kon de steek onder water niet weerstaan.

'We zaten te denken aan een feesttent op het grasveld. Na de kerk in het dorp, uiteraard,' antwoordde hij.

Je bent beetgenomen, m'n jongen, dacht ze, maar ze zei niets. Het had geen zin hem tegen zich in het harnas te jagen. 'Maar jongen, ze is een buitenstaander, ze zou in haar eigen kerk moeten trouwen en vanuit haar eigen huis. Zo hoort het gewoon,' was het enige wat ze wist te zeggen.

'Manda is niet zo'n kerkganger, en haar ouders zijn gescheiden. Haar pa betaalt alles en het kost jullie geen cent.' Nik deed vreselijk zijn best om het iedereen naar de zin te maken. Dat moest ze toegeven, maar hij deed hun allebei pijn met zijn vreemde opstandigheid en geheimzinnigdoenerij.

'Weet haar vader wat hem te wachten staat?' zei ze, in de hoop dat een strenge hand vanuit Harrogate zijn dochter tot de orde zou roepen.

'Als ze vanavond thuiskomt, ja. Maak je geen zorgen, het wordt een prachtige bruiloft en dan kun je je verheugen op een kleinkind. Begin nou niet kwaad te spreken over Manda. Dat is niet eerlijk tegenover haar.

Voor zoiets moet je met z'n tweeën zijn.' Nik glimlachte en probeerde het beste te maken van de situatie.

Alsof ik dat niet weet, verzuchtte ze, maar de jongen was stapelverliefd en blind voor Manda's intriges. Het stak haar dat hij zijn meisje zo hartstochtelijk verdedigde. Als de jeugd eens wist en de ouderdom nog kon, zeiden ze wel eens, maar ze hield haar mond.

'Ik weet niet wat ik moet zeggen. Ik begrijp wel waarom er zo'n haast is, maar het betekent voor ons een hoop extra werk en je vader is niet in orde,' zei ze.

'Maak je geen zorgen, moeder. We doen het allemaal zelf. Wees gewoon blij voor ons,' smeekte Nik, alsof hij zijn eigen twijfels wilde verdringen.

'Waarom zij, jongen? Wat heeft zij dat zo bijzonder is? Ze weet niets van het leven op een boerderij en al het werk, en ze heeft geen idee waar ze aan begint.' Ze kreeg plotseling een vreselijke opvlieger, waardoor ze helemaal bezweet raakte en haar hart tekeerging.

Net nu ze zich begonnen voor te bereiden op hun pensioen, net nu de prijzen aantrokken en ze hoop begon te krijgen dat ze Tom zover kon krijgen dat ze eens echt op vakantie zouden gaan, kwam die nieuwkomer met haar mooie bruiloftsplannen alles in de war sturen. Bruiloften waren altijd duur, zowel voor de bruid als voor de bruidegom. Ze moesten een behoorlijke uitzet hebben en het huis zou versierd moeten worden en de hele boerderij had een opknapbeurt nodig als vreemden overal hun neus in zouden komen steken. Er moesten gastenlijsten komen en bloemen en nieuw beddengoed voor het logeerbed. Ze moesten kennismaken met twee stel ouders en stiefouders. Ze had ergens gelezen dat het voor kinderen uit een gebroken huwelijk nooit makkelijk was om zich te binden.

Het ging allemaal te haastig en te snel, en over een paar maanden zou een krijsende baby hen 's nachts uit hun slaap houden. Hun huis zou worden overspoeld door babyspullen en flessen en er zouden roosters komen voor het oppassen. Het huis zou in tweeën moeten worden gedeeld om de jonggehuwden privacy te geven en zij zouden erover moeten gaan denken om te verhuizen. Het kwam allemaal veel te vroeg.

Dan was er nog die tent op het gras – zo'n ding met tierlantijntjes die de hoge heren zo fraai vonden, niet iets voor hardwerkende boeren die zich anders voor moesten doen dan ze waren. Wat als het goot van de regen en het grasveld drassig werd en de auto's vast bleven zitten?

Manda's familie zou zich hier druk om moeten maken, niet deze sukkels die maar drie maanden de tijd hadden. Voelde ze zich maar niet zo beroerd en uitgeput door de bloedingen die van het ene moment op het andere begonnen en weer ophielden. De overgang had weinig voordelen. Het was gewoon een nieuwe horde die genomen moest worden.

Manda zag de weken voorbijvliegen in een constante stroom lijsten en misselijkheid. Iedere keer dat ze een stapje harder probeerde te doen, viel ze flauw. Ze leefde op sigaretten en zwarte koffie. Van thee en eten draaide haar maag om, en dat kwam goed uit als ze tenminste in de bruidsjurk wilde passen, maar haar borsten, die sinds kort vol waren, vervulden haar met trots.

Er was geen tijd om een jurk te laten ontwerpen, dus was ze gedwongen er een uit het rek te nemen op de bruidsafdeling bij Schofield. Het kostte haar uren van passen en beslissen over wat voor mouwen, sleep en boordsel ze wilde voor ze het effect had bereikt dat ze beoogde. Ze wilde door het gangpad zweven als een engel gehuld in kant, stralend, vluchtig, van top tot teen gehuld in een kanten sluier.

Mama was verdrietig omdat ze er niet bij werd betrokken. De ontmoeting tussen papa en Niks ouders, die plaatsvond op neutraal terrein in de Devonshire Arms, was gespannen, maar op het laatst, toen ze allemaal een paar drankjes op hadden, vriendelijk. Nik hield altijd zijn mond als hij zenuwachtig was en had het praten aan haar overgelaten. Mevrouw Yewell zat er nog steeds bij alsof ze een stok had ingeslikt en keek hooghartig op haar neer.

Ze stond erop op de boerderij te komen wonen, omdat ze het vak wilde leren en bij alle voorbereidingen voor de bruiloft aanwezig wilde zijn. De hele wereld wilde nu trouwen omdat de prins van Wales in juli in het huwelijk zou treden. Ze mochten geen gemeenschap hebben voor het huwelijk en ze kreeg een eenpersoonskamer toegewezen op de tweede verdieping die ooit van een inwonende dienstmeid moest zijn geweest. Hij was smal, kaal en weinig uitnodigend, maar ze liet zich niet zo makkelijk van de wijs brengen. Ze zou die ouwe draak laten zien dat ze haar mannetje stond.

Alleen de gedachte dat zijn ouders oud waren en zouden moeten stoppen met werken en dat zij dan de vrouw des huizes zou zijn op Wintersett zorgde ervoor dat ze lief bleef glimlachen. Zijn moeder gaf haar de smerigste karweitjes: het kippenhok uitmesten, de binnenplaats schrobben, zodat alles er als om door een ringetje te halen uit zou zien als de grote dag daar was.

Nik verdween met zijn truck naar de afgelegen velden, waar hij met zijn vader rondliep en een oogje hield op de lammetjes. Er werd van haar verwacht dat ze ervoor zorgde dat hun ontbijt 's morgens klaarstond. Op sommige dagen waren ze naar de veemarkt en dan was ze alleen in de keuken en kreeg ze lessen over hoe ze dit moest doen en hoe ze dat moest doen, alsof ze achterlijk was.

Dan staarde ze uit het raam, voorbij de bijgebouwen, en droomde ze van die perfecte dag dat zij de koningin zou zijn en alles volmaakt zou zijn. Wintersett zou schitteren in het zonlicht en haar opnemen, de tuin zou vrij van onkruid zijn en haar gasten zouden er ronddwalen met een glas champagne.

De feesttent was besteld, de gastenlijst verzonden, de logeerkamers toegewezen en de plaatselijke bloemenclub zou voor de versiering in de kerk zorgen. Ze had zich nooit eerder zo doelbewust en zo belangrijk gevoeld. Ze bracht nieuw leven en schoonheid in dit oude huis, de ideale achtergrond om haar dromen te laten uitkomen.

De meeste tijd ging verloren met heen en weer vliegen tussen Harrogate, Skipton en Wintersett, in steeds kleinere driehoeken om de boel gaande te houden. Iemand moest voor al die extraatjes zorgen: huwelijksreis, uitzet, lingerie, haar en make-up, repetities. En dan was er nog het gedoe over wie waar moest zitten en gasten die over het hoofd waren gezien en het bemoedigende praatje van de dominee en de keuze van de gezangen. Tot de grote dag voorbij was, was er geen tijd over om meer over het boerenbedrijf te leren. Dan zou ze tijd genoeg hebben.

Drie dagen voor de bruiloft kreeg Tom een hoestbui en viel flauw. Hij werd ter observatie overgebracht naar het ziekenhuis, waar wat onderzoeken werden gedaan. Lenn wilde de hele bruiloft onmiddellijk afgelasten.

'Dat kan niet,' huilde Manda, en haar groene ogen keken haar smekend aan. 'Hij zou de dag niet willen bederven. Ze laten hem voor die ene dag wel gaan, vertrouw me maar.' De bruid had zowaar gelijk, want Tom ontsloeg zichzelf de volgende dag uit het ziekenhuis en kwam naar huis om zijn jacquet te passen.

Het had dagen achtereen geregend en het land sopte van de doorweekte aarde. De enorme vrachtwagen die de feesttent kwam brengen sloeg geen acht op de aanwijzingen en kwam op de verkeerde plek terecht, waar de wielen in de modder wegzonken, zodat hij eruit gesleept moest worden. Een paar uur later zag Nik afvalwater in de sporen omhoogkomen en er hing een vreselijke stank. Hij deed zijn uiterste best om kalm te blijven maar beging de vergissing zijn bruid en zijn moeder op de schade te wijzen.

'Ik zei toch al dat die tent een slecht idee was? Kijk nou eens wat er is gebeurd,' snauwde ze, uitgeput van al het extra schoonmaakwerk en het opruimen.

'Hou op met jammeren, moeder, het is maar een afvoerbuis en die hebben we zo opgegraven,' snauwde hij terug.

'Maar je moet zo naar de repetitie. Ik ruik het. Kun je gemeentewerken niet bellen?' Manda was wanhopig.

'Dat is een privé-afvoer, schat, naar een septic tank. We hebben hem zo gerepareerd,' zei hij.

'Wat is een septic tank?' vroeg ze in haar onschuld, maar dat was de druppel en Lenn moest weglopen, ondertussen mompelend: 'Dat is waar onze troep naartoe gaat. We zijn hier niet op het riool aangesloten, dat weet iedere idioot.'

'Ik vroeg het alleen maar,' snufte Manda.

'Nou, dan weet je het nu. Als Nik niet gauw in actie komt, zien we straks de stront van honderd achterwerken hier voorbijkomen. Schiet op, pak zelf ook een spa en ga hem helpen,' commandeerde ze. Manda barstte in tranen uit en rende terug naar het huis. Nik ging voor zijn moeder staan en keek haar vol afschuw aan. 'Dat was nergens voor nodig,' zei hij beschuldigend.

'Ze heeft geen flauw idee, hè? Ze leeft in de droomwereld van het huwelijk. Er is een baby op komst en ze rookt als een schoorsteen. Er zit geen greintje verstand in dat leeghoofd en het draait allemaal uit op een drama. Dat is het enige wat ik zeg. Dit is het koninklijk huwelijk niet.' Ze wist van geen wijken. Als hij ruzie zocht, dan kon hij die krijgen. Ze was doodziek van het hele gedoe.

'Ik geloof dat je nu wel genoeg gezegd hebt. Als je zo graag onze dag wilt verpesten, is het misschien maar beter dat je je helemaal niet vertoont in plaats van met een gezicht als een oorwurm. Ik weet wel waar het om gaat,' zei hij. 'Het gaat erom dat ík ga trouwen in plaats van onze Sylvia.'

Het schokte haar de naam te horen die zo zelden hardop werd uitgesproken. 'Wat bedoel je? Wat heeft Sylvia met dit alles te maken?'

'Het gaat erom dat ik ga trouwen en niet zij. Het was allemaal mijn schuld.' Hij staarde naar het huis en het erf, en draaide zich van haar af. 'Alles wat ik doe, is verkeerd.'

Rustig nu, haar hart ging als een razende tekeer. We begeven ons op glad ijs, in drijfzand dat smeriger is dan welke kapotte riolering ook. Tijd om een stapje terug te doen. 'Ik wilde alleen maar zeggen dat Manda niet van nature een boerenvrouw is, dat is alles. Sylvia heeft er helemaal niets mee te maken,' antwoordde ze op wat vriendelijkere toon.

'Kom op, moeder. Ik heb je wel verontwaardigd naar haar zien kijken terwijl je dacht: was dit onze Sylvia maar die ging trouwen en niet Nik met die stadse madam. Was zij het maar die voor het altaar van de Sint-Max stond in plaats van een vreemde, maar ik heb het allemaal weer verpest door met iemand van buiten te trouwen, hè?' Nik keek haar met zijn blauwe ogen doordringend aan en ze kon haar blik niet afwenden.

'Rustig aan, jongen. Ik heb nooit iets in die richting gezegd. Zoiets zou ik nooit doen. Sylvia is er niet meer en wat er is gebeurd, is gebeurd. Het was een ongeluk.' Ze hakkelde, naar adem snakkend door die onverwachte beschuldiging, maar hij pakte de handschoen op.

'Het gaat niet om wat je zegt, maar om hoe je tegen haar doet, afwijzend en kil, en dat Sylvia dood is, is mijn schuld,' snauwde hij.

'Je was een klein ventje op een tractor. Het was een ongeluk,' zei ze, en ze probeerde zijn gedachten in andere banen te leiden.

'Mijn hele leven ben ik met die gedachte opgegroeid: altijd de mindere van een zus die nooit verslagen kan worden. De kleine engel die te goed was voor deze wereld, die weggerukt werd, die nooit in de problemen kwam of iemand zwanger maakte, die nooit gepakt werd voor te hard rijden of knokken in de kroeg, of zakte voor een examen omdat hij te veel tijd kwijt was aan helpen op de boerderij en omdat hij nooit slim genoeg was,' zei hij met tranen in zijn ogen. 'Kun je niet gewoon blij voor ons zijn? Maar nee, je blaast hoog van de toren en hebt kritiek op alles wat ze doet. Het is voor jou nooit goed genoeg!'

'Hou op!' gilde ze. 'Je hebt nu meer dan genoeg gezegd. Ik vind dat we meer dan genoeg hebben gedaan door haar in alles haar zin te geven voor deze bruiloft en haar net te laten doen of het huis van haar is. Ze moet zowel de kost als respect zien te verdienen. Ze zal niet ophouden met haar mooie plannetjes. Ik zie al voor me wat er gaat gebeuren. De volgende stap is een moderne inbouwkeuken en diepvriezers, en opnieuw behangen en schilderen, maar dat gebeurt niet. Wintersett is van de familie.

Ik wil niet dat je vader zich meer zorgen maakt dan nodig is... Ik zeg dit voor je eigen bestwil. Het is nog niet te laat om het uit te maken.'

'Dit gaat helemaal niet om ons, dit gaat om jou. Je wilt mij de schuld geven van alles. Laat je vader zich geen zorgen maken, geef ons geld niet uit, geniet niet meer dan wij ooit hebben gedaan. Ik ben het beu om altijd in de schaduw te staan van een schim, een geest op een foto. Ik wil iemand van mezelf om voor te zorgen. Ik wil een goede vrouw die me steunt.'

Die uitbarsting maakte haar misselijk en ze was plotseling heel erg moe. Als ze de volgende dag nog wilden redden, moesten ze nu vrede sluiten.

'Dan wens ik jullie samen veel geluk,' zei ze zachtjes. 'Laten we ophouden met dat gekissebis. Ik wil geen ruzie met je maken. Je werkt hard en je verdient een goede vrouw, want God is mijn getuige, de vrouw van de boer is de ruggengraat van het bedrijf; ze staat op bij het krieken van de dag, doet zwaar werk, is in weer en wind bij de kudde, zorgt ervoor dat het vee en de kinderen en de knechts te eten krijgen, beknibbelt op alles als de prijzen laag zijn en is de laatste die nieuwe kleren krijgt. Ik hoop met heel mijn hart dat Amanda dat allemaal voor jou kan doen, en als dat niet zo is, krijg je gauw genoeg spijt.'

'Je weet heel goed hoe je iemand het graf in moet prijzen, dat moet ik toegeven. Toon eens een beetje vertrouwen in haar. Veroordeel haar nou niet omdat ze mooi, jong en slim is. Dat is voorzover ik weet geen zonde.' Nik glimlachte en krabde op zijn hoofd.

'Ik denk dat je jaloers op haar bent. Dat is het: je bent jaloers omdat zij het allemaal nog voor zich heeft, en ik denk dat jij straks een eenzame, verbitterde oude vrouw bent. Hoe dan ook, het wordt tijd dat ik wat aan deze afvoer doe.' Hij draaide zich om en ging een spa halen.

'Hoe durf je zo tegen je moeder te spreken?' riep ze hem verwijtend en geprikkeld door zijn verwijten na.

'Ik zeg wat ik wil,' riep hij over zijn schouder. 'Ik ben je baby niet meer. Ik ben een volwassen man en ik doe waar ik zin in heb, en niemand kan er wat van zeggen,' voegde hij eraan toe.

'Maak je maar geen zorgen, ik zal mijn plicht doen. Neem wat je wilt. Ik hoop alleen dat Manda net zo gehoorzaam is als de tijd daar is.' Haar woorden waren echter aan dovemansoren gericht.

Ze haastte zich met tranen in haar ogen terug naar het huis. Niks woede was als een mokerslag aangekomen, als een dolksteek in haar hart. Ze was van middelbare leeftijd, over haar hoogtepunt, in de overgang, en ze voelde zich ellendig, maar ze was opgevoed volgens de ouderwetse regels van overleving.

Morgen zou ze die glimlach op haar gezicht plakken, haar haar laten doen en proberen bruisend te zijn en net te doen alsof Tom sterk was en in goede gezondheid verkeerde. Ze zou net doen alsof ze de liefhebbende moeder van de bruidegom was, veinzen dat Manda precies was waar ze altijd op gehoopt had in een schoondochter, een aanwinst voor Wintersett, in plaats van een dure last. Ze was misselijk van de spanning en zou nog vrede moeten sluiten met de bruid in spe.

Als ze maar geen koekoeksjong was, als Toms hoest maar eens overging. Zou een kleinkind hun troost en geborgenheid brengen wanneer ze met pensioen waren? Eén ding was zeker: dit was het einde van een tijdperk en het begin van onzekerheid en het leven zou nooit meer hetzelfde zijn.

Manda's trouwdag leek alweer een eeuwigheid geleden, maar de gedachte eraan toverde nog steeds een glimlach op haar gezicht. De zon scheen en uiteindelijk zag het er allemaal perfect uit. Het interieur van de oude stenen kerk sprankelde en Nik keek haar vol trots aan toen ze door het gangpad schreed. De receptie en het uitzicht vanaf het terras waren prachtig, de jaloerse blikken van haar vriendinnen bemoedigend, en haar ouders slaagden erin zich fatsoenlijk te gedragen en bleven nuchter genoeg om een beleefd gesprek te voeren terwijl ze iedereen de hand schudden. En niemand had het flauwste vermoeden dat ze al meer dan vier maanden heen was.

Het huis schitterde in het zonlicht en ze had het gevoel dat het er nooit mooier had uitgezien; het was helemaal opgepoetst en versierd met bloemen. Binnenkort zou het van haar zijn en dan kon zij het opnieuw inrichten.

Pappie had hun als huwelijksgeschenk een Volvo stationcar gegeven en Nik had haar een doosje in handen gedrukt waarin een parelsnoer zat, een familiestuk, om bij haar bruidsjurk te dragen.

Zijn moeder zag er elegant uit in haar complet met bijpassend hoedje dat ze in een van die dure winkels had gekocht die de rijkere dames uit de streek tot klant hadden. Ze begroette iedereen als een echte dame en maakte precies de juiste geluidjes, maar haar ogen stonden koud en verdrietig en ze zag eruit alsof ze had gehuild.

De feesttent was schitterend en het werd zelfs zo warm dat ze de zijflappen omhoogdeden om frisse lucht binnen te laten. Straks was het tijd om haar linnen pakje aan te trekken en naar Korfu te vliegen voor twee heerlijke weken zon, zand en zee. Ze zweefde op een wolk van verwachting dat haar nieuwe leven fantastisch zou worden.

Eenmaal weer thuis was het terug in de werkkleren en de regen en was alles weer zoals het altijd was geweest. Er moesten nog bedankbriefjes worden geschreven en ze moest naar zwangerschapscontroles; er waren huwelijkscadeaus die nog moesten worden uitgepakt en waarvoor nog geen plek was gevonden, waardoor de boerenkeuken er nog rommeliger uitzag.

Nik was bezig zijn uitverkoren dieren klaar te maken voor de keuring en de wedstrijden. Zij mocht geen hoeven poetsen of vachten in de shampoo zetten. Zij werd opnieuw uren alleen gelaten met de 'Draak' die haar op de nek zat.

Breien was nooit haar sterkste kant geweest, maar ze deed haar best zich te interesseren voor patroontjes voor de baby. Het was veel leuker om naar Harrogate te rijden en daar in de winkels naar babyspullen te neuzen en met haar werkende vriendinnen te gaan lunchen.

Het was haar project om het meubilair in Niks kamer anders neer te zetten en nieuwe gordijnen en beddengoed te maken om hun slaapkamer romantischer te maken. En dan moest ze de kinderkamer nog behangen en bijpassende gordijnen maken.

Ze koos de kamer die uitzicht bood op de tuin, maar die zat meestal op slot en was helemaal leeg. Toen ze die kamer opeiste zei de 'Draak' dat dat niet kon.

'Waarom kunnen we die kamer niet gebruiken?' klaagde ze tegen Nik.

'Dat was Sylvia's kamer, of altaar,' zei hij bitter. Ze wist niet veel over het ongeluk en hield zichzelf voor dat ze voorzichtig moest zijn, en als junior eenmaal was geboren moest hij voor het huis spelen, in plaats van achter.

'Reden te meer om hem weer eens te schilderen en weer tot leven te brengen,' betoogde ze, en ze vroeg Nik om tegen zijn moeder te zeggen dat ze het allemaal zelf zouden doen of iemand zouden laten komen. Hij weigerde en hij kon vreselijk koppig zijn als hij in een hoek werd gedreven.

'Laat nu maar, Manda. Er zijn meer dan genoeg kamers om uit te kiezen,' zei hij, en hij probeerde haar af te leiden door een voor een de kamers binnen te gaan tot ze het eens werden over de laatste kamer op de overloop.

Het was moeilijker om haar stempel op het huis te drukken dan ze aanvankelijk had verwacht. Er was altijd wel een reden waarom de dingen moesten blijven zoals ze waren, en het wachten tot die bult indaalde was ongemakkelijk en zenuwslopend.

Haar bloeddruk wilde maar niet laag blijven en ze moest rust nemen. Ze had niet de moeite genomen om naar zwangerschapsgymnastiek te gaan.

Ze ging ervan uit dat het allemaal een natuurlijk proces was en dat niemand haar kon leren hoe ze het moest doen. Maar toen de bevalling in november aanbrak, was het een langzaam, pijnlijk en ingewikkeld proces. Ze kreeg een keizersnede, waar ze overstuur en huilerig van werd en heel veel pijn van had.

Toen het kleine paarse hoopje in haar handen werd geduwd waren ze plotseling met z'n drieën. Het was beangstigend en vreemd dat zo'n perfect jongetje uit haar lichaam was gekomen en haar hart sloeg over bij de gedachte aan alle verantwoordelijkheid.

Ze noemden hem Thomas Josiah, maar zij vond één Tom in de familie meer dan genoeg en ze stond erop dat hij T-Jay werd genoemd, in de stijl van J.R. Ewing, beroemd van de televisieserie *Dallas*.

Al spoedig waren haar dagen gevuld met flesjes vullen en luiers en uitvinden hoe het kinderbadje werkte.

De Draak draaide maar om T-Jays wieg heen, maar nam de zorg voor hem soms uren van haar over, zodat zij kerstinkopen kon gaan doen in haar geliefde winkels.

'We moeten de keukenkastjes moderniseren,' kondigde ze op een ochtend aan in de doodse stilte tijdens het ontbijt.

'Waarom? Wat is er mis met de oude? Ze waren goed genoeg voor mijn moeder,' zei Tom, en Lenn knikte.

'Wees blij dat je stromend water en elektriciteit hebt. Dat is meer dan ik kon zeggen toen ik trouwde.' Geloof maar dat de Draak het laatste woord wilde.

'Maar er is nergens plek voor onze nieuwe spullen,' ging ze verder. 'Alles zit nog in de doos, hè Nik?' Ze keek naar hem op, zoekend naar steun, maar hij wendde zich af.

'Je moet begrijpen dat op een boerderij de kudde voor alles komt en het huis pas op de laatste plaats,' zei Tom.

'Het is anders geen vrolijk gezicht om naar afbladderende muren te kijken en schappen waar alles hoog opgestapeld ligt,' antwoordde ze, maar ze kreeg het gevoel dat ze tegen zichzelf praatte.

De volgende dag glipte ze naar de ijzerhandel en kocht de felste verf die ze kon vinden. Toen iedereen weg was rolde ze haar mouwen op, legde de rommel aan de kant en klodderde de verf op ieder oppervlak. Nik barstte in lachen uit toen hij het resultaat zag, maar zijn moeder keek alleen maar en haalde haar neus op.

'We moeten onze zonnebril opzetten als we hier binnenkomen,' zei ze. 'Maar als je je er beter door voelt...' Wat ze er verder van dachten, hielden ze voor zichzelf.

Stukje bij beetje ruimde ze de schappen leeg en zette er hun eigen ovenschalen en pannen neer. Ze kocht nieuwe katoenen gordijnen voor de ramen om de tocht buiten te houden en bestelde een magnetron. Deze keer ontmoette ze eensgezinde tegenstand.

'Je kunt niet uitgeven wat we niet hebben, Manda,' zei Nik nors met een zuur gezicht. 'We moeten rekeningen en salarissen betalen en we moeten voer kopen. Ons inkomen komt bij stukjes en beetjes. Je kunt er niet zomaar over beschikken en het besteden aan wat je maar wilt.'

'Het is mijn geld, dat ik van papa heb gekregen. Waarom heb je ook niet een echt salaris?' zei ze.

'Dat komt doordat deze boerderij een maatschap is. Als het kan, neem ik wat ik nodig heb,' hield hij vol, maar ze begreep hem niet.

'Jij werkt het hardst van allemaal,' voegde ze eraan toe, en ze probeerde zijn tegenstand te overwinnen.

'Zodat deze boerderij op een dag van ons en van T-Jay zal zijn,' antwoordde hij.

'Ook niet echt een leven: jij altijd maar bezig en ik hier binnen opgesloten. We zien elkaar nooit,' jammerde ze toen ze het gevoel kreeg dat hij niet meer luisterde en een uitweg zocht.

'Je kunt met me mee naar de markt,' bood Nik aan, maar dat was helemaal niet wat ze wilde horen.

Er zat niets anders op dan haar kiezen op elkaar klemmen en te wachten tot zijn ouders het huis uit zouden gaan, maar er was nog niets wat daar op wees. Ze vonden een manier om elkaar te ontlopen. Twee vrouwen in de keuken was geen goed idee.

Toen T-Jay begon te kruipen, voelde ze zich nog onzichtbaarder en in de steek gelaten. Ze was niet langer de bruid, of zwanger, maar gewoon een huisvrouw in een van god en alleman verlaten oord met alleen de plaatselijke peutergroep als gezelschap.

Nik had zijn kroeg en het rugby, zijn boerenvriendjes, zijn dagelijkse bezigheden, en zij was alleen maar iemand om zijn bed te warmen en eten voor hem te maken, als zijn moeder dat tenminste al niet had gedaan. Dit was niet zoals ze het zich had voorgesteld. Het huis was koud en kil als altijd en er werd niet geluisterd naar haar voorstellen. De oudere Yewells hadden het volledig voor het zeggen en Nik ging in alles met hen mee.

Ze had nog steeds Jupiter en begon, alleen maar om het huis uit te kunnen zijn, 's middags over de velden te draven wanneer T-Jay lag te slapen en de Draak aan het bakken was terwijl ze naar de radio luisterde.

Wat ooit heuvels van smaragd hadden geleken, waren nu grauwe en troosteloze bulten. De saffierblauwe hemel was nu voornamelijk loodgrijs, het witte kalksteenpuin was nu gewoon grind en de muren leken alles gevangen te houden in een stenen fort. Ze begon genoeg te krijgen van het gevoel in de val te zitten.

Ze had het huis en alles wat erbij hoorde willen omarmen, maar zo eenvoudig was dat niet. Het huis was niet met haar getrouwd en leek haar ook niet erg welkom te heten. Niemand leek nog aandacht aan haar te schenken, vooral Nik niet. De vrouw van een boer zijn was ook niet alles, verzuchtte ze, terwijl ze bij gebrek aan gezelschap het paard een klopje gaf.

Lenn zag hoe Manda's levenslust verwelkte door de sleur van haar nieuwe leven. Er was te veel waar ze te snel mee moest leren omgaan: verhuizen van een drukke stad naar een achterafplek op het platteland, een haastige trouwerij en een baby, en niets daartussenin wat haar had kunnen voorbereiden op alle veranderingen. Nu zoog de realiteit van het leven met een onhandelbare peuter alle energie uit haar. Manda was haar eerste fleur kwijt en haar ogen stonden dof.

T-Jay vulde haar dagen met veel vreugde. Grootmoeder zijn was makkelijker en rustgevender dan ze aanvankelijk had gedacht. Ze zong voor hem en las verhaaltjes voor, en soms zag ze weer even het beeld voor zich van vroeger met Sylvia en Nik op haar knie. Hij vond het leuk om achter de kat en blaadjes aan te zitten en speelde graag kiekeboe, en ze verheugde zich erop hem voor haar alleen te hebben als Manda weer eens ging winkelen.

Dan kwam ze weer binnen, zwaaiend met haar plastic tassen, haar gezicht rood van opwinding, en spreidde al haar 'koopjes' op tafel uit alsof het nieuw speelgoed was dat ze moesten bekijken. Het deed haar verdriet dat het meisje alleen maar gelukkig was als ze onderweg was naar een andere plek en niet op Wintersett was.

Nik was een typische man uit de vallei en liet zijn vrouw aan haar lot over. Maar meisjes van het platteland vonden bezigheden op de boerderij, gingen bij het WI of naar cursussen. Sommigen gingen bij het toneel of naar de avondschool, maar Manda was niet geïnteresseerd. Ze probeerde hen zover te krijgen dat ze samen uitgingen en bood aan op de baby te passen, maar Nik was dol op zijn klassieke muziek en zijn vrouw zat dan met haar benen onder zich gevouwen naar rotzooi op de televisie te kijken en haar best te doen niet beledigd te kijken.

Na die uitbarsting vlak voor de trouwerij uitte ze nooit meer openlijk kritiek op Manda; ze maakte nooit meer een vervelende opmerking of een sneer binnen gehoorsafstand van Nik. Zijn schimpscheuten hadden haar diep getroffen en ze voelde zich gekwetst door zijn woede en de waarheid van zijn beschuldigingen.

Ze hielden een feestje voor T-Jays tweede verjaardag en een speciale middag voor die van Nik. Drie generaties onder één dak was niet eenvoudig, maar ze deed haar best.

Toen vroeg ze zich af of het Manda zou opvrolijken als ze een echt kerstfeest zouden houden en zoveel gasten zouden uitnodigen als er maar in het huis konden om het nieuwe jaar in stijl te begroeten.

Eindelijk ging Manda eens enthousiast in op een voorstel en haar wangen werden rood van opwinding.

'We stellen de hall en de bovenverdieping open en houden een feest,' kondigde ze aan, vastbesloten dat Manda haar steentje zou bijdragen. Ze kon nog steeds geen fatsoenlijke vlaai of taart bakken. Misschien dat deze olijftak hen allemaal nader tot elkaar zou brengen. Hoe je het ook wendde of keerde, het meisje had gelijk met Nik de boerderij getrouwd en ze zouden het met elkaar moeten blijven rooien. Een bruiloft was makkelijk genoeg geregeld. Dat hadden ze laten zien, maar het duurde langer voor er sprake was van een huwelijk, peinsde ze, en met een peuter op sleeptouw werd het er allemaal niet gemakkelijker op.

Kerstmis werd een vrolijke bedoening met T-Jay erbij en hij genoot ervan de pakjes open te scheuren en het pakpapier in zijn mond te stoppen. Tom zag er beter uit, maar hij moest rustig aan doen. Ze hadden voor hun kleinkind een loopauto gekocht, waarmee hij door de gangen kon sjezen.

Iedereen deed zijn best om het huis in kerstsfeer te brengen. De enorme dennenboom stond in het trapgat en ze maakten samen het kerstdiner.

Het hielp dat hun uitnodiging uit de wijde omtrek tegenuitnodigingen tot gevolg had gehad om een borrel te komen drinken, en dat gaf haar de kans zich eens mooi aan te kleden en een kijkje te nemen op andere boerderijen, groot en klein, en in huizen in het dorp.

Toen sneeuwde het, waardoor dat kerstkaarteneffect ontstond, en ze hoopte dat de sfeer van goede wil en welbehagen zou blijven duren. De eenzaamheid van het afgelopen jaar en de afgelopen maanden verdween als sneeuw voor de zon door de liters gekruide wijn en cocktails. Ze gingen samen met T-Jay sleetje rijden en ze probeerde zichzelf ervan te overtuigen dat alles goed was, maar diep in haar hart voelde ze een teleurstelling die niet weg wilde gaan. Alleen een fles wijn leek het verdriet draaglijk te maken.

Terwijl ze uitkeek over de besneeuwde velden, vroeg ze zich af of het aan de plek zelf lag. Wintersett lag ten westen van de Pennines, aan de regenkant, en de sneeuw was nat en bleef niet liggen. Ze was gewend aan de koude, droge oostenwind en de zonnigere vallei van York. Wat zij voor de romantische schoonheid van het huis had gehouden, lag alleen maar in de contouren en de plek. Binnen was het altijd koud en tochtig. Wat zou ze graag centrale verwarming hebben, maar overal was rook en as, en je moest haardvuren altijd in de gaten houden en verzorgen.

Alles werd bepaald door het budget, elk dingetje moest worden opgeschreven en worden bediscussieerd. Ze had al het gevoel dat ze uit de band sprong als ze zonder toestemming roze wc-papier kocht.

Het was niet eerlijk om zo te denken nu ze het huis openstelden en probeerden een groots banket aan te richten met goede drank. Ze moest toegeven dat als Lenn iets in haar hoofd haalde, ze zich er ook helemaal voor inzette.

Ze was zich, zonder dat Nik het wist, helemaal te buiten gegaan bij Rita Quintana in Harrogate en had zichzelf getrakteerd op een prachtige zwarte nauwsluitende jurk met bandjes met strass, en ze voelde zich net zo elegant als prinses Diana die in alle sensatiebladen stond en wier stijl van kleden zij met interesse volgde. Ze voelde zich erg aangetrokken tot de jonge prinses, want ook zij was met een oudere man getrouwd en had gemerkt dat haar leven onherkenbaar was veranderd. Ze hadden hetzelfde figuur en lengte, en Manda had haar haar op dezelfde manier laten knippen, zodat mensen er opmerkingen over maakten dat ze zoveel op elkaar leken.

Door het paardrijden bleef haar buik zo plat als een dubbeltje en de sigaretten hielpen er ook bij. Eten was nooit een probleem voor haar. Ze vond eten iets voor sukkels. Er liepen genoeg misvormde vleesklompen rond om als waarschuwing te dienen tegen Yorkshire pudding en taart.

Niet dat ze aan de keukentafel niet haar bijdrage had geleverd bij het bakken en het onder het toeziend oog van Lenn uitsnijden van vormen uit het deeg, en ze genoot eigenlijk best van de uitdaging om wel te kijken, maar niet te eten. Het buffet zou een orgie van vette pasteien, wildschotels en salades worden. Ze had een manier bedacht om enthousiaste kleine hapjes van het eten op haar bord te nemen, zodat niemand zich druk maakte over haar voortdurende dieet. Ze nam haar calorieën liever in vloeibare vorm en volle bourgognes en bordeaux waren haar favorieten. Ze zorgden voor een twinkeling in haar ogen en een blos op haar wangen. Tegen acht uur op oudejaarsavond stond ze met de nodige al achter de kiezen te wachten tot de gasten zouden arriveren en voelde zich compleet gelukkig.

Het gebruikelijke stelletje boeren met hun dikke vrouwen en de notabelen uit het dorp zouden komen, maar er was één gast naar wie ze in het bijzonder uitkeek: Julian Stone, een landeigenaar, die niet op zijn goed woonde maar Wintersett als zijn jachtgebied aanhield. Hij was met een gezelschap over uit Londen. Ze hadden elkaar bij verschillende gelegenheden ontmoet en hij had naar haar gelonkt en ze had zijn dure aftershave geroken. Hij stond een beetje te dichtbij en als hij sprak, raakte hij haar elleboog aan, alsof er verder niemand in de kamer was. Ze voelde zich gevleid door zijn belangstelling en danig opgewonden door zijn lichaam en nonchalante zelfvertrouwen.

Vanavond was ze op eigen terrein en nu wilde ze het fijne van hem weten. Was hij zo sexy als hij eruitzag met zijn lange haar en altijd gebruinde gezicht? Het zou leuk zijn om hem uit te dagen, het vuur een beetje op te stoken en eens zien hoe hij reageerde. Flirten kon zij ook.

Niet dat Nik er iets van zou merken, al danste ze naakt op tafel. Het enige commentaar dat hij had gehad toen hij de jurk zag, was: 'Hoeveel heeft dat ons gekost?' Het was makkelijker geweest om te liegen en te zeggen dat haar vader haar het geld had gegeven bij wijze van kerstcadeau. Maar ook al waardeerde hij haar inspanningen niet, ze had het gevoel dat iemand anders dat vanavond wel zou doen.

Lenn was druk bezig drankjes rond te delen. Voor één keer had ze zich opgedoft met een lange geruite rok en een witte blouse met parelmanchetknopen en een in goud gevatte camee om haar nek. Om haar schouders droeg ze een zwarte stola om haar knobbels te verbergen.

Ze voelde zich inmiddels licht in haar hoofd, niet dronken en niet nuchter, maar aangeschoten genoeg om die akelige winter te laten verdwijnen. Ze had de laatste tijd het gevoel dat een fles en een glas haar trouwste metgezellen waren, en ze kocht haar eigen voorraden – niet bij de plaatselijke drankwinkel, maar ver weg in een supermarkt waar niemand haar verslaving opviel. Wanneer Nik met zijn koptelefoon op naar muziek zat te luisteren, voelde ze zich verlaten en verveeld. Had ze maar een vriendin, maar de meeste boerinnen werden te veel in beslag genomen door hun werk en kwamen er alleen op marktdag uit om boodschappen te doen of hun werk te doen. Zonder haar Volvo was ze gek geworden. Die onderhield haar verbinding met de beschaving en de geneugten des levens.

Vanavond zag ze er piekfijn uit en klaar voor de jacht. Ze hadden hard gewerkt om de hall en de zitkamers een feestelijke aanblik te geven met slingers en kaarsen. Er brandde een vuur in elke haard waaruit vonken in het rond vlogen, zodat mensen een goed heenkomen zochten, maar de massa lichamen zorgde ervoor dat het huis warm en uitnodigend was en ze had het gevoel dat zij de koningin was van alles wat ze aanschouwde.

Ze keek naar Julian, die in een hoek gevangenzat, verwikkeld in een ernstig gesprek met een jong stel uit het dorp dat maar doorging over tweede huizen en de dorpsschool. Ze wisselden rooksignalen uit en ze wist dat het haar taak als toegewijde gastvrouw was om hem uit hun klauwen te bevrijden.

Haar hart klopte als een razende bij de gedachte aan de dwaasheid van openlijk flirten met een gast, maar dat was deel van het gevaar en de opwinding.

Het buffet moest worden opgediend, borden gingen rond en toen zakte de activiteit wat in omdat iedereen wachtte tot het middernachtelijk uur, dus dimde ze het licht een beetje, zette wat soulmuziek op en pakte haar echtgenoot om de dans te openen.

Nik deed zijn plicht, maar hij popelde om met zijn boerenvrienden te praten over de marktprijzen en zijn nieuwe ram. Ze voelde hoe de hongerige blik van de vreemdeling haar door de kamer volgde. Hij liep tegen de veertig en had zijn vrouw bij zich, die bekakt praatte, een positiejurk van Laura Ashley droeg en een groot bord soesjes tegen haar volle boezem geklemd hield terwijl ze in gesprek was met haar eigen groepje.

Ze dansten naast elkaar, wisselden toen van partner en ze huiverde toen ze elkaar eindelijk aanraakten. Het was alsof er een vonk oversprong toen hij langzaam en suggestief bewoog en zich aanpaste aan haar eigen bewegingen.

Het enige waar ze aan kon denken was hoe ze hem kon proeven en ervoor kon zorgen samen met hem te zijn, gewoon een beetje plagen om de boel wat te verlevendigen en hem te laten verlangen naar meer. Hij wilde net zo graag als zij; hij was allesbehalve lusteloos of saai, maar volledig bereid en nieuwsgierig.

Terwijl de dansers heen en weer bewogen door de schemerige hall en wachtten tot de klok twaalf zou slaan, liep zij in de richting van de trap met het excuus dat ze even naar T-Jay wilde kijken, die in de kinderkamer lag, maar het was geen verrassing toen ze zag dat hij haar langzaam, maar doelbewust achternakwam.

Ze wachtte uit het zicht tot hij de hoek om kwam, haar hand pakte en haar met haar rug tegen de harde lambrisering drukte. Hij ging met zijn ervaren handen over haar lichaam onder de zijde, bevoelde haar welvingen en contouren, als een man doet die op het punt staat een fokmerrie te kopen. Er waren geen belemmeringen, want ze droeg geen ondergoed onder zo'n nauwsluitende jurk.

Een ogenblik was ze als verlamd door zijn aanraking en door de gloed in zijn sluwe grijze ogen. Ze voelde hoe hard hij was en wist dat ze haar gelijke had gevonden.

Toen sloeg de paniek toe en ze wist dat ze aan zijn greep moest ontsnappen. Dit was zinloos, griezelig omdat het in haar eigen huis gebeurde. Stel dat iemand hen zag? Maar ze stonden allebei in vuur en vlam, en hoewel haar verstand zei dat ze zich moest inhouden, vroeg haar lichaam om meer, en door zijn erectie verhevigde alles tot een vlaag van wellust en verlangen naar gevaar.

Dit was wat er ontbrak, verzuchtte ze: deze brandende behoefte om begeerd te worden als Amanda, niet als moeder of boerenvrouw. Ze zou dit doorzetten, wat er ook van kwam.

Ze trok hem de dichtstbijzijnde kamer in. Op het bed lag een grote stapel jassen en de kamer rook naar mottenballen, maar geen van tweeën kon zich daar erg druk over te maken.

Ze drukten zich tegen elkaar aan terwijl ze tegen de kast met de spiegel stonden geleund en hij haar jurk omhoogdeed. Ze liet zijn handen gaan waar hij maar wilde. Ze maakte zijn broek los om hem te bevrijden en toen trok hij haar om zijn middel en drong hard en stevig bij haar binnen, tot ze naar adem snakte van opwinding en angst.

Hij was groot geschapen en zij was nauw, maar ze beukten door tot ze allebei klaar en bevredigd waren. Het was de beste seks die ze in jaren had gehad – niet de allerbeste, want daar was tijd voor nodig en een langzame, doelbewuste techniek met heel vaak stoppen en opnieuw beginnen. Het was geweldig omdat ze er huis, haard en gezin mee trotseerde. Ze lachte terwijl ze zich afvroeg wat de muren van deze ontrouw zouden vinden.

In de spiegel zag ze zijn zelfgenoegzame lachje en dat was het moment dat er alarmbellen begonnen te rinkelen en zij weer ontnuchterd werd. Dit was een man wie het niet kon schelen dat hij zijn gastheer en diens vrouw beledigde. Hij nam gewoon wat hij wilde en zou klokslag middernacht verdwenen zijn.

Hij was een vreemdeling die haar vuurtje had opgestookt, en wie weet waar dit vreemde gevoel van vrijheid toe zou leiden nu ze er eenmaal van geproefd had. In gedachten zag ze scheiding, schaamte en schande, maar daar wilde ze nu niet aan denken.

Het was beter om het maar te beschouwen als een lolletje op de laatste dag van het jaar, gewoon een onschuldige uitspatting. Het vuur zou net zo snel weer doven als het was opgelaaid, dacht ze, maar toch wilde ze hem niet laten gaan.

Ze stonden net te zoenen toen ze de deur zachtjes hoorde opengaan en ze verstijfden terwijl ze zich plat tegen de kast drukten, bang te worden blootgesteld aan het licht. Maar tot haar grote opluchting ging de deur weer dicht zonder dat er iets was gebeurd.

Ze maakten haastig hun kleding in orde, als stoute kinderen die waren betrapt achter het fietsenhok. Ze ging naar de badkamer om haar make-up te fatsoeneren, haar haar te borstelen en een beetje parfum op te doen om de geur van seks te verbergen. Ze keek uitdagend in de spiegel.

Je hebt jezelf laten gaan, zei ze, nu is het zover; maar ze kon geen spijt voelen, hoe erg ze er ook haar best voor deed. Als dit huishouden haar niet moest, dan moesten ze daar de gevolgen maar van aanvaarden. Ze was op tijd beneden voor het aftellen tot middernacht op de radio, op tijd voor het gezoen en het zingen van 'Auld Lang Syne'. Ze had eindelijk weer eens honger en laadde een bord vol.

'Honger, schat?' zei Nik, met een bierkegel. 'Fijn je voor de verandering eens te zien smullen... Gelukkig nieuwjaar!'

'Uitgehongerd... En van hetzelfde,' antwoordde ze naar waarheid, want er was niets zo goed voor de eetlust als goede seks.

Toen zag ze dat Lenn naar hen stond te kijken met die doordringend blauwe ogen, en vervolgens naar Julian, die de trap af kwam terwijl hij zijn das rechttrok. Plotseling voelde ze een ziekmakende angst en zette ze haar bord neer.

Was ze hen gevolgd? Had ze iets gezien? Misschien niet. Zou Lenn haar mond houden als dat wel het geval was? Plotseling voelde ze diep vanbinnen dat de moeder niets tegen haar zoon zou zeggen en ze mocht hangen als ze wist waarom. Ze moest hoognodig even bijtanken als ze haar zelfbeheersing niet wilde verliezen. Niets zou ooit nog hetzelfde zijn.

Lenn haakte in en zong het lied met een bezwaard gemoed. Het tafereel waarvan ze getuige was geweest speelde zich telkens weer voor haar ogen af. Ze had gezien hoe Manda, dronken van de wijn en haar eigen aantrekkelijkheid, de hele avond met die man aan het flirten was geweest. Hun wellust had iets zo primitiefs en de manier waarop ze haar lichaam in die jurk tentoonstelde en de enige echte geilaard in huis inpalmde, hem de trap op lokte, had iets waardoor ze zelf opgewonden raakte en hen als een voyeur volgde.

Een deel van haar wilde dat nest in stukken scheuren, maar ze kon niets doen. Toen ze die deur opendeed en een flits van hun spiegelbeeld zag in de spiegel van de kaptafel had ze het gevoel dat ze naar een klucht zat te kijken: hij met zijn broek op zijn enkels en zij in haar blote kont. Ze was bijna in lachen uitgebarsten bij de aanblik van hun vrijpartij, had willen lachen van woede en schaamte en schuldgevoel, van jaloezie en medelijden met haar zoon, maar ze deed zachtjes de deur weer dicht.

Dit was absoluut de eerste, maar het zou niet de laatste zijn. Als Manda verveeld en wanhopig genoeg was om dit te riskeren, zou het hier niet bij blijven. Ze zou op jacht gaan tot ze iets of iemand vond die de leemtes in haar leven kon vullen, zoals zij Klaus had gevonden om haar leegte in dit huis op te vullen.

Ons kent ons. Wie ben ik dat ik de eerste steen werp, huilde ze in stilte, en ze voelde zich hulpeloos en leeg. Ik was geen haar beter. Ze onderdrukte een snik. Dit feest was bedoeld als een nieuw begin, een poging tot verzoening, en Manda had hen in het gezicht uitgelachen.

Het enige wat ze nu nog deelden waren dodelijke geheimen en leugens. Hun zwijgen zou deze familie uiteenrijten. Plotseling wilde ze dat alle gasten verdwenen en haar met haar zorgen alleen lieten. Tom mocht het nooit te weten komen. De schande zou zijn dood worden.

33

VAN BOVEN AAN DE TRAP

Hier sta ik in mijn stofdoek te huilen. Ik had me over Tom geen zorgen hoeven maken. De kanker vermoordde hem keurig zonder hulp. Hij hield het nog maar een paar maanden van het nieuwe jaar vol. Jij was diepbedroefd en Manda deed haar best je te troosten, maar ze wist net zomin als ik hoe, en jij trok je terug in je schulp en wees elke poging tot verzoening af. Je wilde niet over Tom praten en je duwde ons allemaal weg.

Toen viel me op dat ze vaker naar Harrogate ging en T-Jay meenam om hele weekends bij haar vader te logeren. Ik zag dat het haar iedere keer dat ze terugkwam meer moeite kostte om weer aan de dagelijkse routine te wennen en ons om haar met warmte en enthousiasme te omringen. Zo steken wij niet in elkaar.

Jij ging ten onder aan je eigen verdriet en ik was niet echt een steun. Ik wist dingen die jij niet wist en ik kon haar niet vertrouwen, maar ik heb haar nooit verraden. Ik heb je in de steek gelaten. Ik had je moeten waarschuwen en jou de kans moeten geven alles in orde te maken.

Mensen als ik worden er naarmate we ouder worden niet aardiger op, of van de ene dag op de andere een heilige. Ik ga alleen maar meer mopperen en het wordt moeilijker me voor de gek te houden of een plezier te doen.

Ik was erbij die dag dat ze haar koffers in de auto pakte, haar paardentrailer aan de trekhaak vastmaakte en T-Jay in zijn autostoeltje zette. Ik dacht dat ze er gewoon even tussenuit ging en dat ze wel weer bij zou trekken en terug zou komen. Ik had je moeten waarschuwen, maar je had gezegd dat ik me nergens mee moest bemoeien, dus dat deed ik ook niet en dat heb ik mezelf nooit vergeven.

Ik weet dat je geprobeerd hebt haar over te halen om terug te komen toen je eenmaal doorhad hoe wanhopig de zaken ervoor stonden, en toen werd je boos en zette je de tractors op de oprijlaan zodat ze niet weg kon met de Volvo. Dat werkte niet en had alleen maar tot resultaat dat T-Jay overstuur raakte. Een boer verlaten is een vervelende affaire, vooral als het om land en geld gaat.

T-Jay kwam maandenlang elk weekend bij ons, zodat zij op adem kon komen, in de hoop dat ze weer terug zou komen, maar wat deed ze? Ze pakte haar boeltje en ging naar Amerika met een of andere luchtmachtfiguur van het radarstation op de basis in Menwith Hill, helemaal in de wolken door de belofte van een nieuw leven in de States.

Binnen een halfjaar waren we Tom en T-Jay kwijt, en alle hoop op een gelukkig huwelijk voor jou. Je hebt je best gedaan om de voogdij te krijgen, maar dat was hopeloos. Een jongen van drie heeft zijn moeder nodig, maar ik moet toegeven dat je gevochten hebt om contact te houden, knarsetandend alimentatie hebt betaald, kostbaar land hebt verkocht om haar het deel te kunnen geven waar ze om vroeg, je zoon hebt geschreven en hem iedere keer dat ze op bezoek kwamen in Yorkshire hebt bezocht.

Een boer heeft iemand nodig die na hem verdergaat en niemand van ons hier kon iets aan de situatie veranderen.

Mijn hart brak bij de aanblik van die beleefde kleine vreemdeling met zijn Amerikaanse accent en half-vergeten herinneringen aan zijn verblijf hier. Je slikte je gekwetste trots weg en bleef op goede voet met Manda, zodat we contact konden blijven houden met je zoon.

Je ging zwaar gebukt onder het mislukken van je huwelijk en ik had je willen troosten, maar je wilde absoluut niet dat ik het onderwerp ter sprake bracht. Ik denk dat jij hetzelfde deed wat ik jou in het verleden heb aangedaan. We zijn van dezelfde soort.

Sommige mannen hebben geen idee als het op gevoelens aankomt; ze denken dat alles in orde is omdat er niets wordt gezegd. Zwijgen is in elke relatie dodelijk. Dat hebben we bewezen, telkens weer. Iedereen met een geoefend oog had het kunnen zien aankomen. Manda zou hier nooit haar draai hebben gevonden toen de glans van het nieuwe er eenmaal af was. Ze was te jong, te werelds voor deze rare manier van leven. Moderne meisjes hebben wel iets beters te doen dan voor mannen in vuile overalls zorgen en hun eigen carrière opofferen omwille van hun gezin. Ze zijn verstandiger en ze hebben tegenwoordig een andere opvatting van teamwork.

Niet één keer heb ik tegen je gezegd: 'Ik heb het je toch gezegd', niet één keer heb ik me verkneukeld. Ik heb mijn gelofte om over alles te zwijgen tot nu toe gehouden. Ik weet niet of wat ik heb gedaan voor jullie het juiste was.

Dus toen scharrelden we nog maar met z'n tweeën door dit grote huis. We hadden de boerderij als ons fundament en gemeenschappelijk uitgangspunt, het land, het vee, de toekomst. We hebben de schijn aardig weten op te houden, maar we hebben nooit meer uit vrije wil vreemden in huis gehaald of licht toegelaten in de zitkamer. Alles lag onder een laag stof, gehuld in triestheid en stilte.

Plotseling veranderde het klimaat en voelden we de kou van lage prijzen en hogere kosten en te veel vetgemest vee en de wurggreep van de supermarktketens. Schapenvachten werden waardeloos en we werden meer en meer afhankelijk van subsidies. Ons inkomen liep terug en we moesten snoeien in onze investeringen.

We kregen wel subsidie om de oude schuur op te knappen en te verbouwen tot vakantiehuis. Dat was een goede zet en leverde ons een beetje vast inkomen op. Ik ging verder met mijn eigen zaken en jij bracht meer en meer tijd door op een barkruk in de Spread Eagle.

Als je al vriendinnen had, heb ik ze nooit gezien. Je liet ze niet verder komen dan de poort. Ik kan het hun niet kwalijk nemen dat ze niet zijn gebleven. Wie wil nou een man en zijn moeder op de koop toe? Daarom moesten we ieder ons eigen weg gaan. Dat hadden we al veel eerder moeten doen, maar je houdt vast aan wat je kent, tot het van je wordt afgenomen. Je hebt nog de tijd om een goeie te vinden, maar dan moet je wel wat meer risico nemen. Ik zou me meer op mijn gemak voelen in mijn huisje als ik wist dat er iemand was die 's nachts je voeten warm hield.

We hebben nooit meer een woord gezegd over Sylvia, maar ik heb wel gezien dat iemand bloemen bij haar grafsteen had gezet, en dat was ik niet.

Nu is het ogenblik aangebroken voor het laatste hoofdstuk over ons leven hier. Ik wil het allemaal vastleggen, zodat T-Jay het op een dag kan lezen. Ieder uur en elke minuut staan in mijn geheugen gegrift, en ik heb gemerkt dat dingen opschrijven me helpt om alles op een rijtje te zetten en te verwerken, maar ik verheug me hier helemaal niet op.

Ik wil dat er een waarheidsgetrouw verslag achterblijft van hoe het afgelopen zomer voor ons en voor velen zoals wij is geweest. Ik wil het blootleggen, alles, en duidelijk maken wat het voor ons allebei heeft betekend. Ik wil dat een keer met je delen, maar het opschrijven zal mijn hart breken.

Je hebt me een harteloos kreng genoemd, meerdere keren, zonder dat iemand het kon horen. We hebben elkaar in de loop der jaren de rug toegekeerd, maar de enige troost die ik nu nog heb is de wetenschap dat we elkaar recht in de ogen keken toen de catastrofe zich aandiende.

DEEL III

NIK

34

EEN OCHTEND IN MEI
2001

Lenn zag net als iedereen in de vallei met verdriet en afschuw op de televisie de lege velden en brandstapels van Galloway en Cumbria. Toen gingen de veemarkten dicht en werden de wandelpaden gesloten, en van de ene op de andere dag kwam er een einde aan de invasie van wandelaars en toeristen waar normaal gesproken met Pasen sprake van was, en de boekingen voor de vakantie werden allemaal afgezegd. Nik joeg een stelletje oranje parka's van hun land die een stuk wilden afsnijden en dachten dat de regels niet voor hen golden.

Toen de weken voorbijgingen en de volle omvang van de mond- en klauwzeerepidemie duidelijk werd, prezen ze zich achteraf gelukkig dat de epidemie van 1967 aan Wintersett voorbij was gegaan en legden gehoorzaam de matten neer en drenkten die in desinfecterende middelen, meer als teken van solidariteit dan wat anders. Dit was het moment om rustig te blijven en voorbereidingen te treffen voor het lammerseizoen in april, terwijl de epidemie in het noorden over zijn hoogtepunt heen raakte.

Ze keek altijd uit naar een nieuwe lichting lammetjes, ook al waren de prijzen voor de vachten en het vlees op een absoluut dieptepunt. Hier draaide het allemaal om en zij zorgden ervoor dat er laat gelammerd werd, zodat de omstandigheden op het land optimaal waren. Generaties lang kregen de ooien hun eigen stuk helling waar zij op hun beurt hun dochters leerden grazen en veilig terugkeren naar de beste plekken bij de stenen muren om beschutting te vinden tegen weer en wind. Ze maakte met de hond haar rondes over de velden om de kudde te controleren en te zien of er dode lammetjes, of wezen of drielingen waren die dichter bij de boerderij moesten worden gebracht om ze de fles te kunnen geven. Er was altijd wel een koppige ooi die ze kon helpen bij de bevalling, maar het liefst keek ze naar de opgroeiende lammetjes die rondrenden en huppelden als opgewonden kinderen op een speelplaats.

Niet dat er ruimte was voor sentimentaliteit. Dit was hun geld, hun oogst, en Nik hanteerde een zorgvuldig fokprogramma, waarbij hij er een paar prijslammeren uit pikte om groot te brengen voor de tentoonstellingen in de hoop zo zijn reputatie te vergroten. Het leven van een lam was kort en de omvang van zijn achtereind bepaalde wanneer hij klaar was voor de markt, maar dit jaar zouden er geen vleeskeuringen of veetransporten zijn en de dieren moesten blijven waar ze waren, wat er ook gebeurde. Het land zou overgraasd raken en de schapen zouden moeten worden bijgevoerd om ze in conditie te houden.

Terwijl ze met haar herdersstaf in de hand over de velden de mogelijkheden liep te overdenken, zag ze Nik op zijn *quad* komen aanscheuren met een nog norsere blik dan normaal en zijn eeuwige pijp in zijn mondhoek.

'Er lopen er een paar bij Gunnerside die me niet aanstaan,' zei hij, wijzend in de verte. Ze was moe en het was te ver om te lopen.

'Hebben ze al geworpen?' vroeg ze, en hij schudde zijn hoofd.

'Eentje loopt een beetje mank. Misschien is het niks, maar gezien dat verdachte geval verderop in de vallei zal ik toch de veearts moeten bellen, denk ik,' zei hij.

'Rustig aan. Die boerderij is tien kilometer verderop, dus geen paniek. Ik ga wel kijken als je wilt, maar ik moet eerst even op adem komen,' glimlachte ze terwijl ze haar best deed om de zenuwkrampen in haar buik die dit nieuws veroorzaakte in bedwang te houden. Nee toch zeker? Toch niet hier, op deze afgelegen plek?

Ze had geen rust voor ze de bestelwagen had gepakt, in de richting was gereden waar de ooi zich ophield en naar Gunnerside was gelopen om het probleemgeval met eigen ogen te zien, maar ze kon niets verkeerds ontdekken. Er liep er wel een mank, maar er zaten altijd kreupelen tussen, en ze moest letten op verwondingen en die zag ze niet.

Toen ze terugkwam op Wintersett, ging de telefoon en Nik nam met een ernstig gezicht op terwijl hij bij wijze van troost aan zijn lege pijp lurkte.

'Je hebt gelijk dat je ons dat laat weten, Alan. Ik geef het door aan Tow Top, bedankt,' zei hij, en hij gooide met een klap de hoorn op de haak.

'Dat was Alan Thorpe. Hij zegt dat Hayhouse de klos is. De veeartsen zijn er en doen allerlei onderzoeken...'

Het enige wat ze kon zeggen was: 'Dat is maar vijf kilometer verderop, en er zijn geen hekken.' Er viel een drukkende stilte. Ze moest Enid bellen en meer te weten zien te komen. Arme meid, en Derrick was ook al niet in orde.

De rest van de dag ging de telefoon om de haverklap en ze namen om de beurt op. Nik zat aan zijn computer gekluisterd en volgde de rapportages van de keuringsdienst, waaruit bleek dat nieuwe gevallen steeds dichter in de omtrek waren, op de voet.

's Avonds belde Enid Hayhouse in tranen om te zeggen dat er bij hen één geval was vastgesteld en dat ze de volgende dag geruimd zouden worden. Ze ging naar de velden om Nik te zoeken. Hij sjokte langzaam voort, de last van de wereld op zijn schouders, en ze wilde hem in haar armen nemen, maar ze legde alleen maar haar hand op zijn arm. 'Wat is er?'

'Ik moet de veearts bellen. Die ooi is er slecht aan toe en ergens heb ik het akelige gevoel dat we ze allemaal kwijt zullen raken,' mompelde hij.

'Nee! Wij toch niet, zeker?' riep ze uit, maar Nik was verdiept in zijn eigen ellende. Dit was niet het moment om hem het nieuws over hun buren te vertellen, maar toch moest dat gebeuren.

Die avond liepen ze in de keuken te ijsberen en zetten de ene pot thee na de andere, terwijl Nik rookte als een schoorsteen. De veearts was tegen de avond gekomen en had zijn monsters genomen, schapen onderzocht, zwijgend en zonder een oordeel te geven, maar hij schudde zijn hoofd toen hij terugliep naar zijn Land Rover.

Bij dageraad hoorden ze het gerommel van zware vrachtwagens en legerjeeps die met het geluid van knarsende tandwielen dat de dag des oordeels leek aan te kondigen de steile heuvel aan het einde van de weg op reden naar de boerderij van Hayhouse. Ze wisten geen van beiden wat ze moesten zeggen. Het was zo onwerkelijk om naar die optocht te kijken en te weten wat het voor hun buren betekende. Ze waren nu aan de autoriteiten overgeleverd en mochten niet van de boerderij af; hun enige verbinding met de buitenwereld was de telefoon, de navelstreng waarlangs nieuws, steun en deelneming van boerderij naar boerderij gingen.

Nu zaten ze te wachten op het doodvonnis of de mededeling dat het loos alarm was, en de telefoon braakte almaar geruchten uit dat er opzet in het spel was. Iemand had de ziekte expres laten uitbreken om de omvang van de kudden terug te brengen. Een vrachtwagen vol dode schapen was omgeslagen op de A65, waardoor de ziekte het gebied was binnengedrongen. De veeartsen namen het mee in hun kleren. Herten sprongen van boerderij naar boerderij en verspreidden het zo in de wijde omtrek. De paniek klopte het kleinste gerucht op tot een enorme uitbarsting van wilde beschuldigingen en halve waarheden, en ze wist niet meer wat ze moest geloven.

Hun wereld stortte met de minuut verder in. Het einde van de oprijlaan was afgezet en er stond een bewaker. Ze werden belegerd en waren om twee redenen tot die isolatie veroordeeld: ze grensden aan de boerderij van Hayhouse en ze hadden een verdacht dier. Niets zou ooit nog hetzelfde zijn.

Het was een opluchting toen de inspecteur belde om te bevestigen dat er mond- en klauwzeer op hun boerderij heerste en het vee de volgende dag geruimd zou worden. Nu zaten ze in de dodencel en ze konden niets anders doen dan stilletjes blijven zitten en wachten tot de invasie kwam. Ze voelde zich op een vreemde manier kalm toen ze het bericht kreeg en ze protesteerde nauwelijks. Haar borst voelde zo beklemd aan dat ze bijna geen adem kon halen terwijl ze naar buiten liep, het zonlicht in, waar Nik zichzelf bezighield. Hij had op het erf het gerinkel van de telefoon gehoord en één blik op haar gezicht zou genoeg zijn om hem te vertellen wat hij moest weten. De rest van de dag ging als in een droom vol bezoeken en telefoontjes voorbij toen het nieuws zich verspreidde en de journalisten om commentaar belden.

Wat zeg je als je wereld instort? Er waren geen woorden voor de doffe wanhoop die ze voelden, maar Lenn zette haar strijdbare gezicht, sprak met kalme stem en gaf op monotone toon en als van grote afstand antwoord, en de dagen van Sylvia's dood en Toms laatste adem kwamen weer boven; ze was blij dat ze nog maar met zijn tweeën waren om dit verlies te dragen.

Ze had vergeten hoe vriendelijk de mensen in de vallei konden zijn. De dominee belde om te vragen of hij iets kon doen. Al haar vriendinnen van haar leesclub belden en boden aan boodschappen te doen of hadden een troostend woord. Het hele dorp was als verdoofd door de tragedie. Er werden brieven in de brievenbus bij de poort gestopt en ze kregen bloemen en vers gebakken pasteien. Ze werd verlegen van al die bezorgdheid maar het was niet gemakkelijk om het middelpunt van zoveel onwelkome aandacht te zijn. Ze probeerde in de keuken te blijven en naar de radio te luisteren, maar het was hopeloos omdat haar gedachten naar de velden gingen en ze besefte dat ze op haar eigen manier haar eenzame afscheid moest nemen van de gedoemde dieren. Vannacht zou er geen sprake zijn van slaap, tenzij ze een fles whisky tot de bodem zou leegdrinken.

Het was een prachtige morgen, een van de mooiste van mei, met een stralende zon en een koel briesje dat de bekende lentegeuren met zich meevoerde. Ze liep alleen in de stilte en deed haar best kalm te blijven. In een hoek bij een muur had een ooi net een lam geworpen en likte het, zodat het lam wankelend overeind kwam en op wiebelige pootjes op zoek ging naar de speen. Ze kon een dergelijke verspilling niet aanzien. Het was niet eerlijk. Ze hadden er generaties over gedaan om dit op te bouwen en het zou vijftien jaar of langer duren voor ze een nieuwe evenwichtige kudde hadden opgebouwd.

Ze zag Nik bezig zijn rammen bij elkaar te drijven: zijn bekroonde jaarling en Monty, zijn beste Swaledale, die jaren zijn werk had gedaan en duizenden waard was. Al die stambomen en fokprogramma's, en bijna achthonderd ooien – dat alles zou tegen de avond allemaal zijn verdwenen. Ze voelde zich misselijk worden en keerde terug. Het leek te veel op een beul die het werk voor die ochtend in ogenschouw nam.

Het was net alsof er een of ander bizar circus in de stad was: een bonte stoet voertuigen die hun kant uit kwam, de in camouflagekleuren geschilderde legertrucks en jeeps, gevolgd door felgele kranen en crossmotoren om de dieren bijeen te drijven, een reeks rood-wit-blauwe busjes met een heel leger slagers die gehuld waren in witte ruimtepakken en witte laarzen en eruitzagen als maanmannetjes met hun kappen over hun hoofd, anoniem in hun eenvormigheid. Ze stonden met stomheid geslagen te kijken naar de optocht van gele graafmachines en vrachtwagens vol desinfecterende middelen en alle toebehoren voor de vernietiging die steeds dichter naar hun boerderij kroop. Het was een onheilspellende invasie waar ze niets tegen konden uitrichten. Zou het zo geweest zijn als Hitler de vallei was binnengetrokken?

Ze wilde bij de slagbomen staan en schreeuwen: 'Jullie komen ons land niet op. Ga weg! Dit is ons land en ons leven. Hoe durven jullie hier te komen en onze middelen van bestaan weg te nemen en onze velden te verwoesten met jullie kanonnen?', maar ze stond als aan de grond genageld en zei niets terwijl de belangrijkste mannen een voor een werden voorgesteld, maar schudde hun beleefd de hand alsof ze hun een dienst bewezen.

Nik was overgeschakeld op de automatische piloot. Hij croste op zijn *quad* heen en weer om zijn kudde bijeen te drijven. Ze hadden aangeboden dat voor hem te doen, maar hij had voet bij stuk gehouden.

'Mij kennen ze. Ik wil dit op de juiste manier doen,' zei hij. 'Ze zullen me waarschijnlijk wel de hellingen af volgen als ik voer strooi. Ik wil dat de lammeren tot het laatste toe bij de ooien blijven... Ik heb ze allemaal als pasgeborenen gezien en ik zal ze allemaal dood zien voor de avond valt.'

Ze was nog nooit zo trots op hem geweest. Er zouden een paar boeren zijn die hun compensatiegeld telden, arme veeboeren die zich niets gelegen lieten liggen aan het welzijn van hun dieren, maar Nik bleef zijn roeping trouw en zette zijn eigen gevoelens aan de kant. Hij zou er tot het einde bij blijven, maar zij kon het niet verdragen bij de ruiming te zijn en verborg zich met de telefoon op schoot boven aan de trap terwijl de tranen over haar wangen stroomden.

Ze kon het bijeendrijven nog steeds horen en het geblaat van de schapen die de kooien in werden gedreven, waar de slachters stonden te wachten met schietpinnen en stroomstokken om ze dood te schieten en te steken, terwijl de jonge veearts stond te wachten om de van hun moeder gescheiden lammeren een injectie te geven. Ze hoorde het geluid van de pistolen en de kreten en het aandoenlijke geblaat, en ze huilde in de telefoon.

'O, Tom, ik ben blij dat je niet hoeft te zien hoe je levenswerk wordt vernietigd. Het zou je dood zijn als je zag wat hier gaande is, de omvang alleen al. We zijn het gewend om dieren groepje voor groepje naar de slachter te brengen, maar niet op deze schaal, en Nik is daar buiten en probeert zich groot te houden.'

Plotseling stond haar zoon met verwrongen gezicht in de deuropening. 'Mam, mam. Ik kan niet meer kijken... Ik kan er niet meer tegen. Al ons werk, alles waar ik voor gevochten heb, en nu maken zij ze af. Eén lammetje ontsnapte telkens weer en wij zaten erachteraan over het veld, en zij dachten dat het een spelletje was, maar het dier was in doodsnood. Ze weten wat er gebeurt, ze kunnen de angst en het bloed ruiken, en ik kan er niet meer tegen. Overal op onze boerderij lopen vreemdelingen rond wie het allemaal niets kan schelen en ik voel me een massamoordenaar. Mam, wat moet ik doen?' snikte hij.

Ze hield hem als een kind in haar armen en wiegde hem.

'Het gaat voorbij, m'n jongen. We slaan ons er wel doorheen. We komen er weer bovenop. We zijn niet voor niets zo taai. Jij hebt je uiterste best gedaan en ik ben trots op je. Je vader zou hetzelfde hebben gedaan.'

Nik snikte en zij voelde zich plotseling heel sterk en kalm. 'Blijf jij nu maar hier, dan zet ik thee voor ons. Je hebt vanmorgen al meer dan genoeg gedaan. Ik hou nu wel een tijdje een oogje in het zeil. Ik verstop me hier maar en laat jou overal voor zorgen. Nou, boerenvrouwen zijn ook taai... Nu is het mijn beurt,' antwoordde ze.

Het was bijna lunchtijd en de zon brandde. Die mannen in hun plastic pakken moesten wel bijna gekookt zijn.

Ze liep naar de koelkast en deed ijs in een kan. Er stond een fles siroop in de provisiekast en ze maakte een kan limonade voor de mannen buiten en nam een doos koekjes mee die nog over waren van Kerstmis. Ze zette alles op een blad en maakte een ronde langs de slachters en drijvers, liep weer terug voor een tweede ronde voor de ploegen die in de schaduw van de schuren uitrustten en hun lunch aten. De geur van dood en wanhoop drong in haar neus. Er lagen bergen wollige kadavers te wachten tot ze in de vrachtwagens aan de andere kant van de muur geladen werden. Ze vertrok haar gezicht bij de aanblik van de lammetjes, maar ze wist dat ze moest kijken en het nooit mocht vergeten.

Een vrachtwagenchauffeur zat naar de luid schallende radio te luisteren. Het was de aanloop naar de cupfinale en het commentaar werd afgewisseld met popmuziek. Hij zat daar zijn boterhammen te eten. Dit was gewoon zijn werk, maar ze wilde die herrie uitzetten, ook al overstemde die het jammerlijke geblaat van de ooien die op het punt stonden gedood te worden en zich van angst dicht tegen elkaar aan drongen en voelden dat ze in de val zaten. Ze kon maar nauwelijks naar ze kijken terwijl ze angstig door de hekken om hun lam riepen – de ter dood veroordeelden. De wereld draaide gewoon door, zonder acht te slaan op wat hier gebeurde, dacht ze. Deze epidemie was niet meer dan een hinderlijke onderbreking van de verkiezingscampagne, een tijdelijk ongemak.

De stank van desinfecterende middelen was irritant in de hitte en het stro zag rood van het bloed; overal lag ontlasting... Ze zeiden allemaal beleefd 'dank u wel'. Niemand wist wat ze tegen haar moesten zeggen en ze zou willen dat ze hen tot spoed kon manen zodat dit allemaal snel voorbij zou zijn. Toen keek ze naar de blauwe lucht en kwam de woede. Waarom moest het zo'n mooie dag zijn? Waarom kon het niet stromen van de regen of onweren uit protest tegen wat hier gaande was?

Nik werkte een blik bier naar binnen en sloot zich op in zijn kantoor met zijn koptelefoon op, tot de veearts bij de achterdeur aanklopte om te zeggen dat de ruiming voltooid was. Het was al laat en de vrachtwagens rolden met hun lading de heuvel af naar een of andere ver weg gelegen verwerkingsfabriek of verbrandingsoven.

Er waren tenminste geen brandstapels vol smeulende kadavers om hun stank te verspreiden, want de toplaag was te ondiep om de dieren te begraven. Alles werd schoongespoten en gedesinfecteerd, van de dakbinten tot de hekken. Wintersett werd binnenstebuiten gekeerd, schoongeboend en leeggemaakt. Alleen de hond verborg zich nog in een van de bijgebouwen; de boerderijkat had zich vanwege alle drukte al een tijd geleden uit de voeten gemaakt.

De man van de inspectiedienst kwam en overlaadde hen met adviezen en formulieren die ze moesten invullen, en maakte een afspraak om de volgende week nog eens langs te komen. Hun schapen waren voor de ruiming getaxeerd door een van de plaatselijke veilingmeesters. De hele procedure was klinisch en doelmatig, en bleef tot een dag beperkt. In dat opzicht hadden ze geluk, want ze hadden verhalen gehoord van boeren die 's nachts een berg rottend vlees onder hun slaapkamerraam hadden gehad omdat er onvoldoende vrachtwagens waren om de kadavers af te voeren.

Vijf aangrenzende boerderijen werden meteen meegenomen en de vijf buren raakten hun vee kwijt omdat ze te dicht bij hun gebied waren. Nu zou er maanden niets meer mogen worden ondernomen op de boerderij tot er opnieuw gecontroleerd was, en 'desinfecteren' en 'bioveiligheid' waren de nieuwe modewoorden.

Er was niets anders te doen dan muren herstellen, schilderen, opruimen, stilzitten en naar de leegte kijken. Ze zagen samen de laatste ambtenaar met een zucht van verlichting vertrekken met een wolk van stof en grind achter hem aan. Alles was vervuild door hun onwelkome aanwezigheid, maar toen ze daar in het licht van de ondergaande zon met hun ogen stonden te knipperen, was het de stilte, die overweldigende stilte in het veld die haar hart uiteenreet.

Het gezang van de vogels klonk normaal en het geluid van het verkeer in het dal weerklonk hier boven, maar er waren geen witte vlekken te zien in de groene velden, alleen maar hier en daar een plukje wit dat aan een muur was blijven hangen als enig bewijs van wat er ooit was geweest. Er hing een doodse stilte in de stinkende hokken.

Ze draaide zich om en keek naar het huis. Het zag er allemaal zo deprimerend uit; ze was moe en herinnerde zich uitgeput de tijd dat de boerderij zo prachtig was dat hij in waterverf werd vastgelegd en dat dit uitzicht vanaf de heuvel onderwerp was van een schets van Turner.

Nu was er geen leven meer op de heuvels. Het zou minstens nog een jaar duren voor ze weer hun eigen lammeren konden zien grazen, tenzij hij drachtige ooien kocht. Misschien was het hier in deze streek nu wel gedaan met de schapenfokkerij. Wat zou er van hun landschap worden?

Haar rug deed pijn. Hoeveel generaties zou het kosten om weer een stabiele kudde op te bouwen? Dan zou zij er allang niet meer zijn. Hoe moesten ze hun dagen vullen nu er niets meer was om te voederen of te verzorgen? Nik zou gek worden van dit nietsdoen. Hij zou te veel gaan drinken of depressief worden. Er had al iemand zelfmoord gepleegd.

Alleen in haar dromen keerde de moordpartij telkens terug, elke nacht weer: kadavers die als wollen tapijten in bodemloze putten werden geschoven, en de stank van de vrachtwagens vol rottend vlees die haar op straat voorbijreden herinnerde haar eraan dat zij niet de enigen waren. Alleen de troost van zowel vrienden als vreemden hield hen op de been en de telefoon stond niet stil.

Soms vraag ik me terwijl ik zit te schrijven af of afgelopen zomer echt gebeurd is of dat het een nachtmerrie was die we maar hebben verzonnen. Misschien worden we op een ochtend wakker en merken we dat het allemaal een afschuwelijke vergissing is geweest en dat alles weer wordt zoals het ooit was, maar ik hoef alleen maar de gordijnen open te doen om de werkelijkheid te zien en de geur van ontsmettingsmiddelen op te snuiven.

We hebben die maanden niet verspild, hè? Jij hebt de gelegenheid te baat genomen om T-Jay te bezoeken toen hij aan zijn nieuwe jaar op de universiteit van Flagstaff, Arizona, begon. Hij heeft je meegenomen naar de Grand Canyon en Monument Valley, naar Jerome en Sedona en het Navajo-reservaat. Hij heeft je voorgesteld aan zijn vriendin Erin en haar moeder Laurie, die een kleine boerderij hebben in de buurt van Skull Valley, Prescott. Jullie hebben een trektocht door de heuvels gemaakt en ze hebben ons allemaal al vaak geschreven en we moeten hen volgend jaar uitnodigen en hun laten zien hoe mooi het hier in de Yorkshire Dales is, als ze tenminste de grote plas over durven.

Ik heb mijn busreis naar Duitsland gemaakt en ben naar Dresden geweest om de stad van Klaus te ontdekken en met alles in het reine te komen. Er was niet veel meer te zien van de oude stad, maar het was allemaal heel zorgvuldig herbouwd. Ik probeerde me hem daar ergens voor te stellen. Het was voldoende om zo dicht bij de herinnering aan hem te zijn.

Je hebt elke cursus en lezing over diversificatie bijgewoond. Dat was een mooie gelegenheid om oude vrienden te ontmoeten en de laatste roddels te horen. Er moesten muren worden gebouwd en er moest worden gehooid, maar de tijd drukte zwaar terwijl we wachtten tot de hogere machten in actie kwamen.

Veel van de boeren uit de vallei gingen voor een welverdiende vakantie weg uit de streek. Er volgden nog een paar uitbraken en men was bang dat deze vreselijke epidemie nooit zou ophouden. Sommigen trokken de voetheuvels van de Himalaya in voor het goede doel of gingen te voet door woestijnen. Ik was apetrots dat ik tot een slag mensen hoorde dat ondanks hun eigen ellende oog had voor anderen die slechter af waren dan zij.

Ik wachtte het juiste moment af voor ik onze eigen toekomst ter sprake bracht en mijn vrijheid probeerde te bewerkstelligen door voor te stellen de boerderij en wat land af te stoten, zodat we van de opbrengst konden leven. Ik wilde dolgraag iets anders, maar jij wilde er niets van weten.

'Ik ga hier niet weg,' riep je. 'Dit huis is een deel van ons en is ons bezit. Ik ga niet alles wat de Yewells hebben gedaan opgeven.'

Ik wist dat er spoedig een einde zou komen aan onze wapenstilstand als we weer begonnen te ruziën.

'Niets houdt je tegen om verder te gaan met boeren, maar ik wil met pensioen. Ik heb mijn steentje bijgedragen en ik ben te oud om nog iets anders te gaan doen,' betoogde ik, in de hoop dat je zou begrijpen dat dit ook voor mij een enorme opoffering was.

'We verkopen niet,' antwoordde jij. 'Ik wil een nieuwe kudde.'

'Denk erover na,' smeekte ik, en ik hoopte dat je mijn standpunt zou begrijpen, maar je keek halsstarrig en je ogen waren ijskoud.

'Hoe kun je er zelfs maar over denken om te verkopen wat al sinds Noach nog een kleine jongen was in onze familie is,' zei je schertsend terwijl je een beroep probeerde te doen op mijn gevoelens van loyaliteit, maar ik was net zo koppig als jij.

'Wat zou dat?' snauwde ik. 'Het gaat om het land. Wat gebeurt er als jij te oud wordt om nog te boeren? Waar moet het dan naartoe?' zei ik uitdagend.

'Het boeren zit me in het bloed. Ik ben net zo aan deze heuvels gebonden als die ooien dat waren. Ik zou me nergens anders thuis kunnen voelen.'

Je keek me toen zo zeker aan dat ik het hart niet had je op dat moment uit de droom te helpen. Ik had je de mond kunnen snoeren met de waarheid dat je je boerenbloed waarschijnlijk alleen maar van mij had en niet van Tom of van de Yewells, maar ik liet de gelegenheid voorbijgaan. Het zou te wreed zijn geweest om zoiets te zeggen terwijl je hele leven om je heen in duigen viel. Ik mocht geen twijfel zaaien of je overtuiging onderuithalen. Ik ben je moeder. Hoe zou ik je nog erger kunnen kwetsen dan ik al had gedaan?

Ik vond dat het tijd werd om beslissingen te nemen die waren gebaseerd op logica, niet op emoties. Mijn instinct zei me dat ik mijn mond moest houden, want als ik mijn woorden eenmaal had uitgesproken, kon ik ze niet meer terugnemen. Er was geen bewijs dat mijn woorden kracht kon bijzetten en er waren geen Yewells meer die konden zeggen dat ik geen gelijk had, maar het staat nu hier in deze brief, en je moet zelf weten wat je ermee doet als ik er niet meer ben.

Ik wilde die maanden dat we overeenstemming hadden bereikt, die maanden dat we door verdriet en vastberadenheid een zeker begrip voor elkaar kregen en er sprake was van een zekere verzoening, niet bederven. Het heeft me niet van gedachten doen veranderen wat het hier weggaan betreft, maar ik zocht naar een oplossing, zodat jij eens bij me zou willen komen eten en over je problemen praten. Ik wilde met je in contact blijven. Dit nieuws zou een onwelkome afleiding zijn voor ons allebei, dus beet ik op mijn tong, maar probeerde wel mijn zaak te bepleiten.

'Kom op,' zei ik. 'We hebben nu het geld en de tijd om eindelijk eens keuzes te maken. Het leven is er om geleefd te worden en niet om achterom te kijken en naar het doven van het vuur te staren. Wat gebeurd is, is gebeurd en we moeten allebei verder. Ik wil hier weg.'

Dat was het moment dat ik mijn troef op tafel legde, samen met een fles bier en een stuk appeltaart. Ik zei dat je moest gaan zitten.

'We moet het huis opgeven, Nik. Het heeft een ander gezin nodig dat erin leeft en liefheeft, een jong gezin en een nieuw begin om het weer tot leven te wekken, in plaats van twee ouwe knakkers die erin rondhobbelen als twee overgebleven rotte appels in een mand. Wij waren niet de eersten die zich hier vestigden en we zullen ook de laatsten niet zijn. Wintersett zal ons allemaal overleven.'

Het was hard, maar het moest gezegd worden.

'Maar het is de enige plek waar ik ooit heb gewoond. Ik ben hier geboren,' antwoordde je.

'Dat klopt niet helemaal,' wist ik beter. 'Je bent geboren in de vestibule van de kapel. Ik was erbij en ik kan het me nog levendig voor de geest halen. Ik dacht dat ik degene was die sentimenteel hoorde te doen. Jij hebt de verbouwde schuur. Die is modern en comfortabel, en je zult je er prima thuis voelen. T-Jay kan er blijven slapen wanneer hij op bezoek komt. Wees nou geen ouwe chagrijn. Niemand vraagt van je dat je het boeren opgeeft, al zijn er genoeg die tegen je zouden zeggen dat je het geld moet aanpakken en wegwezen.'

Je hebt me telkens aangehoord wanneer ik in de weken die volgden aan je hoofd zeurde en langzaam je weerstand wist te overwinnen en Stickleys een taxatie liet doen. Je was verbijsterd over de vraagprijs die eruit rolde. Ik kon zien dat je plannen liep te maken.

Er moest iets goeds voortkomen uit deze tragedie, afgezien van alle vriendelijkheid die ons ten deel was gevallen, de brieven van vreemden en de hulp die vrienden ons aanboden. Als de tijd rijp is, zullen we die vrijgevigheid terugbetalen. De boerderij was ons leven en het heeft ons en velen zoals wij heel wat gekost, maar in dit geval moest ik mijn zin krijgen.

'Ik zal er geen spijt van krijgen om uit Wintersett weg te gaan als ik eenmaal aan het idee gewend ben,' drong ik aan. 'Ik zal het van boven tot onder schoonmaken en het tiptop in orde achterlaten en er op mijn eigen manier afscheid van nemen. Ik heb mijn oog laten vallen op een huisje in het dorp, dat goedkoper is qua onderhoud en verwarming,' zei ik tegen je, zonder van opgeven te willen weten, maar je bood hardnekkig weerstand. 'Ik heb een boek gelezen over veranderingen tot stand brengen, de uitdaging van verandering...'

'O moeder, hou toch op!' lachte je. 'Jij en die boeken van je...'

'Je zou er anders zelf goed aan doen er vaker eens een open te slaan in plaats van een fles bier open te trekken. Ze zouden je wel eens aan het denken kunnen zetten,' zei ik.

'Muziek en een goed glas bier hebben dat effect op mij,' zei jij kribbig.

Ik moest lachen terwijl ik dacht aan Klaus en zijn voorliefde voor de Brandenburger Concerten die je altijd op had staan. En het was zo'n cliché dat Duitsers van muziek hielden. Tom was een liefhebber van Vera Lynn en Glenn Miller. Van klassieke muziek viel hij in slaap.

'Je bent een echte zoon van je vader,' glimlachte ik, en je had geen idee wat dat inhield, maar nu misschien wel.

'Hij zou gewild hebben dat ik hier bleef,' zei jij.

'We zullen zien,' zei ik, vastbesloten het laatste woord te hebben, en dat lukte ook.

Deze brief gaat rechtstreeks in een envelop en samen met mijn testament mijn documentenkoffer in. Hij zal alles duidelijk maken. Ik hoop dat dit de beste manier is. Niemand hoeft gekwetst te worden door onze geschiedenis en niemand hoeft er iets van te weten, behalve jij en degenen met wie je het wilt delen. Verscheur hem, negeer hem of wijt het aan het geraaskal van een oude vrouw. Ik heb nooit beweerd dat ik een liefhebbende moeder ben, of een heilige, en zelfs nu in mijn laatste woorden vertel ik nog niet alles. Maar laat me je één gedachte meegeven: wat ik heb gedaan, heb ik gedaan uit liefde voor jou. Ik ben altijd trots op je geweest. Je zei dat ik een rare manier heb om dat te laten blijken, gezien wat ik allemaal heb gedaan.

Je bent van begin tot eind alleen op de wereld, maar het helpt als je weer iemand vindt om van te houden. Zorg goed voor T-Jay, en wie weet, misschien verrast hij je op een dag nog wel. Denk aan het oude gezegde: 'Laat je er niet onder krijgen, ouwe jongen.'

Je liefhebbende moeder

35

LAATSTE NOTITIE
DECEMBER

Ik heb het vuur voor de laatste keer aangestoken en terwijl ik hier zit, denk ik aan alle bewoners van Wintersett House die hier bij de haard hebben zitten dromen, naar de flakkerende vlammen en naar de rook hebben gekeken die omhoogkringelde, aarzelde en dan terug werd geblazen door een windvlaag. Het hout komt sputterend tot leven en ik kijk naar de caleidoscoop van het blauw, oranje en goud van de vlammen. Ik weet dat ik me van alles in mijn hoofd haal, maar ik voel hun aanwezigheid net zo goed als wanneer ik te midden van hen had gezeten, mezelf aan het heden onttrekkend om bij die eerste kring van stenen te gaan zitten toen Tiordis de koningin van de haard was.

Winter na winter, jaar na jaar, kringelt de rook omhoog, of slaat neer en ontsnapt, maar het is altijd hetzelfde tafereel: kinderen die wachten tot ze naar bed moeten, wachten op een kop warme soep, een verhaal; oude mannen en vrouwen die op de lange slaap wachten; geliefden die in de vlammen staren met pijn in hun hart en hunkering in hun lendenen.

Eeuw na eeuw hebben de schaduwen op de gebeeldhouwde schoorsteenmantel gedanst terwijl liederen en verhalen beelden opriepen in de vlammen, eeuwen van slepen met houtblokken, houthakken, turf steken, het vuur oppoken met pook en tang, blaasbalg en beddenpan. Vuur wordt behoedzaam tot leven gewekt, verzorgd en aangewakkerd voor die bijna rituele taken. In al die tijd is er niets wezenlijks veranderd aan de algemene taken.

Hier zit ik dan, het vuur en ik en al die vlammenstaarders, verleden en toekomst, en we zijn allemaal één; dit is het moment en ik maak er deel van uit, zoals jij er op jouw beurt deel van zult uitmaken. Hier bij de haard is de eeuwigheid: al die cyclussen van geboorte en dood zijn maar een ademtocht sinds de eerste vuren werden ontstoken. Als je de haard sloopt is dat voor eigen risico, want je zult meer vernietigen dan je ooit kunt opbouwen.

Alles is klaar voor ons vertrek en we zullen hier geen Kerstmis meer meemaken. Het meubilair is verdeeld en Nik heeft zijn nieuwe huis comfortabel ingericht. Ik neem niet veel mee. Wat heb ik op mijn leeftijd nou nog nodig behalve licht, warmte en goede vrienden om samen mee om mijn nieuwe haard te zitten?

Nu het moment bijna daar is, vind ik het niet erg om weg te gaan. Het huis is kaal en leeg, en niet langer van ons. Als ik die deur eenmaal achter me heb dichtgetrokken, zal het een hele tijd duren voor ik er weer een voet binnen zet. Het is beter zo. Je zit er niet op te wachten dat ik daar rondneus, maar dat wil niet zeggen dat ik niet terugkom om je op je nek te zitten als je het huis verwaarloost of er zo'n herenhuis van maakt dat het onherkenbaar wordt.

Ik weet wat die woontijdschriften kunnen doen met het hoofd van de gemiddelde stadse dame: al die verbouwingen en uitbreidingen. Ik geloof niet dat Wintersett of Monumentenzorg je je gang zal laten gaan, want het staat inmiddels wel op de monumentenlijst.

Het heeft zijn eigen geest en stijl. Luister er alsjeblieft naar, laat het tegen je spreken voor je besluit het in stukken te hakken. Wacht, en het zal je laten zien waar je het meubilair moet zetten en wat de beste muren zijn om schilderijen aan te hangen.

Doe kalm aan met moderniseren, wen eerst en luister. Je zult binnen deze muren nooit eenzaam zijn met al het gekraak, de geluiden en de drukte van honderden jaren die in deze stenen muren zijn getrokken.

Zorg ervoor dat je een tikkende klok aan de muur hebt, halverwege de trap, waar die een draai maakt. De muren daar willen alleen oude schilderijen en foto's; alles wat nieuw is laten ze aan stukken vallen.

Ieder huis heeft zo zijn eigenaardigheden en dit huis heeft uitgesproken opvattingen. Het mag je of het mag je niet, en daar kom je vlug genoeg achter. Het heeft een paar mensen tot wanhoop gedreven. Denk maar aan Amanda, die dacht dat ze er dol op was maar uiteindelijk alles eraan haatte.

Ik heb je genoeg verhalen verteld over hoe het huis de Yewells in de loop der eeuwen heeft gevormd. Het is alsof het een eigen karakter heeft, met zijn goede en zijn slechte kanten, een huis met twee gezichten, vriendelijk en wreed, een Janushuis, maar het heeft een aantrekkingskracht die je binnen een paar tellen grijpt en inpalmt.

Koester de haard en het huis, en het zal elk moment van verdriet goedmaken. Het zal een schuilplaats voor je zijn en je troost bieden in deze krankzinnige wereld. Blootgesteld aan de vier winden als het is, zal het je sterker maken. Die belofte kan ik doen, want als je ervoor gekozen hebt hier te wonen, moet je wél een vooruitziende blik hebben en moedig zijn. Geniet van Wintersett, wie je ook moge zijn. Mijn zegen heb je, wat die dan ook waard mag zijn.

Ik zal dit schrift ergens diep in een muur achter de lambrisering verbergen, zoals ik altijd van plan ben geweest, zodat een toekomstige bewoner het kan vinden. Ik zal het volschrijven van de bladzijden 's morgens missen. De pagina's hebben aan hun doel beantwoord en behoren nu aan het huis toe.

Dus als je dit schrift, vol met vreemde verhalen, legendes en halve waarheden, aan het lezen bent, moet je wel een schatzoeker zijn. Nu heb je een gift ontvangen van het verleden aan de toekomst. Kom bij ons zitten bij het vuur als het jouw tijd is. Je zult nieuwe verhalen te vertellen hebben.

Voorwaarts en vooruit en veel geluk,

Lenora Yewell

Lees ook van Helene Wiggin:

Engeland, 1998: Iris Bagshott zet haar cottage met de geliefde tuin te koop. Met pijn in het hart, dat wel. Als ze langs haar weelderige bloemenborders loopt of haar moestuintje wiedt, is ze zich bewust van de schoonheid van haar tuin, die altijd een bijzondere plaats heeft ingenomen in haar leven en dat van haar familie. Maar haar overpeinzingen roepen ook vragen bij haar op: wie heeft eigenlijk besloten dat hier een huis moest komen, en waar komt de naam Fridwell vandaan?

In het jaar 912 beginnen Fritha en en haar man Bagwulf op diezelfde plaats een nieuw leven. Met hun gezin en Bagwulfs broer en diens vrouw zijn ze op zoek naar een nieuwe plek om te wonen. Na een lange reis is Fritha blij dat ze bij de bron kunnen uitrusten.
Maar het noodlot slaat toe, haar twee kinderen gaan spelen, maar komen niet meer terug. Na dagen zoeken, beseft Fritha dat ze hen niet zal terugzien, er zijn immers wolven en beren in de bossen. Om wat er gebeurd is en in de hoop dat haar kinderen alsnog terugkomen, wil ze de bron niet meer verlaten, en hebben ze zo hun nieuwe woonplaats gekozen. Fritha vindt het geluk terug in haar leven en legt een prachtige tuin aan met geneeskrachtige kruiden en wilde bloemen, waarmee Iris' tuin is ontstaan.

Helene Wiggin beschrijft de levens van de vrouwen die na Fritha komen en hoe de tuin in tijden van voor- en tegenspoed een cruciale rol voor hen heeft gespeeld, om uiteindelijk bij het bewogen leven van Iris uit te komen, die haar beslissing om te verkopen nog eens overdenkt...

Paperback, 366 blz., ISBN 90 325 0848 2

DE VERDWENEN MEISJES

Helen Grant

DE VERDWENEN MEISJES

Oorspronkelijke titel: *The Vanishing of Katharina Linden*
Oorspronkelijke uitgever: Penguin Books Ltd, Londen

Uitgeverij De Kern, een imprint van De Fontein|Tirion bv, Postbus 1, 3740 AA Baarn
Vertaling: Els Franci-Ekeler
Omslagontwerp: De Weijer Design BNO bv
Omslagillustratie: Hollandse Hoogte
Auteursfoto omslag: Claudia Grossmann
Opmaak binnenwerk: V3-Services, Baarn
ISBN 978 90 325 1179 1
NUR 305

www.dekern.nl

Alle personen in dit boek zijn door de auteur bedacht. Enige gelijkenis met bestaande – overleden of nog in leven zijnde – personen berust op puur toeval.

Voor Gordon

1

Mijn leven had heel anders kunnen verlopen als ik niet bekend had gestaan als het meisje met de ontplofte grootmoeder. En als ik niet was geboren in Bad Münstereifel. Als we in een grote stad hadden gewoond... Ik zeg niet dat de gebeurtenis dan onopgemerkt zou zijn gebleven, maar in een grote stad zou de opwinding vermoedelijk binnen een week zijn weggeëbd omdat iets anders de aandacht van het volk zou hebben opgeëist. Bovendien ben je in een grote stad anoniem. De kans dat daar iemand weet dat jij de kleindochter van Kristel Kolvenbach bent, is vrijwel nihil. In een stadje als het onze daarentegen... Oké, op de hele wereld wordt in dorpen en kleine steden geroddeld, maar in de Duitse dorpen is het verheven tot een kunstvorm.

Ik herinner me Bad Münstereifel als een stadje waar een sterk gemeenschapsgevoel heerste, wat soms prettig en soms verstikkend was. Het verstrijken van de seizoenen werd gevierd met festivals waar iedereen aan deelnam: het carnaval in februari, het kersenfeest in de zomer, Sint-Maarten in november. Ik zag dan altijd dezelfde mensen: onze buren uit de Heisterbacher Strasse, de ouders die tussen de middag bij het hek van de school stonden te wachten, de dames van de banketbakkerij. En als we een keer met mijn ouders uit eten gingen, was de kans groot dat de serveerster die ons bediende iemand was met wie mijn moeder 's ochtends op het postkantoor nog een praatje had gemaakt, en dat het gezin dat tegenover ons woonde, aan een tafeltje naast ons zat. Je moest erg slim zijn als je in een kleine provinciestad iets geheim wilde houden. Althans, dat dacht iedereen.

Als ik nu terugkijk op dat jaar, was het een tijd van onschuld. Op de prille leeftijd van tien jaar mocht ik van mijn moeder in mijn eentje door de hele stad zwerven, en ook de andere ouders lieten hun kinderen rustig buiten spelen zonder dat de angstaanjagende gedachte ooit in hun hoofd opkwam dat ze hun kroost nooit meer zouden terugzien.

Maar dat was later pas. Mijn problemen begonnen na het overlijden van mijn grootmoeder. Hoe sensationeel haar dood ook was, de tragedie had in het vergeetboek moeten raken door de gruwelen die in het daaropvolgende jaar aan het licht kwamen. Maar toen duidelijk werd dat er in ons stadje kwade machten aan het werk waren, keken de mensen achterom en werd de dood van oma Kristel bestempeld als onheilsbode. Een *teken.*

Het ergerlijkste aan de hele zaak was dat oma Kristel niet eens echt was ontploft. Het was eerder een geval van spontane zelfontbranding. Roddel is echter het kleine zusje van de Baron von Münchhausen en Roddel zal een smeuïg verhaal nooit laten verdringen door de waarheid. Wie afging op de geruchten die in de straten van Bad Münstereifel en vooral op het schoolplein van de basisschool waar ik toen op zat, de ronde deden, zou denken dat mijn grootmoeder was geëxplodeerd als een Chinese vuurwerkfabriek en het luchtruim had gevuld met oorverdovende knallen en waaiers van gekleurd licht. Maar ik was erbij. Ik heb het met eigen ogen zien gebeuren.

2

Het was zondag 20 december 1998, een datum die voor eeuwig in mijn geheugen is gegrift. De laatste zondag voor Kerstmis, de dag waarop we de laatste kaars van de adventskrans moesten aansteken, de laatste dag van mijn grootmoeders leven en, zoals later zou blijken, de laatste keer dat de familie Kolvenbach de advent zou vieren.

Mijn moeder, die een van de drie Britten was die in Bad Münstereifel woonden, had nooit kunnen wennen aan de Duitse kersttradities. Ze dacht nooit aan de adventskrans tot de eerste zondag al voor de deur stond en er alleen nog wat armetierige, scheve exemplaren lagen opgestapeld bij de ingang van de supermarkt. Dit jaar hadden we een zielig geval met vier rare blauwe kaarsen die onverschillig tussen de plastic dennentakken waren gestoken. Toen oma Kristel hem zag, maakte ze rechtsomkeert om een echte krans te gaan kopen.

Het exemplaar waar ze mee terugkwam was prachtig: een grote krans van donkergroene sparrentakken, doorweven met rode en gouden linten en versierd met kleine kerstballen. Oma Kristel droeg hem onze eetkamer binnen alsof het een vaatje wierook voor het kindje Jezus zelf was en zette hem midden op de tafel. De krans van mijn moeder, met de uit de toon vallende blauwe kaarsen, werd naar het dressoir verbannen en kwam uiteindelijk, zonder dat er ook maar één kaars van was aangestoken, in de vuilnisbak terecht. Wat mijn moeder daarvan dacht, liet ze niet merken, behalve dat ze haar lippen even naar binnen zoog.

Die zondag stond er een groots diner op het programma. Afgezien van oma Kristel zouden de broer van mijn vader, oom Thomas, tante Britta en mijn neefjes Michel en Simon komen, helemaal uit Hannover. Mijn moeder had over het algemeen een gezonde instelling wat de Duitse manier van huishouden betrof, maar was nu dagenlang fanatiek aan het schoonmaken en koken geweest. We woonden in een typisch Eifel-huis, met vakken van stucwerk tussen donkere balken. Dat heet *Fachwerk* en het is reuze pittoresk, maar dergelijke huizen hebben lage plafonds en piepkleine ramen die amper daglicht binnenlaten, waardoor zelfs brandschone kamers er altijd smoezelig uitzien.

Het menu was een even grote bron van stress. Oom Thomas was een man die het liefst gewone kost at en eerder voor eetbare larven zou kiezen dan voor niet-Duitse gerechten. Mijn moeder had mijn vader dagenlang geplaagd dat ze een kerrieschotel en patat zou opdienen, maar het vooruitzicht dat oom Thomas het eten op zijn bord met zijn vork heen en weer zou schuiven als een patholoog die een monster van iemands ontlasting bekijkt, had uiteindelijk de doorslag gegeven. Ze besloot gebraden gans gevuld met lever te maken. 'Als er maar lever in zit, eten Thomas en Britta het wel,' hoorde ik haar mompelen.

Oom Thomas en zijn gezin arriveerden toen mijn moeder de laatste hand aan de gans legde en mijn vader bezig was flessen wijn open te trekken. Oom Thomas nam bijna al het licht weg toen hij binnenkwam want zijn schouders waren net zo breed als de deuropening. Tante Britta, een klein vrouwtje met magere armen en de jachtige manier van doen van een vogel, kwam achter hem aan, gevolgd door Michel en Simon.

In Duitsland verwacht men van kinderen dat ze bezoekers beleefd een hand geven. Ik had daar een hekel aan en probeerde me te drukken, maar oma Kristel duwde me met een goed getimede por in mijn rug naar voren. Met tegenzin stak ik mijn hand uit naar oom Thomas, die hem met zijn gigantische, vlezige knuist omsloot.

'Dag, Pia.'

'Dag, oom Thomas,' antwoordde ik plichtmatig, vurig wensend dat hij mijn hand zou loslaten zodat ik mijn vingers stiekem aan mijn broek kon afvegen, want oom Thomas had altijd klamme handen.

'Wat ben je groot geworden,' zei hij op zijn joviale manier.

'Ja,' antwoordde ik flauwtjes en toen kreeg ik opeens inspiratie. 'Ik moet mamma gaan helpen in de keuken.'

Opgelucht vluchtte ik naar de keuken, waar de druppels condens over de ruiten biggelden en mijn moeder in wolken stoom driftig heen en weer liep, waardoor ze iets weg had van een stoker die in de machinekamer van een stoomschip de ketels brandend moet houden. Ze keek me met een stalen blik in haar ogen aan.

'Wegwezen,' was het enige wat ze zei.

'Oom Thomas en tante Britta zijn er.'

'O, god,' was de bemoedigende reactie van mijn moeder. Ze stuurde me terug naar de woonkamer waar ik ontdekte dat Michel de chocoladebeestjes die ik van Sinterklaas had gekregen, zat op te peuzelen. De ruzie die losbarstte duurde tot het eten klaar was en mijn moeder met een verhit gezicht uit de keuken kwam om te zeggen dat we aan tafel konden. Ze keek naar Michel, die vlekkerig was van het huilen en zei niets, maar zoog haar lippen weer naar binnen. Zwijgen is goud. Vervolgens keerde ze terug naar de keuken om de gans aan te snijden.

Zodra mijn moeder had gezegd dat we aan tafel konden, haastte iedereen zich naar de badkamer, oma Kristel incluis. In het openbaar verschijnen zonder nog wat laatste cosmetische reparaties aan haar uiterlijk te verrichten was een ondenkbaar concept voor oma Kristel, wier grootste gebrek ijdelheid was. Geen van ons had haar ooit onopgemaakt of ongekapt gezien. Met de hulp van haarlak bewerkte ze haar kapsel altijd tot het eruitzag als een glinsterende, zilveren helm.

Die helm was nu een beetje ingezakt omdat oma Kristel een paar keer in de keuken was geweest om advies te geven inzake de bereiding van de geglaceerde perziken die bij de gans moesten worden opgediend. Toen ze naar de badkamer ging, nam ze dan ook een grote, op een torpedo gelijkende bus haarlak mee, alsmede haar uitpuilende tas met dure lippenstiften en extra sterke antirimpelcrèmes.

Oma Kristel zag er die dag goed uit, zoals mijn vader, Wolfgang, en zijn broer Thomas bij de begrafenis eendrachtig en luguber verklaarden. Omdat ze altijd aan de lijn had gedaan, had ze nog steeds een goed figuur en haar slanke benen waren in ragfijne nylons en modieuze, zwartleren schoenen met een hoge hak en spitse neus gestoken. Ze droeg een rok van fluweelachtige zwarte stof, te strak voor haar leeftijd maar onmiskenbaar chic, en een knalroze mohairen trui. Haar taille had ze ingesnoerd met behulp van een smalle, zwarte ceintuur. Op haar boezem, die nog steeds het puntige aanzien van pin-ups uit de oorlogsjaren had, had ze een grote glitterbroche gespeld, als een medaille op een uniform. Volgens mij was ze tevreden over wat ze zag toen ze zichzelf een laatste inspectie gaf in de grote badkamerspiegel.

Het herstellen van haar make-up had nogal wat tijd in beslag genomen, waardoor ze pas aan de haarlak toekwam toen mijn moeder de borden al op tafel zette.

'Oma Kristel!' riep mijn moeder aarzelend, omdat ze bang was een te scherpe toon aan te slaan tegen haar bazige schoonmoeder.

'Mam!' bulderde oom Thomas, die in dat opzicht minder gevoelig was en ongetwijfeld zat te popelen om aan de met lever gevulde gans te beginnen.

Oma Kristel bracht haar haar in model en bespoot het met de toewijding van een automonteur die een BMW een nieuwe laklaag geeft. En passant bespoot ze ook haar boezem en schouders tot het roze mohair glinsterde van de piepkleine druppeltjes en er een nevel van haarlak om haar heen hing. Toen deed ze de bus in haar tas en liep regelrecht naar de tafel.

We hadden het licht boven de tafel uitgedaan en mijn vader stond klaar met het doosje lucifers om de adventskrans aan te steken. Oma Kristel keek hem aan met een blik die zei 'Wie is hier de baas?' en stak haar hand uit naar de lucifers. Ze schoof het doosje open, nam er een lucifer uit en streek die bevallig af.

Als een baken lichtte het vlammetje op in de schemerige kamer. Eén ogenblik hield oma Kristel het omhoog en toen gebeurde het. De lucifer glipte uit haar vingers en viel op haar roze mohairen boezem. De haarlak waarmee oma Kristel zich zo rijkelijk had besproeid, vatte vlam met een *bwoff* dat leek op het geluid van een gasvlam die wordt aangestoken, en veranderde haar in een fakkel.

Eén afgrijselijke, eindeloze seconde bleef het doodstil en toen brak de hel los. Tante Britta begon te krijsen alsof ze in een griezelfilm speelde en sloeg haar handen voor haar gezicht. Stoelen vielen om toen mijn vader om de tafel heen probeerde te komen, op zoek naar iets waarmee hij de vlammen kon doven. Met wijd opengesperde ogen van afgrijzen probeerde oom Thomas zich stompzinnig vloekend uit zijn jasje te wurmen om het rond de in lichterlaaie staande gedaante te wikkelen. Michel en Simon gilden angstig. Ik ook, geloof ik, want ik had daarna nog dagenlang een rauwe keel. Mijn moeder, die precies op dat moment met ovenwanten aan de geroosterde gans vanuit de keuken naar binnen droeg, liet de braadslee op de tegelvloer vallen, waar hij samen met de gans uiteenspatte.

Sebastian, die in de kinderstoel zat, was de enige die onaangedaan bleef. Hij dacht vermoedelijk dat dit deel uitmaakte van de adventtradities. De rest van het gezelschap was in paniek. En toen, met een afgrijselijke klap, viel oma Kristel voorover op de tafel, te midden van versplinterende wijnglazen en brekend serviesgoed.

Mijn vader en oom Thomas deden eindelijk iets nuttigs. Mijn vader keerde een kan mineraalwater om boven het smeulende hoofd van oma Kristel en oom Thomas spreidde zijn jasje, waar hij zich eindelijk uit had geworsteld, over de viezigheid heen. Het was echter te laat voor oma Kristel. Ze was morsdood. Door de schok was haar hart tot stilstand gekomen met de finesse van een tafelklok die een klap met een moker had gekregen. Haar nog altijd elegante benen staken recht naar achteren, waardoor ze eruitzag als een etalagepop en helemaal niet als oma Kristel. In de stilte die hierop volgde, begon Sebastian eindelijk te huilen.

3

Ik geloof dat ik het verhaal van Koelbloedige Hans, de moedige molenaar uit het Eschweiler Tal, de vallei ten noorden van het dorp, daarom zo mooi vond. Als je de vele legendes mocht geloven, bestond er op de hele wereld geen griezeliger dal dan het Eschweiler Tal. Het zat tjokvol enge wezens en Hans was de enige die er durfde te wonen. Om die reden, en vanwege zijn opvallende naam, was hij voor mij veel reëler dan de historische figuren uit onze streek, zoals Abbot Markward, waarover we op school werkstukken moesten maken.

Het idee dat er een man bestond die moeiteloos heksen en spoken versloeg, was buitengewoon aantrekkelijk voor iemand als ik die met een lugubere familiegeschiedenis zat opgescheept. Nu ik bijna oud genoeg ben om als een volwassene te worden beschouwd, kan ik roddelpraatjes en plagerijen beter aan, maar voor een kind van tien is het ontploffen van een grootmoeder een gruwelijke en vereenzamende gebeurtenis.

Ik wist heel zeker dat Koelbloedige Hans zelfs geen spier zou vertrekken als álle leden van mijn familie zouden ontploffen. Ik stelde me hem voor als een grote man met een brede borst, gekleed in een donkergroene houthakkersjas met benen knopen. Hij had een aangenaam, breed gezicht, een ruige baard met wat grijze haren erin en lachende blauwe ogen. Hij had het verhaal over de dood van mijn grootmoeder natuurlijk gehoord, net als iedereen die binnen een straal van tien kilometer van ons stadje woonde. Toch zou hij me vriendelijk en plechtig begroeten, zonder iets te zeggen over de vurige slotscène van mijn bejaarde familielid.

Als de mensen er iets over zeiden, bijvoorbeeld die oude feeksen die door de straten zwierven als vampiers op zoek naar een onbeschermde hals, zou hij me met zijn lachende ogen aankijken, door mijn haar woelen en 'meisje toch' zeggen, alsof er alleen maar een kinderlijke dwaasheid ter discussie stond en niet het sensationeelste onderwerp van gesprek dat Bad Münstereifel de afgelopen vijftig jaar had gekend. Een gebeuren dat voor mij het maatschappelijke equivalent van een leprozenbel was.

Op de maandag en dinsdag na het ongeluk ging ik niet naar school. Van school belde er niet eens iemand op toen ik niet kwam opdagen. Frau Müller, die op de administratie van de school werkte, woonde nota bene tegenover ons en was onmiddellijk met uitgestoken antennes naar buiten gekomen toen ze het geluid van de sirene van de ambulance had gehoord.

Zoals gebruikelijk in dergelijke omstandigheden werd een klasgenootje naar me toe gestuurd met huiswerk. Misschien had ik al onraad moeten ruiken toen dat op maandag Thilo Koch was en op dinsdag Daniella Brandt. Met geen van tweeën was ik bevriend.

Thilo was een van de oudste kinderen van onze klas, omdat hij op zijn zevende pas naar school was gegaan. Hij was lang voor zijn leeftijd, had nu al een buikje en onder zijn stekeltjeshaar zonken zijn ogen in het vlees van zijn dikke kop weg als de noppen van een gecapitonneerde bank. Ik liep altijd met een grote boog om hem heen, zoals je om een valse hond heen loopt.

Daniella Brandt was uiterlijk niet zo imponerend als Thilo, maar kon op haar manier net zo gevaarlijk zijn. Ze had een bleek, benig gezicht met een smalle, spitse neus, die eruitzag als een snavel waarmee ze in andermans zwakke plekken scheen te willen pikken. Thilo en Daniella hadden nooit ook maar enige bereidheid getoond iets voor een ander te doen, noch waren ze de logische kandidaten voor dit klusje. Marla Frisch, die bij me in de straat woonde, zou normaal gesproken mijn huiswerk hebben gebracht, net zoals toen ik de mazelen had.

Thilo kwam trouwens niet binnen, omdat het mijn vader was die opendeed. Thilo was een stereotiepe pestkop met een zeer laffe inborst. Na één blik op mijn vader, die zelfs met zijn roodomrande ogen een indrukwekkende figuur was, besloot hij niet aan te dringen, al stak hij zijn stekeltjeshoofd wel zo ver mogelijk als hij durfde om de hoek van de deur, misschien in de hoop een glimp op te vangen van een geblakerd plafond of een verbrand tafelkleed. Mijn vader trok het briefje met het huiswerk uit Thilo's mollige handen, duwde hem zachtjes naar achteren en deed de deur dicht.

De volgende dag kwam Daniella Brandt en zij slaagde er wel in binnen te komen, omdat mijn moeder opendeed en dacht dat ze een vriendin van me was. Ik zat in de woonkamer, diep weggedoken in de lievelingsfauteuil van mijn vader met een boek waar ik geen regel in las vanwege de herinneringen die door mijn hoofd maalden als een film die eindeloos werd herhaald.

De deur ging open en mijn moeder kwam binnen. Daniella kwam achter haar aan. Haar spitse gezicht leek in het schemerige licht op een witte driehoek.

'Kijk eens wie we hier hebben?' zei mijn moeder op een afwezige toon. Haar blik kabbelde als het ware over me heen en stroomde weg. Ze was nog helemaal verdoofd. Mijn vader had kunnen huilen, maar mijn moeder kon de dood van oma Kristel nog niet bevatten. Na het ongeluk liep ze dagenlang als een slaapwandelaar door het huis en bracht ze kerststukjes van de ene naar de andere kamer en weer terug, alsof ze met haar gedachten heel ver weg was. Nu streek ze over haar schort en verdween weer naar de keuken.

Daniella glipte de kamer in met de snelheid van een wezel. In tegenstelling tot de wazige blik van mijn moeder die aldoor in het niets bleef hangen, sneed die van Daniella door de lucht. Haar ogen flitsten heen en weer en ik zou zweren dat haar lange, smalle neus meetrilde.

'Ik heb je huiswerk gebracht, Pia,' zei ze, maar ze keek niet naar me. Ze keek met nauwelijks verholen nieuwsgierigheid naar alle hoeken van de kamer.

'Dank je,' zei ik kortaf. Ik legde mijn boek niet weg; ik liet nadrukkelijk merken dat ze weer kon gaan.

Het bleef lang stil.

'Het spijt me van... je weet wel,' zei ze uiteindelijk.

'Van wat?' vroeg ik op scherpe toon. Ik sloeg de pagina zo ruw om dat hij scheurde.

Daniella lachte kort. Het klonk als de korte blaf van een wijfjesvos. 'Van je oma,' zei ze op een toon van *duh!* Ze trok met de neus van haar schoen een streep op de houten vloer en schudde haar piekhaar naar achteren. 'Iedereen heeft het erover,' vertelde ze me. 'We wisten gewoon niet wat we hoorden!' Ze keek om naar de deur, voor het geval mijn moeder zich binnen gehoorsafstand bevond, en ging op een samenzweerderige toon door: 'Is het hier gebeurd? In deze kamer?'

Ik keek niet op. 'Als je niet weggaat, ga ik gillen,' zei ik.

'Doe niet zo raar,' zei Daniella beledigd. Ze slaakte een vermoeide zucht, alsof ze het tegen iemand had die niet erg snugger was. Zij zou in mijn plaats juist genieten van alle aandacht. Zij zou bereid zijn beide grootmoeders op te offeren en ook nog een tante om eindelijk eens zo in het middelpunt van de belangstelling te staan. 'Pia –'

'Als je niet weggaat, ga ik gillen,' zei ik nogmaals.

Weer dat gemaakte lachje. 'Nou zeg, je hoeft niet zo –'

Verder kwam ze niet, want ik gooide mijn hoofd achterover en begon inderdaad te gillen, zo hard als ik kon. Voordat Daniella zelfs maar kon reageren, werd de deur opengegooid en stormde mijn moeder binnen als een rinoceros die haar jong komt beschermen, één hand in een wit met blauw geruite ovenwant gevat.

'Pia! Wat is er?'

Ik hield abrupt op en keek dreigend naar Daniella. Mijn borst ging op en neer van de inspanning. Mijn moeder keek van mij naar Daniella en van Daniella weer naar mij. Toen legde ze haar hand op Daniella's schouder en duwde haar zachtjes in de richting van de deur.

'Je kunt maar beter gaan, lieve kind. Pia is erg van streek,' zei ze tegen de verblufte Daniella, en met haar in de want gevatte hand deed ze de voordeur open. 'Dankjewel dat je haar huiswerk hebt gebracht,' vervolgde ze. 'Dat was erg aardig van je.'

Even later dwaalde ze de woonkamer weer in. De plotselinge opwelling van energie was vervlogen en ze keek weer verdwaasd. Ze kwam naar me toe en knielde voor me neer, alsof ik een kleuter was.

'Heeft je vriendinnetje iets naars gezegd?'

'Die meid is geen vriendin van me,' zei ik.

'Maar het was lief van haar dat ze je huiswerk heeft gebracht,' zei mijn moeder.

'Dat was helemaal niet lief van haar.' Ik voelde me alsof ik ieder ogenblik weer onbeheerst kon gaan gillen. 'Ze wilde weten of dit de kamer was waar oma Kristel... je weet wel.'

'O,' zei mijn moeder. Het bleef lang stil terwijl ze daarover nadacht. Toen wreef ze zachtjes over mijn schouder. 'Het geeft niet, Pia. Binnenkort is het nieuwtje eraf en dan houden ze er allemaal wel over op.'

Mijn moeder had vaak gelijk, maar op één gebied had ze het faliekant mis, en dat was de ziekelijke belangstelling voor de dood van oma Kristel. Zelfs nu, na al die tijd, na alles wat er in dat afschuwelijke jaar is gebeurd, weet ik zeker dat iedereen in Bad Münstereifel als de naam Kristel Kolvenbach wordt genoemd onmiddellijk zal zeggen: 'Was dat niet de vrouw die tijdens haar eigen adventsdiner is ontploft?' Nee, het nieuwtje zou er nog heel lang niet af zijn.

4

De basisschool ging in de eerste week van januari weer van start. Ik liep meestal samen met Marla Frisch naar school, maar toen ik bezig was mijn *Ranzen* in te pakken, de grote rugtas die Duitse schoolkinderen in de gelegenheid stelt loodzware hoeveelheden schoolboeken te dragen, zag ik tot mijn verbazing Marla met dansende vlechten zonder te stoppen langs ons huis lopen. Tegen de tijd dat ik mijn jas had aangetrokken en de voordeur opengedaan, verdween ze al om de hoek van de straat. Ik keek haar verbaasd na. Misschien dacht ze dat ik nog niet naar school zou gaan.

Ik hees mijn tas op mijn rug, riep naar mijn moeder dat ik vertrok, stapte de met kinderhoofdjes geplaveide straat op en trok de deur achter me dicht. Het was nog niet helemaal licht en er hing een loodgrijs wolkendek. Kleine sneeuwvlokken dwarrelden door de lucht en mijn adem veranderde in wolkjes. De weinige mensen die ik tegenkwam, liepen diep weggedoken in hun jas, bibberend van de kou.

Toen ik bij het hek van de school aankwam, keek ik op mijn horloge. Twaalf over acht. Over precies drie minuten ging de bel. Ik holde naar binnen, nam de trap naar de eerste etage met twee treden tegelijk en liet de zware tas van mijn schouders glijden. Toen ik mijn jas aan een haakje hing en omkeek, zag ik nog net het benige gezicht van Daniella Brandt om de deur van het lokaal kijken, voordat het weer verdween, als een rat in zijn hol.

Ik bleef bij de kapstok staan en wist niet zeker of ik het me verbeeldde dat ik opeens een opgewonden gefluister in de klas hoorde.

'Frau Koch zegt dat haar oma is ontploft!'

'Geëxplodeerd als een bom...'

‘Helemaal opgebrand...’

‘Mijn tante Silvia zegt dat ze alleen aan haar gebit nog konden zien dat zij het was.’

Opeens wilde ik niet naar binnen. Ik kreeg een angstaanjagend voorgevoel. Hier had gillen geen zin. Frau Eichen zou het niet dulden en tegenover een klas met tweeëntwintig tienjarigen was het niet alleen zinloos, maar zou ik alleen maar een nog aantrekkelijker mikpunt van hun nieuwsgierigheid worden.

Niemand gaf iets om oma Kristel – niet om haar pogingen er aantrekkelijk te blijven uitzien toen de jeugd zijn koffers had gepakt en het gammel wordende gebouw had verlaten, niet omdat ze altijd een kleinigheidje voor me meebracht, een monsterflesje parfum waar ik nog te jong voor was, of een glitterende broche, niet omdat ze dol was op kersenlikeur.

Voor de klas had dat allemaal niets te betekenen. De kinderen wilden alleen maar weten of ze echt was ontploft als een rad van vuur dat aan alle kanten vonken liet regenen. Was het waar dat elke haar op haar hoofd was verbrand? Moest ze echt aan haar ringen geïdentificeerd worden? Was het waar dat tante Britta een epileptische aanval had gekregen toen ze het had zien gebeuren? Was het waar dat...?

Het gefluister stokte op het moment dat ik om de hoek van de deur verscheen en de klas betrad. Tweeëntwintig paar ogen, groot van nieuwsgierigheid, waren op me gericht toen ik schoorvoetend naar de tafel liep waar ik altijd zat en mijn stoel naar achteren trok. Frau Eichen was er nog niet. Ze woonde in Bonn en arriveerde vaak pas vlak voordat de bel ging.

Toen ik ging zitten, was de stilte te snijden. De andere kinderen stonden op een veilige afstand als stompzinnige runderen naar me te staren. Toen ik een bibliotheekboek uit mijn tas haalde en het met een klap op mijn lessenaar legde, voelde ik hoe ze ineenkrompen. Nu pas viel het me op dat niemand anders zijn spullen op mijn tafel had neergelegd. Er stond alleen een roze gebloemde rugtas op de stoel tegenover me. Marla Frisch schoot naar voren, griste hem weg en trok zich snel weer terug.

Voordat ik kon verzinnen hoe ik hierop moest reageren, ging de bel en kwam Frau Eichen gejaagd binnen. Haar kastanjebruine haar was hier en daar aan haar zilveren haarklem ontsnapt en haar vest zat scheef.

'Zitten, kinderen,' zei ze kortaf, in een poging haar late komst met strengheid te camoufleren. Het bevel leidde tot een jachtig gescharrel. Ik staarde naar mijn handen omdat ik de blikken van mijn klasgenoten niet wilde opvangen, maar was me ervan bewust dat er niemand aan mijn tafel kwam zitten. Rondom me gaapte een onafzienbare leegte.

Er ontwikkelde zich een kleine schermutseling aan een andere tafel toen Thilo Koch en een andere jongen beiden op dezelfde stoel wilden gaan zitten. Frau Eichen, die haar aandacht bij de meegebrachte boeken en mappen had die ze op haar tafel legde, keek op en zag dat de hele klas, op mij na, probeerde rond vier van de vijf tafels te gaan zitten en dat ik – Pia Kolvenbach – in mijn eentje aan de overgebleven tafel zat, met mijn hoofd gebogen en een gloeiende nek van schaamte. Terwijl ze de situatie in zich opnam, slaagde Thilo Koch erin de andere jongen van de stoel te duwen, waardoor die met een luide bons op de vloer terechtkwam. Daarna bleef het stil.

'Wat moet dit voorstellen?' vroeg Frau Eichen op een toon waar ijspegels aan hingen.

Het bleef doodstil toen ze vertwijfeld haar blik langs de gezichten liet gaan.

'Wie zitten er altijd bij Pia?' vroeg ze. De kinderen begonnen te fluisteren en elkaar aan te stoten, maar er scheen niemand bereid te zijn antwoord te geven. Frau Eichen koos een kind uit het giechelende groepje dat het dichtst bij het raam zat.

'Maximilian Klein.'

Maximilian was niet bereid te verhuizen. Hij zat tussen twee andere kinderen geklemd, maakte zich zo klein mogelijk en keek overal naar, behalve naar Frau Eichen en mij.

'Marla Frisch.'

Nu hief ik mijn hoofd op. Ik beschouwde Marla als mijn vriendin. Ik ving haar blik op en keek haar smekend aan, maar ze wendde haar ogen af.

Frau Eichen begon er een beetje verhit uit te zien. Ze was er niet aan gewend dat de klas zich zo obstinaat en ongehoorzaam gedroeg.

'Zou iemand me willen vertellen wat er aan de hand is?' vroeg ze. 'Waarom zit Pia helemaal in haar eentje?'

Uiteindelijk was het Daniella Brandt, die geen enkele gelegenheid onbenut liet om in het zonnetje te staan, die antwoord gaf.

'Omdat we vinden, Frau Eichen, dat we niet al te dicht bij haar moeten gaan zitten.'

'Dat jullie niet al te dicht bij haar moeten gaan zitten? Waarom niet?' zei Frau Eichen ongeduldig.

'Voor het geval het besmettelijk is, Frau Eichen,' zei Daniella gniffelend. Een van de andere meisjes giechelde onderdrukt. Frau Eichens blik bleef een ogenblik op mij rusten, alsof ze zocht naar symptomen van een onaangename ziekte. Toen slaakte ze een diepe zucht.

'Voor het geval wát besmettelijk is?' vroeg ze vermoeid.

'Het ontploffingsgevaar,' zei Daniella en er ontsnapte haar een gilletje dat klonk als de lach van een hyena.

Dat was voldoende. De klas barstte in lachen uit. Een paar meisjes deden net alsof ze probeerden hun stoel nog wat verder naar achteren te schuiven, buiten het bereik van Pia Kolvenbach, het brandbare meisje, maar voor de rest drukten ze allemaal alleen maar hun handen tegen hun buik terwijl ze gierden van het lachen. Toen de eerste lachbui een beetje begon te bedaren, imiteerde Thilo Koch met zijn armen een explosie, terwijl hij gelijktijdig een knetterende wind liet, waardoor de hele klas opnieuw begon te brullen en de kinderen zich aan elkaar vastklampten alsof ze bang waren dat ze van hun stoelen zouden vallen van het lachen.

Ik keek hulpzoekend naar Frau Eichen, maar tot mijn ontsteltenis zag ik aan de versteende uitdrukking op haar gezicht en de manier waarop ze haar lippen op elkaar klemde dat ze zelf ook vocht tegen de aandrang te gaan lachen. Toen merkte ze dat ik naar haar keek en wist ze zich, met een wilskracht die alleen maar kolossaal genoemd kan worden, te beheersen. Ze greep een boek en liet het op haar lessenaar neerkomen met een klap die klonk als een geweerschot.

'Stilte!' bulderde ze. Na nog wat onderdrukt geproest was de orde min of meer hersteld.

'En nu gaat iedereen op zijn vaste plaats zitten!'

Niemand verroerde zich. De stilte in het lokaal werd alleen verstoord door het kraken van een stoel en het heimelijke gedrang van de dicht opeengepakte kinderen die probeerden hun plek te behouden. Uiteindelijk hoorde ik dat er een stoel naar achteren werd geschoven en iemand opstond.

O nee! Stefan Stink. Die hoorde niet eens aan mijn tafel. Waarom deed hij dat? Eenentwintig paar ogen keken naar hem toen hij doelbewust naar mijn tafel liep, terwijl hij in zijn ene hand zijn groezelige schooltas heen en weer liet zwaaien en met zijn andere hand zijn stoel droeg. Hij zette de stoel naast de mijne neer, ging zitten en sloeg zijn armen over elkaar alsof hij ergens op wachtte. Ik wist niet waar ik het zoeken moest!

Stefan Stink, de jongen met wie niemand iets te maken wilde hebben. Als ik hém nodig had als bondgenoot, was het echt met me gedaan. Ik boog mijn hoofd weer want ik wilde niet naar hem kijken. Hij hoefde niet te denken dat ik hem dankbaar was. Maar ook al was zijn steun niet welkom, het hielp wel. Even later stonden twee andere kinderen op en sleepten hun tas en stoel terug naar mijn tafel. Uiteindelijk kwam Marla Frisch ook, al deed ze het met een gezicht alsof ze op weg was naar haar eigen executie en ging ze zo ver mogelijk bij me vandaan zitten.

Ik was blij toen aan het einde van de ochtend de bel ging en deed zo lang over het inpakken van mijn tas dat iedereen weg was voordat ik de klas verliet. Maar niet iedereen was vertrokken. Stefan Stink stond achter de zware branddeur op me te wachten, boven aan de trap.

Ik hees mijn tas op mijn rug, duwde de deur open en liep resoluut langs hem heen. Toen ik de trap afdaalde, dacht ik dat ik hem iets hoorde zeggen en draaide ik me onwillekeurig om. Eén ogenblik keken we elkaar aan, toen draaide ik me snel weer om en holde de trap af en de gang door, weg, weg, naar buiten. Maar het haalde niets uit: Stefan Stink en ik waren nu een paar.

5

Het sneeuwde niet op de dag dat Stefan Stink kennismaakte met Herr Schiller. Het was kristalhelder en bijtend koud. Diep weggedoken in mijn donzen jack liep ik in een snel tempo door de Kölner Strasse, de brede straat die noordwaarts de stad uitloopt, toen ik merkte dat Stefan me op de hielen zat. Ik hield het tempo hoog, zogenaamd om warm te blijven, al vond ik het ook wel leuk om te proberen Stefan voor te blijven.

In mijn haast botste ik op de hoek bij de brug bijna tegen iemand aan.

'Fräulein Pia.'

Op ooghoogte zag ik een mooie, ouderwetse winterjas met een rode anjer als een felle verfvlek in het knoopsgat. Ik keek omhoog en zag een verweerd gezicht op me neerkijken, met de borstelige wenkbrauwen opgeheven boven opvallend blauwe ogen.

'Herr Schiller.'

Verdorie nog aan toe. In andere omstandigheden zou ik het heerlijk hebben gevonden om Herr Schiller tegen te komen, maar nu zag ik zijn blik naar de schaduw achter me gaan en wist ik dat ik hem aan Stefan moest voorstellen. Ik keek om me heen alsof er nog een kans bestond dat ik zou kunnen ontsnappen, maar het was duidelijk te laat.

'Is dit een vriendje van je?' vroeg Herr Schiller op een licht geamuseerde toon.

'Eh...' Terwijl ik treuzelde, trok Stefan zijn rechterhandschoen uit en stak Herr Schiller zijn hand toe.

'Dag meneer, ik ben Stefan Breuer.'

'Heinrich Schiller,' zei Herr Schiller plechtig en hij schudde de uitgestoken hand. Aan mij vroeg hij: 'Waar ga je in dit onbarmhartige weer naartoe, Fräulein Pia?' Herr Schiller praatte altijd zo. Hij deed nooit uit de hoogte omdat ik een kind was.

'Naar het park in het Schleidtal.'

'Aha,' zei Herr Schiller. Hij duwde de mouw van zijn jas omhoog en keek op zijn prachtige, antieke, zilveren horloge. 'Als jullie straks, wanneer jullie beiden tot op het bot verkleumd zijn, soms even bij me willen aanlopen, zal ik jullie met het grootste plezier een kopje warme koffie aanbieden, of warme chocolademelk, als jullie daar de voorkeur aan geven.'

Ik keek naar Stefan. 'Eerlijk gezegd...' Ik aarzelde. '... heb ik nu ook wel tijd.'

'Ik ook,' zei Stefan onmiddellijk, met een uitdagende blik naar mij.

'En het is inderdaad erg koud,' zei ik, terwijl ik Stefan probeerde te negeren.

Herr Schiller lachte op een droge, krakende manier, als een oude blaasbalg.

'Kom dan maar mee. We kunnen bij het Café am Fluss langsgaan om gebakjes te kopen. Jij mag die uitkiezen, Fräulein, en Herr Breuer mag de doos dragen.'

Gehoorzaam liepen we met hem mee. Ondanks zijn hoge leeftijd – hij was in de tachtig – was Herr Schiller verrassend kwiek. Hij maakte nooit gebruik van een wandelstok, zelfs niet als het glad was, en zette flink de pas erin. Bij de grote poort, de Werther Tor, verdween hij in de sigarenwinkel. Stefan en ik bleven buiten staan wachten.

'Waar ken je hém nou van?' vroeg Stefan vanuit zijn mondhoek, met een blik achterom om te zien of Herr Schiller niet alweer binnen gehoorsafstand was.

Ik zuchtte. 'Ik ging wel eens met mijn oma bij hem op bezoek.'

'De oma die...?'

'Ja.' Ik keek naar de grond en wachtte op de onvermijdelijke vragen, maar Stefan zei niets. Ik wierp een blik opzij. Hij scheen verdiept te zijn in een poster op een winkelruit over een feest voor dertigplussers in het Spahotel. Ik ontspande me.

'Hij is oud, maar wel cool,' zei ik. 'Hij vertelt me altijd mooie verhalen, althans, dat deed hij als ik met oma Kristel naar hem toeging. Over hoe het hier vroeger was.'

Stefan trok een bedenkelijk gezicht. 'Geschiedenislesjes?'

'Nee, juist interessante dingen,' zei ik. 'Herr Schiller zegt bijvoorbeeld dat er vroeger een geest van een witte hond rondwaarde, en als je die zag –'

Herr Schiller kwam de winkel uit en bleef op het stenen trapje staan. Ik zweeg abrupt, maar hij keek niet naar me en had ook niet gehoord dat ik het over hem had. Hij keek naar iemand aan de overkant van de straat en zijn gezicht stond strak, al was me niet duidelijk of dat van boosheid of afkeer was. Ik volgde zijn blik en zag iemand die ik kende.

'Herr Düster,' zei Stefan binnensmonds. Hij had de magere man ook herkend, ondanks dat die zijn versleten hoed ver over zijn oren had getrokken.

Herr Schiller daalde het trapje af. Toen hij langs me heen liep, stootte hij met zijn elleboog tegen mijn schouder, maar volgens mij merkte hij dat niet eens. Hij liep op Herr Düster af als een man die een gevaarlijk dier in een hoek wil drijven, en rechtte zijn schouders alsof hij Herr Düster bij ons wilde wegjagen.

'Goedemorgen,' hoorde ik hem zeggen. Het was een beleefde begroeting, maar hij zei het op een agressieve toon.

Herr Düster hief zijn hoofd zover op dat we zijn ogen gevaarlijk konden zien glinsteren onder de rand van zijn hoed. Zijn blik flitste van Herr Schiller naar ons en weer terug. Die blik had iets dreigends, maar was tegelijkertijd achterdochtig, zoals je ziet bij een wild beest dat zo'n honger heeft dat het overweegt een mens aan te vallen. Hij gromde iets onverstaanbaars, keerde ons toen nadrukkelijk de rug toe en sloop weg. Hij had een eigenaardige, steelse manier van lopen, waardoor hij me deed denken aan een kreeft die over de bodem van de zee scharrelt. Hij glipte langs de ingang van het postkantoor en verdween om de hoek.

'Kom,' zei Herr Schiller scherp en we dribbelden achter hem aan.

Ik durfde niets te vragen over Herr Düster, die voor alle schoolkinderen een bekende figuur was, te vergelijken met Troll, de valse Duitse herder van Herr Koch die altijd fel blaffend en grommend tegen het hek opsprong als je langs zijn huis liep. Door de reactie van Herr Schiller was Herr Düster in onze ogen nog angstaanjagender geworden. Het engste wat we ons konden voorstellen was iets te moeten gaan vragen aan Herr Düster, of Troll tegenkomen als hij niet achter het hek zat. Tot Katharina Linden verdween.

6

Gek genoeg herinner ik me heel duidelijk dat ik Katharina Linden die zondag heb gezien. Ik kende haar niet goed, want ze zat in een andere klas met de kinderen van de naburige dorpen Eicherscheid en Schönau en ik geloof dat ik zelfs nooit met haar had gepraat, maar ik kende haar van gezicht.

Ik zag haar staan bij de fontein voor de fotowinkel. De fontein is een vreemd, loodgrijs ding met een standbeeld van koning Swentibold van Oberlotharingen die welwillend op het volk neerkijkt. Hoewel het februari was en onaangenaam koud, scheen de zon en baadde Katharina in de bleke, koude gloed. De herinnering is zo scherp dat ik wel eens aan mezelf twijfel – heeft mijn geest dit beeld gecreëerd omdat ik haar *wilde* zien, of was ze er echt?

Ze was verkleed als Sneeuwwitje. Het kostuum was heel herkenbaar, omdat het er precies zo uitzag als in de Disneyfilms: blauw lijfje, lange, gele rok, rode cape, opstaande kraag en een rode strik in haar donkere haar. Ik denk dat zij, of haar moeder, dit kostuum met opzet had gekozen, omdat Katharina dik, golvend haar had dat bijna gitzwart was, waardoor ze met haar bleke huid en donkere ogen een perfect Sneeuwwitje was. Toen ze verdween, was het ook net iets uit een sprookje, alsof ze een van de twaalf dansende prinsesjes van Grimm was, die elke avond uit een afgesloten slaapkamer wisten te ontsnappen en 's ochtends terugkwamen met totaal versleten schoentjes. Alleen kwam Katharina niet meer thuis.

Ik weet niet wie als eerste merkte dat er iets mis was. De optocht ging volgens de traditie om elf minuten over twee van start. De praalwagens stonden in een lange rij opgesteld voor de Orchheimer Tor, de grote poort aan de zuidzijde van de stad en de carnavalsmuziek die uit de grote luidsprekers schetterde, overstemde het gejuich en gejoel van het publiek.

Toen de eerste praalwagen door de poort reed, renden Stefan en ik met de andere kinderen naar voren om de snoepjes en prullaria op te rapen die vanaf de wagens werden gestrooid. Er viel altijd veel te halen en we waren uitgerust met linnen boodschappentassen om de buit in te bewaren. De praalwagens waren voor ons lang niet zo interessant als het verzamelen van zo veel mogelijk snoep, maar ik herinner me dat er dat jaar een paar indrukwekkende wagens bij waren: een piratenschip met echte kanonnen die korrels droogijs spuwden, en een onderwatertafereel met vissen en octopussen en een verheven troon waarop Neptunus zat, omringd door zeemeerminnen die met hun blote schouders lagen te bibberen in de winterse kou.

Vrijwel iedereen was verkleed. Marla Frisch, die nadrukkelijk deed alsof ze me niet zag toen ze langsliep, was verkleed als Roodkapje. Thilo Koch droeg een piratenkostuum met een satijnen shirt dat strak gespannen zat om zijn dikke buik. Hoewel ik een godsgruwelijke hekel aan hem had, was ik toch jaloers op hem. Zijn moeder had tenminste een kostuum voor hem *gekocht*, een echt kostuum.

Mijn moeder begreep niet veel van het carnaval. Ze scheen te denken dat ouders extra punten voor de moeite kregen als ze zelf kostuums voor hun kinderen maakten. Kopen was vals spelen in haar denkwereld. Ze begreep niet hoe graag ik net als Lena of Eva uit mijn klas een officieel prinsessen- of elfenjurkje uit de Kaufhof wilde.

Dit jaar had ze ons gezin uitgedost als figuren uit de Tovenaar van Oz: zij was de blikken man, mijn vader de vogelverschrikker en Sebastian de laffe leeuw (al kon je hem net zo goed voor Toto aanzien, zo vaag was mijn moeders voorstelling van de anatomie van de leeuw). Ik was Dorothy, gehuld in een blauw met wit geruite overgooier met daaronder een witte bloes met ruches, en oude, rood geverfde en met glittertjes bestrooide pumps aan mijn voeten. Toen Daniella Brandt voor me bleef staan, haar hoofd schuin hield en vroeg of wij de familie Von Trapp moesten voorstellen, slikte ik de bittere pil maar door en nam me heilig voor volgend jaar een kostuum te *kopen*, al moest ik daarvoor het hele jaar al mijn zakgeld opsparen.

Stefan was iets beter af, want hij had een duidelijk herkenbaar Spidermankostuum, compleet met masker. We waren een zonderling paar, Dorothy en Spiderman, toen we door de straten holden met onze tassen vol snoep, popcorn en plastic speeltjes, maar met carnaval zie je altijd de vreemdste dingen. Opeens doen norse buren vrolijk en vermommen preutse oude dames zich als vampiers of Franse kamermeisjes. Het was ook, zoals zou blijken, een geschikt moment voor iemand anders – of iets anders – om rustig door de stad rond te waren, omdat een zonderlinge figuur met monsterlijke plannen in de opgewonden drukte geen argwaan wekte.

De praalwagens reden langzaam door de straten en Stefan en ik liepen mee, ons tussen de toeschouwers door wurmend. Ik zag Katharina Linden bij de fontein toen we bij het plein in het centrum aankwamen. Dat moet om ongeveer kwart voor drie zijn geweest.

Een stukje verderop zag ik Frau Linden in een kleurig clownspak met een groene krullenpruik. Ze hield het handje van Nils, het jongste broertje van Katharina, stevig vast. Nils was vermomd als lieveheersbeestje en ik kreeg de indruk dat hij de optocht helemaal niks vond, want hij jengelde en rukte aan zijn moeders arm.

Misschien had Frau Linden daarom niet meteen in de gaten dat haar dochter was verdwenen – de veel jongere Nils eiste al haar aandacht op. En Bad Münstereifel was uiteindelijk maar een kleine stad waar iedereen elkaar kende en waar ook tijdens het carnaval genoeg bekenden op de been waren en je je dus geen zorgen hoefde te maken over je kinderen. Althans, dat dacht iedereen.

Toen de optocht de Werther Tor bereikte, slenterden we terug naar de fontein waar we Katharina Linden hadden gezien en gingen op de rand van het stenen bassin zitten, voldaan en een tikje onpasselijk van al het snoepgoed dat we hadden gegeten. De toeschouwers gingen naar huis en in plaats van de praalwagens reed nu de auto van de reinigingsdienst als een levensgrote stofzuiger langzaam over de keien, gevolgd door een ploeg verveeld kijkende mannen in oranje overalls die vuilniszakken bij zich hadden.

Ik keek de andere kant op, naar de boogvormige poort van het St.-Michael Gymnasium, en zag een flits van kleur toen iemand in een clownspak naar buiten kwam. Het was Frau Linden, nu zonder Nils. Ze stak snel de Salzmarkt over en verdween uit het zicht. Ik vond daar niets vreemds aan, maar was wel verbaasd toen ze een paar minuten later uit de steeg naast het stadhuis kwam en zich naar ons toe haastte. Ik gaf Stefan een por in zijn ribben zodat hij zou opkijken.

'Wat is er?'

Ik knikte in de richting van Frau Linden, die op ons afstevende. Ik wilde net een flauwe opmerking maken toen me opviel hoe ze keek. Haar altijd zo hartelijke, vriendelijke gezicht had een starre uitdrukking die erg uit de toon viel bij haar felgroene pruik. Ik voelde instinctief aan dat er iets mis was en liet me van de fontein afglijden toen ze naar ons toe kwam.

'Hebben jullie Katharina gezien?'

Haar stem klonk ijl en trilde, alsof hij ieder moment kon overslaan en ze haar zelfbeheersing zou verliezen. Ik keek haar onzeker aan.

'Ja, daarstraks,' antwoordde ik.

'Waar?' Haar stem had een gejaagde klank. Ik merkte dat ik achteroverleunde, voor het geval ze mijn schouders zou vastgrijpen om me door elkaar te schudden. Zo'n blik had ze over zich.

'Hier,' zei ik. 'Bij de fontein.' Ik zag aan haar gezicht dat dit niet het antwoord was waarop ze had gehoopt en kreeg het opeens helemaal warm, alsof ik had gelogen.

'Heb je gezien waar ze naartoe is gegaan?' vroeg Frau Linden fel.

'Nee,' zei Stefan. Frau Lindens ogen flitsten naar hem toe alsof ze hem nu pas in de gaten had.

'Nee, sorry,' herhaalde ik. Stefan en ik keken elkaar onbehaaglijk aan.

Het was alsof Frau Linden opeens een beetje inzakte, alsof de energie die haar naar ons toe had geleid, plotseling op was. Ze stak haar hand uit en legde die op mijn schouder.

'Weet je het zeker?' vroeg ze me. 'Weet je heel zeker dat je niet hebt gezien waar ze naartoe is gegaan?'

'Nee,' zei ik, en toen besefte ik hoe dubbelzinnig dat was. 'Nee, ik heb niet gezien waar ze naartoe is gegaan.'

'Ze zal wel naar Marla zijn of zo,' opperde Stefan behulpzaam.

'Nee, daar is ze niet,' antwoordde Frau Linden kortaf. Ze keek afwezig om zich heen, alsof ze Katharina per ongeluk ergens had laten staan, als een tas met boodschappen.

Toen nam ze haar hand van mijn schouder, draaide zich om en haastte zich zonder afscheid te nemen terug door de Marktstrasse. Stefan en ik keken elkaar aan. Voor een volwassene gedroeg ze zich erg vreemd.

'Eigenaardig,' zei Stefan.

'Ja,' antwoordde ik. Ik haalde mijn schouders op.

Ik begon het koud te krijgen in mijn overgooier en door het korte gesprek met Frau Linden was mijn carnavalsstemming helemaal verdwenen.

'Ik ga naar huis,' zei ik, en na een korte pauze: 'Wil je mee?'

Stefan knikte zonder iets te zeggen. We pakten de tassen met onze buit en liepen naar mijn huis. Ik stak net de sleutel in het slot toen mijn moeder de deur van binnenuit opendeed.

Het was echt iets voor mijn moeder om geen tijd te verkwisten aan begroetingen en Stefan domme vragen te stellen zoals 'Hoe gaat het op school?' en 'Hoe maakt je moeder het?' Ze kwam regelrecht met: 'Hebben jullie Katharina Linden gezien?'

Weer keken we elkaar aan. Waren alle volwassenen gek geworden?

'Nee,' zeiden we.

'Weten jullie dat heel zeker?'

'We hebben haar daarstraks bij de fontein gezien, maar daar is ze nu niet meer,' zei ik. 'Dat hebben we ook aan Frau Linden verteld.' Ik keek mijn moeder vragend aan. 'Waarom is iedereen naar haar op zoek? Wat heeft ze gedaan?'

'Ze heeft niets gedaan,' zei mijn moeder. 'Ze is alleen nergens te vinden.' Ze bekeek mij en Stefan aarzelend. Het was duidelijk dat ze geen dingen wilde zeggen die ons aan het schrikken zouden maken. 'Ze zal wel met een vriendinnetje mee naar huis zijn,' zei ze uiteindelijk. 'En dan komt ze vanzelf wel weer boven water.'

‘Frau Linden zei dat ze al bij Marla Frisch was geweest,’ merkte ik op. Het bleef stil. ‘Waar is pappa?’ vroeg ik.

‘Hij is niet thuis,’ zei mijn moeder met een zucht. ‘Hij is gaan helpen met zoeken naar Katharina.’

‘Wij kunnen ook wel helpen,’ stelde Stefan voor. Hij trok het Spidermanmasker van zijn hoofd. Zijn lichtbruine haar bleef in ongelijke pieken uitstaan. Er lag een begerige uitdrukking op zijn gezicht en ik vroeg me af of hij niet een beetje te veel werd beïnvloed door zijn kostuum. ‘We kunnen naar haar gaan zoeken. We weten allerlei plekjes.’

Mijn moeder schudde haar hoofd. ‘Het lijkt me beter dat jullie nu binnen blijven,’ zei ze. ‘Laat de grote mensen maar naar Katharina zoeken.’ Ze zei het rustig, maar op een toon die geen tegenspraak duldde. Abrupt, alsof ze er niet meer over wilde praten, zei ze: ‘Willen jullie een kopje warme chocolademelk?’

Vijf minuten later zaten Stefan en ik genoeglijk op de lange bank aan de keukentafel, ieder met een snor van chocolademelk. Katharina Linden waren we tijdelijk vergeten.

7

Het was al helemaal donker toen mijn vader eindelijk thuiskwam. Hij had zijn vogelverschrikkerskostuum nog aan, maar de bruine schmink was uitgesmeerd, alsof hij als een klein kind met de rug van zijn hand over zijn wangen had gestreken. Toen hij met zijn voeten op de deurmat stampte, kwam mijn moeder uit de keuken, haar handen afdrogend aan een theedoek.

'En?' was het enige wat ze zei.

Mijn vader schudde zijn hoofd. 'Nergens te vinden.' Hij haalde hijgend adem toen hij zich bukte om zijn veters los te maken. Toen hij zich weer oprichtte, zei hij: 'Iemand dacht haar bij de Orchheimer Tor gezien te hebben, maar dat bleek een ander meisje te zijn dat net zo'n kostuum aanhad. Dieter Linden blijft naar haar zoeken, maar ik denk niet dat hij in het donker veel zal vinden.'

Ik luisterde hiernaar aan de keukentafel, waar ik aan mijn avondeten zat: grauw brood met kaas en leverworst. De woordkeus van mijn vader vond ik toen al vreemd: hij dacht niet dat Herr Linden *veel zou vinden*, alsof hij niet naar een persoon zocht, maar naar een voorwerp, of zelfs naar delen van een voorwerp.

'Ik vraag me af wat er...' begon mijn moeder, maar toen keek ze om naar de keuken waar ik zat en ging haastig door: 'Ik neem aan dat ze met een van haar vriendinnen mee naar huis is gegaan en heeft vergeten haar moeder te bellen.' Daarna gingen zij en mijn vader naar de eetkamer en deden de deur dicht.

Ze praatten verder, maar zo zachtjes dat ik er alleen iets van zou kunnen verstaan als ik mijn oor tegen de deur drukte, en dat was veel te riskant. Ik keek naar mijn met leverworst besmeerde boterham, waar een halve cirkel aan ontbrak in de vorm van mijn tanden.

Ik vroeg me af of Katharina Linden echt bij een vriendinnetje was. En zo niet, waar was ze dan? Het was een raar geval. Mensen verdwijnen niet zomaar, dacht ik.

De dag daarop hoefden we niet naar school want het was *Rosenmontag*, carnavalsmaandag. Mijn ouders hadden min of meer beloofd met Sebastian en mij naar een andere optocht te gaan, een paar kilometer verderop, maar toen ik om halftien beneden kwam, bleek mijn vader niet thuis te zijn. Mijn moeder was in de huiskamer verwoed bezig stof af te nemen. Ik hoefde niet te vragen of het uitstapje nog doorging. Mijn moeder had zich op het schoonmaken gestort met de bezetenheid van een vrouw die haar kiezen op elkaar klemt omdat ze een of andere buitengewoon onplezierige behandeling moet ondergaan.

'Waar is pappa?' vroeg ik.

'Weg,' zei mijn moeder kortaf. Ze richtte zich op en masseerde haar onderrug. 'Om iemand ergens mee te helpen.'

'O.' Ik vroeg me af of hij weer naar Katharina Linden aan het zoeken was. 'Dan ga ik zo dadelijk maar naar Stefan om te vragen of hij buiten komt spelen. Is dat goed?'

Na een korte aarzeling zei mijn moeder: 'Blijf vandaag maar liever binnen, Pia.'

'Ma-am...' zei ik teleurgesteld.

'Pia, ik vind echt dat het beter is dat je vandaag thuisblijft.' Mijn moeder klonk vermoeid, maar streng. 'Als je niks te doen hebt, kun je me helpen met het huishouden.'

'Ik heb nog huiswerk,' zei ik snel en ik trok me terug in de keuken voordat ze me met een of ander klusje zou opschepen.

De dag sleepte zich voort. Ik was benieuwd wat Stefan aan het doen was. Mocht hij wél naar buiten, of hadden zijn ouders hem ook huisarrest opgelegd? Ik vroeg me af of de volwassenen zich zo eigenaardig gedroegen vanwege dat gedoe met Katharina Linden.

Om vijf uur, toen het donker was, kwam mijn vader thuis. Hij ging meteen weer samen met mijn moeder in de eetkamer zitten. Ze bleven er ongeveer een halfuur. Daarna ging mijn vader naar boven om zich te douchen en kwam mijn moeder mij opzoeken. Er lag een ernstige uitdrukking op haar gezicht. Ik wist wat dat betekende. Het wilde zeggen dat we *ergens over moesten praten.* Ik zat in de woonkamer op de grond een tijdschrift te lezen. Ze kwam binnen, ging omzichtig op de bank zitten en klopte op het kussen naast haar. Met een onhoorbare zucht stond ik op en ging naast haar zitten.

'Wat?' zei ik.

'Wat is onbeleefd,' zei mijn moeder automatisch.

'Sorry,' zei ik, al even automatisch. Deze woordenwisseling hadden we al zo vaak gehad. 'Gaat het over Katharina Linden?' vroeg ik meteen.

Mijn moeder hield haar hoofd schuin. 'Ja. Ik vertel het je omdat je het toch te horen krijgt als je weer naar school gaat,' begon ze.

'Hebben ze haar niet gevonden?' vroeg ik.

'Nee, nog niet,' antwoordde mijn moeder met de nadruk op *nog*, alsof ze daarmee wilde zeggen dat ze er het volste vertrouwen in had dat Katharina nu heel snel gevonden zou worden. 'Maar ik hoop dat ze haar zullen vinden, dat ze haar heel gauw zullen vinden.' Ze zuchtte. 'Er kan een heel onschuldige verklaring zijn. Misschien is ze met een vriendinnetje meegegaan zonder dat aan iemand te vertellen.'

En daar is ze blijven slapen zonder dat aan iemand te vertellen, dacht ik sceptisch.

'Evengoed,' vervolgde mijn moeder, 'moeten we voorlopig allemaal... een beetje voorzichtig zijn. We weten niet wat er is gebeurd.' Ze stak haar hand uit en wreef afwezig over mijn arm. 'Ik wou dat we dit gesprek niet hoefden te hebben,' zei ze, 'maar je kunt nooit weten... Pia, je moet me beloven dat je nooit met iemand zult meegaan zonder dat eerst aan mij te vertellen. Weet je nog welk boek ik je voorlas toen je naar de eerste klas ging?'

'*Ich kenn' dich nicht, ich geh' nicht mit*,' citeerde ik en toen keek ik een beetje achterdochtig naar mijn moeder. 'Denk je dat iemand Katharina heeft meegenomen, net als in het boek?'

'Ik hoop het niet,' zei mijn moeder. Ik kreeg de indruk dat ze niet goed wist hoe ze verder moest gaan. 'Wees in elk geval voorzichtig,' zei ze uiteindelijk. 'En als je iets vreemds ziet, Pia, moet je het meteen aan mij of pappa vertellen. Goed?'

'Hmmm,' zei ik vaag. Ik wist niet wat ze met 'iets vreemds' bedoelde. 'Sebastian huilt,' zei ik toen zijn kreten vanaf boven tot me doordrongen.

Mijn moeder stond op. 'Zul je het goed onthouden?'

'Ja, mam.' Ik keek haar na toen ze de kamer verliet en de trap op liep. Ik zat op de bank met mijn benen te wiebelen zodat mijn kuiten steeds tegen de rand stootten en dacht na over wat ze had gezegd. *Iets vreemds.*

Nu ik ouder ben, begrijp ik wat mijn moeder daarmee bedoelde. Volwassenen vinden dingen vreemd als ze niet passen in de normale gang van zaken. Iemand die een pakje neerlegt op een perron van een treinstation en dan wegloopt. Iemand die achter een auto met een eenzame vrouw aan het stuur blijft rijden, ook als ze al vier of vijf keer is afgeslagen en rondjes begint te rijden. Dingen die niet in het gebruikelijke patroon passen. Tekenen van gevaar.

Maar op mijn tiende was *seltsam*, het woord dat mijn moeder had gebruikt en dat *raar, eigenaardig, gek, merkwaardig* betekent, ook van toepassing op minder concrete dingen. Bijvoorbeeld op het leegstaande huis bij de *Werkbrücke*, waar we altijd op topsnelheid langs renden, met heerlijke huiveringen van angst dat iemand zijn afzichtelijke gezicht tegen een van de stoffige ramen zou drukken.

In tegenstelling tot de volwassenen had ik het idee dat de verdwijning van Katharina Linden toegeschreven kon worden aan bovennatuurlijke krachten. Hoe kon ze anders zomaar zijn meegenomen, op klaarlichte dag, in een stad waar iedereen elkaar kent? Ik wist niet – ik wist nóg niet, zei ik bij mezelf, want ik had me voorgenomen het vraagstuk op te lossen – door wie of wat Katharina was ontvoerd. Ik wist alleen, en achteraf bleek dat ik gelijk had, dat we haar nooit meer levend zouden terugzien.

8

In de ijskoude maand februari, toen Katharina Linden verdween, verkeerde de hele stad in een shocktoestand, maar toch was er niemand die dacht dat het nog eens zou gebeuren. Tijdens het carnaval zat de stad vol met mensen die uit alle windstreken toestroomden en was het er zo rommelig dat je van alles kon verwachten. Na het carnaval, toen de rust was weergekeerd, verwachtte niemand dat er nóg een kind zou verdwijnen. Toch had mijn moeder opeens veel meer belangstelling voor waar ik naartoe ging dan me lief was. Ik mocht niet meer in mijn eentje door de stad zwerven en ze had niet graag dat ik naar de speeltuin in het Schleidtal ging, zelfs niet als Stefan meeging. Ik mocht ook niet bij Stefan thuis spelen, maar dat kwam omdat zijn moeder een kettingrookster was en ik naar gerookte bokking stonk als ik thuiskwam. Stefan en ik waren daarom blij dat we in elk geval onze toevlucht konden nemen tot de aangename sfeer van Herr Schillers huis, waar niemand het over huiswerk had en we konden vragen om verhalen over hoe het vroeger was. Zo kwam het dat hij ons het verhaal over Koelbloedige Hans vertelde.

'Koelbloedige Hans?' zei Stefan. 'Wat is dat nu voor een naam?'

Hij en ik zaten in de zachte leren stoelen in de woonkamer van Herr Schiller met een mok koffie die zo sterk was dat hij bijna het glazuur van je tanden liet springen.

'Ze noemden hem zo omdat hij voor niets en niemand bang was,' zei Herr Schiller op licht verwijtende toon. 'Lang, lang geleden, voordat de ouders van jullie grootouders geboren waren, woonde hij in een molen in het Eschweiler Tal.'

'Wij zijn met school naar het Eschweiler Tal geweest,' zei Stefan.

'Dan weet je dus, jongeman, dat het daar erg stil is. Eenzaam zelfs, vooral in de winter,' zei Herr Schiller. 'De molen had een slechte naam. Iedereen zei dat hij behekst was, dat hij vol toverkollen, spoken en monsters zat. Dat het was alsof het hout van de molen de mysterieuze krachten die in het dal sidderden en sudderden, had opgezogen, zoals het hout van een wijnvat de kleur en geur van de wijn opzuigt.'

Stefan wierp mij een snelle blik toe om de overdreven verteltrant. Ik negeerde hem.

'Er was nog nooit iemand in geslaagd erg lang in de molen te blijven. Tot Hans er kwam wonen. Alle vorige bewoners waren eruit verjaagd. Hardwerkende, fantasieloze mannen die het grootste deel van hun spaargeld in de molen hadden geïnvesteerd, waren er als angstige kinderen uit weggevlucht, met gezichten zo wit als melk. Het was niet zo dat Hans zo ongevoelig was dat hij de wezens die rond de molen krioelden niet hoorde of zag. Hij was er alleen niet bang voor. Hij was in staat midden in de nacht, als er overal in de molen krassende geluidjes te horen waren en dreigende ogen in donkere hoekjes rood oplichtten, doodgewoon rond te lopen, als iemand die een bezoek brengt aan een broeikas vol tropische vlinders. En misschien kwam het juist doordat hij geen angst kende dat geen van deze wezens hem iets scheen te kunnen doen.'

'Cool,' zei Stefan.

Hou je mond, seinde ik met een woedende blik.

'De spoken wachtten ongeduldig tot Hans er net als alle anderen vandoor zou gaan,' vervolgde Herr Schiller, 'maar toen dat niet gebeurde, verdubbelden ze hun inspanningen. Eigenaardige beesten met veel te veel spichtige poten en leerachtige, gelede vleugels vlogen zodra de zon onder was op hem af wanneer hij door de molen liep en raakten dan verstrikt in zijn met meel bestoven haar. Wanstaltige gezichten rezen grijnzend op uit de regenton of uit het hoekkastje waar hij zijn bord en bestek altijd neerzette. 's Nachts hoorde je niet alleen het hout van de molen kraken, maar ook wezens die kreunden en jammerden op een manier waar je haren van overeind gingen staan. Maar Hans werd er niet warm of koud van.

'De monsters die de molen bevolkten begonnen zich kwaad te maken. 's Nachts veranderde het kraken van de balken in een ijselijk gekrijs en overdag schenen de grote raderen van de machinerie langzamer te draaien, alsof ze het moesten opnemen tegen een onzichtbare weerstand. Hans liet echter niet merken dat hij zich daaraan stoorde.

'Eind april verliet hij de molen en liep naar de stad. Toen hij terugkwam, had hij in zijn broekzak een klein pakje dat zorgvuldig in een schone zakdoek was gewikkeld. Hans was dan wel koelbloedig, maar hij wist dat het over twee dagen Walpurgisnacht was, de vooravond van de Meidag, de nacht waarin de heksen bijeenkwamen voor hun sabbat. Dan zouden de onzichtbare vijanden met wie hij om het bezit van de molen streed vast en zeker in de aanval gaan.

'Op de laatste dag van april was het bewolkt en er stond een koude wind. Het begon al vroeg te schemeren en in de molen was het donker. Het licht van de kleine lantaarn van Hans drong lang niet tot in alle hoeken door. In zijn eentje at hij zijn avondmaaltijd, die bestond uit dikke boterhammen met kaas. Daarna zei hij als goed christen zijn avondgebeden, blies de lantaarn uit en ging op de strozak liggen die als bed diende. Hans sliep altijd als een roos. Hij trok zich nooit iets aan van trippelende voetjes op de vloer, noch van geklauwde pootjes die 's nachts over zijn deken heen en weer renden. Die avond sliep hij zelfs op zijn rug, met zijn gezicht uitdagend naar het plafond gekeerd, en zijn baard trilde mee met iedere snurkende ademhaling.

'Een paar uur sliep hij ongestoord. De benauwende sfeer die dagenlang in de molen had gehangen leek te zijn verdwenen. De wind was gaan liggen, het wolkendek was uiteengedreven en de volle maan die door het raampje boven Hans' primitieve bed scheen, verleende de eenvoudige, houten meubels en de onderdelen van de machinerie van de molen een zilveren glans.

'Misschien kwam het door dat licht dat Hans wakker werd. Hij deed in ieder geval zijn ogen open en keek om zich heen. Verbeeldde hij het zich, of zag hij daar in de hoek twee lichtjes, dicht bij elkaar, rood en vurig als gloeiende sintels? Ja, daar had je ze weer. Knipperende lichtjes, alsof een monster naar hem keek en steeds een paar seconden zijn ogen sloot. Hans kuchte zachtjes om aan te geven dat het hem niets kon schelen en wilde zich al omdraaien en de deken over zich heen trekken toen hij boven op een kast net zo'n paar gloeiende ogen zag. Ook die lichtten op en doofden weer.

'Hans dacht er eventjes over na, trok toen de deken over zich heen en deed zijn ogen dicht. Omdat hij was zoals hij was, zou hij vast weer in slaap zijn gevallen, als hij niet, toen hij net begon in te dommelen, het geluid had gehoord van fluwelen pootjes die zachtjes over de lemen vloer van de molen liepen.

'Omdat Hans nu op zijn zij lag, hoefde hij alleen maar zijn ogen te openen om te zien wie dat geluid veroorzaakte. Een grote kater wandelde door de kamer, een kater met een gitzwarte vacht die glansde als tafzijde, en grote groene ogen die in het donker gloeiden. De kater stopte abrupt, ging zitten met zijn staart elegant rond zijn lichaam gekruld en bekeek de molenaar met zijn lichtgevende ogen.

'Een paar seconden keken Hans en de kat elkaar aan. Toen zei Hans: "Sorry, poes, ik heb geen melk voor je." Hij draaide zich om en trok de deken mee. Er klonk een sissend geluid, alsof iemand zijn adem naar binnen zoog, en een tweede kat kwam uit de duisternis tevoorschijn, en toen nog een. Ze slopen over de verlichte plek die de manestralen op de vloer maakten en kroelden rond de poten van de enige stoel die Hans rijk was. Ze sprongen op de zakken met graan en balanceerden op de dikke balken van de molen. Ze glipten als kwikzilver door de kieren tussen de planken van de deur en gleden als messen tussen de stenen van de muur door. Ze sijpelden als giftige honing door de scheuren rond de raamkozijnen.

'Als Hans zijn ogen had geopend, zou hij hebben gezien dat sommige van de katten zelfs dwars door de muren heen kwamen, zich strekkend tot hun achterlijf lossprong. Maar Hans wist ook zonder te kijken wat ze waren. Ze namen de gedaante van katten aan, maar zijn nachtelijke bezoekers waren heksen, die waren gekomen voor de Walpurgisnacht en zich zouden verzamelen op de plek waar ze altijd hun bijeenkomst hielden, vastbesloten om het onhebbelijke menselijke wezen te verdrijven.

'Toen de hele vloer was bedekt met de harige schepsels, begonnen die te kermen. Ze gilden en krijsten als een onaards koor. Hans stak zijn vingers in zijn oren, maar dat had geen zin. Het geluid dat de katten maakten hoor je namelijk niet alleen met je oren, je hoort het ook met je ziel. Het was het lied der verdoemenis, het lied dat een borrelende kuil met lava deed verschijnen waar de bevlekte ziel in moest worden geworpen om te verschrompelen terwijl hij eeuwig volledig bij bewustzijn zou blijven, smeulend, een onsterfelijk kooltje in een pruttelende poel van vuur. Als jullie of ik het hadden gehoord, zouden we vermoedelijk ter plekke zijn gestorven.'

Ik huiverde. 'Wat afschuwelijk.'

Herr Schiller vertelde onverstoorbaar verder. 'Maar Koelbloedige Hans liet zich niet zo gauw uit het veld slaan. Omdat hij het duivelse gezang onmogelijk kon negeren, ging hij zitten en keek kloek om zich heen, alsof het lawaai niets anders was dan het normale gekrijs van een krolse kater. "Hemeltjelief!" riep hij uit. "Maak niet zo'n kabaal, zeg. Zo kom ik nooit in slaap. Als jullie niet stil zijn, gooi ik jullie eruit, al moet ik jullie een voor een bij je nekvel grijpen." En hij ging weer liggen.

'Heel even bleef het stil. Toen welde er een ijselijk geluid op, als van piepend metaal, alsof alle duivels van de hel de ijzeren hekken van de onderwereld openduwden en naar voren stormden, alles op hun pad vernietigend. De grootste kat, een kolossaal, vals beest, zo gespierd als een stier, met een inktzwarte vacht en gloeiende gele ogen, sprong met een schreeuw die zelfs al dat kabaal overstemde op Hans' borst en bleef daar als een vleesgeworden nachtmerrie zitten. Met zijn angstaanjagende hoektanden ontbloot bleef het beest naar hem grauwen.

'Hans sprong abrupt overeind, greep het schepsel met beide handen vast en voelde de enorme kracht van de pezen en strakgespannen spieren toen hij het dier zo ver mogelijk van zich af smeet. Snel stak hij zijn hand onder zijn kussen, waar het pakketje lag dat hij uit de stad had meegebracht. Hij scheurde het papier eraf. In het pakketje zat een rozenkrans, een eenvoudige, houten rozenkrans met glanzende, gladde kralen, die Hans van de vrome paters had gekregen.

'Hij stootte een luid gebrul uit en smeet de rozenkrans naar het grommende monster dat hem had aangevallen. "Uit naam van alles wat heilig is," riep hij op een indringende toon, "beveel ik u te verdwijnen! *Nu meteen!*" Toen het laatste woord over zijn lippen kwam, verdwenen alle duivelse katten en bleef hij in zijn eentje, zwaar hijgend, in de donkere, stille molen staan. Hij had gewonnen. Het kwaad was verdreven en de molen was van hem. Hij ging weer liggen en sliep de slaap der rechtvaardigen tot de nieuwe dag aanbrak.'

9

Herr Schiller zweeg. De hand waarmee hij de denkbeeldige rozenkrans naar de duivelse kater had gegooid, zakte terug op de armleuning van zijn stoel. Hij gaf er een klopje op, waarna zijn hand naar zijn zak gleed, waar hij zijn pijp uit haalde. Het bleef doodstil in de kamer toen hij de pijp opstak en er kalmpjes de brand in zoog, waarbij witte wolkjes als rooksignalen opstegen.

'Ik vond het helemaal niet zo'n eng verhaal,' zei Stefan uiteindelijk. Ik keek nijdig naar hem. Als zijn stoel dichter bij me had gestaan, had ik hem een schop tegen zijn schenen gegeven.

'O nee?' vroeg Herr Schiller. Gelukkig klonk hij niet geprikkeld, alleen maar geamuseerd, want als Stefan hem had beledigd, was dit misschien ons laatste bezoek aan Herr Schiller, en dat zou ik Stefan nooit vergeven hebben. Bovendien had ik ons bondgenootschap dan moeten verbreken, ook al wilde dat zeggen dat ik de rest van mijn schooltijd in mijn eentje zou moeten spelen.

'Nee,' zei Stefan nonchalant. Toen Herr Schiller niets zei en alleen zijn borstelige grijze wenkbrauwen optrok, had Stefan het lef er nog aan toe te voegen: 'Wat is er nou zo eng aan een stelletje katten?'

'Maar het waren geen echte katten,' zei Herr Schiller op een conversatietoon. 'Het waren heksen.' Hij glimlachte flauwtjes. 'Je moet nooit op iemands uiterlijk afgaan, jongeman.' Het klonk licht verwijtend.

'Ik vond het een schitterend verhaal,' kwam ik verdedigend tussenbeide terwijl ik naar Stefan probeerde te seinen hoe ergerlijk ik zijn gedrag vond. Hoe waagde hij het zich zo kritisch op te stellen?

Herr Schiller leek mijn opmerking niet gehoord te hebben. Hij hief vermanend zijn vinger op, terwijl hij zijn scherpe blauwe ogen op Stefan gericht hield. 'Uiteraard,' gaf hij toe, 'is er niets engs aan

een doodgewone poes die op de vensterbank in het zonnetje ligt of zich aan het schoonlikken is. Maar denk je eens in hoe het een paar honderd jaar geleden was, toen het zwart van de nacht niet kon worden doorbroken door elektrisch licht en het rond de kleine lichtcirkel van je kaarsvlam aardedonker was. Als je dan opeens een paar ogen naar je zag staren, op een plek waar geen levend wezen zou moeten zitten... en als je wist dat het geen kat was maar iets anders... een gruwelijk wezen dat de onschuldige gedaante van een kat had aangenomen om je huis te kunnen binnen sluipen terwijl je sliep...'
Herr Schiller was steeds zachter gaan praten, zodat Stefan en ik onwillekeurig naar voren leunden. 'Een gruwelijk, *gruwelijk* –'

'Aaaaahhhh!' gilde Stefan opeens, zo hard en onverwacht dat ik me lam schrok. Hij trok wit weg. Zo wit als geitenkaas. Zo wit dat zijn huid bijna blauw leek. Hij probeerde over de rug van de leren fauteuil te klimmen en tegelijkertijd te wijzen naar iets wat achter Herr Schiller in zicht was gekomen.

'Getverdemme!' gilde ik, vergetend dat er een volwassene bij was.

Herr Schiller woonde in een traditioneel Eifel-huis, waar het zelfs overdag donker en somber was. Nu het tegen het einde van de middag liep, drong er tot delen van de kamer helemaal geen licht meer door. Uit een van die donkere plekken kwam eerst een zijdeachtige kop en toen het pezige lichaam van een reusachtige kater tevoorschijn, nog zwarter dan de duisternis, met grote gele ogen die op koplampen leken.

Later besefte ik dat het dier op het dressoir achter Herr Schillers stoel moest hebben gezeten, maar op het moment zelf was het alsof hij uit het niets tevoorschijn kwam. Mijn hart begon te bonken en het duurde een paar seconden voordat mijn hersens registreerden wat mijn ogen zagen.

'Het is Pluto, stommerd,' riep ik naar Stefan. 'Ga zitten. Het is Pluto!'

Herr Schiller, die bij de gil van Stefan midden in zijn zin was blijven steken, met zijn pijp roerloos tussen zijn hand en zijn lippen, sprong nu overeind alsof iemand hem met een gloeiende pook had geraakt. Hij was sneller uit zijn stoel dan ik ooit bij iemand van zijn leeftijd heb gezien. Zijn gezicht was een masker van afgrijzen.

‘Kssjt! Kssjt!’ Hij maakte wilde bewegingen naar de kat, die arrogant blies en zijn rug kromde. Maar de buitendeur zat dicht. De kat kon nergens naartoe, al zou hij het willen. Met veel meer moed dan ik aan hem zou hebben toegeschreven, stak Herr Schiller zijn arm uit, greep het beest in zijn nekvel, droeg het spartelende, om zich heen klauwende monster naar de voordeur en slingerde hem naar buiten. Toen gooide hij de deur zo hard dicht dat het oude huis op zijn grondvesten trilde.

Terwijl het geluid wegstierf stonden we daar gedrieën te hijgen als renpaarden. Stefan zag eruit alsof hij moest overgeven. De arme Herr Schiller leek er bijna net zo erg aan toe te zijn. De adrenalinestoot die hem de kracht had gegeven voor zijn aanval op de kat, ebde weg als een vloedgolf waarna er op het denkbeeldige strand een hoop wrakhout achterbleef. Omdat ik bang was dat hij in elkaar zou zakken, bood ik hem mijn arm aan. Hij keek me met een ondoorgrondelijke blik aan, haakte toen zijn arm door de mijne en liet zich terugleiden naar zijn stoel.

‘Stommeling,’ zei ik venijnig tegen Stefan en het scheelde weinig of ik had eraan toegevoegd: Je hebt die ouwe bijna een hartstilstand bezorgd. ‘Het was Pluto maar.’

Pluto was een bekende verschijning in Bad Münstereifel, in ieder geval voor de mensen die in het oude deel van de stad woonden. Het was een grote, chagrijnige, niet-gesteriliseerde, gitzwarte kater, die ooit de voorpagina van de plaatselijke krant had gehaald (weliswaar in komkommertijd) toen een bewoonster van de stad had gezegd dat hij zonder enige reden haar teckel had aangevallen. Zeggen ‘dat het Pluto maar is’ stond gelijk aan zeggen dat de Baron von Münchhausen ‘alleen maar een jokkebrok’ was.

Toch was ik kwaad op Stefan, vooral omdat ik bang was dat deze nogal dramatische scène het einde zou betekenen van mijn bezoeken aan Herr Schiller. Dat vermoeden leek zelfs te worden bevestigd, want Herr Schiller zag er opeens vermoeid uit en leek blij te zijn toen we vertrokken. Normaal gesproken bleef hij in de deuropening staan kijken als ik de straat uit liep, maar nu stonden Stefan en ik amper buiten toen we de deur achter ons met een zacht klikje hoorden dichtgaan.

Ik holde de straat uit, wensend dat ik Stefan kon achterlaten. Stefan Stink! Ik had kunnen weten dat hij alles zou bederven. Ik had veel zin om heel hard naar huis te rennen zonder iets tegen hem te zeggen, maar toen ik bij de brug over de Erft aankwam, hoorde ik hem achter me aan komen, hijgend van inspanning, en hield ik in. Niet dat ik het hem makkelijk zou maken. Ik bleef op de brug staan, keek naar de ondiepe, snelstromende rivier en wachtte tot Stefan als eerste iets zou zeggen.

'Waarom liep je zo hard weg?'

Echt een vraag voor Stefan Stink. Net als al die andere vragen: Waarom mag ik niet met jullie spelen? Waarom mag ik niet bij jullie ploeg? Waarom mag ik niet met jullie meedoen? Dit was geen goed begin.

'Omdat je alles bijna had verpest. Misschien héb je het verpest. Hij heeft me nog nooit zo snel de deur uitgewerkt.'

'Ik kon er niks aan doen,' zei Stefan. Hij streek een lok van zijn vaalbruine haar uit zijn ogen. 'Ik schrok me te pletter van die rotkat.'

'Het was Pluto maar,' zei ik ijzig. 'Je kent hem.'

'Maar ik schrok zo van hem toen hij uit het donker tevoorschijn kwam. Vind jij het trouwens niet vreemd,' ging hij door, 'dat hij zomaar opeens verscheen toen Herr Schiller ons net over Koelbloedige Hans en de heksenkatten had verteld?'

'Helemaal niet,' loog ik. 'Pluto zit altijd overal en nergens. Frau Nett zegt dat ze hem een keer in de keuken van de bakkerij heeft aangetroffen, waar hij een appelkruimeltaart zat op te vreten.'

Stefan keek sip. 'Ja, nou...' zei hij zwakjes, 'ik vind het raar.' Hij keek naar het modderige water onder de brug. 'Herr Schiller schrok zich ook dood,' zei hij nadat hij een poosje had nagedacht. 'Vind je dat soms ook niet eigenaardig?'

'Pluto is zijn kat niet,' zei ik. 'Hij had natuurlijk nooit verwacht dat het stomme beest vlak achter hem zat.'

'Nee...' Ik keek van opzij naar Stefan en zag op zijn gezicht een bekende uitdrukking, die betekende dat de radertjes van zijn brein aan het draaien waren. 'Pluto is van Herr Düster, hè?' zei hij uiteindelijk.

'Ja-a,' antwoordde ik achterdochtig.

'Vind je het dan ook niet vreemd dat –'

'Hou op!' beet ik hem toe, zonder hem de kans te geven zijn zin af te maken. 'Ga me niet vertellen dat jij denkt dat Herr Düster Pluto op hem af heeft gestuurd.'

'Ik weet het niet,' zei Stefan, maar je kon zien dat het idee hem wel aanstond. 'Ze kunnen elkaar niet luchten of zien. Misschien is Pluto niet uit zichzelf het huis binnen gekomen. Misschien heeft Herr Düster hem door een raam naar binnen gelaten of zoiets, om Herr Schiller aan het schrikken te maken. Misschien hoopte hij dat hij er een hartaanval van zou krijgen.'

'Leuk bedacht,' zei ik zonder het te menen. 'Maar wie laat er in dit weer nou een raam openstaan?'

Stefan schudde zijn hoofd alsof hij een bezielende leider was die niet begreep waarom zijn publiek zijn redenatie niet kon volgen.

'Het hoeft niet per se een raam te zijn. Misschien heeft hij hem door het luik van de kolenkelder geduwd.'

'Dat slaat nergens op,' zei ik bot. 'Dat slaat echt helemaal nergens op. Op de eerste plaats wist Herr Düster helemaal niet dat Herr Schiller ons het verhaal over Koelbloedige Hans en de katten aan het vertellen was. Of denk je soms dat hij telepathische gaven heeft?'

Ook dát idee leek hem wel te bevallen. 'Misschien heeft hij die inderdaad.' Hij duwde zich tegen de brugleuning af en liep langzaam weg in de richting van de Marktstrasse. Nu moest ik achter hém aan lopen. De schemering was gevallen en toen we langs het rode stadhuis kwamen, dwarrelden de eerste sneeuwvlokken uit de lucht.

'Ik moet naar huis,' zei ik, 'anders wordt mijn moeder ongerust. Het is bijna donker.'

'Ja, je hebt gelijk.'

Stefan hoefde niets over zijn eigen moeder te zeggen. Ik herinner me dat ik dacht dat Frau Breuer er waarschijnlijk niet eens erg in zou hebben als Stefan helemaal niet thuiskwam, wat nu een erg ongevoelige gedachte lijkt, gezien wat er later nog allemaal is gebeurd. Toen andere kinderen inderdaad niet meer thuiskwamen.

We hielden halt bij de oude schandpaal voor het stadhuis. Stefan schopte er met de versleten neus van zijn gymschoen tegenaan toen we naar woorden zochten om afscheid te nemen. 'Nou, tot morgen dan maar,' zei ik uiteindelijk. Toen draaide ik me om.

Ik had nog geen drie stappen gezet toen iemand me de weg versperde. Ik keek op en zag tussen de sneeuwvlokken die op mijn gezicht neerkwamen de onaangename gelaatstrekken van Herr Düster. Hij zag er in zijn donkere jas uit als een begrafenisondernemer en keek dreigend. Ik bleef als aan de grond genageld staan en voelde mijn hart bonken.

Herr Düster liet zijn ogen over mij heen gaan en toen over Stefan, die half verborgen in de zuilengang achter me stond. Met een grom duwde hij me opzij en liep de Fibergasse in, de steeg naast het stadhuis.

Stefan kwam snel naar me toe. 'Wat zei hij?'

Ik schudde mijn hoofd. '*Ga naar huis*, zei hij.'

'Ga naar huis?' vroeg Stefan verbaasd. 'Is dat alles? Hij zag eruit alsof hij je uitvloekte.'

'Nee, dat was alles,' zei ik huiverend.

Stefan keek me aan. 'Zal ik je even naar huis brengen?'

Ik hield zijn blik vast. Stefan Stink, mijn redder in de nood.

'Graag,' zei ik, en ik meende het.

10

Toen ik nog klein was, heb ik mijn moeder gevraagd wie Herr Schiller en Herr Düster nu eigenlijk precies waren. Dat was me namelijk niet duidelijk, omdat ik had gehoord dat ze broers waren, maar ze helemaal niet op elkaar leken en ook verschillende achternamen hadden.

Herr Schiller was lang, had brede schouders en een gemoedelijk gezicht met forse gelaatstrekken en hemelsblauwe ogen die werden overschaduwd door dikke, spierwitte wenkbrauwen die Sinterklaas niet zouden hebben misstaan. Zijn haar was net zo wit, nog steeds dik en vol, en altijd keurig gekamd. Hij had een brede, vriendelijke mond, al hield hij meestal zijn lippen op elkaar als hij glimlachte, misschien omdat hij zich schaamde voor zijn tanden die vergeeld waren als gevolg van het roken.

Hij zag er altijd piekfijn uit. Soms droeg hij een donker pak met een gesteven wit overhemd en een zijden stropdas, en soms droeg hij een traditioneel kostuum: een donkergroen wollen jasje met lichtbruine, benen knopen, een bijpassende kniebroek en wollen kousen. Hij werd beschouwd als een nogal aparte figuur – geen excentriekeling, want die worden in Duitsland nog steeds niet echt geaccepteerd door de maatschappij, maar een heer van de oude school, zoals je die tegenwoordig nauwelijks nog ziet, met perfecte manieren en een galant karakter en, zoals gezegd, altijd piekfijn gekleed. *Niet*, zoals oma Kristel op een kille, afkeurende toon placht te zeggen, *zoals die Herr Düster.*

Als ik die vage verhalen dat hij en Herr Schiller broers waren, niet had gehoord, zou het niet eens in me zijn opgekomen dat ze familie van elkaar waren. In tegenstelling tot Herr Schiller was Herr Düster klein, mager en bleek, alsof hij vroeger nooit genoeg te eten had gekregen. Zelfs Pluto zag er gezonder en beter doorvoed uit dan hij.

Alleen Herr Düsters ogen vertoonden een overeenkomst met die van de hoffelijke Herr Schiller, want ze waren net zo hemelsblauw. De borstelige wenkbrauwen van Herr Düster waren echter grijs, wat hem een nors uiterlijk gaf, alsof hij altijd kwaad was op iemand, en dat was hij ook vaak.

Het verhaal dat alle kinderen op school kenden (en dat hun ouders toen die op school zaten vermoedelijk ook al hadden gehoord), was dat Herr Düster lid was geweest van de NSDAP, de Nationaal Socialistische Duitse Arbeiderspartij en er op de een of andere manier in was geslaagd zijn straf te ontlopen. Hij zou een verhouding hebben gehad met een ongelooflijk lelijke dochter van de burgemeester en die zou hem op de een of andere manier gered hebben van rechtsvervolging. Hij zou zich tijdelijk ontoerekeningsvatbaar hebben laten verklaren door een arts die hij chanteerde. Hij zou zich na de oorlog drie jaar verborgen hebben gehouden in de ruïnes van het oude kasteel op de Queckenberg en 's nachts stiekem kippen hebben gestolen, die hij dan rauw opat. Al deze dingen werden genoemd als mogelijke redenen waarom Herr Düster nooit was berecht.

De onvrede tussen hem en Herr Schiller had ik heel lang voor kennisgeving aangenomen. Pas toen ik op een middag in de Werther Strasse zag dat ze elkaar tegenkwamen en Herr Schiller met een ijzige beleefdheid naar Herr Düster knikte, terwijl die doorsjokte alsof hij hem niet had gezien, vroeg ik mijn moeder hoe het zat.

'Zijn Herr Schiller en Herr Düster nu eigenlijk broers of niet?'

Mijn moeder keek belangstellend op.

'Ja.' Ze dacht even na. 'Maar ze geven niet veel om elkaar. Oma Kristel zegt altijd dat de arme Heinrich het met Herr Düster maar slecht heeft getroffen.' Heinrich was Herr Schiller.

'Maar waarom hebben ze dan verschillende achternamen?' vroeg ik, omdat het raadsel hiermee nog niet was opgelost.

'Dat heb ik indertijd aan oma Kristel gevraagd.'

'En wat zei ze?' vroeg ik ongeduldig.

'Ze snoof minachtend en zei dat sommige mensen na de oorlog een andere naam hebben moeten aannemen, maar dat degenen die hen toen hebben gekend, altijd zouden onthouden wie en wat ze waren. Ze zal wel diegenen bedoeld hebben die lid zijn geweest van de NSDAP,' zei ze peinzend. 'De oudere generatie hier weet vast nog precies wie daar lid van waren.'

'Was Herr Düster er lid van?' vroeg ik. 'Heeft Herr Schiller daarom een hekel aan hem?'

'Volgens mij was dat niet de reden,' zei mijn moeder. 'Ik kreeg de indruk dat het om iets persoonlijks ging. Een vete of zoiets.' Ze bekeek me argwanend. 'We weten niets zeker,' zei ze. 'Ga dus niet rondbazuinen dat Herr Düster een oorlogsmisdadiger is. Begrepen, Pia?'

'Ja,' zei ik ongeduldig. 'Maar als het een vete was, waar ging die dan over?'

Mijn moeder staakte haar werk en keek me schuin aan. 'Wat een vragen!' Ze schudde haar hoofd. 'Maar daarmee moet je niet bij mij zijn. Oma Kristel is hier de expert in roddelpraatjes.'

Ik heb oma Kristel er nooit naar gevraagd. Ik zou haar nooit gewaagde vragen over het verleden van 'de arme Heinrich' hebben durven stellen. Bovendien praatte oma Kristel niet graag over de oorlog en de naoorlogse jaren. Het onderwerp was te pijnlijk. Blijkbaar gold dat voor nog meer volwassenen, want op de pagina over de geschiedenis van de stad in de jaarlijkse toeristenbrochure stonden wel interessante dingen vermeld als de aanleg van de B51 in 1841, maar het tijdperk 1920-1950 werd overgeslagen zonder dat er ook maar één regel gewijd werd aan de afgrijselijke dingen die toen gebeurd zijn.

Eerlijk gezegd had ik er moeite mee me voor te stellen dat de verschrikkingen van de Tweede Wereldoorlog invloed hadden gehad op ons stadje; als je naar de vakwerkhuizen en de oude, met kinderhoofdjes geplaveide straatjes keek, zou je denken dat de hele twintigste eeuw aan onze woonplaats voorbij was gegaan. Je kon je niet voorstellen dat veel van de oude huizen tijdens de oorlog platgebombardeerd waren. En het was een wonder dat de middeleeuwse muren, het oude rode stadhuis en de kerk de oorlog ongeschonden hadden overleefd.

Na de oorlog was er een tijd van grote ontberingen geweest en hadden de nonnen van het plaatselijke klooster een soort gaarkeuken georganiseerd voor de schoolkinderen, die anders zo'n honger zouden hebben gehad dat ze niets hadden kunnen leren. Dit onderwerp kwam echter niet ter sprake in het werkstuk dat ik een jaar eerder had gemaakt over de geschiedenis van de school. Ik wist het alleen van mijn moeder, die het me tot ergernis van mijn vader had verteld. De Britse eigenschap om 'Duitsland' en 'de oorlog' in één zin te noemen, was hem niet ontgaan, en hij verdacht mijn moeder ervan stiekem af te geven op haar geadopteerde vaderland. Op foto's uit de naoorlogse jaren zie je kinderen van mijn leeftijd in rare, armoedige kledij: vormloze truien die waren gebreid van al eerder gebruikte wol en tweedehands spullen die hen vaak een paar maten te groot waren. Erg sjofeltjes allemaal. Geen wonder dat oma Kristel de rest van haar leven zo'n hang had gehad naar glamour.

Als ze bij Herr Schiller op bezoek ging zag ze er vaak uit als een filmster. Dan droeg ze zelfs een bontstola die eruitzag als een echte vos, met glazen ogen en een slingerende staart. Ze liep altijd op pumps met zulke hoge hakken dat het ronduit gevaarlijk was voor een vrouw van haar leeftijd, omdat ze makkelijk haar enkels had kunnen breken. Maar oma Kristel geloofde niet in osteoporose. Ze bleef paraderen als een Marlene Dietrich op pumps die tikten op de keien, terwijl de staart van haar bontje heen en weer zwaaide.

De eerste keer dat ze me meenam naar Herr Schillers slecht verlichte, oude huis was ik nog te jong om me te kunnen verzetten tegen een bezoek aan een van haar stokoude kennissen, maar later ging ik met plezier mee. Herr Schiller had een fascinerend huis vol vreemde voorwerpen, zoals een bruin geworden rouwfoto uit het jaar 1900 of daaromtrent, waarop je iemand te midden van bloemen in een doodskist zag liggen, en een fles waarin een miniatuurschip eeuwig op een zee van blauwe stopverf voer.

Herr Schiller zelf was een onuitputtelijke bron van eigenaardige en interessante informatie. Toch weet ik niet meer precies hoe hij de rol van verhalenverteller had gekregen. Misschien was oma Kristel naar de keuken gegaan om koffie te zetten en had hij zich verplicht gevoeld me bezig te houden. In elk geval werd het algauw vaste prik dat ik vroeg of hij me 'een spannend verhaal' wilde vertellen, waarna hij altijd een brokje plaatselijke geschiedenis of een ijzingwekkend fragment van een oude streeklegende voor me opdiepte.

Het verhaal over Koelbloedige Hans en de katten, dat hij na de verdwijning van Katharina Linden aan mij en Stefan vertelde, was het rijkst gedetailleerde tot nu toe. Hij had ons echt willen laten griezelen, ons ondergedompeld in een wereld van verdorvenheid en kwade geesten, een rijk van spoken, heksen en monsters, waar overal gevaar loert maar waar een moedig hart en een sterk geloof altijd zegevieren, waar het Goede wint en het Kwade kan worden verdreven met een rozenkrans. Een tijdlang werkte dat en waren we erdoor gerustgesteld. Tot er weer een kind verdween.

11

Ergens diep in een onverbeterlijk optimistisch hoekje van mijn geest had ik gedacht dat de verdwijning van Katharina Linden, waar de hele stad het natuurlijk over had, het treurige voorval van de zelfontbranding van oma Kristel naar de achtergrond zou schuiven. Als dit hardvochtig klinkt, kan ik alleen maar aanvoeren dat toen nog steeds niemand geloofde dat ze echt was verdwenen. Niet in Bad Münstereifel, het stadje waar een aanval van Pluto op een volgevreten teckel de voorpagina haalde.

Mijn hoop was tevergeefs, zoals op de eerste schooldag na het carnaval meteen al duidelijk werd. Mijn situatie was niet verbeterd. Eerder verslechterd.

Het schoolhoofd, Frau Redemann, liet alle leerlingen bijeenkomen in de hal van de school. De kinderen porden elkaar in de ribben en een opgewonden geroezemoes steeg op in afwachting van haar verschijning. Zelfs de eersteklassers wisten wat er was gebeurd, en ik denk niet dat hun ouders erg te spreken zouden zijn geweest over de manier waarop Thilo Koch een liefdevolle en volledig uit zijn duim gezogen beschrijving van hoe het lijk van Katharina Linden in de rivier de Erft was gevonden – *in zulke kleine stukjes gehakt dat haar eigen moeder haar niet herkende* – in hun gloeiende oortjes fluisterde. Tegen de tijd dat Frau Redemann verscheen, verkeerden we in een staat van koortsachtige afwachting.

'Goedemorgen, kinderen,' begon ze. 'Jullie weten natuurlijk allemaal wat de reden is van deze bijeenkomst. Katharina Linden, een leerlinge van onze school, wordt sinds de carnavalsoptocht van afgelopen zondag vermist. We hopen uiteraard allemaal dat ze snel wordt gevonden, gezond en wel.'

Een paar van de eersteklassers keken weifelachtig om naar Thilo Koch. Thilo grijnsde zelfvoldaan, als een arrogante politieagent die als eerste bij het lijk was geweest.

'Dit is voor de familie Linden natuurlijk een bijzonder zware tijd. Daniel Linden is vandaag niet op school, maar wanneer hij weer komt, mogen jullie niet over Katharina's verdwijning praten waar hij bij is. Verder wil ik de onaangename en lugubere verhalen die hier op school nu al de ronde doen, niet meer horen.' Thilo's grijns verflauwde iets. 'Als iemand meent informatie over de verblijfplaats van Katharina te hebben, kom mij dat dan onmiddellijk vertellen.

'Ik wil hier graag nog aan toevoegen dat zolang we niet weten wat er is gebeurd, we allemaal iets beter moeten oppassen dan anders.' Beter oppassen, dacht ik. Waar moeten we dan voor oppassen? Dat Thilo Kochs waanzinnige moordenaar ons niet te pakken krijgt?

'Ik verzoek jullie allen het volgende goed in je oren te knopen: Ga nooit mee met iemand die je niet kent. Ga na school rechtstreeks naar huis. Vertel je ouders altijd waar je naartoe gaat. En als je iets *vreemds* ziet, vertel dat dan aan mij of aan je klassenleraar.'

Weer dat woord *seltsam*. Toen we de hal uit dromden, vroeg ik me af hoe Frau Redemann zou reageren als ik haar zou vertellen over de plotselinge, sinistere verschijning van Pluto. Dat leek nu een omen, een teken dat er opnieuw iets ging gebeuren. Ik kon daar echter niet lang bij stilstaan, omdat mijn eigen problemen me weer werden opgedrongen.

'Hé, wie hebben we daar,' hoorde ik Thilo Koch achter me zeggen. 'Het ontvlambare meisje.'

'De wandelende bom,' zei een andere stem, die toebehoorde aan Thilo's trouwe handlanger Matthias Esch, een jongen die bijna net zo vadsig en vals was als Thilo zelf.

Ik hield me Oost-Indisch doof, maar wist dat ze aan de rode kleur die in mijn nek opkroop konden zien dat ik elk woord had gehoord. Verbeten boog ik mijn hoofd en liep de trap op naar mijn klas.

'De wandelende bom,' herhaalde Thilo met zijn hatelijke stem. Er klonk gestommel op de trap toen hij Matthias een speelse duw gaf. 'Hé, misschien is dát met Katharina Linden gebeurd. Misschien is ze te dicht bij het ontvlambare meisje geweest en is ze besmet geraakt.'

'Waarmee?' vroeg Matthias Esch, die niet alleen een pestkop was maar ook erg dom.

'Het ontploffingsgevaar, eikel.' Thilo klonk nu erg opgewonden. Hij had een nieuwe ader van haat aangeboord en het bleek een rijke ader te zijn. 'Daarom kunnen ze haar niet vinden. Ze is ontploft. Ze is uit elkaar geklapt als een staaf dynamiet en in zo veel stukjes uiteengespat dat er niks meer van haar over is.'

'Gaaf,' zei Matthias, onder de indruk van het beeldend beschreven concept.

'Nu moeten we zéker niet bij haar gaan zitten,' ging Thilo door met een stem die in de hele gang te horen moest zijn. 'Anders zijn wij straks aan de beurt.'

'Dat weet ik wel zeker,' zei iemand anders. 'Ik weet zeker dat jij uit elkaar springt als je nog één worst eet, vetzak.'

Het was Stefan. Stefan Stink, mijn redder in de nood. Ik gaf het op. Blijkbaar was het nog steeds Stefan Stink en ik tegen de rest van de wereld.

De dagen verstreken en voor we het wisten was de week om en was Katharina Linden nog steeds niet terecht. De volwassenen hadden de zijden handschoenen uitgetrokken en bespraken haar verdwijning open en bloot, op straat en in de winkels. Ze zeiden nu dat ze ontvoerd moest zijn.

De leerlingen die nog steeds te voet naar school gingen, kwamen in tegenstelling tot degenen die door hun ouders met de auto werden gebracht en gehaald, langs een hele batterij foto's van onze voormalige medeleerlinge. Ze zagen haar bij de kiosken en op de posters die de politie overal had opgeplakt. Er was zelfs een onscherpe foto bij van Katharina in haar kostuum van Sneeuwwitje, met het naargeestige onderschrift: *Wie heeft haar de vergiftigde appel gegeven?*

Op alle straathoeken zag je nu de groen-witte patrouillewagens, de politie hield de haltes van de schoolbussen in de gaten en op vrijdagochtend kwam brigadier Tondorf, een van de plaatselijke agenten, op school een praatje houden. Zijn olijke gezicht stond strak toen hij de inmiddels bekende instructies van met niemand meegaan en niet met vreemde mensen praten nog eens doornam.

Achteraf gezien denk ik niet dat iemand verwachtte dat er nóg een kind zou verdwijnen. De patrouillewagens, de politie die met de schoolbussen meereed en de toespraakjes op school hadden tot doel de mensen het gevoel te geven dat er iets werd gedaan. Zelfs als het uiteindelijk toch bleek te gaan om een sinister voorval en Katharina niet in een mangat was gevallen of zoiets, dacht niemand dat er nóg iets zou gebeuren.

Ik mocht van mijn moeder nog steeds het kleine stukje naar school lopen, maar toen ik op de tweede of derde ochtend toevallig achteromkeek, zag ik dat ze in de deuropening was blijven staan en me nakeek tot ik veilig en wel de hoek van de straat had bereikt waar ik het hek van de school al kon zien.

Op school was het leven een doffe ellende. Dankzij Thilo Koch werd ik nog meer gemeden dan voorheen. Na school was het niet veel beter, omdat ik van mijn moeder nauwelijks in mijn eentje ergens naartoe mocht. Als Stefan en ik niet af en toe naar Herr Schiller hadden gekund om nog een griezelverhaal te horen, denk ik dat ik gek was geworden van verveling. En ik verpestte het bijna voor mezelf. Het scheelde weinig of ik had nooit meer naar hem toe gemogen.

12

'Mogen we nog een verhaal, Herr Schiller?' vroeg Stefan. Hij zat op de rand van een gecapitonneerde fauteuil met klauwpoten die eruitzag alsof hij ooit was gemaakt voor Herr Schillers grootmoeder.

'Alstublieft,' verbeterde ik hem op een belerende toon waar oma Kristel trots op zou zijn geweest. Niet dat ik altijd zo verschrikkelijk goed op mijn manieren lette, maar ik wist dat mensen van Herr Schillers generatie dat wel deden.

'Alstublieft,' zei Stefan snel. 'Dat verhaal van de katten was geweldig.'

Herr Schiller trok één wenkbrauw op en bekeek Stefan taxerend over de rand van zijn bril. 'Ik meen me anders te herinneren, jongeman, dat je zei dat je het helemaal geen eng verhaal vond.' Hij keek neutraal, maar klonk geamuseerd.

Stefan sloeg zijn ogen neer, eventjes van zijn stuk gebracht, en toen hij zijn hoofd weer ophief, glimlachte hij verlegen. Hij en Herr Schiller keken elkaar zwijgend aan en na een paar seconden zag ik tot mijn verbazing dat er op Herr Schillers verweerde gezicht eveneens een glimlach verscheen.

Een siddering van ergernis ging door me heen, als stroom door een elektriciteitskabel. Soms gaven die twee me het gevoel dat ik het vijfde rad aan de wagen was. En (zei een geniepig stemmetje in mijn achterhoofd) wat verbeeldde Stefan zich wel? Hij was nog steeds Stefan Stink, de jongen met wie niemand in onze klas, en niemand op de hele school, ooit wilde spelen.

'Eigenlijk wil ik vandaag geen verhaal,' zei ik abrupt. Ik schrok zelf een beetje van de scherpe klank van mijn stem, maar die had wel het gewenste effect. Ze draaiden allebei hun hoofd naar me toe en keken naar me, Stefan geïrriteerd om de onderbreking en Herr Schiller met een uitgestreken gezicht dat niet liet zien wat hij vond van mijn botte gedrag.

'Ik wil Herr Schiller iets vragen,' kondigde ik aan.

Stefan zuchtte. 'Nou, zeg het dan maar.' Het aanhangsel *sufferd* hing onuitgesproken in de lucht.

'Eh...' Nu ik voor het voetlicht stond wist ik opeens niet of ik mijn monoloog wel wilde houden, maar ik zag dat een van Herr Schillers pluizige witte wenkbrauwen omhoogging alsof die door een onzichtbaar touwtje over zijn voorhoofd werd getrokken, dus stak ik toch maar van wal.

'Ik wilde u iets vragen over... over wat er is gebeurd.'

'Over wat er is gebeurd?'

'Ja, ziet u, mijn moeder zegt dat we goed moeten opletten of we vreemde dingen zien, en toen begon ik na te denken over alle dingen die u hebt verteld, over de katten en zo, die dwars door muren heen komen, en Pluto die dat ook deed. Er is iets niet pluis. Er is volgens mij iets vreemds aan de hand, Herr Schiller, en omdat u zo veel afweet van al die zaken, dacht ik dat u misschien weet wie of wat erachter zit en waar we moeten beginnen met zoeken.'

Het was een lange speech voor mijn doen en pas toen ik was uitgesproken, merkte ik dat Herr Schiller me aankeek met een gezicht dat volslagen verbijstering uitdrukte.

'Zoeken? Waarnaar?'

'Naar Katharina Linden,' zei ik, alsof dat nogal logisch was.

Daarna bleef het heel lang doodstil.

'Ik begrijp niet wat je van me wilt,' zei Herr Schiller toen.

'Nou, u weet wel,' zei ik moeizaam. 'Het meisje van school dat is verdwenen.'

Van gêne kwam mijn tong los en flapte ik er achter elkaar uit: 'Ziet u, ze stond bij de fontein, we hebben haar allemaal gezien, en toen was ze er niet meer en toen zei Frau Linden dat ze haar nergens kon vinden en vroeg ze of we haar soms hadden gezien. Mensen lossen niet zomaar in het niets op, dus is het nogal duidelijk dat er sprake moet zijn van...'

Mijn stem stierf weg en ik maakte mijn zin niet af.

'Dat er sprake moet zijn van...?' herhaalde Herr Schiller, maar ik kon de zin niet aanvullen. Ik had 'toverkunst' willen zeggen, maar besefte nu hoe dom dat klonk.

'Er zit gewoon iets niet goed,' zei ik met een klein stemmetje.

Herr Schiller bleef heel lang naar me kijken. Hij hield zijn lippen op elkaar geklemd, maar ik zag een spiertje van zijn kaak bewegen, alsof hij woorden tegenhield die naar buiten probeerden te komen. Terwijl ik naar hem keek en een blos voelde opkruipen naar mijn gezicht, viel me pas goed op hoe oud hij eruitzag. De rimpels in zijn gezicht leken erin te zijn gebeiteld en de hemelsblauwe ogen lagen verzonken in donkere holten.

Toen ging zijn blik naar Stefan en maakte hij een eigenaardige beweging die leek op een lichte buiging. 'Jongeman,' zei hij op een toon vol onechte vrolijkheid die de starheid bedekte als schmink. Hij keek weer naar mij. 'Fräulein Kolvenbach.' Hij slaakte een zucht. 'Neem deze oude man zijn onbeleefde gedrag niet kwalijk. Ik ben erg moe en moet jullie tot mijn spijt verzoeken nu te vertrekken.'

Ik gaapte hem aan. Vanuit mijn ooghoek zag ik dat Stefan naar me keek met een gezicht dat *stomme kaffer* zei.

Ik wist niet wat ik had gedaan, alleen dat het misschien rampzalige gevolgen zou hebben. 'Neemt u me niet kwalijk,' stamelde ik. 'Het was echt niet mijn bedoeling –'

'Je hoeft je niet te verontschuldigen, lieve kind,' zei Herr Schiller vermoeid. 'Ik ben alleen maar moe. Vergeet niet dat ik al over de tachtig ben.' Op dat moment zag hij er eerder uit als een man van over de honderd. 'Ga nu, maar kom binnenkort gerust weer bij me op bezoek.'

Stefan en ik kwamen overeind en voordat we het wisten stonden we weer in de koude buitenlucht, met de straatkeien onder onze voeten en een dichte deur achter onze rug.

'Goed gedaan, Pia,' zei Stefan met een stem vol ironie.

'Ik heb niks gedaan,' zei ik verdedigend.

'O nee?' antwoordde Stefan. 'Je moet hem beledigd hebben, anders had hij ons niet weggestuurd.' Hij keek me onderzoekend aan. 'Wat wilde je nou eigenlijk precies van hem?'

Nu ik het nogmaals onder woorden moest brengen, klonk het erg dom. 'Nou, omdat hij zo'n expert is in dat soort dingen, dacht ik dat hij misschien iets zinnigs zou kunnen zeggen over mensen die verdwijnen.'

'Hoe bedoel je? Denk jij soms dat een heks Katharina te pakken heeft?' zei hij ongelovig.

'Hou je mond,' zei ik snel. Ik keek om me heen alsof ik zocht naar iemand anders om mee te praten. 'Ik wil er niet over praten. Ik ga naar huis.'

Stefan haalde zijn schouders op. 'Goed. Tot morgen dan.'

Ik gaf geen antwoord. Ik wist net zo goed als hij dat ik morgen gewoon weer met hem zou optrekken in onze sociale geïsoleerdheid, maar gunde hem het genoegen niet dat zo zeker te weten. Ik sloeg het voorschrift van mijn moeder dat we bij elkaar moesten blijven in de wind en liep weg, hem weer eens in zijn eentje achterlatend.

'Wat ben je vroeg terug,' zei mijn moeder toen ik thuiskwam.

'Hmm,' bromde ik vaag, maar met mijn sippe gezicht en sombere bui slaagde ik er uiteraard niet in onder haar moederlijke radar te vliegen. Nog voordat ik bij de trap was, kwam ze voortvarend de keuken uit, haar handen afdrogend aan een theedoek.

'Wat is er?' vroeg ze op de man af. Ik slaakte een diepe zucht en haalde mijn schouders op.

'Niks. Alleen... Herr Schiller...' Mijn stem stierf weg. Hoe kon ik uitleggen wat er was gebeurd zonder dat ze tot de onvermijdelijke conclusie zou komen dat ik me onbeleefd moest hebben gedragen?

'Wat is er met Herr Schiller?'

'Niks...' Ik schuifelde met mijn voeten over de vloer. 'We moesten alleen maar weg. Hij zei dat hij zich niet goed voelde.'

Het klonk blijkbaar niet overtuigend, want mijn moeder hield haar hoofd schuin en zei: 'Hebben jullie die arme man te veel vermoeid?' Ik gaf geen antwoord. 'Herr Schiller is over de tachtig,' ging ze door. 'Misschien kan hij het niet meer aan dat jullie urenlang bij hem op visite zitten.'

'Nee, dat was het probleem niet,' zei ik en op hetzelfde moment besefte ik dat ik mezelf klem had gezet.

'Wat was het probleem dan wel?' vroeg mijn moeder onmiddellijk.

Ik slaakte een diepe zucht. 'Ik geloof... dat hij van streek was om iets wat ik zei.' Ik keek haar dodernstig aan. Ze tuitte haar lippen. 'Ik wist niet dat hij zo van streek zou raken. Ik weet nog steeds niet waar het nou eigenlijk aan lag.' Nu stond de mond van mijn moeder zo scheef van scepticisme dat ze eruitzag alsof Picasso haar had geschilderd.

'Pia.' Haar toon zat vol verwijt. 'Wat heb je gezegd? Ik wil precies weten wat je hebt gezegd.'

'Mam...'

'Wat heb je gezegd, Pia?'

'Niks bijzonders. Echt niet. Ik heb hem alleen iets gevraagd over wat er is gebeurd. Je weet wel, over Katharina Linden.'

'O, Pia.' Nu waren haar lippen ontspannen, maar trok ze haar wenkbrauwen samen en haar kin naar achteren, alsof ze iets voor zich zag wat onbeschrijflijk triest was. Toen zuchtte ze heel diep en legde ze haar hand op mijn schouder. 'Tja, dat kon jij ook niet weten.' Ze schudde haar hoofd. 'Kom even mee naar de keuken.'

Verbijsterd liep ik achter haar aan. Ik vroeg me af wat ik had misdaan. Waren Katharina Linden en Herr Schiller soms familie van elkaar?

'Ga zitten,' zei mijn moeder en ze wees naar de bank van de eettafel. Ik nam gehoorzaam plaats. Ze kwam tegenover me zitten. Dit werd weer zo'n gesprekje; twee in één week was zelfs voor mij een record.

'Misschien had ik je dit eerder moeten vertellen, maar ik dacht niet dat je er veel mee zou opschieten. Het verbaast mij niet dat Herr Schiller van streek raakte toen je over de verdwijning van Katharina Linden begon. Weet je dat hij een dochter had die is verdwenen?'

'Nee,' zei ik geschokt.

'Daarom is dit geen onderwerp om met hem te bespreken. Dat is gedeeltelijk de reden waarom ik er niets over heb gezegd. Ik was bang dat je zo nieuwsgierig zou zijn dat je hem er van alles over zou vragen.'

Ik zette meteen mijn stekels op. Hoe kon ze denken dat ik zoiets zou doen? Hoewel... als ik heel eerlijk moest zijn... als ik het had geweten, zou ik inderdaad verschrikkelijk nieuwsgierig zijn geweest. En dan zou het erg moeilijk zijn geweest er niets over te vragen en de pogingen van een tienjarige om het onderwerp op een subtiele, indirecte manier aan te snijden, zou een scherpzinnig man als Herr Schiller meteen hebben doorzien. Maar nu de kaarten op tafel lagen, kon ik in elk geval mijn moeder de vragen stellen die onmiddellijk boven kwamen drijven op de woelige zee in mijn hoofd.

'Is Herr Schiller dan getrouwd?'

'Hij is weduwnaar,' antwoordde ze.

'Wanneer is zijn vrouw overleden?'

'Dat weet ik niet precies...' Er gleed een eigenaardige trek over haar gezicht. Ik geloof dat ze op het punt stond te zeggen 'Dat moet je maar aan oma Kristel vragen', maar ze hield zich net op tijd in. 'Ik geloof dat het tijdens de oorlog was.'

'Hoe oud was het meisje?'

'Ach, Pia, dat weet ik allemaal niet. Ik weet alleen wat oma Kristel me lang geleden heeft verteld. Ik geloof dat het meisje is verdwenen nadat haar moeder was gestorven, maar ik weet niet hoe oud ze was.'

'Hebben ze haar teruggevonden?'

'Nee,' zei mijn moeder. Ze staarde in gedachten verzonken voor zich uit.

'Wat is er met haar gebeurd?' vroeg ik.

'Dat weet niemand,' antwoordde ze. 'Ze is gewoon... verdwenen. Het was oorlog. Er gebeurden toen allerlei afschuwelijke dingen. Granny' – *granny* was mijn oma in Engeland, granny Warner – 'heeft me ooit verteld dat een huis bij haar in de straat door een bom was getroffen en dat ze er helemaal niemand hebben teruggevonden. De mensen waren in rook opgegaan.' Ze keek naar me en zei op een andere toon: 'Wat een akelig onderwerp, hè? Zullen we het over iets anders hebben?'

Ik was er echter nog niet klaar mee. 'Was dat meisje dan in een huis waar een bom op viel?'

'Nee. Ze zouden niet gezegd hebben dat ze spoorloos was verdwenen als ze hadden geweten wat er met haar was gebeurd.' Ze klonk een beetje ongeduldig. 'Je zou het aan... nee, luister Pia, dit is nu juist de reden waarom ik er niets over heb gezegd. Je mag er niets over vragen. Je zou Herr Schiller er alleen maar verdriet mee doen.' Ze schudde haar hoofd. 'Uit wat je me hebt verteld, heb ik begrepen dat je hem al hebt gekwetst door over Katharina Linden te beginnen.'

'Maar dat was niet mijn bedoeling...'

'Dat weet ik wel, maar toch is het zo. Misschien moet ik hem even opbellen om te zeggen dat het ons spijt...'

Ze belde hem inderdaad die avond, maar de telefoon ging wel twintig keer over zonder dat hij opnam. Uiteindelijk besloot ze het er maar bij te laten zitten. Het zou ook erg moeilijk zijn geweest om excuses aan te bieden zonder het verboden onderwerp te noemen. En ik... ik zat op mijn kamer met een boek waarin ik niet las en een beker chocolademelk die koud stond te worden op mijn nachtkastje, en staarde uit het raam naar de duisternis, rouwend om het vermoedelijke einde van een vriendschap.

13

'Deze stad!' riep mijn moeder. 'Deze stad is het probleem!' Sebastian en ik zaten aan weerskanten van de keukentafel naar elkaar te staren terwijl we naar de ruzie luisterden. Sebastian had grote ogen van verbazing. Hij was eraan gewend dat mijn moeder af en toe uit haar slof schoot als we haar op haar zenuwen werkten, zoals die keer dat hij een hele pot honing boven de ketel had omgekeerd om 'warme honing voor Beertje te maken', maar dat ze net zo tekeerging tegen pappa was iets heel anders. Het bezorgde ons koude rillingen, net als de eerste kille wind die het einde van de zomer inluidt. Ik keek naar Sebastian en kon zien dat hij met zijn kleuterbrein moeite had te bevatten wat pappa in hemelsnaam misdaan kon hebben.

'*This bloody town!*' zei mijn moeder ten overvloede in het Engels. Ze keek mijn vader onheilspellend aan en zag er vervaarlijk uit in haar geplastificeerde schort, zwaaiend met een roestvrijstalen vleesvork om haar woorden kracht bij te zetten.

'Daar gaan we weer,' zei mijn vader minachtend. Ik vond dat erg dapper van hem, want mijn moeder zag eruit alsof ze hem met die vleesvork te lijf wilde gaan.

'Wat wil je daarmee zeggen?' vroeg ze afgemeten.

Mijn vader keek haar koeltjes aan. 'Dat jij vindt dat in Engeland alles beter is,' zei hij.

'Nou...' begon mijn moeder, maar toen veranderde ze blijkbaar van gedachten omdat 'dat is het ook' zelfs voor een anglofiel schromelijk overdreven zou zijn.

Na een korte stilte ging ze verder. 'Ik weet dat Engeland niet volmaakt is,' zei ze op een toon die van het tegengestelde getuigde, 'maar waar ik ben opgegroeid, werden kinderen tenminste niet *weggezaubert* waar hun ouders bij stonden.' Dergelijke overdreven termen waren typerend voor mijn moeder, en een ergernis voor mijn vader, die als rechtgeaarde Duitser de ironie van dergelijke dingen niet inzag. Wat mij aan haar uitbarsting vooral opviel, was niet dat ze weer eens overdreef, maar dat ze het woord 'weggezaubert' had gebruikt. *Weggetoverd.*

Voordat ik tijd kreeg om dat te verwerken, ging mijn moeder alweer door. 'Ik laat Pia zelfs niet meer buiten spelen. Wolfgang, toen we hier kwamen wonen, dacht ik dat het in ieder geval voor de kinderen ideaal was. Een kleine stad waar iedereen elkaar kent, in een prachtige omgeving. Nu lijkt het alsof we meedoen aan *A Nightmare on* bloody *Elm Street*!' Ze switchte weer naar Engels, zoals altijd wanneer ze erg kwaad was.

'Daar kun je de stad niet de schuld van geven,' zei mijn vader. 'Deze dingen kunnen overal gebeuren.'

'Maar ze gebeuren niet overal,' zei mijn moeder vinnig. 'Ze gebeuren híér. Is het je trouwens opgevallen wat er met Pia gebeurt in dat *vriendelijke* stadje van je?'

Mijn vader draaide zijn niet geringe lichaam om en bekeek me. 'Wat gebeurt er met Pia?'

'Al haar zogenaamde vriendinnen hebben haar de rug toegekeerd. De enige die nog met haar omgaat is Stefan Breuer, die het hier zelf ook niet bepaald gemakkelijk heeft.'

'Nee, vind je het gek? Als je vader midden op de dag dronken over de straat zwalkt,' antwoordde hij.

'Dat bedoel ik nou!' Mijn moeder haakte er meteen op in. 'Al dat geroddel. Iedereen staat hier altijd meteen met een oordeel klaar.'

'Dit is geen oordeel. Dit is een feit,' zei mijn vader. 'Breuer is 's middags al dronken. Ik heb het zelf gezien.'

'Oef!' riep mijn moeder. 'Wees toch niet zo *Duits*!'

Mijn vader keek haar uitdrukkingsloos aan. Toen zei hij kalm: 'Wees jij dan niet zo *Engels*.'

Eventjes staarden ze elkaar zwijgend aan. Toen deed mijn moeder haar mond weer open om iets te zeggen, maar wat dat was, zou ik nooit weten, omdat er precies op dat moment werd aangebeld.

Nu ik er eindelijk aan toe ben om het verhaal over dat eigenaardige premillenniumjaar te vertellen, ben ik jaren ouder, bijna volwassen. Toch heb ik nog steeds moeite te begrijpen waarom mensen bepaalde dingen doen. Ik vind hun beweegredenen vaak moeilijk te doorgronden.

Toen ik tien was, was het gedrag van de volwassenen volkomen onbegrijpelijk. Het kon gebeuren dat je iets heel onschuldigs zei, of iets herhaalde wat je een volwassene had horen zeggen, en daarmee dan onbedoeld iemand beledigde. Het kon gebeuren dat een bepaalde groep volwassenen je iets op het hart drukte, en dat een andere groep volwassenen je juist van het tegenovergestelde leek te willen overtuigen.

Volwassenen waren zo onberekenbaar dat de dingen die ze deden, me niet meer zouden moeten verbazen. Toch gebeurde dat die ochtend.

Het was Herr Schiller die aanbelde. Toen mijn moeder, verhit van de ruzie en met de vleesvork nog in haar hand geklemd, opendeed, zag ze hem staan, zoals altijd gekleed alsof een butler hem daarbij had geassisteerd.

'Goedemorgen, Frau Kolvenbach,' zei hij met een lichte buiging. Hij lichtte zijn hoed op en stak zijn hand uit.

'Herr Schiller.' Mijn moeder was stomverbaasd, maar had gelukkig de tegenwoordigheid van geest om zijn uitgestoken hand beleefd aan te nemen.

Ik hoorde hen vanuit de keuken en de schrik sloeg me om het hart. Dit kon maar één ding betekenen: ik was de pineut. Herr Schiller was gekomen om zich te beklagen over mijn aanstootgevende gedrag. Ik kreeg het warm van schuldgevoelens en schaamte, maar ook van verontwaardiging. Het was immers niet mijn bedoeling geweest hem van streek te maken. Als mijn moeder me meteen over zijn dochter had verteld, zou ik nooit over Katharina Linden zijn begonnen.

Op dat moment haatte ik hem bijna. Het was zo oneerlijk, echt weer iets voor volwassenen. Ik schoof uit de bank en sloeg de kruimels van mijn broek toen mijn moeder de keuken weer in kwam.

'Herr Schiller wil je spreken,' zei ze.

Ik was sprakeloos. Hij wilde míj spreken? Ik vroeg me af of dit een sluwe inleiding was voor de onvermijdelijke hoofdscène. Wilde hij mij erbij hebben als hij zijn beklag deed? Schoorvoetend liep ik achter haar aan naar de huiskamer.

Herr Schiller zat in mijn vaders favoriete leunstoel, maar stond op toen we binnenkwamen. Tot mijn verbazing zag ik dat hij een bosje lentebloemen in zijn hand had. Heel even dacht ik nog dat mijn moeder hem die had gegeven als een soort zoenoffer, maar hij stak mij de bloemen toe.

'Dag, Pia. Ik heb een bloemetje voor je meegebracht,' zei hij met een glimlach. Achter me verliet mijn moeder geruisloos de kamer om te gaan kijken of Sebastian al opschoot met zijn ontbijt. Ik staarde mijn bezoeker aan en had geen flauw idee hoe ik hierop moest reageren.

'Alsjeblieft,' zei Herr Schiller. Hij deed een stap naar voren zodat ik geen andere keus had dan het boeketje aan te pakken. Ik stond daar maar, totaal verbijsterd, en stak mijn neus in de bloemen, meer om mijn verlegenheid te maskeren dan de delicate geur op te snuiven.

'Het spijt me,' hakkelde ik uiteindelijk zonder naar hem te kijken. 'Het was niet mijn bedoeling...' De woorden bleven me in de keel steken. Ik wist niet hoe ik mijn verontschuldigingen kon aanbieden zonder op verboden terrein verzeild te raken. *Het spijt me dat ik over verdwijningen ben begonnen... ik wist niet dat uw dochter was verdwenen... Het spijt me dat ik u van streek heb gemaakt door over vermiste kinderen te beginnen...* Uiteindelijk zei ik helemaal niets, maar Herr Schiller schoot me te hulp.

'Je hoeft je niet te verontschuldigen, Pia.' Hij zei het op een milde toon. 'Ik moet jou juist mijn excuses aanbieden omdat ik je zo abrupt heb verzocht weg te gaan.'

Nu keek ik naar hem op, omdat ik nooit had verwacht dat een volwassene een kind zijn verontschuldigingen zou aanbieden, zeker niet als de volwassene al zo'n eerbiedwaardige leeftijd had bereikt, terwijl ik pas tien was en nog een paria ook. Herr Schiller glimlachte naar me. De landkaart van rimpels op zijn oude gezicht werd daardoor omhooggetrokken, waardoor de groeven eruitzagen als de zijarmen van een brede delta.

'Het spijt me echt als ik iets verkeerds heb gezegd,' zei ik uiteindelijk voorzichtig. 'Ik wist niet...'

Ik vond zelf dat dit nogal suf klonk. In Bad Münstereifel wist iedereen alles van iedereen, dus was onwetendheid geen excuus.

'Natuurlijk niet,' zei Herr Schiller, een beetje triest, leek mij. 'Je bent een goed kind, Pia, een lief kind.'

Daardoor aangemoedigd probeerde ik het uit te leggen: 'Ik vroeg u alleen maar naar... u weet wel... omdat u zo veel weet over de stad en over de vreemde dingen die hier vroeger zijn gebeurd.'

'Vroeger?' herhaalde Herr Schiller. Hij fronste licht zijn voorhoofd en mijn hart miste een slag. Dacht hij dat ik het weer over zijn persoonlijke verleden had?

'De molenaar en de katten... de schat in de waterput... het verhaal van de jager. Al die dingen. Daarom dacht ik dat u misschien zou weten...'

Herr Schiller staarde me secondenlang aan. Toen liet hij zich langzaam weer in mijn vaders fauteuil zakken, met zijn handen steunend op de armleuningen. Toen hij zat, zei hij: 'Jij denkt dus, Fräulein Pia, dat de heksen dat meisje hebben meegenomen, of iets van dien aard?'

Ik keek hem aandachtig aan. Hij zag er niet uit alsof hij de draak met me stak, zoals de meeste volwassenen zouden hebben gedaan. Zo te zien vatte hij het serieus op, leek hij het een plausibel idee te vinden. Toch bleef ik op mijn hoede: 'Ik weet het niet.'

'Maar je denkt... misschien...?'

'Ja, ziet u, alle grote mensen zeggen dat we goed moeten opletten of we iets vreemds zien,' zei ik.

'*Etwas seltsam*,' herhaalde hij peinzend, met de vingers van één hand op de armleuning van de stoel trommelend. Toen verviel hij weer in stilzwijgen, alsof hij zich door zijn gedachten liet meevoeren.

'Herr Schiller?' vroeg ik onzeker.

'Ja, Pia?'

'Bent u niet boos meer op me?'

Herr Schiller maakte een geluid dat leek op een snuivend lachje. 'Natuurlijk niet, lieve kind. En ik vind dat je interessante ideeën hebt.'

'O ja?' vroeg ik verbluft en gevleid.

'Ja,' zei Herr Schiller. 'Jij ziet patronen waar andere mensen niets zien.'

Ik wist niet hoe ik daarop moest reageren. Als ik al een verband zag tussen de verdwijning van een klein meisje en de verhalen over verborgen geheimen, lugubere lotgevallen en eeuwig dolende figuren die Herr Schiller me voorschotelde, was dat geen verband dat volwassenen, afgezien van Herr Schiller zelf, serieus zouden opvatten. Ik wist zelf niet eens of er wel een verband was en mijn moeder zou het afdoen als de huisvariant van het verkwisten van de kostbare tijd van de politie.

'Herr Schiller, bestaan spoken echt?'

De oude man leek niet eens verbaasd over deze vraag. Hij slaakte een diepe zucht. 'Ja, Pia. Alleen zijn het nooit de spoken die je verwacht.'

Ik dacht daarover na. Hij had het antwoord paraat gehad, maar was het iets waard? Ik had mijn moeder tegen Sebastian horen zeggen dat Sinterklaas op 6 december cadeautjes in zijn schoentje zou doen, en toen ik aan het wisselen was, had ze gezegd dat er 's nachts een fee kwam die een kwartje neerlegde voor elke losse tand. Ik wilde mijn oude vriend niet indelen bij de leugenachtige meerderheid van de volwassenen, maar praatte hij me nu naar de mond of niet?

'Ik bedoel het serieus,' zei ik.

Herr Schiller glimlachte. 'Pia, heb jij ooit een spook gezien?'

'Nee...'

'Wil dat zeggen dat ze niet bestaan?'

'Dat weet ik niet...'

'Heb je de Piramide van Cheops ooit gezien?'

'Nee,' antwoordde ik.

'Wil dat zeggen dat die niet bestaat?'

'Natuurlijk niet.'

'Nou dan.' Herr Schiller leunde achterover in mijn vaders leunstoel als iemand die zijn gelijk heeft bewezen.

'Ik geloof niet dat mijn ouders erin geloven,' merkte ik op.

'Vermoedelijk niet,' antwoordde Herr Schiller effen.

‘Ik dacht alleen maar...’ Ik stopte. Zou ik het verknallen als ik over Katharina Linden begon? Ik waagde het erop. ‘Ik wil zo graag helpen Katharina te vinden.’

Herr Schiller kon mijn rammelende logica moeiteloos volgen. ‘En jij denkt, Fräulein Pia, dat er duivelse machten aan het werk zijn en dat het meisje daarom is verdwenen?’

‘Ze is weggetoverd,’ zei ik.

‘Aha,’ zei Herr Schiller peinzend. Hij lachte er niet om en zei niet dat ik niet zulke onzin moest uitkramen.

Dat gaf me nieuwe moed. ‘Ik wil proberen uit te zoeken wat er is gebeurd. Daarom wilde ik met u praten over alle vreemde dingen die hier zijn gebeurd, voor het geval daarin een aanwijzing verborgen zit.’

We keken elkaar aan.

‘Wat denkt u?’ vroeg ik voorzichtig.

‘Ik denk, Fräulein Pia, dat je een invalshoek hebt gevonden waar de politie bij haar onderzoek niet op zal ingaan,’ zei Herr Schiller droogjes.

‘Echt waar?’ vroeg ik verrukt.

‘Ja.’

‘Gaat u me dan helpen?’

Herr Schiller staarde me een paar seconden aan. Zijn gezicht stond ondoorgrondelijk, maar zijn ogen schitterden. Toen hief hij zijn verwrongen handen op. ‘Ik ben al erg oud, Pia, te oud om de stad af te sjouwen om aanwijzingen te zoeken. Of spoken.’

‘O, maar dat hoeft u ook niet te doen,’ verzekerde ik hem geestdriftig. ‘Dat doe ik wel. Met Stefan,’ voegde ik eraan toe, me hem opeens herinnerend.

‘Hoe kan ik jullie dan helpen?’ informeerde Herr Schiller.

‘Kunt u ons verhalen blijven vertellen over vroeger?’

‘Natuurlijk.’

‘Als wij u dan steeds vertellen wat we te weten zijn gekomen, kunt u ons helpen dat uit te werken.’

‘Met plezier.’

We kregen geen gelegenheid om er verder over te praten omdat mijn moeder haar hoofd om de hoek van de deur stak en zei: ‘Neemt u me niet kwalijk, Herr Schiller, wilt u misschien een kopje koffie?’

‘Nee, dank u, Frau Kolvenbach,’ zei Herr Schiller. Hij stond op en keek met zijn hoed in zijn hand nog even glimlachend op me neer. ‘Dankjewel, Fräulein Pia.’

Mijn moeder keek verbaasd. Waarom bedankte hij mij? Ik denk niet dat ze nog steeds dacht dat ik Herr Schiller had beledigd, nu hij speciaal was gekomen om een olijftak aan te bieden, maar ze was er nog steeds niet van overtuigd dat ik ‘die arme, oude man niet lastigviel’. Uiteindelijk zei ze: ‘Ik hoop dat je Herr Schiller voor de bloemen hebt bedankt, Pia.’

‘Dank u wel, Herr Schiller,’ zei ik braaf.

Herr Schiller stak me zijn gerimpelde hand toe en voor het eerst van mijn leven vond ik het prettig om een volwassene een hand te geven. Dit was heel iets anders dan ertoe gedwongen worden door oma Kristel. Het gaf me het gevoel dat we samenzweerders waren.

‘Tot ziens, Pia.’

‘Tot ziens, Herr Schiller.’

14

Dat jaar was ik blij toen de paasvakantie eindelijk aanbrak. Drie maanden had ik als een paria in de klas gezeten en was ik tegen wil en dank het maatje van Stefan Stink geworden en ik was er doodmoe van. Toen maart ten einde liep en april aanbrak, werden de regels van mijn huisarrest iets soepeler en mochten we naar het park in het Schleidtal gaan, of naar het zwembad, en zelfs met de trein naar de bioscoop in Euskirchen. Tussendoor gingen we naar Herr Schiller.

We luisterden met hernieuwde belangstelling naar zijn verhalen, nu de stad zelf een verhaal leek te zijn geworden – het verhaal van het meisje in het kostuum van Sneeuwwitje, dat op het hoogtepunt van een carnavalsoptocht uit haar leven was gestapt en in het niets verdwenen. Ik boog me over de details van de verhalen die Herr Schiller ons vertelde en probeerde de gebeurtenissen van de afgelopen paar maanden in elkaar te passen, alsof ik bezig was een grote, moeilijke legpuzzel te maken zonder dat ik het plaatje op de doos had gezien. Als je de verhalen van Herr Schiller mocht geloven, was Bad Münstereifel een van de griezeligste plaatsen in Duitsland, zo niet op de hele wereld. Overal en nergens konden monsters, geesten en geraamten opduiken.

De ouders van Stefan waren lang niet zo streng als de mijne wat televisiekijken betrof, dus had hij al veel griezelfilms gezien en niet alleen de oude versie van *Nosferatu* die af en toe werd vertoond. Hij had zelfs *Poltergeist* en *The Shining* gezien. Zijn inzichten aangaande het onderwerp waren dan ook beter ontwikkeld dan de mijne. Volgens hem roerden zich in de stad kwade krachten. Hij kwam met allerhande theorieën: dat het huis van de familie Linden was gebouwd op een oude begraafplaats waar de slachtoffers van de pest waren begraven; dat Katharina zich had bemoeid met mysterieuze geesten waar ze geen verstand van had en dat die haar hadden meegenomen; dat er op de familie Linden een vloek rustte waardoor in elke generatie het eerste kind een vroege dood stierf.

'Herr Linden is zelf een eerste kind,' zei ik toen Stefan die laatste theorie uitlegde. 'Hij heeft een jongere zus. Frau Holzheim. Waarom is *hij* dan niet verdwenen toen hij nog klein was?'

'Misschien slaat de vloek soms een generatie over,' opperde Stefan, allerminst uit het veld geslagen.

Ik was niet overtuigd en vroeg het bij ons volgende bezoek aan Herr Schiller.

'Zijn er verhalen over mensen op wie een vloek rust?'

Herr Schiller dacht erover na terwijl hij kleine slokjes nam uit het teer ogende, met gele en grijze rozen beschilderde kopje.

'De ridder die in het oude kasteel op de Queckenberg woonde,' zei hij uiteindelijk.

'Dat verhaal ken ik al,' zei ik teleurgesteld.

'Ik niet,' protesteerde Stefan. Hij keek Herr Schiller smekend aan. Voor iemand die zich zo ongeliefd leek te maken bij zijn klasgenoten, kon hij zich tegenover volwassenen erg beminnelijk gedragen. En uiteraard vertelde Herr Schiller het verhaal nog een keer, ook al trok ik nog zo'n chagrijnig gezicht.

'Het kasteel op de Queckenberg is eerder gebouwd dan het kasteel in de stad, meer dan duizend jaar geleden,' begon Herr Schiller. 'In het kasteel woonde een ridder met zijn echtgenote en enige zoon. De oude ridder hield van jagen en zijn zoon was al net zo. Hij deed niets liever dan met zijn jachthonden door de bossen rijden.

'Op een dag stierf de oude ridder en zonder het wakende oog van de vader begon de jongeman zijn plichten te verzaken om naar hartenlust te kunnen genieten van het jagen. Elke dag verliet hij het kasteel, gezeten op een prachtige, zwarte hengst, terwijl zijn honden blaffend voor hen uit de poort uit holden. Hij besteedde vele uren aan de jacht. Uiteindelijk benutte hij zelfs de dag van de Heer voor het jagen.

'Zijn moeder, de burchtvrouwe, was erg godvruchtig en het gedrag van haar zoon deed haar veel pijn. In het begin maakte ze hem verwijten, daarna wees ze hem erop dat als hij op zondagochtend in alle vroegte zijn plichten tegenover God vervulde, er de rest van de dag nog meer dan genoeg tijd overbleef om te jagen. Maar haar smeekbeden waren aan dovemansoren gericht.

'Toen kwam er een zondag waarop de moeder zich niet meer kon inhouden. Zodra de zon was opgekomen, was haar zoon op de binnenplaats van het kasteel bezig zich voor te bereiden op de jacht. Een jonge stalknecht hield het tuig van de zwarte hengst vast, die brieste en met zijn voet stampte, bijna net zo gretig naar de jacht uitkijkend als zijn meester. De jachthonden jankten en trokken aan hun kettingen. De jonge ridder beende ongeduldig over de binnenplaats en snauwde tegen zijn knechten dat ze moesten opschieten.

'Boven ging een raam open. Zijn moeder leunde naar buiten om haar zoon nog een laatste keer te smeken eerst naar de kerk te gaan. "Je kunt de hele dag nog jagen!" riep ze. Maar zoals altijd weigerde haar zoon te luisteren. Hij steeg op zijn grote, zwarte paard en gaf de poortwachter het teken de poort te openen. De honden werden losgelaten en onder luid geblaf en de galmende tonen van een jachthoorn, stroomde het gezelschap naar buiten. Het hart van de burchtvrouwe liep over van bittere smart en ze riep hem na: "Ik hoop dat je tot in de eeuwigheid zult jagen!"

'De dag verstreek, de avond viel en er was taal noch teken te bespeuren van de jongeman, zijn grote hengst en zijn meute bloeddorstige jachthonden. Een week ging voorbij, een maand en een jaar, maar de jongeman kwam niet terug.

'Toen de oude moeder stierf, verviel het kasteel tot een ruïne en na verloop van tijd begon het eruit te zien zoals het nu is: een berg met mos bedekte stenen, waartussen het onkruid hoog opschiet, en bomen op de plaats waar vroeger kamers en zalen waren. Maar de ziel van de jager kreeg geen rust. De jager was veroordeeld tot eeuwig zwerven in de bossen waar hij met zijn honden had gejaagd.'

Herr Schiller leunde naar voren. 'Ze zeggen dat hij bij volle maan nog steeds de poort van het oude kasteel uit rijdt, zonder dat hij zich kan herinneren waarom hij daar is en waar hij naar zoekt, en dat hij rusteloos door de bossen rijdt. Tot in de eeuwigheid...'

‘Is hij daar nog steeds?’ vroeg Stefan. ‘Heeft iemand hem ooit gezien?’

‘In sommige van de eenzame huizen aan de rand van het bos liggen de mensen ’s nachts soms bevend in bed te luisteren naar het geluid van hoefslagen en jankende honden als de jager langskomt,’ zei Herr Schiller. ‘Maar niemand durft ooit naar buiten te gaan om hem te ontmoeten.’

‘Hebben ze zelfs niet gekeken?’ vroeg Stefan. Hij schudde zijn hoofd. ‘Bangeriken. Ik zou kijken.’

Ik wist waaraan hij zat te denken en wat mijn moeder ervan zou zeggen: Nee, je mag niet tot middernacht op de Queckenberg gaan zitten; wat denk je wel; we weten nog steeds niet wat er met die arme Katharina Linden is gebeurd; en je zou de volgende dag geen knip voor je neus waard zijn...

Zuchtend pakte ik mijn kopje en nam een slok van de koud geworden koffie. De spookachtige jager was gedoemd eeuwig in de bossen rond te dolen en het begon ernaar uit te zien dat ik gedoemd was minstens net zo lang met Stefan Stink opgescheept te zitten. En ook al genoot ik nog zo van Herr Schillers verhalen, tot nu toe brachten ze ons geen centimeter dichter bij de waarheid over de verdwijning van Katharina.

Ik keek naar Stefan en Herr Schiller die in een ernstig gesprek gewikkeld waren over de mogelijke routes die de eeuwige jager nam en die Stefan met zijn vinger op de salontafel tekende. Ze leken me tijdelijk te zijn vergeten, wat mijn humeur er niet beter op maakte. De zomer leek opeens heel ver weg.

15

Stefan was uiteraard degene die op het idee kwam om 's avonds naar de Queckenberg te gaan, maar omdat ik al wist wat het antwoord van mijn moeder zou zijn, zou ik haar net zo goed kunnen vragen of ik met de trein naar Keulen mocht om te gaan stappen.

Ik zei dat ik misschien wel overdag naar de ruïne van het kasteel zou mogen, zeker als we zeiden dat het voor school was, maar Stefan hield vol dat het alleen zin had als we 's nachts gingen.

'Weet je wat,' zei hij opeens, 'we moeten er op Walpurgisavond naartoe gaan.'

'Stefan...' zei ik vermoeid. Ik vond het niet eens de moeite waard erover na te denken, omdat we het plan toch nooit zouden kunnen uitvoeren, maar hij liet zich helemaal meeslepen door zijn enthousiasme.

'Ja, dat moeten we doen.' Zijn ogen glansden en een lok van zijn donkerblonde haar zakte over zijn voorhoofd. Hij veegde hem met een ongeduldig gebaar opzij. 'Dat is de heksenavond. Als er iets te zien is, moet het op die avond zijn.'

Daar zag ik de logica wel van in, maar dat nam niet weg dat er echte toverkunst nodig zou zijn om mij midden in de nacht op de Queckenberg te krijgen.

'Ik mag daar van mijn moeder nooit 's avonds in het donker naartoe,' zei ik.

'Kun je geen smoesje verzinnen?'

'Zoals?' Ik zou niet weten hoe ik ooit toestemming zou kunnen krijgen.

'Als we nou eens zeggen dat we een meiboom gaan maken.'

'Een meiboom?' Ik gaf toe dat dit een geniale inval was.

Een meiboom was een boom, meestal een jonge zilverberk, die vlak boven de grond werd omgehakt en dan werd versierd met lange linten van gekleurd crêpepapier. Alle dorpen in de Eifel hadden op Meidag zo'n boom, en volgens de traditie konden jonge mannen op de avond vóór de Meidag ook een meiboom voor het huis van hun vriendin zetten, zodat ze die bij het ontwaken zou zien. Dankzij deze traditie was de laatste avond van april de enige avond van het jaar waarop het gros van de jongelui van de stad een geldig excuus had om tot diep in de nacht buiten te blijven. Maar toch...

'Voor wie zouden wij een meiboom moeten maken?' vroeg ik. 'Meisjes maken die trouwens nooit.'

'O, dat is geen probleem,' zei Stefan, die het plan met een sneltreinvaart aan het uitwerken was. 'We zeggen gewoon dat we mijn neef Boris moeten helpen.'

'Hmmm.' Ik had nog steeds grote twijfels.

Boris was een achttienjarige kolos met lang haar dat eruitzag alsof het regelmatig met motorolie werd behandeld en kleine varkensoogjes die zo diep in de kassen lagen dat het net was alsof hij door de sleuven van een helm keek. Zover ik wist had hij geen vriendin en ook al was dat wel zo, dan kreeg ik niet de indruk dat hij een aanbidder was die voor zijn meisje bloemen plukte, de deur openhield en meibomen in haar tuin zette. En ik kon me al helemaal niet voorstellen dat hij twee tienjarigen zou verzoeken hem daarbij te helpen. Maar bij gebrek aan een beter idee, stemde ik ermee in aan mijn moeder te vragen of ik mee mocht.

'Mooi zo,' zei Stefan luchtig, alsof het allemaal al rond was. Hij stond op. 'Laten we het meteen gaan vragen.'

'Geen sprake van,' zei mijn moeder, zoals verwacht. Stefan en ik stonden voor haar in de keuken, als kleuters die een standje krijgen van de juf. Mijn moeder was vlees aan het braden en toen ze zich naar ons omdraaide, bleef de in de steek gelaten pan achter haar alarmerend sissen.

'Maar, Frau Kolvenbach,' zei Stefan met de beleefde stem die hij met zo veel succes gebruikte voor ontvankelijke volwassenen, 'we gaan samen met mijn neef Boris.'

Hij had zich de moeite kunnen besparen. Mijn moeder had een hart van steen. 'Dat interesseert me niet, Stefan. Pia mag 's avonds in het donker niet naar buiten.'

'Boris is –' zei Stefan, maar mijn moeder snoerde hem de mond.

'Boris zal zijn meiboom in zijn eentje moeten maken,' zei ze resoluut. Ze bekeek Stefan wantrouwig. 'Is Boris die grote jongen met het lange haar en het leren jack, die op de middelbare school zit?'

'Ja, maar –' zei Stefan, en verder kwam hij niet.

'Dan lijkt hij me groot en sterk genoeg om zijn meiboom zelf te dragen,' zei mijn moeder beslist. Ik deed mijn mond open om iets te zeggen, maar ze hief waarschuwend haar hand op. 'Nee, Pia. Het antwoord is nee. Einde van de discussie.' Ze draaide zich om naar het fornuis en begon hoofdschuddend in het vlees te prikken. 'Het verbaast me dat jij van je moeder wel 's avonds laat de straat op mag, Stefan,' zei ze. 'Ook al ga je met je neef.'

'Eh...' zei Stefan vaag. Hij keek naar mij. Tijd om ervandoor te gaan.

Op mijn kamer keken we elkaar somber aan.

'Heb ik het niet gezegd?' zei ik.

Hij haalde zijn schouders op. 'Het was te proberen.' Een tijdje zaten we alleen maar voor ons uit te staren.

'En nu?' vroeg ik uiteindelijk op een lusteloze toon.

Stefan keek op. 'Ik ga in ieder geval.'

'Meen je dat?'

'Ja, want jouw moeder zal voorlopig niet van gedachten veranderen. Ik vertel je morgen wel hoe het was,' zei Stefan. En daar moest ik het maar mee doen.

Toevallig viel de laatste dag van april in 1999 op een vrijdag, wat gunstig was voor Stefans plan. Mocht zijn moeder juist die dag besluiten zich te verheffen uit de nevel van rook en alcohol die haar altijd omgaf, en vragen gaan stellen over het voorgenomen uitstapje van haar zoon, dan kon ze in ieder geval niet aanvoeren dat hij de volgende dag naar school moest. Ik liet Stefan beloven dat hij 's ochtends zo snel mogelijk bij me zou komen om me te vertellen wat hij had gezien. Toen de plannen rond waren, holden we de trap af.

'Mag Stefan morgenochtend hier komen?' vroeg ik aan mijn moeder.

'Als hij op een christelijk tijdstip komt,' antwoordde ze.

'Zeven uur?' vroeg ik hoopvol.

'Tien uur,' zei mijn moeder onverbiddelijk en toen verdween ze weer.

Uiteindelijk kwam Stefan niet om tien uur, en ook niet om halfelf, elf uur of twaalf uur. Ik zat voor het raam van de huiskamer met een stripboek op mijn schoot naar de natte straat te kijken, in de hoop dat ik Stefan in de regen zou zien aankomen.

De dag sleepte zich voort en uiteindelijk liet ik me overhalen mijn huiswerk te gaan maken. Mijn moeder beloofde dat ze me meteen zou roepen als Stefan kwam. Tegen de tijd dat ik de laatste pagina af had en mijn schriften weer in mijn overvolle schooltas deed, was het halfvier en was Stefan nog steeds niet komen opdagen. Ik ging naar beneden, waar mijn moeder energiek de keukenvloer aan het dweilen was. Sebastian zat hoog en droog in zijn kinderstoel te kijken naar de dweil die over de tegels heen en weer ging, waardoor hij eruitzag als een umpire bij een tenniswedstrijd.

'Is Stefan niet geweest?' vroeg ik op een wat beschuldigende toon, want ik vroeg me opeens af of hij soms was gekomen en dat ze hem had weggestuurd omdat ik aan mijn huiswerk zat.

'Nee,' zei mijn moeder. Ze staakte haar metronomische bewegingen, wreef met de rug van haar hand langs haar kin en keek naar me. 'Misschien kan hij vandaag niet komen, Pia.'

'Maar hij heeft het beloofd,' zei ik koppig.

'Je ziet hem maandag wel weer op school,' zei mijn moeder. 'Wat is er trouwens zo belangrijk aan vandaag?'

'Niks.' Ik beet op mijn lip.

'Je kunt hem altijd opbellen.' Ze begon een beetje boos te klinken.

'Ja.' Het was echter een afschrikwekkend vooruitzicht om de norse, door nicotine aangevreten stem van Frau Breuer aan de lijn te krijgen.

'Wat je ook doet, loop me alsjeblieft niet in de weg,' zei mijn moeder, en daarmee was de discussie gesloten.

Ik liep naar de huiskamer en keek naar de telefoon alsof die me zou bijten. Het was halfvier. De tijd leek stil te staan. Maandag was nog zo ver weg. Waar was Stefan? Hij kon toch niet zomaar verdwenen zijn?

Bij die gedachte ging er een huivering door mijn hele lichaam, als een elektrische schok. Misschien was hij inderdaad verdwenen, net als Katharina Linden. *Welnee. Doe niet zo achterlijk.* Maar het idee liet me niet los, ook al probeerde ik mezelf ervan te overtuigen dat het volslagen nonsens was. Stel dat hij naar de Queckenberg was gegaan en dat hij, net als Katharina Linden, door iets of iemand was meegenomen terwijl hij in het donker zat te wachten?

Ik stelde me voor hoe hij op een van de met mos bedekte stenen van de oude kasteelmuren had gezeten, zijn armen om zijn opgetrokken knieën geslagen, een beetje bibberend terwijl hij in het donker om zich heen tuurde. Was er iets op hem afgeslopen? Had dat wezen hem meegevoerd op zijn oneindige dwaling door de donkere bossen? Beelden van de spookachtige rit verschenen in mijn hoofd, alleen was het niet de ridder maar Stefan die zich vastklampte aan de manen van het paard, met een wasbleek gezicht waarin zijn ogen op donkere holten leken.

Uiteindelijk moest ik toegeven dat er niets anders op zat dan de Breuers te bellen. Ik hoopte dat Stefan zelf zou opnemen, zodat ik hem eerst kon afkatten omdat hij niet bij me was gekomen en hem daarna uithoren. En als Stefan niet opnam, had ik liever Frau Breuer dan haar man. Ze was weliswaar altijd in een slecht humeur, maar was tenminste verstaanbaar, zodat je in elk geval precies wist hoe onbeschoft ze tegen je deed.

Stefans vader, Jano, daarentegen, had zo'n sterk Slowaaks accent dat ik hem amper kon verstaan. Als je met hem een gesprek voerde, moest je je door een woud van beknotte zinnen en verwrongen klinkers heen hakken, terwijl je wist dat hij woedend zou uitvallen als je één keer te vaak 'Wat zegt u?' zei. Ik hoopte dus vurig dat ik hem niet aan de lijn zou krijgen toen ik hun nummer draaide.

De telefoon ging acht keer over voordat er werd opgenomen.

'Breuer,' gromde een stem in mijn oor.

'Frau Breuer?' vroeg ik met een bevende stem. 'U spreekt met Pia Kolvenbach.'

Het bleef eventjes stil aan de andere kant van de lijn, een stilte waarin ik Frau Breuer zwaar hoorde ademhalen, een geluid dat me deed denken aan een hijgende Rottweiler.

'Je kunt Stefan niet spreken,' zei ze uiteindelijk.

'Maar...' Ik zocht gejaagd naar de juiste woorden, opdat ze niet opeens zou ophangen. 'Maar... is hij wel thuis?'

Ze snoof minachtend. 'Ja. Maar je kunt hem niet spreken.'

16

De volgende ochtend was het grauw en grijs. Ik werd helemaal chagrijnig toen ik uit het raam naar de natte straat met de glanzende kinderhoofdjes keek. De zondag strekte zich voor me uit als een onafzienbare leegte. Maandag was lichtjaren ver weg en ik zou elke minuut van die eeuwigheid binnenshuis moeten doorbrengen met alleen Sebastian om mee te spelen.

Ik liep de huiskamer in, maar daar zat mijn vader de krant te lezen. Hij zei niets, maar trok zijn wenkbrauwen op, wat wilde zeggen dat hij me niet kon gebruiken. Ik ging maar weer weg. Ik ging een poosje op de trap zitten en begon toen aan de trapspil heen en weer te slingeren waarbij ik mijn voeten over de treden liet slepen. Mijn moeder stak haar hoofd om de keukendeur toen het gebonk haar begon te irriteren, maar voordat ze tijd kreeg om me een standje te geven, werd er aangebeld.

Stefan, was mijn eerste gedachte. Ik sprong van de trap af en holde naar de deur. Mijn tweede gedachte was het onthutsende besef dat ik het fijn vond om hem weer te zien. *Stefan Stink*!

'Pia, je haar...' zei mijn moeder geprikkeld. Ze liep de gang door, maar ik was sneller. Ik duwde de zware deurknop naar beneden en deed de deur wijd open.

De lach bestierf op mijn gezicht. Het was Stefan niet.

'O,' was het enige wat ik wist uit te brengen toen ik daar stond, in mijn oude spijkerbroek, met mijn ongekamde haar in klitten rond mijn gezicht.

'Goedemorgen, Frau Kessel,' zei mijn moeder die meer tegenwoordigheid van geest had dan ik. Ze drong langs me heen, haar handen afdrogend aan een theedoek, en gaf Frau Kessel beleefd een hand.

‘Goedemorgen, Frau Kolvenbach,’ zei Frau Kessel voortvarend. Frau Kessel was een vrouw van in de zeventig, klein en mollig, met net zo’n indrukwekkende boezem als oma Kristel had gehad. Ze was altijd perfect maar ouderwets gekleed. Vandaag droeg ze een mosgroen wollen mantelpak met een lelijke, grote edelweissbroche op de revers. Ze had een grote bos spierwit haar dat nu zo broos en teer was als suikerspin. Ze droeg het meestal opgestoken, maar vandaag was het naar achteren gekamd en zo wijd gekapt dat ze me aan Marie-Antoinette deed denken.

Onder dat eigenaardige waaierkapsel zaten haar dikke wangetjes en blikkerden haar brandschone brillenglazen en dure valse gebit je tegemoet. Ze zag eruit als een beminnelijk omaatje, maar was de venijnigste roddelaarster van heel Bad Münstereifel.

‘Komt u verder, Frau Kessel,’ zei mijn moeder zonder te laten merken hoeveel moeite het haar kostte om die noodlottige woorden uit te spreken. Al had ze een week gepoetst en geboend, al had ze twee voorbeeldige kindertjes in brandschone kleren (ik in een jurk natuurlijk) met keurig gekamd haar, dan nog zouden de kraalogen van Frau Kessel iets zien waarover ze haar venijn kon spuien bij het volgende slachtoffer van haar huisbezoeken.

‘Dank u,’ zei Frau Kessel. Ze kwam met nuffige pasjes binnen en blikte nieuwsgierig om zich heen.

‘Laten we in de huiskamer gaan zitten,’ zei mijn moeder op een opgewekte toon en ze deed de deur open. Mijn vader kwam overeind, vouwde de krant op en stak zijn hand uit.

‘Je was vanochtend niet in de kerk, Wolfgang,’ was het eerste wat Frau Kessel tegen hem zei nadat ze elkaar hadden begroet. Het klonk slinks.

‘Nee,’ zei mijn vader, zonder in het aas te bijten. Frau Kessel wist heel goed dat mijn vader alleen naar de kerk ging als het niet anders kon – voor bruiloften en begrafenissen – en dat ze de rest van het gezin ook niet in de St.-Chrysanthus en Daria-kerk hoefde te verwachten, omdat mijn moeder protestant was.

Maar Frau Kessel liet nooit een gelegenheid voorbijgaan om iemand een steek onder water te geven. Ze hield haar glimlach, die de kracht van honderd kaarsen had, nog een halve minuut in stand, moest zich toen gewonnen geven en zei: 'Ik mis die lieve Kristel elke week nog zo.'

'Ja,' zei mijn vader met een zucht.

'Wilt u misschien een kopje koffie, Frau Kessel?' kwam mijn moeder tussenbeide voordat de oude vrouw ging uitweiden over de trouwe kerkgang van oma Kristel. 'Vers gemalen koffie,' voegde ze eraan toe, toen ze zag dat Frau Kessel aarzelde.

'Heel graag, dank je,' zei Frau Kessel op een minzame toon, alsof ze haar een gunst verleende.

Ze liep naar de stoel die mijn vader haar aanbood en ging voorzichtig zitten, als een oude hen die een ei moet leggen.

Mijn moeder verdween naar de keuken, nog steeds met die starre glimlach – ze kon Frau Kessel niet uitstaan – en mijn vader en ik keken de oude dame afwachtend aan. We maakten ons geen illusies dat ze zomaar op bezoek was gekomen. Ze zat hier omdat ze iets op haar lever had.

'Zo, dit was wel een opwindend weekje voor onze stad, vind je ook niet, Wolfgang?' was haar openingszet. Ik keek verwonderd naar mijn vader. Wat was er zo opwindend aan? Mijn vader wist het blijkbaar ook niet. Frau Kessel keek ons beurtelings aan, trok haar wenkbrauwen op en hield haar hoofd schuin, alsof ze zich afvroeg hoe het in hemelsnaam mogelijk was dat wij de enige mensen in heel Bad Münstereifel waren die het nog niet hadden gehoord.

'Een opwindend weekje?' herhaalde mijn vader uiteindelijk. Gesprekken met Frau Kessel hadden een onontkoombaar patroon: zij gooide een visje uit en wachtte dan net zo lang tot het slachtoffer zich gedwongen zag in het aas te happen. Ze trok haar hoofd iets naar achteren, alsof ze stomverbaasd was, en vouwde haar handen op haar groene, wollen schoot.

'Waar rook is, is vuur,' zei ze op een geladen toon.

'Is er brand geweest?' vroeg ik.

'Nee, liefje,' zei Frau Kessel met een meewarige blik van *arm kind.*

'Waarom –' begon ik, maar ze viel me in de rede.

'Ik geloof waarachtig dat jullie het nog niet weten,' zei ze op een toon vol kunstmatige verbazing. Haar wenkbrauwen zaten nu zo hoog op haar voorhoofd dat het net leek alsof ze in haar witte suikerspinhaar wilden wegkruipen. Ze keek mijn vader verwijtend aan. 'Als je vanochtend in de kerk was geweest, zou je het van pastoor Arnold hebben gehoord.'

Ze hief haar hand op en streek voorzichtig over haar haardos. 'Dat wil zeggen,' ging ze door, 'hij zei het niet met zo veel woorden, maar we wisten allemaal wat hij bedoelde en sommigen van ons vonden het niet erg kies van hem dat hij meteen daarna een preek hield over vergiffenis.' Ze snufte. 'Het kind is immers nog altijd niet terecht.'

Ik kon Frau Kessel, wier onthullingen altijd in de vorm van een doolhof werden gegoten, niet meer volgen. Ik keek naar mijn vader. Hij leek er ook niet veel van te begrijpen.

'Het kind?' papegaaide hij moeizaam.

'Ja. Het meisje Linden.'

Mijn vader dacht even na en gaf het op. 'Frau Kessel, waar hebt u het over?'

Frau Kessel keek een beetje beledigd. 'Over Herr Düster, natuurlijk.'

'Wat is er met Herr Düster?' vroeg mijn vader geduldig.

'Die is door de politie in hechtenis genomen,' zei Frau Kessel voldaan. 'Gisterenochtend om acht uur.'

'In *hechtenis* genomen?'

Frau Kessel trok een ongeduldig pruilmondje. Ze vond het niet prettig dat mijn vader alles herhaalde wat ze zei en wilde nu spijkers met koppen slaan.

'Ja, ze zijn gisterochtend gekomen en hebben hem meegenomen in een politieauto.' Frau Kessel stak een hand uit en bekeek haar perfect gemanicuurde nagels, zo koel als een deskundige die als getuige was opgeroepen in een moordzaak.

'Hebt u dat zelf gezien?' vroeg ik belangstellend.

'Niet persoonlijk,' zei Frau Kessel op een toon die liet doorschemeren dat dat niet van belang was, omdat ze overal spionnen had. 'Hilde Koch heeft het gezien. Met haar eigen ogen. Toen ze bezig was de tuin te sproeien.'

Frau Koch was de grootmoeder van Thilo Koch en had een bijna net zo verderfelijke aard als haar kleinzoon. De tuin sproeien was natuurlijk maar een voorwendsel. Ik wilde wedden dat Hilde Koch elke dag in alle vroegte opstond om haar buren te kunnen bespieden, en toen er een politieauto in de straat was gestopt, was ze natuurlijk meteen naar buiten gerend, met de alarmlichtjes van al haar sensors op rood.

'Wat is er precies gebeurd?' vroeg mijn vader.

'Hilde zei dat ze om acht uur kwamen, twee agenten in een politiewagen,' vertelde Frau Kessel. 'Ze denkt dat ze zo vroeg kwamen om niet opgemerkt te worden. Want,' ging ze op een vertrouwelijke toon door, 'men vindt het natuurlijk niet prettig om naast een... je weet wel te wonen. Dat was dus wel slim van ze. Ze zei dat ze wist dat Herr Düster thuis was. Hij was al buiten geweest om de krant te pakken of zoiets. Toen de agenten aanbelden, deed hij meteen open en zijn ze allemaal naar binnen gegaan. Ze bleven er vrij lang. Hilde zei dat ze alle bloemen al twee keer water had gegeven voordat ze weer naar buiten kwamen, maar dat ze doodgewoon niet naar binnen had kunnen gaan. Ze zei dat ze als gebiologeerd was geweest.

'Uiteindelijk kwamen ze naar buiten en ging Herr Düster achter in de politieauto zitten en toen reden ze weg. Hilde zei dat hij er versteend bij zat, als de kop van een meerschuimen pijp, en geen enkele emotie verried. Ze werd er helemaal akelig van, zei ze.'

'Zo,' zei mijn vader, die niets anders wist te verzinnen. Hij keek dankbaar op toen mijn moeder precies op dat moment in de deuropening verscheen met een dienblad met een pot koffie, kopjes en een schaaltje koekjes, onze vaste offergave voor de bezwering van bezoekende duivels. Hij stond op om haar te helpen.

'Blijf maar zitten. Het gaat wel,' zei ze, maar ze werd overstemd door Frau Kessel.

'Ik vertel net aan Wolfgang dat Herr Düster in hechtenis is genomen.'

'O ja? Waarom?'

Frau Kessel ontblootte haar blinkende valse tanden. 'Vanwege dat meisje Linden natuurlijk. Wat dacht je dan?'

Mijn moeder zette het dienblad op de lage tafel. Haar gezicht stond ernstig.

'Wat vreselijk. Weet u het zeker?'

De blik waarmee Frau Kessel haar aankeek, had de room in het kannetje kunnen laten verzuren. Ze kon het niet uitstaan als iemand haar informatie in twijfel trok. 'Hilde Koch heeft zelf gezien dat de politie hem kwam halen.' Ze pakte een kopje koffie met een flinke scheut room en twee klontjes suiker van mijn moeder aan. 'En,' zei ze nadat ze behoedzaam een slokje had genomen, 'als je hier al zo lang woont als ik hoef je je daar ook niet over te verbazen.'

Ze liet haar gerimpelde hand, voorzien van vele ringen, een ogenblik boven het schaaltje met koekjes hangen en trok hem toen terug zonder er eentje gekozen te hebben.

'Als je het Kwaad in Actie hebt gezien, vergeet je dat nooit meer.' De hoofdletters klonken duidelijk door in haar onheilspellende stem. Je kon zeggen wat je wilde, maar ze wist het wel te brengen.

Het lag op de punt van mijn tong te zeggen dat ze net zo goed 's ochtends in de spiegel kon kijken als ze het Kwaad in Actie wilde zien, maar dat hield ik wijselijk voor me.

'Tja, hij is... eh... niet erg sympathiek,' zei mijn moeder voorzichtig.

'Niet erg *sympathiek*!' riep Frau Kessel verontwaardigd uit. Toen beheerste ze zich weer, leunde naar voren en klopte zachtjes op mijn moeders knie.

'Nou ja, men kan ook niet verwachten dat jij deze dingen weet.'

Het klonk ronduit neerbuigend: mijn moeder kon bepaalde dingen niet weten omdat ze een buitenlandse was, waarschijnlijk een buitenlandse met een koddig gebrek aan kennis van de Duitse taal. Mijn vader zag dat mijn moeder klaarstond met een vinnig antwoord en greep snel in.

'Ik weet het ook niet, Frau Kessel.'

'Wolfgang!' Frau Kessel schudde haar hoofd. 'En Kristel was nog wel zo op de arme Heinrich gesteld. We vonden het zo aardig van haar dat ze Pia meenam wanneer ze bij hem op bezoek ging. Gezien het feit dat hij zijn eigen dochter heeft verloren.' Ze slaakte een theatrale zucht en toen ze zag dat haar publiek haar nog steeds onnozel aangaapte, besloot ze al haar kaarten op de tafel te leggen. 'We wisten allemaal dat Herr Düster daarvoor verantwoordelijk was.'

'Verantwoordelijk voor...?' begon mijn vader met gefronste wenkbrauwen.

'De ontvoering van Gertrud,' maakte Frau Kessel de zin af. Ze schudde haar hoofd. 'Ik weet niet waarom hij toen niet is opgepakt. Dat arme kind, net zo oud als Pia nu, en zo'n mooi meisje. De arme Heinrich is er nooit bovenop gekomen. Geen wonder, als je bedenkt dat Herr Düster zo dicht bij hem woonde en er niemand was die er iets aan deed.'

'Dat is een bijzonder ernstige beschuldiging,' zei mijn moeder geschokt.

Frau Kessel wierp een snelle blik op haar. Was ze te ver gegaan?

'Ik beschuldig niemand ergens van,' antwoordde ze hoofdschuddend. 'Ik zeg alleen wat de hele stad weet. Je kunt het aan iedere willekeurige persoon vragen.'

'Hoe wisten ze dat hij het had gedaan?' vroeg ik.

Frau Kessel keek opeens een beetje benauwd, alsof ze nu pas in de gaten had dat ik er nog bij zat. Ze stak een van haar met juwelen versierde klauwen uit en zou me over mijn bol geaaid hebben alsof ik een hondje was, als ik niet opzij was gedoken.

'Dat maakt niet uit, lieve kind,' zei ze. 'Als je maar goed onthoudt dat je *nooit* met vreemden mag meegaan.'

Ik herinnerde me iets. 'Maar Herr Düster is toch de broer van Herr Schiller? Dan kende ze hem toch? Hij was haar oom. Je mag toch wel meegaan met iemand die familie van je is?'

'Jawel,' zei Frau Kessel kortaf, boos dat ik haar tegensprak. 'Maar hoe de arme Heinrich aan zo'n broer kwam, is me een raadsel.' Ze snoof. 'Geen wonder dat hij zijn naam heeft veranderd.'

Was het dan Herr Schiller die zijn naam had veranderd? Ik deed mijn mond open om nog een vraag te stellen, maar mijn moeder was me voor. 'Ik vind dit geen geschikt onderwerp voor Pia,' zei ze beslist. Voordat ik kon protesteren, zei ze: 'Zou jij naar de keuken willen gaan om op Sebastian te passen, Pia?'

Ik sjokte onwillig weg en kwam in de keuken tot de ontdekking dat Sebastian een van de kastjes had geopend en een pakje aspergesoep had opengescheurd. Hij zat midden in een bergje sneeuw van soeppoeder en tekende er figuurtjes in met een natte vinger die hij af en toe in zijn mond stak. Tegen de tijd dat ik hem uit de rommel had getild, hoorde ik mijn moeder op de gang met Frau Kessel praten en toen ging de voordeur achter de oude vrouw dicht.

'Godzijdank,' zei mijn moeder met een zucht die uit haar tenen leek te komen. Maar ik was teleurgesteld. Ik had Frau Kessel nog een heleboel willen vragen en nu was ze weggezeild als een schip volgeladen met dozen van Pandora die gevuld waren met de geheimen van andere mensen. Mijn moeder zag me weemoedig naar de deur kijken.

'Pia,' zei ze streng, 'ik wil niet hebben dat je dit aan iemand doorvertelt. Begrepen?'

'Waarom niet?'

'Omdat we niet weten of het waar is.'

'Denk je dan dat Frau Kessel loog?' vroeg ik weifelachtig.

'Niet precies,' zei mijn moeder, en daar moest ik het mee doen.

17

Op maandagochtend was ik al op voordat de wekker ging. Ik negeerde het verzoek van mijn vader om wat langzamer en met mijn mond dicht te eten. Ik schrokte mijn ontbijt naar binnen, slingerde mijn schooltas over mijn schouder en stond precies om acht uur voor het hek van de school. Ik werd niet teleurgesteld. Om twee minuten over acht kwam Stefan eraan. Hij zag een beetje bleek, maar leek verder in orde.

'Waar heb je gezeten? Ben je naar de Queckenberg gegaan? Waarom ben je zaterdag niet bij me gekomen? Je had het beloofd!' Vol ongeduld vuurde ik mijn vragen op hem af.

'Ik was ziek.' Hij schudde zijn hoofd. 'We kunnen er hier niet over praten.'

Hij had gelijk. Groepjes kinderen liepen langs ons heen naar het schoolplein. We trokken ons terug in de meisjestoiletten op de begane grond. Stefan wilde eigenlijk naar die van de jongens, omdat jongens lang niet zo vaak naar de wc gaan, maar dat weigerde ik pertinent.

Opgesloten in een van de toilethokjes vroeg ik: 'En? Ben je gegaan? Heb je iets gezien?'

Stefan knikte somber.

'Wat dan? Vertel op! Was het de jager?' Ik wilde zo graag weten wat er was gebeurd dat ik bijna stond te springen.

'Ik zal het je vertellen,' zei Stefan langzaam. 'Maar daarna wil ik er niet meer over praten. Afgesproken?'

Waarom niet, flapte ik er bijna uit, maar ik wist me te beheersen. 'Oké.'

Het duurde zo lang tot Stefan begon, dat ik al begon te vrezen dat hij zich had bedacht. Toen zei hij: 'Het was er donker. Heel erg donker.' Hij sloeg zijn armen over elkaar en wreef over zijn onderarmen alsof hij kippenvel had. 'En koud.'

Hij keek naar me, maar ik kreeg het griezelige gevoel dat hij mij niet zag, maar dwars door me heen naar een andere plek op een ander tijdstip keek.

'Er was daar íéts, maar ik weet niet wat het was. Ik ben om even over halftwaalf op weg gegaan. Dat weet ik omdat de kerktorenklok twee keer sloeg toen ik over het pad door het bos liep.

'De maan scheen, dus kon ik zien waar ik liep. Ik wilde mijn zaklantaarn alleen aandoen als het echt noodzakelijk was, voor het geval er iemand was. Maar ik heb niemand gezien. En het was doodstil.

'Pas toen ik op het punt kwam waar je het pad moet verlaten en door de bosjes verder moet, heb ik de zaklantaarn aangedaan. Ik wilde naar de toren gaan, omdat dat het hoogste punt is, maar was bang dat ik erin zou vallen.'

Ik wist wat hij bedoelde. De toren was het enige deel van de ruïne waaraan je kon zien dat het ooit een kasteel was geweest, maar het grootste deel ervan stak niet boven de grond uit, maar zat erin verzonken, waardoor het in feite een rond gat was van zo'n vier meter diep. Het was logisch dat Stefan zo voorzichtig was geweest, want als je daarin viel, kwam je er nooit op eigen kracht uit, om nog maar te zwijgen over het feit dat je overgeleverd was aan wie – of wat – daar rondwaarde.

'Het was een heel gedoe om door die struiken te moeten. De doorns haakten zich aan mijn kleren als de klauwen van dieren en ik trapte op allerlei dingen die ik niet kon zien, sponzige dingen en droge, harde takjes. Het was net alsof ik over een tapijt van botten liep. Ik voelde ze breken onder mijn schoenen. Ik begon al te denken dat het misschien de botten waren van de ridder die in het kasteel had gewoond, van hem en van zijn honden, en dat ze, als de klok twaalf uur zou slaan, op de een of andere manier overeind zouden komen en hun oude gedaante weer aannemen.

'Ik keek aldoor om me heen, als de dood dat ik de ridder opeens tussen de bomen zou zien, met het maanlicht op zijn harnas of zo'n metalen hemd dat zachtjes zou klikken, en onder zijn helm alleen maar een schedel.'

Hij rilde. 'Uiteindelijk kwam ik bij de toren aan, bij dat laatste stukje dat je moet kruipen. Het was er vies en modderig. Met veel moeite wist ik de rand te bereiken en toen ben ik achter dat boompje gaan zitten dat daar groeit en heb ik meteen mijn zaklantaarn uitgedaan. Ik hoorde de klok kwart voor twaalf slaan. Ik had mezelf voorgenomen dat ik tot middernacht zou blijven en dan weer naar huis zou gaan.

'Voor mijn gevoel króóp de tijd. Het was zo koud en toen er in een boom opeens een vogel kraste schrok ik me wezenloos. Maar na een poosje werd het wat minder eng en dacht ik eigenlijk niet dat er iets zou gebeuren.

'En toen hoorde ik opeens een geluid, een zacht, knisperend geluid. Mijn hart begon zo snel te kloppen dat ik dacht dat het zou barsten. Ik had een heel duidelijk beeld in mijn hoofd, net zo duidelijk alsof ik het echt had gezien, van de beenderen van een hand die op de grond tussen het onkruid lagen en opeens omhoogkwamen, zoals de hand van een marionet die iemand laat bewegen.'

Stefan stak zijn hand naar me uit, met de palm naar boven, en boog langzaam zijn vingers om een vuist te maken. Onwillekeurig deed ik een stap naar achteren.

'Ik bleef doodstil zitten. Ik wilde er eigenlijk vandoor gaan, terug naar beneden, maar ik durfde niet. Dus ben ik blijven zitten, met mijn arm om de boomstam geslagen, en... en heb ik alleen maar gewacht.'

Stefans stem trilde bij het laatste woord; hij was bijna in tranen.

'Het duurde niet lang voordat ik ze zag. Ik geloof dat ze met hun vieren waren en ze kwamen via dezelfde weg als ik naar het kasteel. Ik kon ze niet goed zien, ik zag alleen maar donkere gedaanten tussen de struiken. Ik weet niet eens zeker of ze rechtop liepen, zoals mensen. Een van hen leek dwars door de struiken te stormen, als een beest.

'Ze kwamen steeds dichterbij. Ik dacht dat ze naar de toren zouden komen, waar ik zat. Misschien was dat ding dat dwars door de struiken liep me op het spoor gekomen. Misschien kon hij me ruiken, als een bloedhond. Maar het was geen hond die zo'n lawaai maakte in de struiken. Het was iets veel groters. Ik durfde er niet aan te denken wat er zou gebeuren als hij me zou vinden.'

Stefan sloeg zijn handen voor zijn gezicht alsof hij het beeld wilde blokkeren. Hij zei iets, op een gedempte toon. Het klonk als *god*.

'Stefan...'

Ik wist niet wat ik moest doen. Of ik misschien mijn arm om hem heen moest slaan.

'Stel dat ze me hadden gevonden!' riep hij. Hij stak zijn hand uit. 'Kijk eens! Ik heb zo hard in die boomstam geknepen dat mijn vingers er nog helemaal groen van zijn. Ik krijg ze niet schoon. Ik hield mijn ogen stijf dicht en dacht dat ik er geweest was. Ik was ervan overtuigd dat die... wezens... die door de bosjes kwamen aangeslopen, me zouden zien.

'Maar na een paar minuten werden de geluiden die ze maakten wat minder sterk, dus deed ik mijn ogen weer open en zag ik dat ze waren doorgelopen. Ze hadden me niet geroken.'

Ik zei niets. Het idee dat hij daar in het pikkedonker had gezeten, hopend en biddend dat ze hem niet zouden vinden, dat ze hem niet zouden ruiken, was zo verschrikkelijk dat ik het me nauwelijks kon inbeelden.

Stefan kamde met zijn vingers door zijn haar en vertelde verder. 'Ik geloof dat ze een eindje naar beneden liepen. Ik hoorde een knisperend geluid, maar kon bijna niks zien. Ik durfde niet weg te gaan, omdat ik bang was dat ze me zouden horen. En toen... hoorde ik stemmen. Alsof ze begonnen te fluisteren.' Hij draaide zijn bleke gezicht naar me toe. 'Misschien is dat het geluid dat mensen maken als ze praten als ze... als ze alleen nog maar een geraamte zijn.'

Doe niet zo mal, wilde ik zeggen, maar ik kon geen woord uitbrengen. Mijn mond was kurkdroog.

'Het ging maar door en ging maar door. Ik kon niet verstaan wat ze zeiden. Ik wilde het ook niet verstaan. Ik stak mijn vingers in mijn oren, maar toen nam ik ze weer weg, want ik dacht: Stel dat ze op me afkomen en ik ze niet hoor?

'En toen... toen zag ik een licht. Eerst was het klein, toen werd het groter, of het kwam dichterbij, dat weet ik niet. Het was een geel licht. Ik heb altijd gedacht dat het licht rond de jager groen zou zijn, lichtgevend groen, maar...'

Zijn stem stierf weg.

'Maar?' drong ik ongeduldig aan.

Hij schudde zijn hoofd. 'Ik weet niet wat ik zag. Ik voelde me heel raar, een beetje duizelig, en een beetje kriebelig in mijn maag, net zoals wanneer je uit het raam van een heel hoog gebouw kijkt. Ik bleef kijken naar dat licht, dat steeds groter werd en dacht dat als ik nou niet wegging, ik nooit meer weg zou komen, en dat de hele stad dan naar míj zou moeten gaan zoeken.

'Uiteindelijk ben ik bij de toren weggekropen en zo stil mogelijk door de bosjes geslopen. Het kostte allemaal zo veel tijd en ik haalde mijn handen helemaal open omdat ik het grootste stuk heb gekropen en de grond daar is bedekt met takjes en stenen en doornen.'

Ik keek naar Stefans handen en zag dat ze vol zaten met nog niet geheelde wondjes en schrammen.

'En de hele tijd hoorde ik dat gefluister. Het klonk... alsof het om iets belangrijks ging. Iets... ik weet het niet... *dringends*.

'Ik was bijna bij het pad toen ik mijn knie ergens op zette, een stuk boomschors denk ik, dat met een luide knak doormidden brak. Ik dacht: nou ben ik erbij! Nu hebben ze me gehoord! Dat monster dat dwars door de struiken was gelopen kon ieder ogenblik tevoorschijn komen. Ik vroeg me af wat het laatste zou zijn wat ik zou zien. Ik zag in mijn verbeelding iets met haren en tanden, iets wat op een bloedhond lijkt, maar het niet is.

'Ik tuurde in de duisternis om te zien of ze er aankwamen. Uiteindelijk besefte ik dat ze me blijkbaar toch niet hadden gehoord. Ik hoorde nog steeds die fluisterende stemmen en het licht flikkerde nog steeds tussen de bomen.

'Omdat ik op was van de zenuwen, heb ik het risico toen maar genomen en ben ik naar het pad gerend. Op de een of andere manier lukte het me om nergens tegenaan te lopen en nergens over te struikelen. Toen ik bij het pad was, ben ik blijven rennen tot ik onder aan de heuvel was. Ik heb niet eens omgekeken.

'Maar dat was nog niet alles, Pia. Precies op het moment dat ik tussen de struiken overeind kwam om naar het pad te rennen, hoorde ik niet alleen dat gefluister, maar ook nog iets anders. Ik weet niet precies wat het was. Het was een... roffelend geluid.'

Ik staarde hem aan. 'O nee,' fluisterde ik toen het kille besef tot me doordrong.

'Wat?' zei Stefan, met een samengetrokken gezicht van schrik.

'Weet je wat dat was?' vroeg ik. Het toenemende gevoel van angst in mijn binnenste veranderde in puur afgrijzen. 'Dat waren *hoefslagen*.'

We konden niet langer praten. De bel was allang gegaan en we waren al te laat voor het eerste lesuur. We sjouwden naar boven, kregen een standje van Frau Eichen en hadden twee uur rekenen voordat we verder konden praten. Af en toe wierp ik een blik op Stefan. Hij zag nog steeds bleek en ik vroeg me af of hij ziek was.

Zodra de bel voor de pauze was gegaan, boog ik me naar hem toe en vroeg: 'Maar waarom ben je zaterdag niet bij me gekomen?'

Stefan wachtte tot de andere kinderen hun spullen bij elkaar hadden gepakt en wegliepen en zei toen heel zachtjes, zonder naar me te kijken: 'Ik was ziek.'

'Ziek?'

'Ja.' Het klonk bijna boos.

'Wat had je dan?'

'Ik was de hele Queckenberg af gerend en toen ik thuiskwam, voelde ik me beroerd. Daarom kon ik niet komen.'

'Was je ziek omdat je zo hard had gelopen?'

'Nee,' zei Stefan. Nu keek hij op. Hij keek boos. 'Ik was ziek van angst, oké? Ziek van angst.'

Ik staarde hem aan terwijl er allerlei vragen door mijn hoofd gingen. Hoe kun je zo bang zijn dat je er ziek van wordt? Was je echt ziek? Moest je overgeven? Wat zei je moeder toen je zo laat thuiskwam? Maar wat ik uiteindelijk zei, was: 'We moeten er samen nog een keer naartoe gaan.'

'Vergeet het maar,' zei Stefan. 'Mij krijg je daar niet meer naartoe.'

18

Natuurlijk ging hij wel met me mee, al moest ik twee volle dagen zeuren, vleien en hem zelfs omkopen – *je krijgt drie weken lang mijn zakgeld* – voordat hij erin toestemde. En toen nog alleen op voorwaarde dat we overdag gingen. Stefan wilde geen risico lopen dat hij daar nogmaals in het donker zou komen te zitten.

Toevallig hadden we woensdags altijd weinig huiswerk, dus konden we al vrij vroeg op de middag afspreken. Ik zei tegen mijn moeder dat we naar de minigolfbaan in het Schleidtal gingen. Stefan zei alleen maar tegen zijn moeder dat hij buiten ging spelen.

Toen we over het pad de heuvel op sjouwden, probeerde ik Stefan nogmaals uit te horen over de Walpurgisnacht, maar hij werkte niet erg mee. Hij was zo geschrokken van wat hij had gezien en had zich zo uitgeput toen hij daarna de hele weg naar huis keihard had gerend, dat hij er ziek van was geworden. Dat was het enige wat hij kwijt wilde.

'Misschien verkeerde je in een shock,' opperde ik toen we het pad verlieten en doorliepen over de ongelijke bosgrond waar het kasteel had gestaan. Het tapijt van dode bladeren van het afgelopen jaar sopte een beetje onder onze schoenzolen, maar overal was al nieuw groen te zien.

Stefan luisterde niet. Hij was blijven staan en keek om zich heen alsof hij zich probeerde te oriënteren.

'Laten we naar de toren gaan. Daar kan ik beter beoordelen waar dat licht was.'

We beklommen de steile helling naar de rand van de verzonken toren. Stefan liep eromheen en ging op de met mos begroeide steenmassa zitten die ooit deel had uitgemaakt van de vestingwerken. Ik kroop naar boven, ging naast hem zitten en toen zaten we daar te zwijgen als twee uilen op een tak.

'Daar was het,' zei Stefan uiteindelijk en hij wees ergens naar. Hij stond op en volgde de vage contouren van de muur. Ik liep achter hem aan, voorzichtig laverend tussen de stukken van de muur die uit de grond omhoogstaken als puntige tanden.

Ik keek om me heen. Het was erg moeilijk om je voor te stellen hoe het kasteel eruit had gezien toen de kantelen en torens nog overeind stonden. Het enige wat er nu te zien was, waren de muren die zo ongeveer met de grond gelijkgemaakt waren en waarvan de losse stenen met felgroen mos bedekt waren.

Het was niet alleen een tafereel van verwoesting maar een tafereel van een verwoesting die erg lang geleden was aangebracht. Je kon je niet voorstellen dat het kasteel ooit bewoond was geweest. Zelfs de geest van de eeuwige jager had na tien eeuwen in het niets verdwenen moeten zijn.

Bij de vage omtrek van een hoek stopten we. 'Hier was het ergens,' zei Stefan, om zich heen kijkend. We zakten weer af naar de zompige bosgrond. Ik keek Stefan verwachtingsvol aan. Ik was benieuwd of hij plotsklaps de aanwezigheid van een griezelig wezen zou voelen en wit wegtrekken, of dat hij misselijk zou worden of flauwvallen.

Het viel een beetje tegen dat hij er ontspannen uitzag, opgelucht zelfs. Het daglicht leek zijn angst te hebben weggenomen. Hij banjerde ogenschijnlijk nonchalant door het dichte struikgewas. Ik sjokte teleurgesteld achter hem aan. Ik wou dat ik naar buiten had gemogen op de avond dat Stefan de wacht had gehouden bij de toren; ik wou dat ík het geheimzinnige licht had gezien en het indringende gefluister had gehoord. Het zou prettig zijn geweest als ik het meisje was dat had meegeholpen om de verdwijning van Katharina Linden op te lossen, in plaats van het meisje met de grootmoeder die tijdens het adventsdiner was ontploft. Ik was niet inhalig; we hoefden niet Katharina's lichaam te vinden. Een afgehakte hand of een vinger, of zelfs alleen maar een onderdeel van haar kleding zou voldoende zijn. De rode strik die ze in haar donkere haar had gehad, bijvoorbeeld.

Ik stelde me voor hoe dankbaar de politie zou zijn, en dat ik een beloning zou krijgen van brigadier Tondorf, en dat Frau Redemann alle leerlingen bij elkaar zou roepen om hen te vertellen dat Pia Kolvenbach (met enige hulp van Stefan Breuer, gaf ik gul toe) een belangrijke rol had gespeeld in de oplossing van het raadsel. En dat Thilo Koch stikjaloers zou zijn dat ik het was en niet hij en hoe ik het verhaal aan mijn klasgenoten zou vertellen die ademloos in een kring om me heen stonden, en dat Thilo achter hen op en neer sprong en tevergeefs probeerde op te vangen wat ik zei. Het was een aangename fantasie. Zo aangenaam dat ik pardoes tegen Stefan opbotste toen die opeens bleef staan.

'Kijk eens.'

Ik keek, maar zag niet meteen wat ik geacht werd te zien. Er lagen wat losse stenen bij elkaar, zoals er verspreid over het terrein overal stenen lagen. Maar sommige lagen in een bepaald patroon en ik besefte dat het een cirkel was. Een perfecte cirkel van stenen die met grote precisie waren geplaatst.

We liepen er voorzichtig op af en keken ernaar.

'Nou en?' zei ik. 'Het is alleen maar een cirkel. Het zal wel de fundering van een van de torens zijn, of misschien was het een open haard of zoiets.'

'Nee, dat was het niet,' zei Stefan met grote stelligheid. 'Op deze stenen zit geen mos.' Hij had gelijk. 'Als ze hier al ik weet niet hoe lang lagen, hadden ze onder het mos moeten zitten.'

'Daar heb je gelijk in,' gaf ik toe, onder de indruk van zijn speurzin. Ik wilde over de stenen heen stappen, maar hij greep mijn arm om me tegen te houden.

'Ik vind dat we niet in de cirkel moeten stappen.'

'Waarom niet?'

'Nou... misschien is het, je weet wel, betoverd.'

Ik deed haastig een stap achteruit. 'Wat ligt daar in het midden?' vroeg ik. We rekten onze halzen om het beter te kunnen bekijken zonder de cirkel van stenen te betreden. Het was een stapeltje stenen met een grote, platte steen erbovenop. Op de platte steen lag een restant van iets wat was verbrand.

'Haar,' zei ik en ik rilde van afgrijzen.

'Dat is geen haar,' zei Stefan. 'Het ziet er vezelig uit. Misschien zijn het kruiden. Of tabak, of je weet wel.'

'Je weet wel?'

'Ja, je weet wel.' Stefan keek meewarig; waarom was ik zo naïef? 'Dat spul dat Boris rookt.'

'O.' We keken elkaar aan. Opeens had ik het niet meer. Ik voelde een onbedwingbare giechelbui opkomen. 'Denk je dat de eeuwige jager het heeft gerookt?'

'Idioot,' zei Stefan, maar hij moest ook lachen. Hij deed alsof hij een lange trek van een stickie nam en zei vergenoegd: 'Man, als ik dit spul rook, heb ik het gevoel dat ik eeuwig kan blijven rijden.' We sloegen dubbel van het lachen.

'Zouden de bloedhonden het ook gerookt hebben?'

'Natuurlijk, en het paard ook.'

We stikten van de pret. Maar net toen ik dacht dat ik letterlijk pijn in mijn buik zou krijgen van het lachen, zei Stefan opeens: 'Ze hebben hier een satansdienst gehouden.'

Het lachen verging me meteen. 'Dat is geen leuk grapje.'

'Zo heb ik het ook niet bedoeld.' Hij wees naar de restanten van het verbrande materiaal. 'Dat was natuurlijk de, hoe heet het, de tafel, zoals in de kerk.'

'Het altaar,' zei ik.

'Ja, en dat spul dat erop ligt, is wat ze hebben geofferd.'

'Geofferd?'

'Ja. Het is een zoenoffer.'

Dat klonk me niet prettig in de oren; het deed me denken aan de godsdienstlessen van Frau Eichen over bebaarde aartsvaderen die hun zonen de heuvel op droegen om ze daar te offeren omdat God zei dat ze dat moesten doen. En dat iedereen vond dat daarmee werd aangetoond hoezeer de oude man op God vertrouwde, zonder dat iemand erbij stilstond wat het jongetje gedacht moet hebben toen zijn pappa met een groot mes zwaaide en pas op het allerlaatste moment had besloten toch maar een ram te offeren.

'Wat eng,' zei ik, de kampioen van het understatement.

'Dat was het dus,' zei Stefan, hardop denkend. 'Niet de jager en zijn honden, maar een satansdienst. Het licht was het vuur waarmee ze dat spul hebben verbrand.' Hij draaide zich naar me om en keek me ernstig aan. 'De stemmen... die maakten deel uit van het ritueel.'

'En de hoefslagen?' vroeg ik.

Stefan bleef naar me kijken en het was net alsof ik zijn hersens letterlijk zag werken toen hij diverse mogelijkheden de revue liet passeren. Toen zette hij grote ogen op en weken zijn lippen van elkaar. Ik *zag* het, het moment waarop het hem begon te dagen.

'Gespleten hoeven,' zei hij.

We staarden elkaar aan. 'We moeten hier weg,' zei ik gejaagd. Stefan had geen aansporing nodig. We draaiden ons om en vluchtten weg over de ongelijke bosgrond, klauterend over bergjes aarde en rondslingerende stenen, zo snel als we konden zonder als idioten te gaan sprinten. Toen we terug waren bij het pad liepen we de heuvel af zonder achterom te kijken. Stefan liep zo snel dat ik moest draven om hem bij te houden.

'Gaan we dit aan iemand vertellen?' vroeg ik, hijgend van de inspanning.

'Natuurlijk niet,' zei Stefan.

'Ook niet aan Herr Schiller?'

'Nou, misschien alleen aan hem.' We wisten dat Herr Schiller anders was. Hij was weliswaar een volwassene, maar zou niet denken dat we het allemaal verzonnen hadden, en hij zou weten wat we moesten doen. Aangenomen dat er iets was wat we konden doen. Misschien was het beter om helemaal niets te doen, net zoals we zelf al hadden begrepen dat we beter niet die cirkel van stenen konden betreden.

Ik nam bij het kerkhof aan de voet van de Queckenberg afscheid van Stefan en liep snel door naar huis. In mijn hoofd zoemden giftige gedachten als bijen in een bijenkorf: fluisterende stemmen om middernacht, onzichtbare wezens die de duivel aanriepen, verkoolde offerandes. Meisjes die spoorloos verdwenen. Heksen en spookachtige jagers en katten die geen katten waren.

Toen ik thuiskwam, ging ik nog zo op in al die griezelige gedachten, dat ik het niet eens vreemd vond dat mijn moeder net zo bleek en geschokt keek als ik. Pas toen ze haar armen om me heen sloeg en me beurtelings knuffelde en door elkaar rammelde, begreep ik dat er iets mis was.

'Waar heb je gezeten? Ik was zo ongerust!'

Mijn vader kwam de keuken uit en nog voordat het tot me doordrong dat hij erg vroeg thuis was, zag ik dat hij er ook al zo bleek en bezorgd uitzag. Verward keek ik van de een naar de ander. Wat was er in hemelsnaam aan de hand? Het duurde nog een paar minuten voordat ik het doorhad. Er was weer een kind verdwenen.

19

De woensdag waarop het gebeurde was een heldere dag. Niet warm, maar wel zonnig. Het gebeurde midden op de dag, toen er redelijk veel mensen op straat waren: groepjes schoolkinderen die naar de bushalte slenterden, winkelbediendes die snel even naar de bakker gingen om iets voor de lunch te halen, werkende moeders die zich naar huis haastten omdat hun kinderen uit school kwamen. En groepjes alwetende Duitsers, de zogenaamde *Senioren,* die hier en daar het wel en wee van de wereld stonden te bespreken. Een doodgewone, zonnige, doordeweekse dag.

Nu zijn er ook midden op de dag delen van de stad waar het stil en donker is. In de smalle stegen waar de gevels van de huizen zich naar elkaar toe buigen en de hoge muren diepe, kille schaduwen werpen. Maar zelfs in die stille stegen voelde je je nooit bedreigd. Afgezien van een korte periode van opwinding in 1940, toen Hitler in het nabijgelegen Rodert van een bunker gebruik had gemaakt, was de overstroming van 1416 de laatste opzienbarende gebeurtenis geweest. Er gebeurde hier doodgewoon niets, en niets is precies wat er met Marion Voss leek te zijn gebeurd. Of liever gezegd: ze verdween in het niets en verging tot niets.

Een paar mensen herinnerden zich die dag een klein meisje gezien te hebben, met dansende vlechten en een schooltas op haar rug. Maar was dat Marion Voss geweest? Ze was van normale lengte, had lichtbruin haar en precies dezelfde schooltas met opdruk van dravende paarden als dertig andere meisjes van haar leeftijd. Brigadier Tondorf had een meisje dat Marion Voss geweest kon zijn geholpen de weg bij de Klosterplatz over te steken, waar de schoolbussen stonden. Frau Nett van het Café am Fluss had gezien dat een meisje dat

Marion Voss geweest kon zijn voor de deur van de banketbakker was gestruikeld en overeind was geholpen door een iets ouder meisje. Hilde Koch beweerde een meisje, dat beslist Marion Voss moest zijn geweest, voor de kiosk bij de Orchheimer Tor gezien te hebben, met een zak snoepjes in haar hand. Maar niemand had gezien waar ze naartoe was gegaan.

Het zag ernaar uit dat ze op haar weg door de stad van haar route was afgeweken, een steeg was ingeslagen of een gebouw binnen gegaan, en spoorloos was verdwenen. Het leek wel zo'n truc van een goochelaar, die iets in een doos stopt en die dan weer openmaakt en aan iedereen laat zien dat hij leeg is. Het ene moment huppelde ze nog door de straat, het volgende moment was ze weg. Het enige wat er was overgebleven, waren losse beelden, stukjes van herinneringen die verwijtend boven onze hoofden hingen, als de echo van een noodkreet. Marion Voss was in rook opgegaan.

Ik wist nog minder over dit verdwenen meisje dan over Katharina Linden. Ze was niet alleen jonger dan ik – ze zat pas in de derde – maar woonde in het dorp Iversheim, een paar kilometer ten noorden van Bad Münstereifel. Ik zal haar op school best gezien hebben, in de gangen en op de speelplaats, maar kan me dat niet herinneren.

Marion Voss was een onopvallend meisje dat haar lange haar meestal in twee vlechten droeg. Zo ook op de dag dat ze verdween. Ze droeg een bril met een zilverkleurig montuur en kleine oorbelletjes. Ze had een alledaags, lief gezichtje en een donkere moedervlek op haar linkerwang, dicht bij haar mond.

Dat zag ik allemaal op de foto die in de regionale en landelijke dagbladen werd afgedrukt. Ze was voorpaginanieuws: het tweede meisje dat in de Spookstad verdwenen was. Mijn ouders hielden thuis de kranten voor me verborgen, maar elke keer dat ik langs de sigarenwinkel kwam, staarde het gezicht van Marion Voss me in het krantenrek aan, eindeloos herhaald in korrelige druk. Ik wist dus hoe ze eruitzag.

Ik kwam erachter dat ze geen broers of zusjes had, maar wel een heleboel onthutste neefjes en nichtjes. Ze had een hond, een labrador genaamd Barky, en twee konijnen, maar de krant vermeldde niet hoe die heetten. Ze hield van dansen en zingen en zat op blokfluitles. Ze had een litteken op haar knie, overgehouden aan een ongelukje met haar fiets twee jaar geleden. Ze had hersenvliesontsteking gehad toen ze op de kleuterschool zat, maar was geheel genezen. Haar ouders waren indertijd door het dolle heen geweest van vreugde. Nu waren ze gek van angst. Haar grootmoeder had gezegd dat ze elke dag in de kerk een kaars zou aansteken tot Marion terecht was.

Dat stond allemaal in de krant, en nog meer. Wat er niet in stond, was waar ze was gebleven.

Wat ook niet vastgesteld kon worden, was wanneer en waar Marion Voss precies was verdwenen. Haar moeder, die 's ochtends op de receptie van een artsenpraktijk werkte, had haar dochter niet meteen na school thuis verwacht. Ze dacht dat Marion zou meegaan met een vriendinnetje dat in de stad woonde.

De moeder van dat vriendinnetje zei echter dat ze Marion niet had verwacht. Omdat ze die middag zelf ergens naartoe moest, had ze geen extra kinderen over de vloer kunnen hebben.

Het schoolvriendinnetje werd helemaal hysterisch toen ze werd ondervraagd, omdat ze dacht dat men haar er de schuld van gaf dat Marion was verdwenen, en was niet in staat een samenhangend verslag van de gang van zaken te doen. Uiteindelijk kwam men tot de conclusie dat ze Marion had uitgenodigd zonder dat aan haar moeder te vertellen en dat de meisjes ruzie hadden gekregen en ze tegen Marion had gezegd dat ze niet met haar mee naar huis mocht. Het was niet duidelijk wanneer ze ruzie hadden gekregen, maar Marion was in ieder geval niet samen met haar klasgenootjes meteen na school op de bus naar huis gestapt, en had ook niet de latere bus naar Iversheim genomen.

Aangezien Marions moeder had verwacht haar dochter pas te zien als ze haar aan het einde van de middag ging afhalen, zou de verdwijning van het meisje minstens zes uur onopgemerkt zijn gebleven als Frau Voss zich niet opeens had herinnerd dat Marion om drie uur een afspraak had bij de tandarts. Ze had de moeder van het schoolvriendinnetje opgebeld en toen waren ze erachter gekomen dat ze geen van beiden wisten waar Marion was.

Weer werd er druk beraadslaagd en toen Frau Redemann alle leerlingen opnieuw bijeen liet komen om strengere veiligheidsmaatregelen af te kondigen en ons eraan te herinneren dat we niet met vreemden mochten meegaan, stond brigadier Tondorf naast haar, samen met nog een politieman die we niet kenden. Een man met een messcherpe vouw in zijn broekspijpen en een gezicht dat eruitzag alsof het uit steen was gehouwen.

'Als iemand iets weet over Marion Voss of als iemand haar woensdagmiddag heeft gezien, moeten jullie me dat komen vertellen,' zei ze met een stem die hoger en minder ferm klonk dan anders. Ze was onrustig, frunnikte met haar lange vingers aan de hanger op haar borst. Ze had een aura van slecht onderdrukte wanhoop. Lastige ouders, kinderen die de problemen van thuis mee naar school brachten en de lessen verstoorden, en vierdeklassers die op het toilet sigaretten verkochten, dat kon ze wel aan, maar dit was iets wat niet in haar taakomschrijving stond.

Elke keer dat ze in de volgepakte hal haar blik heen en weer liet gaan over de honderden kinderen die aan haar zorg waren toevertrouwd, of naar de strakke gezichten van de politiemannen keek, stond het duidelijk op haar gezicht te lezen. Dit is niet eerlijk, zag je haar denken. Hiervoor ben ik niet het onderwijs ingegaan.

'Of de politie bellen,' voegde ze er nerveus aan toe, alsof ze de hele situatie in hun schoot kon dumpen. Brigadier Tondorf schuifelde met zijn voeten en keek omhoog. De andere politieman bleef met zo'n neutraal gezicht over onze hoofden heen kijken dat niet duidelijk was of hij zich verveelde of zijn krachten wilde sparen om misdadigers te overmeesteren.

We mochten terug naar de klas. Frau Eichen maakte een afwezige indruk en verliet het lokaal steeds om op de gang fluisterende gesprekken te voeren, waarschijnlijk met andere leerkrachten. De leemten in ons lesprogramma werden geestdriftig opgevuld door Thilo Koch die theorieën uiteenzette over wat er volgens hem met Marion Voss en Katharina Linden was gebeurd.

'Mijn broer Jörg,' zei hij bijvoorbeeld, 'mijn broer Jörg zegt dat ze zijn opgegeten door een kannibaal. Daarom hebben ze hun lichamen niet gevonden. Omdat hij ze met huid en haar heeft verslonden.'

Een weerzinwekkende gedachte, maar nog altijd beter dan Thilo's andere theorie, dat beide meisjes waren ontploft.

'Ga niet naast Pia Kolvenbach zitten, anders ben jij misschien de volgende.'

Een van zijn theorieën onthulde een onaangenaam gerucht waar ik tot dan toe niets van had geweten.

'Mijn oma zegt dat het een teken was.' Met *het* bedoelde hij de dood van oma Kristel.

'Een teken? Waarvan?' vroeg ik verontwaardigd.

'Een teken dat het Kwaad zich roert in onze stad,' zei Thilo, duidelijk de woorden van zijn grootmoeder citerend. Het concept van Goed en Kwaad was niet prominent aanwezig in Thilo's kijk op de wereld. Het enige wat hem interesseerde, was hoe hij zo vaak mogelijk zijn zin kon krijgen.

Ik kon het Frau Kessel bijna horen zeggen: het Kwaad was in actie gekomen. Het kwam blijkbaar bij niemand op dat oma Kristel, die elke zondag trouw naar de kerk was gegaan, geen voor de hand liggende keuze was om als instrument voor de verkondiging van al dat onheil te dienen.

'Wat een onzin,' zei de trouwe Stefan, maar het was al te laat. De anderen keken naar me alsof ik mijn grootmoeder persoonlijk als een vuurpijl had afgeschoten en als toegift ook nog eens twee kinderen had ontvoerd.

Het was bijna een opluchting toen Frau Eichen terugkwam en ons kortaf opdracht gaf de rekenboeken op pagina 157 op te slaan. Drieëntwintig hoofden, sommige met keurige vlechtjes en andere met agressieve stekeltjes, zoals dat van Thilo Koch, bogen zich braaf over de boeken.

Ik wierp een zijdelingse blik op Thilo, die precies op dat moment zijn hoofd ophief en me naar hem zag kijken. Hij trok een zogenaamd angstig gezicht en maakte met zijn vieze duimen met de afgekloven nagels een kruis, alsof hij probeerde een vampier van zich af te houden. Voordat Frau Eichen in de gaten kreeg wat hij deed, stak hij zijn handen onder de tafel en deed hij net alsof hij verdiept was in pagina 157.

Ik deed hetzelfde, maar de getallen zeiden me niets. Het had net zo goed Chinees kunnen zijn. In mijn binnenste ziedde het. Wanneer zou er een einde komen aan het getreiter? Zouden de bewoners van deze stad ooit kunnen vergeten dat ik het meisje was met de ontplofte grootmoeder?

20

Toen ik die dag thuiskwam, was mijn vader er al. Heel af en toe, als hij naar een vergadering moest, kwam hij op de terugweg tussen de middag thuis eten. Nu klonk het echter niet alsof hij aan de lunch zat, noch was mijn moeder in de keuken bezig iets klaar te maken. In plaats daarvan waren ze luidkeels aan het ruziën, mijn vader met zijn stentorstem in het Duits, mijn moeder hoofdzakelijk in het Duits maar met Engels erdoorheen als ze de woorden niet kon vinden. Toen ik de voordeur dichtdeed, eindigde ze net een zin met: '... in deze *bloody* rotstad!'

De schrik sloeg me om het hart. Ik vond het vreselijk als mijn ouders ruzie hadden, en ruzie over of we in Duitsland moesten blijven wonen was niet alleen verontrustend maar ook zinloos. Waar had mijn moeder dan naartoe willen gaan? Als ze het erg te kwaad had, zei ze soms dat ze wilde dat we met ons allen in Engeland gingen wonen, maar ze had net zo goed kunnen zeggen dat we naar de maan moesten verhuizen.

Mijn vader bracht daar dan tegenin, elke keer weer, dat het voor hem bijzonder moeilijk zou zijn om in Engeland een vergelijkbare baan te vinden, en dat het vrijwel onmogelijk was ginds net zo'n huis te vinden als we in Bad Münstereifel hadden. Het sloeg sowieso nergens op. Als mijn moeder niet een van haar *down with Deutschland*-dagen had, zoals ze die zelf noemde, klaagde ze juist over Groot-Brittannië: over de belachelijk hoge kosten van levensonderhoud, de files waarmee het hele zuiden van Engeland verstopt zat, het armzalige peil van de scholen en de ziekenhuizen... Het enige wat ze miste, zei ze, waren Engelse thee en Tesco. De Duitse supermarkten waren volgens haar nooit goed ingedeeld. Kerstkransen legde je toch niet in het gangetje naast de wasmiddelen!

Ik wist heel zeker dat ik niet in Engeland wilde wonen. Zelfs de dingen waarover mijn moeder zo vol liefde sprak, zoals Engelse thee – met *melk!* – klonken afgrijselijk. Bovendien, en dat wist ik omdat ze het er om de haverklap over had, hadden ze daar een heel ander schoolsysteem. De kinderen moesten op hun vijfde al naar school en bleven daar dan de hele dag. Ze aten tussen de middag op school, en wat ze kregen was niet om te vreten, volgens mijn moeder, die dat erg amusant leek te vinden. Aardappelpuree met hompen vlees, zonder roomsaus of wat dan ook.

Ik moest voor school een keer een werkstuk maken over waar onze familie vandaan kwam. Ik heb toen een slordige kaart van Engeland getekend met de geboortestad van mijn moeder erop aangegeven. We moesten informatie toevoegen over de belangrijkste producten van de streek, dus heb ik aan mijn moeder gevraagd waar je in Middlesex het meeste van had, en toen zei ze: 'Wegen.'

Ik zette mijn schooltas stilletjes op de grond in de hal en wilde net naar boven glippen zonder mijn ouders te storen, toen de keukendeur openging en mijn moeder met grote stappen naar buiten kwam. Ze wrong een theedoek tussen haar handen alsof ze een kip de nek omdraaide.

'O, hallo, Pia, ik ben blij dat je thuis bent.'

Dat klonk niet best. Mijn vader verscheen achter mijn moeder in de deuropening. Hij had zijn gezicht tot een masker van kalmte geplooid, maar werd verraden door de rode kleur van zijn wangen.

'Kate...' zei hij waarschuwend.

'Hou je mond, Wolfgang,' was haar verzoeningsgezinde antwoord. Een paar lokken van haar donkere haar zakten voor haar ogen toen ze zich naar me toe boog. 'Wil je een poosje bij granny Warner gaan logeren, Pia?'

'Daar komt niets van in,' zei mijn vader achter haar.

'Daar komt alles van in.' Mijn moeder had een stem van staal.

'Ze kan niet eens gaan,' zei mijn vader. 'Ze staat al ingeschreven voor het zomerkamp in het Schleidtal en voor de tekencursus.'

'Ik schrijf haar wel uit,' zei mijn moeder.

'Thomas en Britta komen ook,' zei mijn vader. 'Dan kan Pia mooi met haar neefjes optrekken.'

Dat leverde hem een opstandige blik van mij op. Optrekken met Michel en Simon was voor mij hetzelfde als in een slangenkuil vallen.

'En míjn familie dan?' vroeg mijn moeder terwijl ze wat losse lokken naar achteren gooide. 'Die ziet ze bijna nooit. Ze kan voor de verandering wel eens met hén optrekken.'

'We hebben je moeder gevraagd of ze de zomer bij ons wil doorbrengen, maar dat wil ze niet,' merkte mijn vader op. Dat was waar. Granny Warner liet zich vrijwel nooit overhalen het Kanaal over te steken om bij ons in Bad Münstereifel te komen logeren. Ze zei dat ze zowel van vliegen als van varen 'niet goed' werd en dat ze een hekel had aan Duitse worst en Duits brood dat volgens haar klef smaakte.

'Daar gaat het nu niet om,' zei mijn moeder vinnig.

'Waar gaat het dan wel om?' baste mijn vader.

'Waar het om gaat...' begon mijn moeder, maar ze stokte halverwege. 'Waar het om gaat...' Ze hief haar handen op alsof ze ze tegen haar voorhoofd wilde drukken. 'Waar het om gaat is dat ik niet wil dat Pia hier de hele zomer blijft. Het is niet...'

'Ja?' zei mijn vader op een geladen toon.

'Het is hier niet veilig,' zei mijn moeder uiteindelijk.

'Daar gaan we weer!' Mijn vader hief zijn handen ten hemel.

'Ja, daar gaan we weer,' beet mijn moeder hem toe. 'En als ik heel eerlijk moet zijn, Wolfgang, zou ik het liefst meteen onze koffers pakken en ergens anders gaan wonen, ergens waar je 's ochtends je kinderen naar buiten kunt laten gaan in de wetenschap dat ze gewoon weer thuiskomen en niet verdwijnen zoals dat arme meisje Voss.' Ze wendde zich weer tot mij. 'Pia, granny Warner zou het heel fijn vinden als je in de zomervakantie bij haar kwam logeren. Wil je dat?'

Ik keek haar weifelend aan. 'Jawel... maar hoe moet het dan met het kamp?'

'Je kunt volgend jaar ook nog op kamp.'

'Ik wilde het juist zo graag.'

'Nou hoor je het zelf,' kwam mijn vader tussenbeide. 'Ze wil op kamp.'

'Ik ben niet doof,' zei mijn moeder. Ze wendde zich weer tot mij. 'Ik vind het beter als je bij granny Warner gaat logeren, Pia. Misschien kunnen je Engelse neefjes en nichtjes ook op bezoek komen. Je zult een hoop schik hebben.'

'Mmm,' zei ik neutraal.

'En het is goed voor je Engels,' ging ze door. Ze wierp een blik op mijn vader. Dit was haar troefkaart. 'Het is goed voor haar Engels,' zei ze tegen hem. 'Daar zal ze beslist haar voordeel mee doen als ze in september naar de middelbare school gaat.'

Als ik het had gedurfd, had ik een gezicht getrokken. Ik vond zelf dat ik heel aardig Engels sprak, in elk geval tien keer beter dan mijn klasgenootjes, omdat mijn moeder het thuis zo vaak sprak. Alleen had ik nooit zin om Engels te spreken als ik net zo goed Duits kon spreken. Het was net zoiets als leggings achterstevoren aantrekken. Je kon wel lopen, maar het zat niet lekker.

Met tegenzin liet ik me meetronen naar de telefoon. Mijn moeder draaide het nummer van granny Warner. Misschien dacht ze dat mijn vader erin zou slagen haar van gedachten te laten veranderen als ze alles niet onmiddellijk regelde.

'Mam? Met Kate.' De stem aan de andere kant van de lijn klonk blikkerig en mijn moeder hield haar hand op mijn schouder alsof ze wilde voorkomen dat ik ervandoor zou gaan. 'Ja, ik heb het met Wolfgang besproken' – besproken was nogal zachtjes uitgedrukt als je bedenkt hoe ze tegen mijn vader tekeer was gegaan toen ik was thuiskwam – 'en ze komt van de zomer.' Daarop volgde een nieuwe explosie van krakende geluiden aan de andere kant. 'Wil je haar zelf even spreken?'

Gelaten en mistroostig bleef ik in de greep van mijn moeder staan. Ze ging me dwingen in het Engels door de telefoon met mijn grootmoeder te praten. Er viel niet aan te ontkomen.

'Pia?' Mijn moeder gaf me de hoorn en ik drukte hem behoedzaam tegen mijn oor.

'Hallo, oma.'

'Oma?' zei mijn grootmoeder. 'Wie is Oma? Omar Sharif?' Dat zei ze altijd en ik wist nooit of ik erom diende te lachen of niet.

'Eh...' stamelde ik.

‘*Granny,*’ souffleerde mijn moeder, die met haar vinger in mijn rug prikte.

‘Hallo, granny,’ zei ik plichtmatig.

‘Dat klinkt een stuk beter, lieve kind,’ zei granny Warner, zachtjes lachend. Ze liet haar tong klakken. ‘Je klinkt erg Duits, Pia.’

‘Nou,’ zei ik oprecht, ‘ik ben ook Duits.’

‘Grutjes,’ zei mijn grootmoeder. ‘Dus jij komt bij je oude grootmoeder logeren?’

Ik deed erg mijn best om de zucht die ik voelde opkomen, binnen te houden.

‘Ja,’ zei ik.

21

Na de lunch, die ontegenzeglijk stug verliep, raffelde ik mijn huiswerk af en meteen daarna kondigde ik aan dat ik naar Herr Schiller ging. Ik wilde mijn oude vriend graag zien, al wist ik nog niet zeker of ik hem moest vertellen wat Stefan en ik op de Queckenberg hadden gezien. Soms verkeerde ik in de greep van een ijzige opwinding, omdat ik dacht dat we iets hadden gevonden wat te maken kon hebben met de vreemde gebeurtenissen die zich van de stad meester leken te maken, dan weer had ik het idee dat het onzin was, kinderlijke verbeelding, en dat de wereld nog steeds gewoon bestond uit huiswerk, mijn moeder in de keuken en Sebastian die iedereen voortdurend voor de voeten liep.

Ik wist ook niet zeker of ik wel wilde weten wat Herr Schiller ervan zou denken. Het zou niet prettig zijn als hij erom moest lachen, want dan zouden we ons als een stelletje idioten voelen. Maar zou het niet nog erger zijn als hij het serieus opvatte? Ik liep er zo over te piekeren dat ik tegen iemand opbotste. Het was Frau Kessel.

'Kijk toch uit!' riep ze, en toen zag ze dat ik het was. 'Pia Kolvenbach!' Over de rand van haar glanzende ronde brillenglazen keek ze me verwijtend aan.

'Sorry, Frau Kessel,' zei ik op een berouwvolle toon.

'Je moet niet zo onbesuisd door de straten rennen,' deelde ze me streng mede.

Ik keek naar de grond.

'Waarom heb je zo'n haast? Waar ga je naartoe?'

'Nergens,' zei ik leugenachtig.

'O nee?' snoof Frau Kessel. Ze bekeek me taxerend. 'Nou, als je niets te doen hebt, kun je mooi de boodschappen voor me dragen.'

'Maar...' begon ik, maar ik stopte snel. Waarom eigenlijk niet? De kans om ongezien bij Herr Schiller te komen was verkeken en eerlijk gezegd had ik een heleboel vragen voor Frau Kessel sinds ze bij ons was gekomen om mijn ouders over Herr Düster te vertellen. Op haar manier was Frau Kessel net zo goed op de hoogte van de plaatselijke geschiedenis als Herr Schiller, al waren haar verhalen een stuk negatiever. Als de hoofdpersoon uit een van haar roddelpraatjes onverhoopt op een happy end mocht afstevenen, zou ze haar handen er volgens mij afkerig van aftrekken.

Ik pakte de mand aan die Frau Kessel me met haar beringde klauw voorhield. Hij zat vol in bruin papier gewikkelde pakketjes die naar het gewicht te oordelen stenen bevatten. Frau Kessel, die een kop groter en heel wat steviger gebouwd was dan ik, ging zelf gebukt onder een opgevouwen exemplaar van de *Kölner Stadtanzeiger* en een kleine handtas.

Toen de verdeling van de lasten naar haar zin was geregeld, rechtte ze haar rug en vervolgde ze op een majestueuze manier haar weg over de kinderhoofdjes. Ik denk dat haar genoegen alleen nog groter had kunnen zijn als ik een klein negerjongetje was geweest met een satijnen pofbroek en een met juwelen bezette tulband, die haar volgde met een waaier van struisvogelveren. We liepen binnen bij de bakker op de Salzmarkt, waar Frau Kessel een grauw brood kocht, en daarna bij de kruidenier op de hoek voor een halve liter volle Eifelmelk.

Daarna was Frau Kessel klaar met boodschappen doen en ging ze op weg naar huis, terwijl ik de mand voor haar zeulde. Toen we bij haar huis kwamen, een smal, traditioneel vakwerkhuis dat tussen twee andere woningen ingeklemd zat op de hoek van de Orchheimer Strasse, bekeek ze me nogmaals over de rand van haar bril.

'Kom maar even binnen,' zei ze, en toen ik aarzelde, voegde ze er een beetje vinnig aan toe: 'Wat sta je daar nou? Ik zal je niet opeten.' Ik volgde haar met enige schroom. Het idee opgegeten te worden was nog niet in mijn hoofd opgekomen, maar nu vroeg ik me af of Frau Kessel soms iets te maken had met de verdwijning van de twee meisjes. Misschien lokte ze meisjes mee naar huis door hen te vragen haar boodschappenmand te dragen en sloot ze hen dan op om hen tot slaaf te maken, als een griezelige Vrouw Holle.

'Zet de mand maar op de tafel,' zei Frau Kessel toen ze voor me uit liep naar de griezelig nette, in sombere bruine tinten uitgevoerde keuken. Boven het aanrecht hing een kruisbeeld en zelfs Jezus zag er onnatuurlijk gestroomlijnd uit.

'Je lust zeker wel een glaasje melk met een koekje?'

Ik durfde geen nee te zeggen, dus kreeg ik melk en een koekje. Ik ging aan de tafel zitten en deed erg mijn best om niet te kruimelen en geen melk te morsen. Het koekje was zacht en leek uit te zetten, waardoor het mijn hele mond vulde. Ik probeerde te glimlachen maar dat viel niet mee, want het was net zoiets als lachen met je mond vol katoen, maar uiteindelijk slaagde ik erin het koekje weg te spoelen met de melk.

'Frau Kessel?' zei ik op een zo beleefd mogelijke toon.

'De koekjes zijn op,' was haar reactie.

'Ik wilde niet om een koekje vragen,' zei ik en ik liet er haastig op volgen: 'Al was het erg lekker.' Ik schraapte mijn keel. 'Ik zat alleen te denken... wat u aan mamma en pappa vertelde toen u bij ons op bezoek was, was erg interessant.'

'Wat was dat dan?' informeerde Frau Kessel. Ze had de kan van het koffiezetapparaat in haar knoestige hand.

'Over de stad... na de oorlog. En over Fräulein Schiller.'

'Ah,' zei Frau Kessel. 'Je bedoelt Gertrud Düster. Herr Schiller heeft daarna pas zijn naam veranderd.'

'Wat was het voor meisje? Kunt u zich haar nog herinneren?' vroeg ik.

'Ik ben niet seniel,' zei Frau Kessel vinnig. 'Natuurlijk herinner ik me haar nog.' Ze snoof. 'Ze was ongeveer net zo oud als jij toen ze verdween.' Ze keek me peinzend aan. 'Ze leek wel een beetje op je, Pia Kolvenbach. Ze had net zulk bruin haar als jij, al droeg ze het altijd in vlechten die ze boven op haar hoofd bij elkaar bond. Zo jammer dat die stijl uit de mode is geraakt. Ik zag laatst dat meisje van Meyer met kort haar, net een jongen! Hoe haar moeder zoiets goed kan vinden, snap ik echt niet.'

'En Gertrud Düster...?' vroeg ik.

'Tst!' siste Frau Kessel geprikkeld. 'Niet zo ongeduldig. Gertrud was een snoezig meisje, dat sprekend op haar moeder leek. Hannelore was een erg mooie vrouw, die volgens mijn moeder veel harten heeft gebroken toen ze met Heinrich trouwde.

'Mijn moeder zei dat Herr Düster, en nu bedoel ik de huidige Herr Düster, niet de arme Heinrich, een van die jongemannen met een gebroken hart was. De broers waren allebei verliefd op Hannelore, maar ze koos Heinrich.' Ze snoof weer. 'En dat kun je haar niet kwalijk nemen. Hij was in alle opzichten de beste van het stel. Kaïn en Abel, die twee, en ik hoef je niet te vertellen wie van hen Kaïn is.'

Frau Kessel rechtte haar rug. 'Men zegt dat hij het daarom heeft gedaan. Omdat hij verbitterd was van afgunst en nooit over de teleurstelling heen is gekomen.'

'Meent u dat?' vroeg ik op een belangstellende toon, in de hoop dat ze nog meer zou vertellen, wat ze ook deed.

'Hannelore kon hij niets doen, omdat die doodging.'

'Mijn moeder zei dat ze in de oorlog is overleden,' zei ik, om ook een steentje bij te dragen. Frau Kessel wierp me een zijdelingse blik toe die zei: Wie vertelt dit verhaal? Jij of ik? Dus hield ik verder mijn mond.

'Ze is in de oorlog gestorven,' ging Frau Kessel door alsof ik niets had gezegd. 'Maar niet door de oorlog. Ze was ziek. Ik weet niet wat ze mankeerde, maar ze hadden natuurlijk niet alle moderne medicijnen die we nu hebben, geen antibiotica, dus kan het van alles zijn geweest. Ik zag haar wel eens op straat en weet nog dat ik vond dat ze erg mooi maar erg mager was. Dat viel me als kind al op, hoewel de meeste kinderen...' Op dit punt keek ze me veelbetekenend aan. '... nooit letten op dingen die niet rechtstreeks op henzelf betrekking hebben.' Ze schudde haar hoofd. 'Het was erg triest. Gertrud moest gewoon naar school, ook nadat haar moeder was overleden. Ze kon nergens anders naartoe. Het was oorlog en zelfs haar grootmoeder moest werken.'

Ze zweeg. Ik dacht na over het verhaal over de arme Gertrud en vroeg me af of zij net zo'n ongezonde belangstelling en indringende vragen over de dood van haar moeder had gehad als ik over de dood van oma Kristel. Ik stelde me haar voor aan haar bureautje, haar hoofd met de kroon van bruine vlechten gebogen alsof ze de wereld wilde buitensluiten. Had een Thilo Koch in een witte bloes en *Lederhosen* haar ook het leven zuur gemaakt? Arme Gertrud.

'Wat is er met haar gebeurd?' vroeg ik uiteindelijk.

Frau Kessel keek me aan. 'Dat weet niemand.'

'Kwam het door de oorlog?'

'Nee, het was ná de oorlog,' zei Frau Kessel, een beetje geïrriteerd, alsof ik niet aandachtig genoeg had geluisterd. 'En,' ging ze verbitterd door, 'als de kinderen van nu zitten te zaniken over wat ze wel en niet lusten, zouden ze eens moeten denken aan hoe het toen was. Brood, eieren, vlees, alles op rantsoen. Chocola? Chocola was helemaal niet te krijgen, nog jaren na de oorlog niet. Wat zeg je daarvan?'

'Vreselijk,' zei ik gedwee.

'Ja,' zei Frau Kessel. 'En de stad... een deel lag in puin vanwege de bombardementen. Waar het Rathaus Café nu is, stonden vroeger prachtige oude huizen, wist je dat? Die zijn platgebombardeerd. Veel van de mannen die terugkwamen uit de oorlog hadden geen huis meer.'

'Misschien is Gertrud door een bom geraakt,' opperde ik.

'Het was ná de oorlog,' zei Frau Kessel nogmaals. 'Als de omstandigheden beter waren geweest, zou er misschien meer moeite zijn gedaan om haar terug te vinden en de dader te pakken te krijgen, alsof we niet precies wisten wie de dader was! Maar in die omstandigheden, met alle soldaten die terugkwamen en andere soldaten die door de stad trokken, en de Amerikanen met hun tanks, was het nog heel lang een enorme chaos, nog jarenlang eigenlijk... De meeste oorlogsmisdadigers zijn nooit opgepakt, laat staan iemand anders, en in de winter van dat jaar stierven we bijna van de honger en maakte niemand zich er nog druk om.' Ze schudde haar hoofd. 'Misschien gaan de mensen nu opnieuw nadenken over die tijd en zullen ze zich afvragen of het wel zo'n goed idee was dat hij hier mocht blijven wonen, alsof hij zo onschuldig was als een pasgeboren lam.'

'Misschien heeft hij het niet gedaan,' zei ik aarzelend. In mijn verbeelding konden allerlei enge figuren uit de duisternis van het bos zijn gekomen om een kind te ontvoeren in die lang vervlogen tijd toen de oorlog, als een van de ruiters van de Apocalyps, het land had verwoest en de volwassenen het druk hadden gehad met andere dingen.

'Misschien, *misschien*,' schamperde Frau Kessel. Ze zette haar handen in haar zij. 'Nu moet je even goed naar me luisteren, Pia Kolvenbach. Op de dag dat Gertrud verdween, zou ze met iemand gaan wandelen. Weet je wie die iemand was? Haar liefhebbende oom, Herr Düster. Ze zouden in het Eschweiler Tal gaan wandelen. En ze is nooit meer teruggekomen.'

'Maar... dan heeft iedereen toch gezien dat hij het was?' vroeg ik verbijsterd.

'Hij ontkende het uiteraard,' zei Frau Kessel gebelgd. 'Hij zei dat ze helemaal niet waren gaan wandelen. En mijn moeder heeft me verteld dat je aan Herr Schiller – Heinrich Düster zoals hij toen nog heette – kon zien hoe moeilijk hij het ermee had dat zijn eigen broer zoiets had kunnen doen, maar dat hij zijn zelfbeheersing geen seconde heeft verloren. Ieder ander zou die kerel met zijn vuisten te lijf zijn gegaan, als hij niets anders bij de hand had, maar Herr Schiller is zich altijd als een heer blijven gedragen. Mijn moeder zei dat hij eerder bedroefd dan boos leek. Hij heeft Herr Düster zelfs verdedigd en dat was volgens mij iets wat de meeste mensen niet hadden kunnen opbrengen.' Ze fronste haar wenkbrauwen en tuitte haar lippen. 'Ik neem aan dat de arme man vond dat hij het op de juiste manier had aangepakt, omdat hij Gertrud sowieso niet zou terugkrijgen, en dat hij zijn eigen broer niet wilde veroordelen, maar als hij dat wel had gedaan, zouden de andere meisjes misschien niet zijn verdwenen. Dat is toch wel iets om over na te denken. Men zegt dat je je vijand de andere wang moet toekeren, maar...'

'De andere meisjes?' herhaalde ik. 'Katharina Linden en Marion Voss?'

'Nee, nee.' Frau Kessel richtte de starre ogen van haar bril op mij. 'Niet die twee. De anderen.'

22

'De anderen?' herhaalde ik traag.

Frau Kessel keek me aan alsof ik met opzet zo dom deed. 'Ja, natuurlijk. Het meisje Schmitz. Hoe heette die toch ook alweer? En Caroline Hack. Niet,' voegde ze eraan toe, 'dat er iemand verbaasd was toen zíj verdween. Die zwalkte dag en nacht door de stad en haar stiefmoeder zei er nooit iets van. Misschien was ze zelfs blij toen Caroline was opgehoepeld.' Met een afkeurend snuiven maakte Frau Kessel duidelijk dat ze er met haar verstand niet bij kon hoe diep de andere bewoners van de stad konden zinken.

'Ik heb nog nooit van Caroline Hack gehoord,' zei ik weifelend. 'Ik geloof niet dat ze bij ons op school zat.'

'Natuurlijk niet, domme meid,' zei Frau Kessel. 'Dat was jaren geleden. Als Caroline Hack nog leeft, is ze nu ongeveer net zo oud als jouw moeder.'

'O.' Ik dacht daarover na. 'En het meisje Schmitz? Zou die net zo oud zijn?'

'Nee, jonger. Dat wil zeggen, ze was tóén jonger,' zei Frau Kessel. 'Maar ze zou nu ouder zijn dan Caroline Hack.' Ze wreef haar handen over elkaar, alsof ze zich van onzichtbaar vuil ontdeed. 'Je stelt veel vragen, Pia Kolvenbach. Stel je op school ook altijd zo veel vragen?'

'Eh...' Er was geen antwoord op zulke vragen als Frau Kessel ze stelde, geen antwoord dat niet een nieuwe preek zou uitlokken.

'En misschien denk je dat ik niets beters te doen heb dan hier te staan kletsen,' zei Frau Kessel. 'Kom, dan loop ik even met je mee naar de deur.' Met andere woorden: hoepel maar op. Ze ging me voor door de bruine gang en deed de voordeur open.

'Bianca, zo heette ze,' zei ze met haar hand op de deurknop.

'Wie?' Ik keek haar verward aan.

'Het meisje Schmitz.'

'O,' zei ik. 'Tot ziens, Frau Kessel.' Opgelucht liep ik de zon weer in.

'Tot ziens,' zei Frau Kessel met nadruk, waarbij ze erin slaagde haar afkeuring over mijn familiaire taalgebruik in die twee woorden te leggen. Toen deed ze de deur dicht.

Het was te laat om nog naar Herr Schiller te gaan, dacht ik, en alhoewel ik dolgraag meer te weten wilde komen over Caroline Hack en Bianca Schmitz, was Herr Schiller zo ongeveer de enige die ik niet naar hen kon vragen, gezien de consternatie die ik had veroorzaakt toen ik over Katharina Linden was begonnen. Dus ging ik maar naar huis, sloffend over de straatkeien terwijl ik nadacht over wat me zojuist was verteld.

Was het waar? Mijn moeder zei dat je alles wat Frau Kessel zei met een korreltje zout moest nemen, omdat ze er een handje van had van de kiem van een gerucht een boom van harde feiten te maken, zoals die keer dat de tienerdochter van Frau Nett buikgriep had en op school moest overgeven, en Frau Kessel aan minstens zes kennissen vertelde dat ze uit goede bron had vernomen dat Magdalena Nett vier maanden zwanger was. Na die afgrijselijke blunder had Frau Nett haar maandenlang met de nek aangekeken. Toch kon ik me moeilijk voorstellen dat ze had verzonnen dat er nog meer meisjes waren verdwenen. Je verdween of je verdween niet. Ik vroeg me af wie ik ernaar kon vragen.

23

'Pap?'

Mijn vader zat zoals gewoonlijk verschanst achter de pagina's van de *Stadtanzeiger*. Hij keek naar me op. 'Ja?'

'Zat er bij jou op school een meisje dat Bianca Schmitz heette?'

'Dat geloof ik niet.' Mijn vader keek weer naar de opengeslagen pagina. Ik kon zien dat hij graag terug wilde naar een of ander opwindend item uit het plaatselijke nieuws.

'Heb je dan misschien een meisje gekend dat Caroline Hack heette?'

Met tegenzin liet hij de krant zakken. 'Dat geloof ik niet.'

'Weet je het zeker?'

'Pia, ik ben de krant aan het lezen. Wat is er zo belangrijk aan Caroline... hoe zei je dat ze heette?'

'Caroline Hack. Frau Kessel zei dat ze –'

'Frau Kessel?' Mijn vader zuchtte en stond op het punt net zoals mijn moeder te zeggen dat ik niet naar de verhalen van Frau Kessel moest luisteren, toen hem een lichtje opging. 'Dat was het meisje dat is weggelopen.'

'Weggelopen? Frau Kessel zei dat ze was verdwenen.'

'Zo kun je het ook noemen. Ze is zomaar opeens weggegaan. Maar hoe komt het dat jij het daarover hebt gehad met Frau Kessel?'

'Omdat ze vroeg of ik haar boodschappenmand voor haar kon dragen,' zei ik naar waarheid.

'Meen je dat? Wat een brutaliteit,' gromde mijn vader.

In andere omstandigheden zou ik in de verleiding zijn gekomen daar eens lekker over uit te weiden, met hem in te stemmen dat het een schande was dat ik van Frau Kessel haar boodschappen had moeten dragen, de boel zelfs aan te dikken door te zeggen dat ik aan die zware mand een vreselijke pijn in mijn rug had overgehouden... maar op dit moment was Caroline Hack veel interessanter dan de kans om Frau Kessel zwart te maken.

'Ze zei dat Caroline Hack zomaar opeens was verdwenen, net als Katharina Linden.'

'Hmm.' Mijn vader ging rechtop zitten in zijn leunstoel en keek me met een ernstig gezicht aan. 'Dit bevalt me niets, Pia. Frau Kessel zou kinderen geen angst moeten aanjagen met dergelijke verhalen.'

'O, ik was niet bang, hoor, ik –'

'Als ze nog een keer wil dat je haar boodschappenmand draagt, zeg je maar dat je van je vader rechtstreeks naar huis moet. Goed?'

'Goed. Maar pap?'

'Ja?' Hij klonk een beetje wantrouwig.

'Zou je me iets meer kunnen vertellen over Caroline Hack? Ik word er echt niet bang van,' voegde ik er snel aan toe. 'Ik vind het gewoon interessant.'

'Lieve schat, er valt niks te vertellen. Ze zat bij me op de lagere school, maar ik kende haar niet. Zij zat in de vierde klas en ik in de tweede of de derde, dat weet ik niet meer precies. Op een dag kwam ze niet op school en later hoorden we dat ze was weggelopen. Ze kon geloof ik niet met haar moeder overweg.'

'Haar stiefmoeder, zei Frau Kessel.'

'Frau Kessel! Frau Kessel zou zich met haar eigen zaken moeten bemoeien, Pia, en dat meen ik serieus. Ik wil niet hebben dat je naar haar luistert.'

'Oké, pap.' Het was duidelijk dat hij kwaad zou worden als ik nog meer vragen stelde, dus verliet ik met tegenzin de kamer.

De volgende ochtend nam ik in de pauze Stefan apart. We trokken ons terug in een hoekje van de speelplaats, ver van het klimrek waaraan de eersteklassers buitelden als aapjes en op een veilige afstand van de plek waar Thilo Koch en een paar van zijn vrienden op een kluitje stonden.

‘Wat is er?’ vroeg Stefan.

‘Katharina Linden en Marion Voss zijn niet de enigen,’ zei ik zonder inleiding. ‘Er zijn nog meer meisjes verdwenen.’

Stefan keek om zich heen alsof hij probeerde te ontdekken wie er ontbraken.

‘Wie dan?’

‘Niet nu,’ zei ik. ‘Jaren geleden, toen mijn vader op school zat.’

Stefans schouders zakten toen ik dit zei. *Jaren geleden, toen mijn vader op school zat*. Dat was zo lang geleden dat het geen enkele betekenis had.

‘O ja?’ zei hij ongeïnteresseerd.

‘Ja. Een van de meisjes heette Bianca Schmitz, maar die was al verdwenen voordat mijn vader op school zat, als ik het goed heb begrepen, maar er was ook ene Caroline Hack, en die zat in dezelfde tijd als hij hier op school.’

‘En wat is er met hen gebeurd?’

‘Frau Kessel zegt dat ze spoorloos zijn verdwenen.’

‘Frau Kessel? Pia, je moet niet geloven wat die oude heks allemaal zegt.’ Stefan klonk geïrriteerd. De reden daarvoor was waarschijnlijk dat de familie Breuer ook wel eens met dc hyperactieve tong van Frau Kessel te maken kreeg.

‘Maar het is waar! Mijn vader weet ervan. Hij zegt dat ze op een dag niet op school kwam en dat iedereen dacht dat ze van huis was weggelopen.’

‘Waarom zou ze van huis zijn weggelopen?’

‘Omdat ze niet met haar stiefmoeder overweg kon.’

‘Misschien is ze dan ook echt weggelopen.’

‘Frau Kessel denkt van niet. Zij denkt dat iemand haar ontvoerd heeft.’

‘Wie dan?’

‘Nou...’ Ik keek om me heen en ging op zachte toon door. ‘Frau Kessel verdenkt Herr Düster ervan.’

‘De ouwe Düster?’ Dat vond Stefan wel interessant.

‘Ja. Ze zegt dat die met Gertrud was gaan wandelen op de dag dat ze is verdwenen.’

‘Gertrud?’ Stefan keek me verbijsterd aan. ‘Wie is Gertrud?’

'De dochter van Herr Schiller,' zei ik ongeduldig. 'Die ook is verdwenen. Herr Düster was met haar in het Eschweiler Tal gaan wandelen en ze is nooit teruggekomen.'

'Als men dat wist, waarom heeft men daar dan niets aan gedaan?'

'Frau Kessel zegt dat Herr Schiller het voor hem opnam.'

'Waarom?'

'Dat weet ik niet.' Ik dacht erover na. 'Frau Kessel zegt dat Herr Düster Gertrud had ontvoerd om wraak te nemen op Herr Schiller, omdat híj met de vrouw van Herr Schiller had willen trouwen. Voordat die met Herr Schiller was getrouwd, natuurlijk.'

'En de andere meisjes? Waarom heeft hij die dan ontvoerd?'

'Misschien gaat dat net zoals met mensenetende tijgers,' zei ik. 'Als je de smaak eenmaal te pakken hebt, moet je het nog een keer doen.'

'Of net zoals een vampier,' zei Stefan. 'Dracula. Daar heb ik wel eens een film over gezien. Hij kon zichzelf in een vleermuis veranderen en door het raam slaapkamers binnen vliegen.'

'Ik denk niet dat Herr Düster in een vleermuis kan veranderen,' protesteerde ik. 'Bovendien is geen van de kinderen uit hun slaapkamer ontvoerd.'

'Misschien verandert hij in een wolf.'

'En het valt niemand op als er een wolf door de stad loopt?' vroeg ik sarcastisch.

'Of een kat. Een grote, zwarte kat met gloeiende ogen.'

'Een kat als Pluto, bedoel je?' vroeg ik.

Stefans adem stokte. 'Ja!'

'Schei uit.'

'Nee, echt.' Stefans gezicht lichtte helemaal op bij dit nieuwe idee. 'Heeft iemand Herr Düster en Pluto ooit *gelijktijdig* gezien?'

'Hoe moet ik dat nou weten?'

'Ik wil wedden van niet.' Stefan dacht na. 'Weet je nog die keer dat we bij Herr Schiller waren en Pluto was binnengeslopen en Herr Schiller zo boos werd? Alsof de kat een duivel was of zoiets?'

Ik zag het weer voor me. Stefan had gelijk. Er ging een huivering door me heen.

'Dat is waanzin,' zei ik hoofdschuddend. Pluto was alleen maar een kat. Een kolossale, kwaadaardige kat, maar evengoed alleen maar een kat. Herr Schiller was gewoon van hem geschrokken, meer niet.

De bel ging en toen we weer naar binnen gingen, zette ik de hele zaak van me af. Later besefte ik pas dat dit het moment was waarop een idee ontkiemde, het idee dat we moesten proberen bij Herr Düster binnen te komen om naar de verdwenen meisjes te zoeken en achter de waarheid te komen.

24

Eindelijk was het schooljaar voorbij. Mijn tijd op de basisschool zat erop en in het verschiet lag een zonnige toekomst op de middelbare school, zonder Thilo Koch. Maar eerst moest ik zes weken vakantie zien door te komen, waarvan ik er vier zou doorbrengen in de exotische omgeving van granny Warners twee-onder-een-kapwoning in Middlesex. Mijn moeder gaf me een tas vol cadeautjes voor haar mee en zette me op de luchthaven Köln-Bonn op een vliegtuig. Granny Warner haalde me van het vliegveld aan het andere einde van mijn vlucht af en dat was dat. Vier weken gevangenis, zonder kans op voorwaardelijke invrijheidstelling. In de taxi overhandigde ik granny Warner alle pakjes, als een gevangene die zijn persoonlijke bezittingen moet inleveren alvorens naar zijn cel geleid te worden.

'Grutjes!' zei granny Warner, in een van de zakjes glurend. 'Wat is dit, Pia?'

'Iets eetbaars, geloof ik,' antwoordde ik.

'Hemeltje, ik hoop niet zo'n Duitse rookworst,' zei granny Warner wantrouwig.

Ik zei maar niks.

Ik gluurde uit het raam van de taxi. Engeland zag er nog net zo uit als de laatste keer dat we er geweest waren: dezelfde grijze straten die nat waren van de regen. Zelfs midden in de zomer motregende het hier. Iedereen leek zich te haasten, een beetje voorovergebogen, alsof ze tegen de wind en de regen moesten opboksen. Mijn moeder zei dat Engeland ook streken had waarbij vergeleken Bad Münstereifel een soort Ruhrgebied was – het bekende industriegebied vol fabrieken en kolenmijnen. Ze had ons verteld over dorpen met schattige *cottages*, pittoreske kerkjes en glooiende heuvels waar koeien onder de bomen stonden te knikkebollen. Ik staarde naar Middlesex en vroeg me af of ze niet in de war was geweest met een heel ander land.

Wat het allemaal nog erger maakte, was dat ik hier afgesneden was van wat er thuis in Duitsland gebeurde. Stel dat een van de vermiste meisjes werd gevonden? Of dat iemand – Herr Düster bijvoorbeeld – werd betrapt als hij zich van bewijsmateriaal probeerde te ontdoen? Verstoken van feiten kreeg mijn fantasie vrij spel. In mijn verbeelding zag ik hoe de politie zijn huis in de Orchheimer Strasse bestormde en hem aantrof terwijl hij beenderen tussen zijn kaken fijnmaalde. Hij zou gillend en schreeuwend door de agenten worden meegenomen, en als ze hem op het politiebureau fouilleerden, zouden ze merken dat de delen van zijn lichaam die je vanwege zijn kleren nooit kon zien, bedekt waren met een zwarte pels. Uiteraard zou niemand Pluto ooit nog terugzien. En toen de politie bij Herr Düster in de koelkast keek, bleek die vol te staan met flessen bloed...

'Waar zit je aan te denken?' vroeg granny Warner.

'Nergens aan,' zei ik.

Een week ging voorbij, en toen nog een. Ik had me in mijn lot geschikt en het huis van granny Warner was eigenlijk best een interessante gevangenis. Er waren drie slaapkamers en een bergruimte waar ik kon rondneuzen, plus de eetkamer met kastjes vol eigenaardige spulletjes en oude, ingelijste foto's. In de woonkamer stond een donkere boekenkast vol boeken van Barbara Cartland en Georgette Heyer. Granny Warner was een grote fan van het romantische genre.

'Je mag er best eentje lezen,' zei granny Warner die opeens achter me stond toen ik een boekomslag bekeek waarop een vrouw met vurige lokken in een groene, fluwelen jurk drie aanbidders tegelijk van zich afhield. Ik schrok me een ongeluk en zette het boek haastig terug op de plank.

'Nee, dank u,' zei ik.

Granny Warner hield haar hoofd schuin en bekeek me met haar heldere kraaloogjes, als een intelligente vogel. 'Zoals je wilt.' Ze had iets in haar hand. 'Er is een brief voor je gekomen.' Ze draaide de envelop om. 'Van ene Stefan Breuer.' Ze grinnikte en gaf me de brief. 'Heb je een vrijer?'

'Een wat?'

'Een vriendje,' zei granny Warner terwijl ze veelbetekenend naar me keek.

'Nee,' zei ik kortaf. In stilte voegde ik nog een verwensing toe aan de vele die ik al voor Stefan had verzonnen sinds het begin van onze gedwongen vriendschap. *Stefan Stink!* Echt iets voor hem om me zo voor schut te zetten. Alleen hij was daartoe in staat op een afstand van vijfhonderd kilometer.

Ik liep de trap op naar de slaapkamer die granny Warner me had toegewezen en deed de deur dicht. Voordat ik de envelop openmaakte, draaide ik hem om, net zoals granny Warner had gedaan, en bestudeerde hem alsof hij aanwijzingen zou kunnen bevatten. Stefan had een afgrijselijke smaak wat briefpapier betrof, of misschien had hij het van zijn moeder gepikt. De envelop was bedrukt met dom grijnzende muizen op een achtergrond van in elkaar overlopend roze en geel. De zoetigheid droop er vanaf. Geen wonder dat granny Warner had gedacht dat het een liefdesbrief was. Stefan had hem geadresseerd aan *Mrs Pia Kolvenbach.*

Ik haalde de brief eruit en las:

Lieve Pia,

Heb je het leuk bij je oma? Ik ben vorige week op kamp geweest, maar het was niet zo leuk als vorig jaar. We mochten nergens naartoe. Ze wilden ons voortdurend in het oog houden. Woensdag is er iets gebeurd. Een groep mensen is naar het huis van Herr Düster gegaan en heeft tegen hem staan schreeuwen. De politie kwam erbij en de agenten zeiden tegen die mensen dat ze naar huis moesten gaan. Boris zegt dat Herr Düster gauw dood zal gaan. Dat wilde ik je vertellen. Het is jammer dat je niet hier bent. Ik heb aan mijn moeder gevraagd of ik je mocht opbellen, maar dat mocht niet.

Groetjes van Stefan

Ik las de brief nog een keer en had meteen talloze vragen. Wie was naar het huis van Herr Düster gegaan en waarom? Ik vroeg me af of de eindeloos herhaalde beschuldigingen van Frau Kessel tegen die oude man eindelijk door iedereen geaccepteerd waren en of zij een van de mensen was die bij hem op de stoep hadden staan schreeuwen. Dat laatste vermoedelijk niet. Op mijn tiende kon ik het gedrag van volwassenen nog lang niet volledig doorgronden, maar ik voelde toch wel aan dat de favoriete modus operandi van Frau Kessel de achter de hand doorgegeven opmerking was, het gefluister achter gesloten deuren. Ik zag haar niet als de leider van een toortsdragende lynchmeute.

Het irritante aan de brief van Stefan was dat hij niet in details trad. De politie was gekomen, maar wat had die gedaan, afgezien van die mensen naar huis sturen? Hadden ze iemand in hechtenis genomen? Herr Düster zelf, bijvoorbeeld? En waarom had Boris gezegd dat Herr Düster gauw dood zou gaan? Was dat een dreigement? Ik las de brief nog een keer, maar werd er niets wijzer van. Ik ging naar beneden.

'Oma? Ik bedoel... granny?'

'Ja?' Granny Warner was druk bezig de oven schoon te maken, maar richtte zich op toen ik binnenkwam.

'Mag ik even bellen?'

'Je moeder belt vanavond, Pia. Kun je daar niet op wachten?'

'Eh...' Ik keek naar granny Warner en toen naar het afgeladen aanrecht. 'Ik wil iemand anders opbellen.' Ik dacht na. 'Een kennisje van me.' Ik hoopte dat ze zou aannemen dat ik een vriendinnetje bedoelde, maar zo dom was granny Warner niet.

'Je vriendje zeker?' Voordat ik iets kon zeggen, schudde ze haar hoofd. 'Sorry, meisje, maar dat kost veel te veel geld.' Ze glimlachte troostend. 'Schrijf hem maar een briefje. Dat deden Grandpa Warner en ik vroeger ook altijd.'

Ik haalde mijn schouders op. Nu zou ik hem gewoon gemaild hebben, maar in 1999 had de technologie in het huis van granny Warner nog niet eens het niveau van een vaatwasser bereikt. Een telefooncel bood ook geen oplossing, want een telefoongesprek naar het buitenland zou de volledige inhoud van mijn portemonnee opslokken. Er zat dus maar één ding op.

25

'Stefan?'
'Ja?'

'Ik ben het. Pia.'

'Pia? Ben je weer thuis?'

'Nee, ik bel je bij mijn oma vandaan.'

'Uit Engeland?'

'Ja.' Ik slikte. 'Ze weet het niet. Ik kan ook niet lang praten, voor het geval dat ze terugkomt.'

Stefan floot zachtjes. 'Stel dat je gepakt wordt?'

'Zeur nou niet,' zei ik op een indringende fluistertoon. Ik had granny Warner met mijn eigen ogen zien vertrekken, maar durfde evengoed niet hardop te praten. 'Ik heb je brief ontvangen. Wat gebeurt er allemaal? Wat is er precies met Herr Düster aan de hand?'

'O, dat was wat! Je weet dat er allerlei geruchten de ronde deden sinds de politie hem had opgepakt. Blijkbaar had iemand de boel nu weer opgestookt...'

Frau Kessel zeker, dacht ik wrang.

'... en toen is een hele groep mensen naar zijn huis gegaan en hebben ze bij hem voor de deur staan roepen dat hij naar buiten moest komen om rekening en verantwoording af te leggen.'

'Was jij erbij?'

'Nee, maar Boris wel.'

'Denkt Boris ook dat Herr Düster de dader is?'

'Nee, Boris vond het gewoon cool om te zien wat ze gingen doen.' Dat wilde ik graag geloven. Met een hele meute een oude man bang maken was echt iets voor Boris.

'Is hij naar buiten gekomen? Herr Düster, bedoel ik.'

'Nee. Zou jij naar buiten zijn gekomen? Maar hij was er wel,' zei Boris. Ze zagen hem uit het raam kijken.'

'Wie waren er allemaal bij?'

'Nou, Boris dus, en Jörg Koch, en Herr Linden, je weet wel, de vader van Katharina. Maar ik weet niet wie nog meer. Boris zei dat Herr Linden op de deur had gebonsd en tegen Herr Düster had geroepen dat hij naar buiten moest komen. Dat Herr Linden had gezegd dat hij niets te vrezen had als hij niets met de zaak te maken had.' Stefan zweeg even. 'Ik geloof dat toen de politie is gekomen.'

'Wie had de politie laten komen?'

'Dat weet ik niet. Misschien Herr Düster. Maar hij is evengoed niet naar buiten gekomen, ook niet toen ze er waren, brigadier Tondorf en die andere, die jongere agent.'

'Wat hebben ze gedaan?' Ik zag al voor me dat brigadier Tondorf Boris te lijf was gegaan met zijn wapenstok en dat Herr Linden was blijven schreeuwen over zijn dochter en had geprobeerd de deur in te trappen...

'Alleen maar met hen gepraat.'

'Waarover?' Hier begreep ik niks van.

'Dat weet ik niet... Boris heeft het gehoord, maar die was kwaad dat ze Herr Düster niet dwongen naar buiten te komen.' Dat kon ik me levendig voorstellen; Boris had natuurlijk wel zin gehad in een lekkere knokpartij. 'Ik geloof dat ze zeiden dat hij de dader niet was.' Stefan zweeg even. 'Toen vroeg Jörg waarom ze hem dan hadden gearresteerd.'

'En?'

'Toen zei brigadier Tondorf dat ze hem niet gearresteerd hadden, maar dat het een vertrouwelijke zaak was en dat ze er niks over konden zeggen.'

'Maar ze hadden hem toch gearresteerd?' zei ik. 'Frau Koch heeft het zelf gezien.'

'Ja, ik begrijp er ook niks van,' zei Stefan. 'Ik geef je alleen maar door wat Boris zei. Toen zei brigadier Tondorf dat iedereen naar huis moest gaan en dat ze Herr Düster niet meer moesten lastigvallen omdat hij ziek was. Hij zei dat ze alles aan de politie moesten overlaten.'

'En zijn ze toen zomaar gegaan?' vroeg ik. Ik kon me nauwelijks voorstellen dat de wanhopige vader en het plaatselijke tuig braaf waren vertrokken toen ze hadden gehoord dat Herr Düster ziek was.

'Boris zei dat ze tegen brigadier Tondorf tekeer waren gegaan, dat ze hadden gezegd wat hem te wachten stond als de politie de man niet te pakken kreeg die de meisjes had ontvoerd, en meer van dat soort dingen. Maar je weet hoe Boris is.'

'Ja,' zei ik. Ik dacht even na. 'Is er verder nog iets gebeurd?'

'Bedoel je of er nog meer kinderen zijn verdwenen? Nee. Ik wou dat Thilo Koch zou verdwijnen, maar die is er jammer genoeg nog steeds.'

Ik lachte. 'Hebben ze Marion Voss nog niet gevonden?'

'Nee.'

'Ben je nog bij Herr Schiller geweest?' vroeg ik, en ik hoopte, een beetje jaloers, dat hij 'nee' zou zeggen.

'Ja, een paar dagen geleden. Hij heeft me een fantastisch verhaal verteld over een of andere schat. Toen de stad werd aangevallen, hebben de nonnen allemaal waardevolle spullen verstopt en niemand heeft die ooit teruggevonden. Al die spullen liggen misschien nog steeds ergens in de stad en kunnen miljoenen waard zijn. Nou ja, misschien geen miljoenen, maar wel heel veel geld. Herr Schiller zei –'

'Stefan, ik moet ophangen.' Ik durfde niet langer aan de lijn te blijven. Met iedere minuut steeg de rekening en het risico dat ik betrapt werd. 'Bel je me als er iets gebeurt?'

'Ik zal het proberen,' zei Stefan, en daar moest ik het mee doen.

26

De zomervakantie, die zo oneindig lang had geleken, was eindelijk voorbij. Mijn gehate neefje en nichtje, Charles en Chloe, kwamen een middag naar granny Warner, zogenaamd om hartelijk afscheid van me te nemen, ook al konden we elkaar niet luchten of zien. Granny Warner stuurde ons de tuin in zodat ze rustig een kopje thee kon drinken met tante Liz. Zoals gewoonlijk gingen we naar het eind van de tuin, waar je op een hek kon zitten en naar de treinen kijken die voorbijzoefden op weg naar Londen.

Het deel van het hek dat niet overgroeid was door struiken was net breed genoeg voor ons drieën als we dicht tegen elkaar aan zaten. Charles en Chloe, die als eersten op het hek klommen, wilden niet dicht tegen mij aan zitten. Om ze te pesten klom ik evengoed op het hek en na wat geduw en gedrang viel Chloe er met een overdreven gilletje af.

'Dat heb je expres gedaan, vuilak!' riep Charles en hij gaf me met zijn vlezige hand een harde duw opdat ik ook in het zand zou vallen dat zijn zus met een vies gezicht van haar roze truitje sloeg, maar ik hield me uit alle macht vast en gaf hem een schop tegen zijn schenen.

'Fuck, fuck!' gilde hij. Hij viel me aan en probeerde mijn vingers van de reling af te pulken.

Ik probeerde hem nog een schop te geven, miste, liet het hek los en sprong op de grond. Onverschrokken vloekte ik net zo hard terug. '*Fuck away!*' riep ik en met mijn vlakke hand sloeg ik naar hem.

'Fuck *away*?' Charles lachte smalend. 'Wat wil dat zeggen?'

'Ze bedoelt fuck *off*,' zei Chloe behulpzaam. Ze keken elkaar aan en lachten overdreven.

'Spreekt ze geen Engels?'

'Nee.'

Ze sprongen op en neer alsof ze debielen uitbeeldden. 'Fuck away!'

'Fuck zelf away!'

'*Scheissköpfe*,' zei ik. Ik had mijn kennis van het Engels uitgeput en dus zat er niets anders op dan tot Duits over te gaan. '*Ich hasse euch beide, ihr seid total blöd*.'

'Dat is Duits, hè?'

'Fuck away naar Duitsland!'

'Rotmof!' riep Charles, die een woord had gevonden dat hij alleen van oom Mark kon hebben gehoord. 'Fuck off naar de andere moffen.'

'Ga naar je eigen land.'

'*Gerne*,' zei ik. 'Engeland is *Scheisse*, Middlesex is *Scheisse, und ihr beide seid auch Scheisse*.'

'Ze praat in het mofs!' riep Charles vrolijk. 'Hé, Chlo, dat wordt straks leuk op school.' Hij trok een gek gezicht. 'Mefrouw Vilson, ik vil dit hoiswerk niet maken.'

'God, als ze maar niet bij mij in de klas komt,' zei Chloe vol afkeer. 'Nee, ze zetten haar vast bij Batty.' Ze keek me giftig aan. 'Samen met alle andere idioten die geen Engels spreken.'

'Ik ga hier helemaal niet op school,' zei ik minachtend.

Chloe hinnikte van kwaadaardig plezier. 'Jawel!'

'Niet waar.'

'Wel waar.'

Ze keken me afwachtend aan. Toen porde Charles zijn zus in haar ribben. 'Ze weet het nog niet.'

'Wat weet ik nog niet?' vroeg ik.

Ze barstten in lachen uit. 'Pia,' zei Charles toen, op de toon van iemand die het tegen een volslagen imbeciel heeft, 'naar welke school ga jij in september?'

'Het St.-Michael Gymnasium,' zei ik wantrouwig.

'En waar staat die school?'

'In Bad Münstereifel.'

'Dan zul je daar per vliegtuig naartoe moeten,' zei Charles pesterig.

'Waar heb je het over?' vroeg ik nijdig.

'Weet je het nog niet?' vroeg Chloe met haar handen op haar smalle heupen. 'Je komt in Engeland wonen.'

'Niet waar.' Ik schudde mijn hoofd.

'Wel waar, wel waar,' zong Charles.

'Quatsch,' zei ik.

'Kwak? Wat betekent dat?'

'Dat is Duits voor eend,' grinnikte Chloe. Ze gierden het uit. Ik stond zwijgend naar hen te kijken. Toen zei ik: 'Ik ga niet in Engeland wonen.'

'Wel waar. Heeft tante Kate je dat nog niet verteld?'

Impulsief draaide ik me om. 'Ik vraag het wel aan granny Warner.' Ik liep over het tuinpad terug naar het huis. Achter mijn rug hoorde ik Chloe en Charles tegen elkaar sissen: 'Stommerd. Ze weet het nog niet.'

'Mamma heeft niet gezegd dat we niks mochten zeggen. En je bent er zelf over begonnen.'

'Hou haar tegen. Anders wordt mamma kwaad.'

'Hou haar zelf tegen.'

Toen ze eindelijk ophielden met kibbelen en achter me aankwamen, was ik al bij de achterdeur. Ze holden achter me aan naar binnen en zaten me zo dicht op de hielen dat we met ons drieën bijna naar binnen tuimelden toen ik de deur van de woonkamer opendeed.

'Granny Warner,' flapte ik eruit, 'ik wil niet in Engeland wonen.'

Tante Liz en granny Warner keken me geschrokken aan. Tante Liz zette haar kopje met een rinkelend geluid op het schoteltje en keek boos naar Chloe en Charles.

'Chloe? Charles?' Het bleef stil. 'Wat hebben jullie tegen Pia gezegd?'

'Niks,' zei Chloe snel.

Ik keek haar dreigend aan. 'Zij zegt dat ik in Engeland op school moet, dat ik niet naar het St.-Michael Gymnasium ga.'

'Ach, hemel.' Tante Liz slaakte een langgerekte zucht. Ze keek naar granny Warner en schudde zachtjes haar hoofd. 'Waar pikken die kinderen zulke dingen toch op? Ik heb het met niemand besproken waar ze bij waren, zelfs niet met Mark.'

'Kleine potjes hebben grote oren,' zei granny Warner bars.

'Ik ga hier niet op school,' zei ik. Het klonk als een vraag. Granny Warner keek naar tante Liz.

'Chloe en Charles hadden er niets over mogen zeggen, Pia,' zei tante Liz uiteindelijk op de gedragen nu-moet-je-even-goed-naar-me-luisteren-toon die mijn moeder ook gebruikte als ze iets ernstigs had mede te delen. 'Je moeder en ik hebben het er alleen maar over gehad wat er geregeld zou moeten worden als jullie in Engeland zouden komen wonen. Theoretisch. Voor het geval jullie niet eeuwig in Duitsland willen blijven.'

Ik klemde mijn lippen op elkaar en schudde nadrukkelijk mijn hoofd.

'Bad Münstereifel is erg mooi, maar het is maar een klein stadje en bovendien...' Ze maakte haar zin niet af.

'Ja, tante Liz?' Ik zag vanuit mijn ooghoek dat granny Warner haar hoofd schudde. Tante Liz zag het ook en heel even zag ik haar gezicht vertrekken.

'Er zijn nog meer mooie plaatsen,' zei ze uiteindelijk.

'Niet zo mooi als Bad Münstereifel,' zei ik.

27

Een paar dagen voor het begin van het nieuwe schooljaar vloog ik terug naar Duitsland, met een verhoogde kennis van het Engels en koffers vol Engelse lekkernij die granny Warner per se voor mijn moeder had willen meegeven: ondrinkbaar sterke thee en vele potjes juspoeder. Mijn hoofd tolde nog van het gezeur van tante Liz, die me op het hart had gedrukt tegen niemand iets te zeggen over een mogelijke verhuizing naar Engeland. Ze had het me niet in zo veel woorden verboden, maar was er zo lang op zo'n flikflooiende toon over doorgegaan dat het me meer dan duidelijk was geworden. Alleen voelde ik me daardoor geen greintje beter. Als het alleen maar gepraat was, waarom moest het dan geheim blijven? Maar algauw had ik andere dingen aan mijn hoofd, dringender problemen.

'Ben jij Pia Kolvenbach?'

Ik draaide me om en zag de voorzijde van een oud, zwartleren motorjack. Toen ik omhoogkeek, zag ik een gezicht waarop de volwassen trekken al stonden uitgetekend: een forse kin, een mond met dikke lippen, het begin van een stoppelbaard. Ik kende hem niet, maar hij zag er oud genoeg uit om in een van de hoogste klassen te zitten, misschien de eindexamenklas. Een verschoten grijze rugtas bengelde aan een rafelige schouderband over zijn schouder. Tussen zijn dikke vingers had hij een sigaret, wat strikt verboden was op het schoolterrein.

'Wat?'

'Ben jij dat kind van Kolvenbach?'

Ik keek hem wezenloos aan en hij schudde ongeduldig zijn hoofd. 'Ben je doof?'

'Nee.'

Hij tikte de as van de sigaret tussen ons op de grond. 'Ben je Pia Kolvenbach, ja of nee?'

'Ja.'

'Het meisje met de ontplofte grootmoeder?'

'Ze is niet...' begon ik, maar ik zweeg abrupt. Het had toch geen zin. Ik kon zeggen dat ze zichzelf per ongeluk in brand had gestoken, of dat het een geval van spontane zelfontbranding was geweest, of dat ze was ontploft als een stuk vuurwerk en de kamer had gevuld met veelkleurige vonken. Het maakte allemaal niks uit. Ik bleef zwijgend staan wachten op wat er onvermijdelijk komen ging.

'Hoe is het gebeurd?'

Ik keek van hem weg en zocht naar een bekend gezicht in de bewegende massa schoolkinderen. Waar was Stefan? Hij had hier moeten zijn. Ik waagde het erop weer naar de jongen te kijken. Hij stond nog steeds naar mij te kijken, in afwachting van wat ik zou zeggen. Een helder vlammetje van perverse interesse brandde in zijn ogen als een theelichtje in een pompoen. Ik gooide alle voorzichtigheid overboord.

'Het was een handgranaat.'

'Wát?'

'Een handgranaat.' Ik vatte moed. Vooruit dan maar, dacht ik. Erger kan het toch niet worden. 'Mijn grootvader had die na de oorlog bewaard.'

'Echt waar?'

'Ja.' Ik kreeg de smaak te pakken. 'Hij bewaarde hem in een doos onder het bed. Toen hij was overleden, liep mijn grootmoeder er de hele dag mee rond, als aandenken aan hem.'

'Dat meen je niet,' zei de jongen ongelovig. Hij zag eruit alsof hij zou gaan kwijlen van opwinding. De sigaret brandde op tussen zijn vingers zonder dat hij er erg in had. 'Hoe is hij ontploft?'

'Nou...' Ik dacht er even over na. 'Hij zat in haar tas. Ze had hem altijd in haar tas zitten. Ze stak haar hand in de tas om haar sleutels te pakken en toen haakte ze haar vinger in het ringetje van de handgranaat in plaats van in de ring van haar sleutelhanger, en toen trok ze de pin eruit.' Ik hield mijn hoofd schuin. 'En toen ontplofte hij. Boem! En dat was dat.'

‘Jezus.’ Ik was erin geslaagd indruk te maken op een tiener. ‘Bleef er iets van haar over?’

‘Alleen haar schoenen en haar linkerhand. Daaraan konden ze later zien wie het was. Aan haar ringen.’

‘Hoe kan...’ Hij schudde zijn hoofd. ‘Jezus. En is er verder nog iemand gewond geraakt?’

‘Ja. Mijn neef Michel is zijn neus kwijtgeraakt.’ Was dat maar waar! ‘Ze hebben hem in het ziekenhuis een nieuwe neus gegeven.’ Ik bracht mijn hand naar mijn lippen, alsof ik de woorden die uit mijn mond kwamen, betastte om te zien of ze echt waren. ‘De nieuwe neus is best mooi. Je kunt helemaal niet zien dat hij niet echt is.’

‘Hebben ze zijn eigen neus nog gevonden?’

Ik schudde mijn hoofd. ‘Die heeft een kat opgegeten.’

Het bleef lang stil. De jongen keek op me neer en ik keek naar hem op. Hij tikte de lange askegel van de sigaret, nam een laatste trek, liet de peuk op de grond vallen en trapte hem uit met de zool van zijn groezelige sportschoen.

‘Volgens mij ben jij niet goed bij je hoofd,’ zei hij uiteindelijk. Hij draaide zich om en slenterde weg. Ik bleef in mijn eentje staan met het geluid van de bel in mijn oren.

Dat was mijn eerste dag op de middelbare school.

28

'Pia,' zei Herr Schiller toen hij om het hoekje van de deur keek. 'Wat aardig van je.' Hij stapte opzij om me binnen te laten. Herr Schiller was ziek geweest. Daarom had hij niet kunnen ingaan op de uitnodiging van mijn moeder om een feestelijk kopje koffie te komen drinken om mijn overgang naar de middelbare school te vieren. Dus bracht ik hem nu een punt kwarktaart in een doosje.

'Ik vond het jammer dat u niet op de koffie kon komen,' zei ik verlegen.

'Ik ook,' zei Herr Schiller. Hij hief zijn handen op in een spijtig gebaar. 'Niks aan te doen. De jaren gaan tellen.' Hij zag er inderdaad uit alsof hij vandaag onder elk van zijn ruim tachtig jaren gebukt ging. Alhoewel hij net zo keurig gekleed was als altijd, hingen zijn kleren wat slapjes af van zijn brede schouders. Zelfs de huid van zijn gezicht leek er losjes bij te hangen, alsof hij de fut niet kon opbrengen te glimlachen.

Ik keek weifelend naar hem op.

'Ik kom u een gebakje brengen.'

'Dankjewel.' Hij duidde met een gebaar dat ik mocht doorlopen naar de woonkamer.

'Wilt u het nu meteen?' vroeg ik toen ik in een van de fauteuils ging zitten.

'Nee, dank je.' Herr Schiller liet zich met een seismisch effect in zijn favoriete stoel zakken. We keken elkaar aan. Hij zag witjes, vond ik.

'Herr Schiller...?' vroeg ik onzeker.

'Ja, Pia?'

'U eh... Ik vind het sneu voor u dat u ziek bent. Is het iets... ernstigs?'

'Je bedoelt of ik eraan dood zal gaan?' vroeg Herr Schiller op een laconieke toon. Hij lachte zachtjes. In mijn verbeelding zag ik bij iedere amechtige ademhaling stofwolkjes uit zijn oren komen. 'Lieve Pia, iedereen gaat uiteindelijk dood.' Hij zag blijkbaar hoe ik daarop reageerde, want hij ging op een meelevende toon door: 'Sorry, Pia, maar als je zo oud bent als ik, weet je dat er aan alles een einde moet komen. Dat geeft helemaal niks. Het is de natuurlijke gang van zaken.'

Hij wreef zachtjes over de armleuning van zijn stoel. Zijn ogen waren niet op mij gericht, maar op iets onzichtbaars. Hij zat na te denken. 'Wat je moet doen,' zei hij uiteindelijk, 'is iedere dag goed benutten, alsof het de laatste dag van je leven is.' Hij keek nu weer naar mij. 'Dat leren jullie toch wel bij de catechismusles?'

Ik knikte, want ik wilde niet zeggen dat ik nooit naar catechismusles ging.

'Vandaag is de eerste dag van de rest van je leven,' herhaalde hij. 'Weet je wat dat wil zeggen? Dat wil zeggen dat als er iets is wat je wilt doen, iets wat je móét doen, je het meteen moet doen, voordat je kans verkeken is.'

'Hmmm,' humde ik vaag. Ik had geen idee wat ik daarop moest antwoorden.

Het bleef lang stil. Toen zei Herr Schiller op een veel opgewekter toon: 'En? Hoe vind je het op de middelbare school?'

Ik hield nog net op tijd *vet waardeloos* in. 'Gaat wel,' zei ik neutraal.

'Gaat wel?' Herr Schiller trok zijn wenkbrauwen op.

'Nou...' Ik aarzelde. 'Op school gaat het best, maar de kinderen zijn... gemeen.'

'O ja?'

Ik slaakte een diepe zucht die het haar rond mijn gezicht deed opwaaien. 'Ze begonnen meteen over oma Kristel. Hoe ze... u weet wel. Waarom kunnen de mensen het niet gewoon vergeten? Waarom gaan ze er eindeloos over door? Niet u, hoor,' voegde ik er haastig aan toe.

'Veel mensen hebben er moeite mee het verleden los te laten,' zei Herr Schiller. Hij boog zich naar de lage tafel die tussen ons in stond en duwde het doosje met de kwarktaart naar mij toe. 'Eet jij dit maar op, Pia. Ik denk dat het jou meer goed zal doen dan mij.'

'Hebt u geen trek?'

'Nee.'

Ik deed het doosje open en pakte het plastic vorkje dat mijn moeder attent naast de punt taart had gelegd. Terwijl ik de kwark van het steeltje likte, vroeg ik: 'Herr Schiller, zou u me alstublieft nog een verhaal willen vertellen?'

'Een verhaal...' Herr Schiller leek het te overwegen. 'Wat voor soort verhaal zou het moeten zijn?'

'Iets engs,' zei ik. 'Een verhaal...' Ik dacht na en zei toen, in een vlaag van venijnige inspiratie: 'Over een jongen die iets doms zegt en dat er dan iets afgrijselijks met hem gebeurt.' Ik dacht aan de as van de sigaret die voor mijn voeten op de grond was gevallen, aan de groezelige sportschoen die de peuk had uitgetrapt. 'Iets héél afgrijselijks.'

'Iets heel afgrijselijks...' herhaalde Herr Schiller. Hij legde zijn hoofd eventjes tegen de rugleuning van zijn fauteuil en keek naar boven alsof hij inspiratie zocht. Toen hij me weer aankeek, schitterden zijn ogen. 'Heb ik je het verhaal over de Brandende Man van de Hirnberg al eens verteld?'

'Nee,' zei ik. 'Is dat een erg gruwelijk verhaal?' Ik was echt in de stemming voor iets lugubers. Iets met een hoop geschreeuw en gekrijs. Eerlijk gezegd had ik zelf zin om te schreeuwen en te krijsen.

'Nogal,' zei Herr Schiller droogjes en daar moest ik het mee doen. Hij ging wat makkelijker zitten en stak van wal.

'Je weet waar de Hirnberg is?'

Dat wist ik. Het was een dichtbeboste berg aan het Eschweiler Tal die doorkruist was met een netwerk van wandelpaden.

'De Brandende Man woont in het bos op de Hirnberg, in een grot die dag en nacht verlicht wordt door vuurtjes.'

Herr Schiller pakte met trage bewegingen zijn pijp en begon hem te stoppen. 'Hij staat in brand maar wordt nooit verteerd door de vlammen en als hij je met zijn vuurarmen zou omhelzen, zou je onmiddellijk verkolen.'

Herr Schiller streek een lucifer af en een ogenblik werden zijn verweerde gelaatstrekken verlicht door het opschietende vlammetje. Hij trok aan de pijp, met zijn ogen op mij gericht. Toen vertelde hij verder. 'Wat ik je ga vertellen, is gebeurd in het dorp Eschweiler, ten noorden van Bad Münstereifel. Op een zomeravond, vele jaren geleden.'

'Wanneer precies?'

'Vele jaren geleden,' herhaalde Herr Schiller en hij trok zijn borstelige wenkbrauwen op. 'Heel veel jaren geleden. Op een middag zaten de jonge mensen van het dorp op een met gras begroeide heuvel verhalen te vertellen en na verloop van tijd werd het een wedstrijdje wie de engste verhalen wist te vertellen over spoken, heksen en monsters. Iemand vertelde een verhaal over een schat die werd bewaakt door een spook op een lichtgevend paard, en iemand anders over de Brandende Man die in de Duivelsgrot op de Hirnberg woonde.

'Ze bleven tegen elkaar opbieden tot een van de jongemannen opstond en roekeloos verkondigde: "Ik zou de Brandende Man van de Hirnberg een *Fettmänchen* geven als hij hierheen kwam om het persoonlijk in ontvangst te nemen." Zoals je weet was een *Fettmänchen* een munt die ze in die tijd hadden.

'Zijn woorden waren nog niet koud, of de jongeman zag aan de gezichten van de anderen dat hij een grote fout had gemaakt. De wedstrijd was vergeten, met het vrolijke gepraat was het meteen afgelopen, de meisjes trokken hun omslagdoeken strak om zich heen en snelden als angstige muizen naar huis, ongeacht wat de jongemannen zeiden om ze tegen te houden.

'De middag liep ten einde, de schaduwen werden lang en toen de schemering viel zag een van de jongemannen diep in het bos een licht. In het begin leek het zwak, maar het werd steeds sterker, tot hen duidelijk werd dat het licht niet groter werd, maar dichterbij kwam.

'De jongemannen keken er met stijgende angst naar tot het uiteindelijk uit het bos kwam en ze konden zien wat het was. Het was een man, althans, het was iets wat de vorm had van een man, maar het bestond uit vloeibaar vuur waar aan alle kanten vonken van afspatten, en de ogen waren twee donkere putten, als zonnevlekken op de gloeiende zon van zijn gezicht. Langzaam kwam de gedaante op hen af, wadend door vuur zoals een visser door stromend water waadt, tot de angstige jongemannen het sissen konden horen van het gras dat onder de brandende voeten verzengde.

'"De Brandende Man! De Brandende Man!" schreeuwde een van de jongens en meteen zetten ze het op een lopen. Ze namen hun toevlucht tot een stal, barricadeerden met bevende handen de deur en vielen in de duisternis op de grond neer, trillend en zwetend als paarden die te veel waren opgezweept.

'Een poosje was alles donker en stil, maar toen zagen ze dunne streepjes van wit licht in de duisternis. Het was het licht van de Brandende Man dat door de kieren tussen de planken van de deur scheen. Hij kwam steeds dichterbij, tot de dunne, witte lijntjes een krans van verblindend licht kregen en de jongens het knetteren van het vuur achter de deur konden horen.

'Toen riep een machtige stem: "Het *Fettmänchen*, het *Fettmänchen* dat je me beloofd hebt!" De uitroep werd gevolgd door een dreunende klap op de deur. Niemand durfde zich te verroeren, laat staan de deur open te maken. Ze lagen op de grond in de stal, trillend van angst, de jongen vervloekend die had staan opscheppen, en biddend tot de heiligen dat ze hier levend vandaan zouden komen.

'De Brandende Man brulde van woede en legde zijn brandende handen tegen de planken van de deur met de bedoeling er dwars doorheen te branden. De deur begon te roken en te blakeren en de geur van verkoold hout drong door in de stal, en de vlammen die aan de planken likten, gaven alles een naargeestige oranje gloed. Toen ze dat zagen, werden de jongemannen wanhopig en zeiden ze tegen de opschepper dat hij de deur open moest doen en de Brandende Man de munt geven die hij hem had beloofd.

'De jongen was lijkbleek van angst en weigerde het te doen. Ze grepen hem vast om hem naar de deur te slepen, maar hij verzette zich uit alle macht.

'"Duw me niet naar buiten!" gilde hij. "Ik heb geen *Fettmänchen*, ik heb helemaal geen geld. Hij zal me vermoorden!"

'"Stommeling," zei een van de anderen. "Waarom heb je hem een munt beloofd als je die helemaal niet hebt?" Hij wilde de jongen slaan, maar een andere jongen hield hem tegen.

'"Daar hebben we niks aan," zei hij. "Laten we allemaal in onze zakken zoeken of we een munt hebben, anders is het met ons gedaan."

'Ze keerden hun zakken binnenstebuiten tot iemand een munt vond. Nu zat er voor de domme jongen die het opschepperige voorstel had gedaan niets anders meer op. De anderen gaven hem de munt, gingen achter hem staan en duwden hem naar de deur met de kracht van de angst.

'"Hier is uw *Fettmänchen*!" riep een van hen en hij gooide de deur open. Meteen werd de stal zo verblindend verlicht dat ze hun ogen moesten sluiten, maar ze voelden de hitte op hun gezicht. Het was alsof ze voor de oven van een bakkerij stonden. De jongeman met de munt stond te beven als een riet, met het *Fettmänchen* op de palm van zijn uitgestrekte hand.

'"Het *Fettmänchen* dat je me beloofd hebt," zei de machtige stem die knetterde alsof de lippen, de luchtpijp en de longen die de woorden vormden ook allemaal in brand stonden.

'Toen voelde de jongeman een grote hitte en een verschroeiende pijn aan zijn hand, alsof hij die in het heetste deel van de oven van een smidse had gestoken. Hij maakte een rochelend geluid en viel bewusteloos neer, zodat hij niet zag dat de Brandende Man met grote stappen wegliep en het weer donker werd. De anderen droegen hem naar het huis van zijn moeder en legden hem in bed, waar hij tot de volgende dag voor dood bleef liggen.

'En misschien was dat maar goed ook. De hand die de Brandende Man had aangeraakt was tot op het bot verkoold en de aangevreten, zwartgeblakerde uiteinden van de beenderen staken uit de stompjes verschrompeld vlees. En dat,' zei Herr Schiller, 'is het verhaal van de Brandende Man van de Hirnberg, dat ons leert wat er gebeurt met mensen die iets zeggen zonder eerst na te denken.' Hij keek me aan zonder met zijn ogen te knipperen.

'Dat,' zei ik vol bewondering, 'was *gruwelijk*.'

'Graag gedaan,' zei Herr Schiller droog, en hij neigde zijn hoofd.

29

'Ze hebben een schoen gevonden,' zei Stefan.

We stonden voor de school te genieten van het herfstzonnetje. In de Eifel is het 's winters bitterkoud, dus moet je van het weer profiteren zolang het kan.

'Een schoen?' herhaalde ik stompzinnig.

'Van Marion Voss,' zei Stefan een beetje ongeduldig.

Ik gaapte hem aan. 'Een schoen van Marion Voss?'

Hij knikte.

'Waar?'

'Ergens in het bos. Ik weet niet precies waar. Misschien in de buurt van de kapel van Decke Tönnes. Op zo'n soort plek.'

'Wie heeft hem gevonden?'

'Kinderen die met hun moeder aan het wandelen waren.'

'O.' Ik was diep teleurgesteld. Ik kon het niet helpen. Waarom ontdekten andere mensen aldoor dingen? Waarom was *ik* niet over de schoen van Marion Voss gestruikeld toen ik aan het wandelen was? 'Wie heeft je dat verteld?'

'Niemand,' zei Stefan. 'Ik hoorde toevallig dat Boris en zijn stomme vrienden het erover hadden.' Hij zei niet waar ze hadden gezeten toen hij dat had gehoord en ik vroeg er ook niet naar. 'En zal ik je wat vertellen?' voegde hij eraan toe. 'Ze klonken hartstikke bang.'

'Waar zijn die nou bang voor?' vroeg ik. 'Tot nu toe heeft de dader alleen meisjes ontvoerd.'

'Tot nu toe,' zei Stefan veelbetekenend. Hij schraapte peinzend met de neus van zijn gymschoen over de grond. 'Je weet maar nooit wie hij de volgende keer grijpt.'

'Ja, maar...' Ik fronste mijn voorhoofd. 'Wie zou er nou proberen Boris en zijn vrienden iets aan te doen? Dan ben je toch niet goed wijs?'

'Misschien is die kerel ook niet goed wijs,' zei Stefan.

Ik was daarvan allerminst overtuigd. Zelfs een krankzinnige (en daarbij stelde ik me de kannibaal voor die Thilo Koch had beschreven, de man die bloederige beenderen fijnmaalde tussen zijn scherpe, gele tanden) zou nooit Boris als slachtoffer kiezen zolang er kleine kinderen waren die hij veel makkelijker kon grijpen. Om nog maar te zwijgen van het weerzinwekkende idee om Boris, die eruitzag als iets wat al een hele tijd in zijn eigen vet had liggen gaarkoken, te moeten opeten.

Toch, dacht ik met een onbehaaglijk gevoel, was het onrustbarend als zelfs types als Boris bang waren.

'Zullen we na school bij Herr Schiller langsgaan?' vroeg Stefan, mijn gedachtegang onderbrekend.

'Ik kan niet zomaar gaan. Ik moet eerst aan mijn moeder vragen of het goed is,' zei ik. Het huisarrest was iets minder streng geworden nu de zomervakantie was verstreken zonder dat er nog meer kinderen verdwenen waren, maar tot mijn grote ergernis wilde mijn moeder evengoed aldoor precies weten waar ik was.

'Ik niet,' zei Stefan. Hij streek een lok uit zijn ogen. 'Weet je het zeker?'

'Ja,' zei ik somber. 'Maar ik kan wel met je meelopen tot aan zijn huis. Het maakt niet uit via welke weg ik naar huis ga.'

'Goed.'

De bel ging. We liepen samen het hek door, maar toen stopte ik, zogenaamd om mijn veters te strikken. Ik wilde wachten tot het gros van de leerlingen binnen was, voordat ik zelf naar binnen ging. Ik kwam liever te laat dan getuige te moeten zijn van de knikjes en porrende ellebogen die wilden zeggen dat iemand me had herkend. *Pia Kolvenbach. Dat is toch het meisje dat...? Is haar oma niet...?*

Ik keek Stefan na toen hij de trap op holde en slaakte een diepe zucht. Stefan Stink en ik. Altijd Stefan Stink en ik. Voor altijd een paar, Batman en Robin, alleen niet cool.

‘Het is Pluto,’ zei Stefan stomverwonderd. Hij boog zich dichter naar het raam en tuurde de schemerige kamer in. Toen keek hij naar mij. ‘Het is Pluto. Ik weet het zeker.’

‘Laat mij eens kijken.’ Ik duwde tegen zijn schouder om hem bij het raam vandaan te krijgen zodat ik zelf naar binnen kon kijken. Toen drukte ik mijn neus tegen de ruit.

Het was donker in Herr Schillers huis. Nergens brandde licht. Het duurde even voordat mijn ogen aan het schemerdonker gewend waren, maar toen kon ik het meubilair onderscheiden, de vorm van de ouderwetse radio op het dressoir, de omtrek van de schilderijtjes aan de muren.

‘Ik zie hem niet.’

‘Op de stoel van Herr Schiller.’

Ik spande mijn ogen in en toen stokte mijn adem. Stefan had gelijk. Op het kussen van Herr Schillers favoriete fauteuil lag de gestroomlijnde, gespierde gestalte van Pluto, genoeglijk ineengedoken, op zijn dooie gemak. Terwijl ik naar hem staarde, hief hij plotsklaps zijn kop op, alsof hij aanvoelde dat er iemand naar hem keek. Ik zag de gloed van zijn gele ogen en het wit van zijn tanden toen hij langdurig gaapte.

‘Wat doet die daar nou?’

‘Geen idee,’ zei Stefan. ‘Maar Herr Schiller zal goed kwaad zijn als hij hem daar ziet liggen als hij straks thuiskomt.’

We keken elkaar aan. Pluto’s welzijn interesseerde me geen zier, want de grote kater kon wel voor zichzelf zorgen, zoals een paar kleine hondjes in Bad Münstereifel al hadden ondervonden, maar ik vroeg me af hoe Herr Schiller zou reageren als hij hem daar aantrof. Ik zag al voor me dat hij een hartaanval zou krijgen, dat hij net als in de film theatraal naar zijn borst zou grijpen en in zijn val een tafelkleed en porseleinen beeldjes zou meesleuren.

‘Waar is Herr Schiller eigenlijk?’ vroeg Stefan opeens.

Ik tuurde de kamer weer in. ‘Ik zie hem niet...’

‘Jullie daar!’ riep iemand achter ons. Ik kreeg zelf bijna een hartaanval. Ik draaide me om en zag Hilde Koch, de grootmoeder van de weerzinwekkende Thilo, driftig naar ons gebaren vanaf het stoepje van haar huis verderop in de straat. Ik keek naar Stefan, die er niet meer van leek te begrijpen dan ik. We bleven staan waar we stonden.

Frau Koch stapte moeizaam van het stoepje af en waggelde doelbewust op ons af. Ze zag eruit als een walrus die over een ijsvlakte komt aangehobbeld, en haar lillende halskwabben zwaaiden alarmerend heen en weer.

'Jullie daar!' riep ze nogmaals, nu met een waarschuwend opgeheven vinger. Ze streek met haar handen over de gigantische, gebloemde overgooier die haar dikke lijf omvatte en zette ze toen in haar zij.

'Wat moet dat daar? Wegwezen, deugnieten!'

Zonder antwoord te geven bleven we naar het logge gevaarte kijken.

'Wat doen jullie hier?' vroeg ze toen ze ons tot op een paar meter genaderd was.

'We wilden bij Herr Schiller op bezoek gaan,' zei Stefan verbazingwekkend kalm.

Dat was een van de eigenschappen van Stefan waar ik niets van begreep: dat hij uitstekend wist om te gaan met volwassenen, maar niet met kinderen van zijn eigen leeftijd. Hij keek naar Frau Koch alsof ze helemaal niet iets was wat ons aan een besnorde walrus deed denken. Hij glimlachte zelfs flauwtjes, en toen ze dat zag, leek ze enigszins tot bedaren te komen.

'Hmmm,' snoof ze. 'Kinderen!' Ze bekeek ons wantrouwig. 'Wie heeft alle bloemen uit de bloembak op mijn vensterbank getrokken? Dat zou ik wel eens willen weten. En reken maar dat ik er nog wel achterkom!'

'Wat...' begon ik. Ik had willen zeggen 'Wat naar voor u', maar toen ze met die slangenogen naar me keek, kon ik geen woord uitbrengen.

'En waarom komen jullie de arme Herr Schiller storen?' vroeg Frau Koch hardnekkig.

'We storen hem niet, Frau Koch,' zei Stefan beleefd. 'We gaan heel vaak bij hem op bezoek.'

'Hij is een vriend van ons,' zei ik dapper, en ik kreeg weer zo'n vernietigende blik als dank.

'Als hij een vriend van je is, Fräulein,' zei Frau Koch met een snijdende ironie, 'had je kunnen weten dat hij niet thuis is. En denk nu niet dat dit dan een mooie gelegenheid is om kattenkwaad uit te halen, want ik houd jullie in de gaten.'

'We wilden helemaal geen kattenkwaad uithalen,' zei Stefan.

'Kinderen!' mopperde Frau Koch nogmaals. 'Is die hele toestand met Herr Düster niet al vervelend genoeg? Niet dat ik me om die kerel druk zal maken. Jullie moeten Herr Schiller niet lastigvallen. Kinderen hebben tegenwoordig geen greintje respect meer, geen greintje respect.'

Stefan keek me aan. Hij was zo transparant als een aquarium. Je kon als het ware zijn gedachten heen en weer zien zwemmen.

'Frau Koch?' zei hij. De blik waarmee ze naar hem keek, kon verf van een muur branden, maar hij gaf geen krimp. 'Wat is er dan met Herr Düster?'

'Alsof jij dat niet weet,' snauwde ze. Toch kon ze de verleiding niet weerstaan om wat smeuïge roddelpraat te spuien. 'Alsof jij niet weet dat iemand dingen bij hem op de stoep heeft achtergelaten.'

'Dingen?' Ik staarde haar aan terwijl mijn verbeelding in de hoogste versnelling schoot. Ik zag dingen als een met giftige inkt geschreven brief, inwendige organen, een dampende hondendrol... 'Wat voor dingen?'

Frau Koch zou nooit toegeven dat ze iets niet wist. 'Dat is verder niet belangrijk,' zei ze kortaf. 'Ga je niks in je hoofd halen.' Ze wierp een blik op Herr Schillers huis. 'En als je niet bij dat raam vandaan blijft, bel ik de politie.'

'Ja, Frau Koch,' zei Stefan. Hij trok me bij het raam vandaan en ik liet me door hem een eindje meetrekken door de straat. Toen bleef ik staan om te kijken of Frau Koch ons nakeek. Dat deed ze, met haar handen op haar brede, gebloemde heupen. Ik draaide me snel weer om en liep achter Stefan aan.

Pas toen we bij de boekwinkel de hoek om sloegen, besefte ik dat we de verkeerde kant uit waren gelopen, althans, dat dit niet de kortste weg naar huis was. Ik keek op mijn horloge om te zien of ik erg laat was.

'Vanwege dat mens kom ik nog te laat thuis,' zei ik tegen Stefan. 'En dan zal je mijn moeder horen!'

Hij gaf geen antwoord. Ik keek naar hem en zag dat hij de Marktstrasse inkeek. Ik volgde zijn blik en zag de bekende groene en witte kleuren van een politieauto die voor de basisschool stond. Terwijl we stonden te kijken, ging het portier open en stapte brigadier Tondorf uit. Ook aan de passagierskant stapte iemand uit. Ik herkende de agent met het ondoorgrondelijke gezicht die naar de school was gekomen toen Marion Voss was verdwenen.

Brigadier Tondorf keek snel en bijna steels om zich heen. De andere agent staarde ogenschijnlijk emotieloos naar de façade van de school. Toen liepen ze om het hek heen dat voor het gebouw stond en verdwenen in de gewelfde doorgang die naar de school leidde.

'Heb je dat gezien?' zei Stefan ademloos. 'Politie.'

Ik knikte.

'Ze hebben zeker iets gevonden,' ging hij door. We bleven staan kijken naar de plek waar de politieauto stond, alsof die ons iets kon vertellen. 'Wat zou het zijn?' zei Stefan, als het ware tegen zichzelf. 'Wat zouden ze hebben gevonden?'

30

'Mam, blijven wij altijd in Duitsland wonen?'

Deze vraag spookte al door mijn hoofd sinds mijn terugkeer uit Engeland. Drie weken had ik de verleiding weerstaan mijn ouders ernaar te vragen, maar uiteindelijk was het verlangen naar het antwoord groter geworden dan mijn angst dat ik op de een of andere manier mot zou krijgen met tante Liz. Ik zat aan tafel met een bord gloeiend hete spaghetti Bolognese voor mijn neus toen ik de vraag er uitflapte. Tot mijn verbazing reageerde mijn moeder helemaal niet. Ik vatte al mijn moed bij elkaar en vroeg het nogmaals, ietsje harder deze keer.

'Mam, blijven wij altijd in Duitsland wonen?'

Nu hief mijn vader zijn hoofd op en wierp een veelbetekenende blik op mijn moeder. Die zag het niet of verkoos het niet te zien. Ze keek naar Sebastian en veegde zijn met bolognesesaus besmeurde kin af. Toen ze hem zo grondig had schoongemaakt dat er niet één atoom van de saus meer zichtbaar was, legde ze het servet neer dat ze ervoor had gebruikt en pakte haar glas water. Ik wilde de vraag net voor de derde keer stellen toen ze me de pas afsneed.

'Wat een eigenaardige vraag, Pia.'

Ze nam een slokje water en zette het glas langzaam neer. Toen zei ze: 'Waarom vraag je dat?'

'O... ik vroeg het me gewoon af,' zei ik. 'Ik bedoel, je bent zelf in Engeland geboren en toen ben je hierheen gekomen.'

'Ja, dat is zo,' zei ze. Ze klonk alsof ze het tegen zichzelf had, niet tegen mij. Toen keek ze me aan en nu glimlachte ze erbij. 'Alles is mogelijk,' zei ze. 'Er zijn zo veel mensen die naar andere landen verhuizen. Misschien kom jij nog wel eens in Engeland te wonen.'

'Als ik volwassen ben, bedoel je?' vroeg ik.

'Ja,' zei mijn vader snel. Weer keek hij veelbetekenend naar mijn moeder. Ze haalde haar schouders op.

'Ach,' zei ze. Ze pakte haar vork en stak hem in haar spaghetti.

'Genoeg hierover,' zei mijn vader op een onheilspellende toon.

'Heb ik iets gezegd?' zei mijn moeder. Ze toverde een stralende glimlach op haar gezicht. 'Dooreten, Sebastian.'

'Je hoeft niks te zeggen,' ging mijn vader door. 'Het staat op je gezicht te lezen.'

'O ja? Moet ik voortaan opletten wat voor gezicht ik trek?' De glimlach was meteen verdwenen. 'Ben jij soms de *bloody thought police*?' zei ze in het Engels.

'We gaan nergens naartoe,' zei mijn vader. Hij zette het glas bier dat hij in zijn hand had iets te hard op tafel.

'Dat zeg jij,' zei mijn moeder. Ze draaide de vork rond in de spaghetti. 'Maar er zijn mensen die wél gaan verhuizen.' Ze keek hem effen aan. 'De Petersons, bijvoorbeeld. Ik sprak Sandra in de supermarkt. Ze vertrekken na de kerst. Tom heeft een baan aangenomen in Londen.'

Mijn vader keek geschokt. 'Maar ze vinden het hier zo fijn.'

'Blijkbaar niet fijn genoeg.'

'Ze zeiden dat ze nooit naar Engeland zouden terugkeren.' Mijn vader klonk alsof ze hem persoonlijk hadden teleurgesteld. 'En hun kinderen gaan hier op school.'

'Daar gaat het juist om,' zei mijn moeder. 'Hun kinderen gaan hier op school.' Ze stak een vork vol spaghetti in haar mond en kauwde terwijl ze hem aan bleef kijken.

Mijn vader leunde achterover in zijn stoel alsof hij schokkend nieuws had vernomen. Toen leunde hij opeens weer naar voren.

'Tom is natuurlijk wel een Engelsman.'

'Nou en?'

'Dus is het voor hem een heel normale zaak om een baan in Engeland aan te nemen.'

'Sandra werkt ook,' zei mijn moeder. 'En die zal haar baan moeten opgeven.'

'Nou ja...' zei mijn vader alsof dat niet meetelde.

Mijn moeder viel hem als een havik aan. 'Wat?'

'Nou, ze heeft de kinderen.'

Mijn moeder liet haar vork met een luid gekletter op de rand van haar bord vallen. 'Dat je zoiets kunt zeggen.' Ze legde haar handen plat op de tafel, alsof ze van plan was die met ons erbij van zich af te duwen. 'Afgezien van het onvoorstelbare chauvinisme van wat je zojuist hebt gezegd, heb je er helemaal niks van begrepen.'

'O nee?' Mijn vader klonk nu net zo kwaad als zij.

'Nee. Het was voor hen geen eenvoudig besluit.' Ze streek met een ongeduldig gebaar een lok haar uit haar ogen. 'Ze vinden het hier inderdaad heerlijk. Maar toen Tom die baan aangeboden kreeg en, nou ja... hier allemaal van die enge dingen gebeuren, leek het ze een goed tijdstip om te vertrekken.'

'En jíj hebt helemaal niet begrepen wat ík wilde zeggen,' antwoordde mijn vader stijf. 'Tom is een Engelsman. Hij heeft in Engeland gestudeerd en werkt voor een Engelse firma. Hij kan naar Engeland terugkeren wanneer hij maar wil. Voor ons ligt dat anders.'

'Waarom?' vroeg mijn moeder. 'Je spreekt goed Engels. We zouden ons makkelijk kunnen redden.'

'Ik zou me moeten laten omscholen.'

'Nou en?'

Nu sloeg mijn vader met zijn vlakke hand zo hard op de tafel dat we er allemaal van schrokken. 'Zo gemakkelijk is dat niet en dat weet je best.' Mijn vader zag Sebastians gezichtje vertrekken alsof hij op het punt stond in huilen uit te barsten en beheerste zich met moeite. 'Wees realistisch, Kate. We moeten ergens van leven.'

'Ik zou een baan kunnen zoeken.'

'Nee.'

'Wees niet zo –'

Hij viel haar in de rede. 'En we hebben het geld niet om een huis te kopen in Engeland. Niet zo'n huis als dit.'

Mijn moeder keek met een vernietigende blik in het rond alsof ze wilde zeggen 'Wat is hier zo geweldig aan?' maar ze zei niets. Ze pakte haar vork en draaide hem om en om in de slordige massa spaghetti op haar bord. Het bleef lang stil. Toen stond ze zo onbeheerst op dat de poten van haar stoel over de vloer schraapten.

'Ah, *fuck it*,' zei ze. Met grote stappen liep ze de kamer uit.

Sebastian en ik keken elkaar met grote ogen aan.

'Kinderen,' zei mijn vader gewichtig, 'mamma is een beetje van streek, maar zulke woorden wil ik in dit huis nooit meer horen.'

'Ja, pappa,' zei ik.

31

De winter kwam vroeg dat jaar. Ik had Sint-Maarten, 11 november, altijd beschouwd als een van de hoogtepunten van de aanloop tot de kerst. Dat jaar, het jaar waarin Katharina Linden en Marion Voss uit de straten van onze stad verdwenen, was het op die dag erg koud.

Mijn moeder pakte ons extra warm in, in dikke truien, donzen jacks, gevoerde laarzen, een sjaal en wanten. Ik had een pluizige, roze muts met een pompon op en Sebastian een donkerblauwe fleece muts met oorflappen. We zagen eruit als dikke dwergen. Toch was het beslist nodig. Tijdens de korte wandeling naar de Klosterplatz voelden we al hoe de kou in elke centimeter onbedekte huid beet en ondanks de dikke voering van mijn wanten drong de kou door tot de hand waarmee ik de lampion droeg.

Nu ik op de middelbare school zat, vond ik met een lampion lopen eigenlijk niet meer kunnen, maar mijn moeder had er op het laatste moment eentje voor me gekocht en ik had het hart niet gehad te weigeren. Het was een ronde, gele zon van crêpepapier. Sebastian had een veel exclusievere lampion die mijn moeder zelf had gemaakt, net als de andere moeders van zijn peuterklas. Het was een groene rups met roze en paarse stippen, gemaakt van vloeipapier op een geraamte van zwart karton. De rups grijnsde nogal idioot omdat mijn moeder de roze mond scheef had geknipt. Ze zei dat het 'een protest tegen de uniformiteit' was. Ze had de Duitse liefhebberij van in een groep zitten en allemaal hetzelfde maken nooit begrepen. Ze had sowieso een bloedhekel aan handenarbeid. Sebastian mocht blij zijn dat ze deze lampion überhaupt voor hem had gemaakt, als je bedenkt wat ze daarvoor allemaal had moeten doorstaan.

Toen we bij de Klosterplatz arriveerden, waren er al aardig wat mensen, die met hun voeten stampten en op hun handen bliezen. Zoals gewoonlijk was de brandweer aanwezig. De brandweermannen stonden in de buurt van hun glanzende brandweerauto aan de rand van het plein en deden hun best er nonchalant uit te zien. Midden op het plein was het traditionele Sint-Maartensvuur voorbereid. De brandweermannen zouden het aansteken wanneer wij in optocht door de stad liepen, zodat het feestelijk zou branden als we terugkwamen.

Behalve de brandweer was er ook veel politie op de been. Normaal gesproken was brigadier Tondorf erbij met één agent, voor het geval er iets misging, zoals die keer dat Jörg Koch, de broer van Thilo, een brandalarm in werking had gezet en de brandweermannen de wacht bij het vreugdevuur hadden moeten opgeven om de brand te gaan blussen. Dit jaar leek de politie iedere beschikbare agent uit de wijde omgeving naar de stad te hebben gehaald, inclusief die met het ondoorgrondelijke gezicht. Ze probeerden niet op te vallen, maar je zag ze overal.

Ik zag dat brigadier Tondorf stond te praten met een van de onderwijzeressen die toezicht hielden op de kinderen van de basisschool. Het onderwijzend personeel en de politieagenten keken grimmig, alsof ze op het punt stonden een militaire manoeuvre te gaan uitvoeren. Alleen de kinderen waren even onbezorgd als altijd. Ze zwaaiden met hun lampionnen en stonden te springen van opwinding. Ik zag Frau Eichen, die dit jaar weer aan de eersteklassers lesgaf, haar kinderen tellen, waarbij haar vinger steeds in de lucht prikte. Twee minuten later telde ze hen nogmaals.

Het kwartje viel. De volwassenen waren zo nerveus omdat ze bang waren dat er weer iets zou gebeuren, net als tijdens het carnaval. Niemand wilde de verantwoordelijkheid als er weer een kind mocht verdwijnen.

'Zijn er ook kinderen uit jouw klas?' vroeg mijn moeder opeens. Ze was waarschijnlijk benieuwd of ik het op de nieuwe school beter had dan op de oude. Plichtmatig liet ik mijn blik over het plein gaan of ik bekende gezichten zag.

'Nee,' zei ik. Ergens was dat een opluchting. Stefan was de enige die met me gepraat zou hebben en ik wist dat hij niet zou komen.

'Daar zwaait iemand,' zei mijn moeder en ze wees in de verte. Ze klonk verheugd. Ik volgde haar wijzende arm. Het was Lena Schmitz die op de basisschool een klas lager had gezeten dan ik. De familie Schmitz woonde een paar deuren bij ons vandaan en Lena's moeder werkte in de kapperszaak waar mijn moeder regelmatig haar haar liet verven als het grijs zichtbaar werd. Vandaar dat we elkaar oppervlakkig kenden. Ik wuifde geestdriftig terug omdat ik wist dat mijn ouders naar me keken.

Zo dadelijk zou de optocht van start gaan. Het plaatselijke fanfarekorps, schitterend uitgedost in donkergroene uniformen met hoge petten, stelde zich op aan de rand van het plein en hief de trombones, trompetten en hoorns, die prachtig glansden in het licht van de lampionnen en fakkels. Iemand speelde de beginnoten van een liedje dat zo bekend was dat de woorden zich vanzelf in mijn hoofd vormden toen ik ze hoorde: *Sankt Martin, Sankt Martin, Sankt Martin ritt durch Schnee und Wind...* De blazer eindigde met een valse noot die iedereen aan het lachen maakte.

Iemand van de gemeenteraad stond op de trap aan de zijkant van het plein en sprak onverstaanbaar door een megafoon. Toen hoorden we hoefgekletter en reed Sint-Maarten het plein op.

Uiteraard wisten alle toeschouwers, behalve de kleuters, dat Sint-Maarten gewoon iemand uit de stad was, verkleed in een rode, fluwelen cape met een Romeinse helm op zijn hoofd. Mijn ouders wisten zelfs welk gezin het paard ter beschikking had gesteld. Maar toch had Sint-Maarten iets betoverends. Hij was veel reëler dan Sinterklaas en de paashaas. Om te beginnen was hij ontegenzeglijk springlevend, en zijn paard ook. Als je er te dicht achter liep, mocht je zelfs wel uitkijken waar je je voeten neerzette.

Iedereen keek naar Sint-Maarten toen hij zijn paard keerde en stapvoets aan de zuidzijde het plein af reed, waarbij de rode cape zachtjes over de billen van het paard golfde en de schitterende gouden helm flonkerde in het licht van de fakkels. Het fanfarekorps liep achter hem aan terwijl het *Ich gehe mit meiner Laterne* inzette, een sein dat de optocht van de schoolkinderen kon beginnen. Terwijl de rest van de mensen volgde, zag ik dat Frau Eichen alweer de kinderen telde.

'Mag ik vooruitlopen?' vroeg ik hoopvol aan mijn moeder toen ik merkte dat ze gruwelijk langzaam vooruitkwam met Sebastian in zijn buggy. Ik was bang dat we helemaal achteraan zouden komen te lopen, waar we amper iets van de muziek konden horen en als laatsten terug zouden zijn op het plein waar het vuur zou branden.

Ze schudde haar hoofd. 'Dat lijkt me geen goed idee, Pia.' Ik vroeg maar niet waarom.

'Ik ga wel met haar mee,' zei mijn vader. Hij zette zijn kraag op en keek me streng aan. 'Maar je blijft bij me in de buurt, Pia. Waar ik je kan zien.'

'Ja, pap.'

We liepen naast elkaar en dankzij zijn lange benen schoten we flink op. Algauw liepen we midden in de stoet. De optocht trok eerst door de Heisterbacher Strasse, langs ons huis, en liep daarna westwaarts langs de middeleeuwse verdedigingsmuren naar de grote poort, de Orchheimer Tor. Ik keek om me heen naar de opgewonden gezichten, de flakkerende fakkels en de verlichte lampionnen, en naar de oude muren waarin hier en daar schietgaten zaten. Het was net alsof dit de middeleeuwen waren en wij mensen die op weg waren naar een kroning... of een heksenverbranding.

Ik dribbelde met mijn vader mee en zag dat we de zesdeklassers inhaalden, die in een groep liepen terwijl de drie juffen om hen heen renden als herdershonden. In de zee van gezichten zag ik dat van Lena Schmitz. Op hetzelfde moment zag ze mij. 'Hallo,' was het enige wat ze zei, maar het was genoeg. Het was zo'n opluchting voor me om zelfs alleen maar dát te mogen horen nadat ik bijna een jaar als een paria was behandeld. Ik hield mijn pas in om in haar tempo mee te lopen.

'Hallo, wat heb jij voor lampion?'

Ze liet hem aan me zien. Hij was gemaakt van papier-maché en ik denk dat het een appel moest voorstellen, maar omdat hij een beetje gekneusd was, leek hij meer op een pruimtomaat.

'Mooi,' zei ik evengoed.

Ze keek naar de mijne. 'Die heeft mijn moeder voor me gekocht,' zei ik haastig.

'O. En wat heeft je broertje er voor een?'

'Een rups.'

Het fanfarekorps dat voor ons liep zette na *Ich gehe mit meiner Laterne* een nieuw lied in: *Sankt Martin, Sankt Martin*. Ik keek plichtsgetrouw om, om te zien of mijn vader er nog was, en bleef meelopen met Lena's klas. De stoet bereikte het plein waar koning Swentibold op zijn fontein stond, die geleegd was voor het geval de leidingen zouden bevriezen en stukspringen.

'Hoe is het in de brugklas?' vroeg Lena, die volgend jaar ook naar de middelbare school zou gaan.

'Heel leuk,' loog ik. Eerlijk gezegd vond ik de brugklas best fijn. Het enige vervelende was het verleden dat om me heen bleef hangen als een vieze lucht, maar daar wilde ik tegen Lena niet over beginnen. 'Ga jij volgend jaar ook naar St.-Michael?'

'Ik denk naar St.-Angela.'

'O.'

We verlieten de stad via de Werther Tor en betraden hem weer naast de protestantse kerk die met zijn strakke, moderne ontwerp een scherp contrast vormde met de traditionele façades van de gebouwen ernaast. Over een paar minuten zouden we terug zijn op de Klosterplatz, waar we ons konden warmen aan het vuur en Sint-Maarten zijn goede daad zien doen voor de bedelaar.

'*Mein Licht is aus, ich geh' nach Haus*,' zongen we. '*Rabimmel rabummel rabumm bumm bumm*!'

'Doorlopen!' riep Frau Dederichs, de juf van Lena. Die wilde natuurlijk zo snel mogelijk terug zijn op de Klosterplatz waar ze de kinderen weer kon toevertrouwen aan de zorgen van hun ouders. Ze liep heen en weer langs de groep, legde soms haar hand op de schouder van een kind of bukte zich om de gezichten onder de dikke mutsen te bekijken. Ik kreeg een stomp tegen mijn arm toen ze langsliep, maar ze zag mijn verontwaardigde blik niet omdat ze alweer doorliep.

Toen we op het plein kwamen, laaide het vuur al op. De houtstapel was zeker drie meter hoog en de vlammen schoten er ver bovenuit. Vonken spatten in het rond. Ik was er het liefst dichtbij gaan staan om mijn handen te warmen die pijn deden van de kou, maar

Frau Dederichs leidde haar klas vastberaden naar de zijkant van het plein, waar het toneelstukje zou worden opgevoerd.

'Wil je met ons mee?' vroeg Lena, en ik knikte, blij dat ik weer eens ergens bij hoorde, ook al was het een klas van de lagere school. Ik keek om. De brede gedaante van mijn vader volgde me als een bodyguard.

Ik voegde me tussen de wachtende kinderen. Sint-Maarten zat op zijn paard, dat een beetje onrustig werd van de brandende fakkels en de schrille stemmen van een paar honderd kinderen. Het geluid van de hoefijzers weerklonk op de kasseien toen hij heen en weer liep. Sint-Maarten boog zich naar voren en klopte het dier op zijn hals.

De man die eerder op de avond door de megafoon had gesproken, deed dat nu weer, net zo onverstaanbaar, maar we kenden het verhaal allemaal uit ons hoofd zodat we zijn uitleg niet nodig hadden. Sint-Maarten keerde zijn paard, reed een klein stukje weg en besteeg toen de verhoging aan de rand van het plein zodat iedereen hem kon zien. Met theatrale gebaren trok hij zijn rode cape om zich heen alsof hij het koud had. Zijn gouden helm flonkerde bij iedere beweging. We wachtten in spanning tot de bedelaar zou verschijnen.

Iemand drong tussen de kinderen door, waardoor Lena tegen mij aan werd geduwd en op mijn tenen trapte.

'Au.' Ik trok een pijnlijk gezicht, maar glimlachte meteen schaapachtig naar haar omdat ik de vriendschappelijke sfeer die tussen ons was gegroeid niet wilde verpesten. Degene die haar opzij had geduwd, veroorzaakte onder de dicht op elkaar staande kinderen het effect van een wave. Het trok de aandacht van Frau Dederichs, die een afkeurend gezicht trok.

Het was een forse vrouw met rood geverfd haar dat zodanig was bewerkt dat het rechtop stond, als de pennen van een egel. Ik wist niet hoe ze heette, maar Frau Dederichs wel. 'Frau Mahlberg,' zei ze op een toon die het midden hield tussen vriendelijke herkenning en zacht verwijt. De vrouw stoorde de klas en benam ons het zicht op Sint-Maarten.

Frau Mahlberg keek om en waadde nu tussen de schoolkinderen door naar Frau Dederichs, alsof ze door ondiep water liep, waarbij ze met haar sterke armen in de rondte maaide, alsof ze de kinderen uit de weg wilde duwen. Toen ze Frau Dederichs bereikte, kwam ze meteen ter zake.

'Waar is Julia?' vroeg ze op zo'n scherpe toon dat een paar kinderen omkeken en iemand achter ons 'sssst!' siste.

Ik kon niet verstaan wat Frau Dederichs zei, maar het leek iets geruststellends te zijn en ze maakte een gebaar waarmee ze alle kinderen omvatte.

Ik keek weer naar Sint-Maarten. De bedelaar was ten tonele verschenen, gekleed in vodden. Hij beeldde in pantomime uit dat hij het koud had door half voorovergebogen met zijn handen hard over zijn bovenarmen te wrijven. Dit was de scène waar we altijd naar uitkeken: nu zou Sint-Maarten zijn zwaard trekken en zijn schitterende cape in tweeën snijden. Ik zag dat hij zijn hand op het heft van het zwaard legde en het glanzende lemmet uit de schede trok, maar toen kon ik hem opeens niet meer zien, omdat er weer iemand tegen me aan botste en ik op één knie neerviel en mijn lampion liet vallen. Ik raapte hem snel weer op, maar het was te laat. Hij was al beschadigd en het breed lachende gezicht van de zon was opeens helemaal scheef.

'Waar is mijn dochter?' hoorde ik iemand roepen. Het was Frau Mahlberg, de vrouw die de kinderen opzij had geduwd. Ze liep tussen ons door als een boer op een veemarkt, greep schouders vast, duwde tegen ruggen, bekeek de opgeheven gezichten van de kinderen, die geschrokken of verwijtend keken.

'Frau Mahlberg! Frau Mahlberg!' riep Frau Dederichs, die vertwijfeld met haar handen wringend achter haar aan kwam. Achter ons klonken steeds luider protesten tegen de verstoring van de festiviteiten.

'Ssssst!'

'Julia!' riep Frau Mahlberg zonder daar acht op te slaan. Ik keek naar de verhoging waar Sint-Maarten en de bedelaar in onze richting keken en zich natuurlijk afvroegen wat de oorzaak was van de beroering. Ik had het kritieke moment waarop de cape in tweeën werd gesneden gemist. Sint-Maarten had de helft ervan in zijn handen, bevroren in het gebaar waarmee hij hem aan de bedelaar had willen overhandigen. De andere helft lag nog op zijn schouders.

De man met de megafoon zei iets en herhaalde het toen op een wat geïrriteerde toon. Sint-Maarten verroerde zich echter niet en uiteindelijk week de bedelaar af van het traditionele script door zich op te richten en de cape zelf maar te pakken. Er kwam een krakend geluid uit de megafoon, maar de verteller kon geen woord uitbrengen, vermoedelijk omdat hij met stomheid was geslagen over het inhalige gedrag van de bedelaar. Iemand kwam naar ons toe. Het was de politieman met het uit steen gehouwen gezicht die ik in het gezelschap van brigadier Tondorf had gezien.

'Hallo.'

Het was een commando, geen begroeting. Frau Mahlberg draaide zich om, zag hem en stortte zich op hem als een aasgier. Heel even dacht ik dat ze hem letterlijk zou vastgrijpen, maar op het laatste moment hief hij zijn hand op om haar daarvan te weerhouden.

'Mijn dochter!' Ze maakte wilde gebaren naar Frau Dederichs, maaiend met haar krachtige armen. 'Zij was verantwoordelijk voor mijn dochter!'

'Ik... ik...' Frau Dederichs kreeg een kleur. Ze zag dat de meeste mensen die binnen gehoorsafstand stonden niet meer naar Sint-Maarten en de bedelaar keken, maar luisterden naar wat zij en Frau Mahlberg zeiden.

'Wie bent u?' vroeg de politieman haar.

'Frau Dederichs. Ik geef les aan Julia's klas.'

'Julia is mijn dochter,' zei Frau Mahlberg.

'Dat snap ik,' zei de politieman.

'En ze is niet hier,' zei Frau Mahlberg. Haar stem steeg hysterisch. 'Deze vrouw was voor haar verantwoordelijk en nu is ze niet hier en god mag weten wat er met haar is gebeurd.' Ze maakte een wild gebaar, alsof ze Frau Dederichs wilde slaan. 'Hoe kan ze haar hebben laten afdwalen? Na alles wat er is gebeurd!'

'Ik heb haar niet laten afdwalen,' protesteerde Frau Dederichs. 'Ik heb de kinderen vanaf het begin van de optocht vergezeld en wel zes keer geteld.'

‘Waar is ze dan?’ vroeg Frau Mahlberg driftig.

De politieman kwam tussenbeide. ‘Weet u zeker dat Julia niet tussen deze kinderen staat?’ Hij keek naar Frau Dederichs, die het minst hysterisch van de twee leek.

‘Eh...’ Frau Dederichs trok haar jas strakker om zich heen, alsof ze wenste dat ze erin kon verdwijnen en begon de kinderen nogmaals te tellen, met haar vinger in de lucht prikkend. ‘Een... twee...’

‘Wat had Julia aan?’ vroeg de politieman terwijl Frau Dederichs bleef tellen.

‘Een donkerblauw jack, een roze muts...’ Frau Mahlberg kneep haar gezicht samen alsof ze het bijna niet kon opbrengen kalm te blijven. ‘... witte wollen wanten...’

Ik keek naar Lena om iets over Julia te zeggen, om haar te vragen of ze haar had gezien, en daardoor had ik niet meteen in de gaten dat Frau Dederichs was opgehouden met tellen. ‘Is dat haar niet?’ zei ze opeens met een stem die beefde van opwinding. Ik keek op en zag dat ze naar mij wees. Ik keek weer naar Lena en wierp toen een blik over mijn schouder. Er stonden geen kinderen achter me, alleen de donkere gedaante van mijn vader in zijn winterjas. Ik draaide me weer om en keek naar Frau Dederichs. Ze staarde naar me en hield haar vinger naar me uitgestrekt.

‘Die met de roze muts,’ stootte ze uit.

Opeens werden alle ogen op mij gericht. Frau Mahlberg deed een stap naar voren en rukte de roze muts van mijn hoofd, bijna een pluk haar meetrekkend.

‘Au,’ zei ik, maar niemand hoorde dat. Frau Mahlberg begon luidkeels te gillen, als een speenvarken. Ze greep me bij de schouders en schudde me zo hard door elkaar dat mijn tanden ervan klapperden. ‘Dit is Julia niet! Dit is Julia niet!’ krijste ze pal in mijn gezicht.

Ik verstijfde in haar greep als een dier dat gevangenzit in de lichtbundels van een naderende sneltrein, niet in staat me te bewegen, ook al ging het noodlot toeslaan. Mijn hoofd knikte naar achteren. Terwijl de orkaan van Frau Mahlbergs woede losbarstte, beeldde ik me in dat mijn ogen uit hun kassen sprongen en als knikkers over de kasseien rolden.

'Hou op!' bulderde de stem van mijn vader. Heel even dacht ik mal genoeg dat hij tegen míj zei dat ik moest ophouden met wat het ook was waar Frau Mahlberg zo kwaad om was geworden. Toen trok hij me bij haar vandaan en werd ze vastgegrepen door de politieman met het uit steen gehouwen gezicht terwijl ze zich verzette alsof ze krankzinnig was geworden. De uitdrukking op het gezicht van de agent bleef ondoorgrondelijk.

Frau Dederichs stond er nog steeds bij, lijkbleek en dodelijk geschrokken. Haar blik bleef heen en weer gaan tussen Frau Mahlberg en mij, alsof ze haar ogen niet kon geloven.

'Ik heb ze geteld,' zei ze aldoor. 'Ik heb ze geteld.'

'U hebt dit meisje geteld,' zei de politieman met een knikje naar mij. 'Zit zij in uw klas?'

'Nee,' zei Frau Dederichs. 'Ik weet het niet...' Ze liep aarzelend naar me toe, alsof ze me verdacht van een misdaad, alsof ze dacht dat ik Julia Mahlberg had laten verdwijnen om haar plaats te kunnen innemen. Toen zei ze: 'Dit is Pia Kolvenbach. Het meisje met de grootmoeder die...' Ze maakte haar zin niet af.

'Het meisje met de grootmoeder die wat?' vroeg de politieman, maar dat hoorde ik al niet meer.

Mijn vader had zijn armen om me heen geslagen en drukte me tegen zich aan alsof ik een kleuter was en niet een grote meid van elf. Ik verborg mijn gezicht in zijn jas en voelde de vibraties in zijn borst toen hij op een barse toon met de politieman sprak, maar de woorden waren te gedempt om te kunnen verstaan wat ze zeiden. Ik geloof dat ik krankzinnig zou zijn geworden als ik nog een keer naar het verhaal over oma's ongeluk had moeten luisteren. Ik klampte me aan mijn vader vast tot hij ophield met praten en zich van me losmaakte.

'Ga maar naar huis, Pia.'

Mijn moeder was uit de menigte tevoorschijn gekomen met Sebastian in zijn buggy.

Ik luisterde niet naar de koele woordenwisseling tussen haar en mijn vader, noch deed ik moeite mijn lampion op te rapen, die ik had laten vallen toen Frau Mahlberg me in haar woeste greep had gehad en die nu vast en zeker helemaal vertrapt was. Ik liet me door mijn moeder wegleiden van de commotie, met haar arm rond mijn schouders terwijl ze met haar andere hand de buggy duwde.

Mijn vader bleef achter bij de politieman en Frau Mahlberg. Ik keek over mijn schouder naar hem terwijl mijn moeder me bij hen vandaan leidde. Ik had het vreselijk benauwd, want ik was ervan overtuigd dat we vanwege mij allemaal in grote moeilijkheden waren geraakt en dat mijn vader nu in mijn plaats de consequenties moest aanvaarden.

'Wat gebeurt er?' vroeg ik aan mijn moeder.

Ze keek naar me. In het vage licht zag ik dat haar gezicht erg strak stond, maar ze schudde alleen haar hoofd. Mensen liepen langs ons heen. De man met de megafoon stond nog op de trap en keek verward. Niemand leek haast te hebben het plein te verlaten, maar het gebruikelijke geroezemoes van opwinding had plaatsgemaakt voor nieuwsgierige blikken en gefluister. De agenten die op wacht hadden gestaan langs de route van de optocht, kwamen allemaal terug naar het plein. Ik had nog nooit eerder zo veel agenten gezien in Bad Münstereifel. Het leek bijna alsof ze hadden verwacht dat er rellen zouden uitbreken. Sommigen van hen spraken in walkietalkies.

Mijn moeder versnelde haar pas en trok me met zich mee. Toen we bij de hoek van het plein waren, keek ik achterom om te zien of Sint-Maarten er nog was, maar op de verhoging stond niemand meer. Hij was verdwenen.

32

Daarmee was het voor mij natuurlijk niet voorbij. Later die avond kwam brigadier Tondorf bij ons om te praten over wat er tijdens de optocht was gebeurd. Het duurde allemaal heel lang, maar ik was blij dat hij het was en niet de politieman met het uit steen gehouwen gezicht, want die gaf me met zijn ondoorgrondelijke blik het gevoel dat ik schuldig was aan alles wat je maar kon bedenken.

Brigadier Tondorf was heel aardig, zoals altijd, maar verschrikkelijk pietepeuterig. Hij nam de zaak keer op keer door en bleef me op zijn gelijkmatige, vriendelijke toon vragen stellen tot ik zo moe was dat ik ze niet meer naar behoren kon beantwoorden. Waarom had ik besloten met de klas van Frau Dederichs mee te lopen? Had iemand me dat idee aan de hand gedaan? Waar kende ik Lena Schmitz van? Kende ik Julia Mahlberg? Had ik haar tijdens de optocht gezien?

Mijn moeder bracht Sebastian naar bed en kwam weer naar beneden. Ze ging met een strak gezicht naast me zitten en hield mijn hand vast. Om halfelf zei ze 'genoeg' en ze stond op. 'Brigadier Tondorf, Pia valt om van de slaap.'

'Frau Kolvenbach...' Verder kwam hij niet.

'U hoeft niet te zeggen dat dit belangrijk is. Dat weet ik ook wel. Maar ze is nog maar een kind en ze is doodmoe. Moet je haar zien.'

Ik probeerde alert te kijken, maar kon mijn ogen nauwelijks openhouden. 'Ik ben niet moe,' zei ik en bedierf dat meteen met een langdurige geeuw. Ik had het gevoel dat mijn oogleden zich door hun eigen zwaarte zouden sluiten, net als de rolluiken voor de ramen.

'Ze kan u niets anders meer vertellen. U hebt haar alles al meerdere keren gevraagd.'

'Frau Kolvenbach,' zei brigadier Tondorf hardnekkig. 'Het spijt me voor uw dochter dat ze zo moe is, maar laten we niet vergeten dat meneer en mevrouw Mahlberg ook een dochter hebben. We moeten alles op alles zetten om haar te vinden.'

'Dat weet ik,' beet mijn moeder hem toe. 'Waarom gaat u dan niet naar haar zoeken?'

Door dat onbeschofte antwoord was ik opeens weer klaarwakker. Ik was gewend aan de explosieve uitbarstingen van mijn moeder, maar stond evengoed versteld dat ze de politie durfde te vertellen wat ze moesten doen. Ik keek naar haar. Haar gezicht had een teruggetrokken blik, met diepe rimpels tussen haar wenkbrauwen en langs haar mondhoeken. Ze leek opeens een stuk ouder en had iets van een toverkol.

Brigadier Tondorfs vaderlijke gezicht verstrakte. Met stijve, formele bewegingen stond hij op. 'Dan zal ik morgen terug moeten komen,' zei hij op een kille toon tegen mijn moeder. Ze knikte, maar stond niet op om met hem mee te lopen naar de deur. Brigadier Tondorf keek nog even naar haar, pakte toen zijn pet en liet zichzelf uit, waarbij hij de deur zachtjes achter zich dichttrok.

Mijn moeder nam me zwijgend mee naar boven en hielp me met uitkleden. Haar gezicht was nog steeds eigenaardig samengetrokken, alsof ze haar best deed iets binnen te houden. Tegenover mij deed ze heel lief, ze poetste zelfs mijn tanden voor me terwijl ik stond te tollen van de slaap, en hielp me mijn pyjama aan te trekken. Ik mocht zelfs het leeslampje aan laten, alsof we de monsters waar kleine kinderen bang voor zijn, op een afstand moesten houden. Ze ging naast mijn bed zitten en ik geloof dat ze er nog zat toen ik in slaap viel.

33

Ik weet niet hoe laat het precies was toen ik wakker werd. Ik lag op mijn rug in bed, met het donzen dekbed half over me heen en mijn hoofd achterover waardoor het licht van het leeslampje precies in mijn gezicht scheen. Ik had gedroomd van een jankend geluid, als van een sirene, ritmische golven van geluid, en het licht op mijn gezicht was zo fel dat het met het stijgen en dalen van de sirene leek mee te golven.

Ik deed mijn ogen open en meteen weer dicht, half verblind. Het geluid van de sirene hield aan en ik dacht eerst dat het nog bij de droom hoorde, dat ik helemaal niet wakker was. Maar er loeide echt ergens een sirene. Ik ging zitten en knipperde met mijn ogen. Ik hoorde mijn ouders op de gang met gedempte stemmen praten.

'Mamma?'

Ik was helemaal in de war. Was er ergens brand of zo? Ik zwaaide mijn benen over de rand van mijn bed om op te staan en naar mijn ouders te gaan, maar mijn moeder deed de deur van mijn slaapkamer al open. Ze had haar ochtendjas aan en haar donkere haar hing los rond haar schouders.

'Pia, waarom slaap je niet?' vroeg ze, maar ze klonk eerder afwezig dan geprikkeld.

'Ik hoorde iets.' Mijn blote voeten raakten de houten vloer, die koud aanvoelde.

'Er is niets.'

Mijn moeder kwam binnen en tilde het dekbed op, met de bedoeling dat ik weer ging liggen zodat ze me kon toedekken, maar ik was nu klaarwakker. Ik keek naar de deuropening en zag mijn vader staan. In tegenstelling tot mijn moeder was hij gekleed alsof hij weg moest – ribbroek, dikke schoenen, donzen jack.

'Het klonk als de brandweer of de politie,' zei ik.

'Maak je geen zorgen,' zei mijn moeder. Ze schudde het dekbed wat op, alsof ze me daarmee wilde aansporen eronder te kruipen. 'Ga maar weer slapen.'

'Wil de politie me nog meer vragen stellen?' vroeg ik.

'Nee.' Mijn moeder wierp een blik op mijn vader. Ze stompte met driftige gebaren mijn kussen in model. 'Niet nu. Ga liggen.' Ik gehoorzaamde, maar niet van harte.

'Waarom is pappa aangekleed? Is het bijna ochtend?'

'Nee. Hij moest weg,' zei mijn moeder en ze voegde er kribbig aan toe: 'En hij denkt dat ik nog niet genoeg te doen heb, dus is hij met zijn modderschoenen door het hele huis gelopen.'

'Dat maak ik wel schoon,' zei mijn vader op een geïrriteerde toon.

'Ja, dat ken ik,' zei mijn moeder vinnig. Ze streek haar haar achter haar oren, maar het bleef niet zitten. De weerbarstige lokken gleden meteen weer naar voren. Ze zag er anders uit dan de mamma van overdag die altijd een paardenstaart had. Deze moeder zag er jonger uit, maar ook een beetje wild.

'Heb je dat meisje al gevonden, pappa?' vroeg ik.

Hij schudde zijn hoofd. 'Nee, maar de politie is nog aan het zoeken.'

'Waar ben je geweest?' vroeg ik. Ik kreeg alweer slaap, maar het feit dat we met ons drieën midden in de nacht op waren, was zo uniek dat ik het voor geen goud had willen missen. Als Sebastian nou maar niet wakker werd en ging blèren, want dan was alles bedorven.

'Bij het kasteel van Dracula,' bitste mijn moeder.

'Het kasteel van *Dracula*?'

'Kate...' begon mijn vader, maar mijn moeder viel hem in de rede.

'Het had makkelijk gekund. Daar gaan de woedende boeren met hun hooivorken toch naartoe als ze iemand willen lynchen?'

Ze streek met een onbeheerst gebaar haar haar weer naar achteren en keek mijn vader uitdagend aan.

'We wilden niemand lynchen en het zijn geen boeren,' zei mijn vader op een onheilspellende toon.

'Heb ik gezegd...' begon mijn moeder sarcastisch, maar ze stopte abrupt en schudde gefrustreerd haar hoofd. 'Waarom vat jij alles altijd zo letterlijk op?'

'En waarom zeg jij dingen die je niet meent?' vroeg mijn vader op zijn beurt.

'Was het dat dan niet?' vroeg mijn moeder vol wrok. 'Waren ze er niet op uit hem te lynchen? Hebben ze soms bij hem aangebeld om hem een encyclopedie te verkopen?'

'Bij wie?' vroeg ik, maar de vraag sneuvelde in de atmosfeer die tussen mijn ouders knetterde als elektriciteit tussen twee punten.

'Als je het echt wilt weten,' zei mijn vader op een gedragen toon. 'We zijn gegaan om ervoor te zorgen dat hij níét gelyncht zou worden.'

'Mooi zo,' zei mijn moeder en ze knikte nadrukkelijk. Mijn vader bekeek haar achterdochtig. 'Ga door,' zei ze. 'Ik wil het graag horen.'

'Sommige mensen in deze stad staan veel te snel met een oordeel klaar,' zei mijn vader hardnekkig.

''t Is niet waar...'

'Kate, daarom heb je het hier zo moeilijk. Omdat je altijd het slechtste van de mensen denkt.' Mijn vader was een beetje rood aangelopen. Hij schudde zijn hoofd. 'Ik zeg alleen dat er hier mensen zijn die soms conclusies trekken zonder dat ze de feiten kennen. We mogen het recht niet in eigen hand nemen.'

'Je bent dus gegaan om ervoor te zorgen dat niemand het recht in eigen hand zou nemen?'

Hij knikte.

'Pakweg dertig dodelijk ongeruste vaders zijn opgetreden als een soort vredesmacht van de Verenigde Naties?' vroeg mijn moeder.

'Nu spot je er weer mee,' zei mijn vader.

'Ik spot nergens mee. Ik kan het alleen niet geloven. Denk je dat hij uit het raam heeft gekeken en toen hij jullie zag aankomen heeft gedacht: Mooi zo, nu kan me niks gebeuren.'

'Kate, die jongen van Koch, die een broer in Pia's klas had, had al een ruit ingegooid.'

'En waar was de politie?'

'Op zoek naar het meisje Mahlberg. Maar ze zijn er nu wel, dat weet je.'

'Weet je zeker dat ze niet met opzet zo laat kwamen?'

'Wat wil je daarmee zeggen?' vroeg mijn vader.

'Ruiten ingooien... ik krijg het gevoel dat sommige mensen in deze stad hun eigen Kristallnacht hebben gehouden,' zei mijn moeder.

Daarop volgde een heel lange stilte. Ze bewogen zich geen van beiden. Mijn vader vulde de deuropening van mijn kamer, mijn moeder stond naast mijn bed met haar hand op mijn kleine kaptafel, alsof ze daaraan steun zocht. De stilte werd alleen verbroken door het schuivende geluid van haar vingers die ze heen en weer bewoog over het geschilderde hout.

'Sorry,' zei ze uiteindelijk.

Mijn vader keek naar haar, maar zijn gezicht bleef zo roerloos dat ik niet kon zien of hij boos of van streek of onverschillig was.

'Er wonen hier veel goede mensen,' zei hij zachtjes.

'Dat weet ik.'

'Die hebben het niet verdiend zo beledigd te worden door vergeleken te worden met nazi's.'

'Ik zei dat het me speet. Is dat niet genoeg?'

'Nee,' zei mijn vader. Hij draaide zich om. 'Ik ga een borstel halen om de vloer schoon te maken.'

'Dat doe ik wel.'

'Niet nodig,' zei hij.

Nadat hij naar beneden was gegaan bleef mijn moeder naast mijn bed staan kijken naar de deuropening, als iemand die op een kade een schip nakijkt dat in de verte verdwijnt. Haar vingers gleden weer over het blad van mijn kaptafel en maakten een fluisterend geluid. Toen ze sprak, deed ze dat vanuit haar mondhoek, op een zachte toon, terwijl haar ogen op de deuropening gericht bleven.

'Ga slapen, Pia. Ga slapen.'

34

De volgende ochtend was mijn vader al weg toen ik beneden kwam. Mijn moeder was in de keuken wafels aan het bakken, een zeldzame traktatie. Sebastian zat gelukzalig te kauwen op de hap die hij uit de hartvormige wafel had genomen die hij in beide knuistjes hield. Mijn moeder sloot het wafelijzer dat sissend stoom liet ontsnappen.

'Die van jou is zo klaar,' zei ze met een glimlach. Ze klonk vanochtend erg opgewekt, zoals de moeder in de tv-reclame die zelfs blijft glimlachen als haar zoon met de modderige kleren van de hele voetbalploeg komt aanzetten.

Ik schoof op mijn vaste plek aan de tafel.

'Waar is pappa?'

'Die moest wat eerder weg.' Ze opende het wafelijzer en stak een vleesvork onder de wafel om hem op te lichten.

'O,' zei ik teleurgesteld. Ik had hem van alles willen vragen over de afgelopen nacht. 'Waarom?'

'O, je weet wel.' Ze legde de wafel op een bord en zette het voor me neer op de tafel. 'Veel werk.'

Ik proefde de warme wafel. Hij was verrukkelijk. Een poosje gaf ik me helemaal over aan het genot van wafels eten, maar toen mijn eerste honger gestild was en ik begon te denken dat wafels misschien toch niet zo geweldig waren, vooral niet als je er zes achter elkaar opat, vroeg ik: 'Mamma, waar is pappa gisteravond naartoe gegaan?'

'Och, Pia.' Ze trok de stekker van het wafelijzer uit het stopcontact voordat ze de vraag beantwoordde. 'Als je het per se wilt weten – je zult er trouwens snel genoeg achter komen gezien het feit dat deze stad één grote broedplaats voor roddelpraatjes is – je vader is gisteravond naar het huis van Herr Düster gegaan.'

'Naar het huis van Herr Düster? Waren er dan bij hém ruiten ingegooid?'

'Niet *ruiten*,' zei mijn moeder. 'Eén ruit. Maar het was de ruit van Herr Düster, ja. En Jörg Koch is degene die het heeft gedaan. Niet dat ik me daarover verbaas,' zei ze met een stem vol ironie.

'Waarom heeft Jörg Koch bij Herr Düster een ruit ingegooid?'

Mijn moeder pakte een vaatdoek om het met wafelbeslag bespatte aanrecht schoon te maken. Met haar rug naar me toe, terwijl haar elleboog heen en weer ging als een piston, zag ze er niet erg aanspreekbaar uit. Toch gaf ik het niet op.

'Waarom heeft hij dat gedaan?'

'Omdat hij...' Ze stopte met schoonmaken, draaide zich om en keek me aan. 'Omdat sommigen van de brave burgers van deze geweldige stad ervan overtuigd zijn dat Herr Düster een misdadiger is.'

Ik dacht daarover na. 'Frau Kessel zegt dat Herr Düster waarschijnlijk degene is die Katharina Linden en de andere meisjes heeft ontvoerd. Ze heeft me verteld dat er ook toen pappa nog op school zat meisjes zijn verdwenen in Bad Münstereifel en dat Herr Düster toen ook de dader was.'

'Pia.' Nu had de blik van mijn moeder de kracht van een laserstraal. 'Frau Kessel is een oud wijf met een giftige tong. Ik wil niet hebben dat je luistert naar haar verhalen over wie er wat heeft gedaan in deze stad, en wee je gebeente als ik hoor dat jij die verhalen doorbrieft aan andere mensen. Als zij en haar soortgenoten er niet waren geweest, was er gisteravond waarschijnlijk geen op lynchen beluste meute door Bad Münstereifel getrokken. Ze is een loeder.'

Het deel van mijn persoonlijkheid dat alles letterlijk nam, een trekje dat ik van mijn vader had geërfd, had moeite deze nieuwe informatie te verwerken.

'Heeft Herr Düster het dan niet gedaan? Heeft hij de meisjes dan niet ontvoerd?'

'Ach, Pia, hoe moet ik dat nou weten? Niemand weet het. En zelfs als hij het heeft gedaan, dan nog is het niet juist dat mensen hem zomaar aanvallen. In een beschaafde maatschappij,' voegde ze eraan toe, meer tegen zichzelf dan tegen mij, 'is men onschuldig tot het tegendeel is bewezen.'

'Maar *stel* dat hij het gedaan heeft...'

'Dan moeten de overheidsinstanties dat behandelen. Dan moet de politie hem verhoren en als het ernaar uitziet dat er genoeg bewijs is dat hij het heeft gedaan, moet hij voor de rechter gedaagd worden. Weet je wat dat betekent?'

Ik knikte.

'En een rechter kan niemand veroordelen tenzij is bewezen dat hij iets heeft misdaan. Het is niet voldoende dat iemand er schuldig uitziet, of dat iemand anders denkt dat hij het heeft gedaan. Je moet er zeker van zijn. En dat wil zeggen dat je er bewijs van moet kunnen overleggen.'

'Wat voor soort bewijs, bijvoorbeeld?'

'Pia, we zitten nog aan het ontbijt, wat naar me dunkt geen geschikt tijdstip is om in te gaan op forensische geneeskunde,' zei mijn moeder droog. Ik was eraan gewend dat ze af en toe haar toevlucht nam tot een gezwollen stijl, dus wachtte ik geduldig tot ze het zou uitleggen.

'In dit geval weten we niet eens precies wat er met Katharina en de andere meisjes is gebeurd. Het is altijd mogelijk dat ze gewoon met iemand zijn meegegaan en dat ze nog...' Mijn moeder stopte net op tijd. 'Dat ze uiteindelijk gezond en wel gevonden zullen worden. En hoe zouden de mensen zich dan voelen als ze naar Herr Düster waren gegaan en hem mishandeld hadden?' Ze slaakte een zucht. 'Moet je trouwens nog niet naar school? Als je nog langer wacht, ben je niet binnen als de bel gaat.'

Ik schoof van de bank. 'Maar, mam, wat zou als bewijs gelden?' hield ik vol, omdat ik niet wilde vertrekken voordat het gesprek tot mijn tevredenheid was afgesloten.

'Nou, bijvoorbeeld als iemand met eigen ogen heeft gezien dat een ander een misdaad pleegt... of als er bij iemand thuis gestolen goederen worden gevonden,' zei mijn moeder.

'Of een lijk?' vroeg ik.

'Een...? Pia, ik denk niet dat in Bad Münstereifel in welk huis dan ook lijken aangetroffen zullen worden. Kunnen we hier nu over ophouden? Het is stuitend. En sommige kleine mensjes' – ze knikte veelbetekenend naar Sebastian – 'beginnen al steeds meer te begrijpen.'

Schoorvoetend liep ik naar de gang om mijn jas aan te trekken en de rugtas te pakken die de plaats had ingenomen van de kinderachtige tas die ik op de basisschool had gehad. Het regende en ik had nog drie minuten voordat op school de bel ging. Met een zucht liep ik de nattigheid in.

35

'Boris zegt dat hij de dader is.'

'Hoe weet hij dat?'

Stefan en ik zaten op een muur van het schoolplein. De kou van de stenen drong dwars door mijn dikke spijkerbroek heen. Stefan leek geen last te hebben van de kou, ook al was zijn jas te dun voor de tijd van het jaar.

'Hij zegt dat het zo klaar als een klontje is,' zei hij met een schouderophalen. 'Iedereen kent de geruchten over de dochter van Herr Schiller. Er is geen rook zonder vuur, zegt hij.'

'Dat hoor ik Boris anders niet zeggen. Dat is meer iets voor Frau Kessel,' zei ik.

'Ja, oké, daar zal het ook wel vandaan komen,' zei Stefan. Hij liet de hielen van zijn schoenen tegen de muur bonken terwijl hij nadacht.

'Mijn moeder zegt dat je bewijs moet hebben voordat je mag zeggen dat iemand iets heeft gedaan, dat iemand een misdaad heeft gepleegd en zo,' zei ik.

'Als hij de dochter van Herr Schiller heeft ontvoerd...' zei Stefan.

'Maar daar is hij nooit voor gestraft,' merkte ik op. 'Hij heeft niet in de gevangenis gezeten of zo. En men zegt dat Herr Schiller het voor hem heeft opgenomen. Zou hij dat gedaan hebben als hij dacht dat zijn eigen broer zijn dochter had ontvoerd?'

'Wie weet? Als je het mij vraagt zijn volwassenen niet goed snik,' zei Stefan hartstochtelijk. 'Als wij volwassen waren, twintig of zo, en jij zou met iemand anders trouwen, met Thilo Koch of zo...' Hij pauzeerde en lachte om het gezicht dat ik trok. 'Dan zou ik jouw kinderen evengoed niet ontvoeren en vermoorden.'

'Als het de kinderen van Thilo Koch waren, zou je dat misschien juist moeten doen,' zei ik, huiverend bij de gedachte. 'Maar hoe dan ook, het is alleen maar een gerucht. Niemand heeft het lijk ooit gevonden.'

'Misschien is ze dan van huis weggelopen,' zei Stefan.

'Nee.' Ik schudde nadrukkelijk mijn hoofd. 'Zou *jij* weglopen? Ik zou het juist cool vinden om Herr Schiller als vader te hebben. Toen hij jonger was, bedoel ik. Denk aan alle verhalen die hij je zou vertellen. Dat verhaal over de Brandende Man was echt gruwelijk. Jammer dat je daar niet bij was.'

Stefan kamde met zijn vingers door zijn haar. 'Jammer dat we *hem* niet kunnen vragen wat er gebeurd is.'

'Vergeet het maar,' zei ik spijtig. 'Als hij daar zelf niet boos om wordt, wordt mijn moeder dat wel als ze erachter zou komen.'

Daar dachten we een poosje zwijgend over na. Toen zei Stefan: 'Iemand moet bewijs zien te vinden.'

'Daar zal de politie toch wel mee bezig zijn?' zei ik weifelachtig.

'Ze hebben voorlopig nog niks gevonden, anders hadden ze hem wel gearresteerd,' zei Stefan.

'Ze hebben hem een keer opgepakt,' zei ik.

'Ja, maar ze moesten hem weer laten gaan. Als ze iets hadden gevonden, hadden ze dat niet gedaan. Trouwens, Boris zei dat brigadier Tondorf die keer dat ze naar het huis van Herr Düster waren gegaan, had gezegd dat ze hem helemaal niet wilden arresteren, maar dat hij hen ergens mee hielp of zoiets. Weet je nog wel, toen jij in Engeland was?'

Een hete vlam van schaamte joeg door me heen toen ik terugdacht aan hoe ik hem bij granny Warner thuis had opgebeld. Dat was nu maanden geleden en ik had er nog steeds niets over gehoord, maar ik durfde er nauwelijks op te hopen dat mijn overtreding nooit aan het licht zou komen. Granny Warner was wel oud, maar niet gek. Dat telefoontje zou haar meteen opvallen als de rekening kwam, en die kwam nu vast heel gauw.

Bovendien was inmiddels wel duidelijk dat de verdediging die ik destijds zo monter had verzonnen – dat ik het bedrog had gepleegd voor een goed doel, te weten de oplossing van het mysterie waar de stad onder gebukt ging – geen stand zou houden.

De losse flarden informatie die we hadden verzameld, waren niet gestold tot een vaste massa. Het leek eerder alsof we een puzzel aan het maken waren zonder te beseffen dat we de door elkaar gehusselde stukjes van twee of drie puzzels voor ons hadden liggen. Hier hadden we een stukje van een lenige, zwarte kat die in een fauteuil lag te slapen; daar hadden we een stukje van een vervallen kasteel in het maanlicht en van een jongen die met een lijkbleek gezicht de berg af rende. Hier een stukje van een kinderschoen. Maar de stukjes pasten op geen enkele manier in elkaar en we konden niet zien wat het worden moest.

Ik schudde moedeloos mijn hoofd. 'Misschien is hij dan niet de dader.'

'Of misschien kunnen ze gewoon geen bewijs vinden,' zei Stefan.

Ik sprong van het muurtje. 'Hier schieten we niks mee op. We draaien in kringetjes rond.'

Met een zachte bons kwamen Stefans sportschoenen op de grond terecht. Hij trok zijn rugtas van de muur en zwaaide hem over zijn schouder.

'Dan moeten we zorgen dat we bewijzen vinden.'

Ik keek hem aan. 'Goeie mop.'

'Ik meen het.'

Ik zette mijn handen in mijn zij. 'Hoe had je je dat voorgesteld? Moeten we soms bij Herr Düster inbreken als hij er niet is en zijn huis doorzoeken?' Een tinteling trok door me heen op het moment dat de woorden over mijn lippen kwamen. Natuurlijk! Dat moesten we doen. Alles leidde tot die conclusie. De vraag was of we het ook echt zouden durven. Dit was iets heel anders dan stiekem opbellen toen granny Warner naar bingo was. Dit was net zoiets als naar de hoogste plank van de duiktoren klimmen om te zien of je eraf durfde te springen. Nee, dit was net zoiets als naar de top van een klip klimmen om te zien of je eraf durfde te springen. Bij het idee alleen al voelde je je maag omdraaien.

Stefan staarde me aan. 'Ik had willen zeggen dat we hem moeten schaduwen,' zei hij. 'Maar je hebt gelijk. We moeten zijn huis doorzoeken.'

'Stefan...' Nu ik het hem hoorde zeggen, klonk het opeens erg reëel en volslagen waanzinnig.

'Ja?'

'We kunnen niet zomaar inbreken... En stel dat we gepakt worden?'

'We worden niet gepakt. En wie zegt dat we moeten *inbreken*?'

Ik klemde mijn tas tegen mijn borst. 'Wat dan? Aanbellen en vragen of we het huis mogen doorzoeken?'

'We kunnen via de kelder in het huis komen.'

'Vergeet het maar.' Ik begon me nu echt zorgen te maken. We bespraken dit alsof we echt gingen proberen Herr Düsters huis binnen te dringen en overhoop te halen om naar dode meisjes te zoeken. Ik rilde.

Ik wist precies wat hij bedoelde met de kelder. De meeste van de oude huizen in de stad hadden op straatniveau een hek of een luik dat toegang gaf tot de kelder. Vroeger werden die gebruikt voor de levering van brandstof. Nu waren de hekken verroest en de luiken bedekt met spinnenwebben, maar ze waren er nog steeds. Nu ik erover nadacht, was ik er vrijwel zeker van dat het huis van Herr Düster twee deurtjes had die schuin op de muur stonden met een hangslot erop. Als we een manier konden vinden om het hangslot te verwijderen, hoefden we alleen maar de deurtjes te openen, de bovenkant van het kozijn vast te pakken en ons in de duisternis van de kelder te laten zakken...

'Dat lukt nooit,' zei ik met kracht.

'Natuurlijk wel.' Stefan klonk serieus. 'En Frau Weiss is ziek, dus heeft niemand het in de gaten als we niet naar haar klas gaan.'

Ik keek hem geschrokken aan. 'Wil je het dan nu meteen doen?'

'Ja, zeg, ik ben niet achterlijk.' Stefan keek me meewarig aan. 'Ik wil alleen maar een kijkje gaan nemen. We kunnen zoiets moeilijk overdag doen, al was het maar omdat de oma van Thilo Koch daar de hele dag staat te koekeloeren. Als we het doen, doen we het 's nachts. Als het donker is.'

36

Ik had het gevoel dat iedereen naar me keek toen we door de Orcheimer Strasse liepen. Ik durfde er niet aan te denken wat er zou gebeuren als we iemand tegenkwamen die we kenden. Frau Kessel, bijvoorbeeld. Wat zou die een lol hebben als ze ons op spijbelen betrapte.

'Dit is een waardeloos idee,' siste ik tegen Stefan.

'Maak je niet druk,' zei Stefan. Hij glimlachte stralend tegen een voorbijganger. 'Goedemorgen.' Hij klonk ontwapenend beleefd en zo onschuldig als een pasgeboren lam.

Het huis van Herr Düster stond bijna recht tegenover dat van Hilde Koch. Frau Koch was nergens te bekennen, maar ik voelde me evengoed onbehaaglijk. Het was alsof ze achter de ramen van haar huis met haar varkensoogjes naar ons loerde. Zelfs de verwelkte bloemen in de vensterbankbakken leken zich naar voren te buigen om ons af te luisteren.

'Kijk eens.' Stefan porde me in mijn zij en floot zachtjes.

Iemand had inderdaad een van de ruiten van Herr Düsters huis ingegooid en het gat was provisorisch gedicht met iets wat eruitzag als een plaat witte formica. Zijn huis was nooit het mooiste in de straat geweest, maar nu zag het er wel erg armoedig uit: als een oude zeeman met een lapje voor zijn oog.

Stefan slenterde ernaartoe en ik liep achter hem aan terwijl ik wanhopig vocht tegen de aandrang steeds om me heen te kijken.

De toegang tot de kelder zag er min of meer uit zoals ik me die herinnerde: twee kleine deurtjes die ooit vuurrood waren geweest maar nu de kleur hadden van opgedroogd bloed. Op elk ervan zat een kleine, metalen handgreep en die waren met elkaar verbonden door een zwaar hangslot. Ik was helemaal opgelucht.

'Dat slot krijgen we nooit open.'

Stefan hurkte voor de deurtjes en betastte het hangslot. 'Dat hoeft ook niet.' Hij stak een vinger onder een van de metalen handgrepen en trok eraan. 'Kijk eens.' De hendel liet zomaar los en roestvlokjes dwarrelden neer.

'Stefan!'

'Sssst...' Hij kwam overeind en sloeg de bruine vlokjes van zijn handen. Ik deed mijn mond open om tegen hem te zeggen dat ik vond dat hij stapelgek was, maar voordat ik dat kon doen, zei iemand: 'Pia *Kolvenbach*!'

Heel even dacht ik dat ik letterlijk door mijn knieën zou zakken.

'Frau Kessel.'

Met het afschuwelijke besef dat ik in de val zat draaide ik me om en kwam oog in oog te staan met de lelijke Edelweissbroche die op haar bruine, wollen jas was gespeld. Noodgedwongen hief ik mijn hoofd op naar haar gezicht. Onder het torenhoge kapsel van wit haar schitterden de brillenglazen toen ze haar hoofd achteroverboog om nadrukkelijk op me neer te kunnen kijken.

'Wat doen jullie hier?' Ze bekeek mij met afkeer, maar de blik die ze op Stefan wierp was doordrenkt van gif. 'Hebben jullie geen school?'

Het was Stefan die ons redde van een lot erger dan de dood, namelijk door Frau Kessel in het openbaar, aan onze oren, naar school teruggesleept te worden.

'We werken aan een project.'

Frau Kessel draaide zich naar hem om met de geoliede precisie van een mitrailleur die op zijn affuit naar zijn doelwit draait.

'Heeft je moeder je geen manieren geleerd, jongeman?' Toen Stefan haar niet-begrijpend aankeek, voegde ze er sarcastisch aan toe: 'Ik heb een naam.'

'We werken aan een project... Frau Kessel,' zei Stefan zo koelbloedig dat mijn adem ervan stokte. Hoe hij zo rustig kon blijven onder die vernietigende blik was me een raadsel. Hij liet een dunne multomap zien die hij met een slinkse beweging uit zijn rugtas had gehaald. *Historische huizen in Bad Münstereifel.* Frau Kessel zag eruit alsof ze hem de map wilde afpakken, maar hij was haar te snel af. De map verdween alweer in zijn tas.

'En wat heeft dat project te maken met dít huis?' vroeg Frau Kessel met een knikje naar Herr Düsters huis. Ik had de indruk dat ze met opzet niet 'het huis van Herr Düster' zei, net zoals ze hem nooit bij zijn naam noemde.

'We moeten opschrijven wat er op de gevel staat,' zei Stefan prompt.

Automatisch keken we alle drie naar boven. En inderdaad, er stond een inscriptie in een van de horizontale balken, al was die door weer en wind nogal vaag geworden. Het enige wat nog leesbaar was, waren de woorden IN GOTTES NAMEN. In de naam van God.

'Hmmm,' zei Frau Kessel zuur. Over haar bril heen keek ze ons wantrouwig aan. 'Kon je geen beter voorbeeld vinden?'

'De andere huizen hebben andere kinderen al gedaan,' zei Stefan.

'O ja?' Frau Kessel snoof. 'Ik geloof anders niet dat iemand de inscriptie op míjn huis heeft genoteerd. Ik zou het beslist gemerkt hebben als een stelletje scholieren zich voor mijn deur had opgehouden.'

'Heeft uw huis er dan ook een?' vroeg Stefan op een overdreven geïnteresseerde toon. Ik wierp hem een boze blik toe: vraag dat nou niet, anders moeten we er van die ouwe tang nog naar gaan kijken. Maar het was al te laat.

'Natuurlijk. Het valt me van je tegen dat je dat niet weet, zeker als jullie geacht worden er een project over te maken,' zei Frau Kessel. Ze betastte haar monsterlijke coiffure. 'Die op mijn huis schijnt zelfs nogal belangrijk te zijn.'

'Wat interessant,' zei Stefan op zo'n geestdriftige toon dat zelfs Frau Kessel het niet vertrouwde. Ze kneep haar ogen iets toe. 'Dat meen ik,' zei Stefan. 'Ik wil het graag zien.'

Frau Kessel keek ons om beurten aan. Goed,' zei ze toen nors, 'kom dan maar even kijken. Dan kunnen jullie meteen de boodschappen voor me dragen.' Ze gaf ons ieder een volle boodschappentas.

'Ja, Frau Kessel,' zeiden we braaf. Ik klemde mijn hand om het hengsel van Frau Kessels boodschappentas die net zoals de vorige keer gevuld leek te zijn met bakstenen en loden pijpen. Ze draaide zich om en liep voor ons uit.

'Stefan...' fluisterde ik.

'Wat?' Hij sprak vanuit zijn mondhoek zonder naar me te kijken.

'Wat ben je van plan?'

Hij hield zijn ogen gericht op Frau Kessels bruine, wollen rug. 'Uitzoeken wat ze weet.'

'Denk je dan dat zíj het heeft gedaan?'

'Nee, sufferd, maar zij weet precies wat er in deze straat allemaal gebeurt.'

'Je bent niet goed bij je hoofd.'

Opgelucht zetten we de tassen bij haar op het stoepje neer. Ze maakte de deur open en droeg ze naar binnen. Heel even dacht ik dat ze de deur voor onze neus zou dichtdoen en dat Stefans moeite tevergeefs was geweest, maar hij had haar ijdelheid blijkbaar voldoende gestreeld, want ze kon het niet laten weer naar buiten te komen om de interessante onderdelen van haar huis aan te wijzen. Plichtsgetrouw bekeken we de inscriptie, die eenvoudig luidde: GOD BESCHERME DIT HUIS TEGEN ALLE KWAAD. Blijkbaar had een eerdere bewoner van het huis Frau Kessels ideeën over het 'Kwaad in actie' gedeeld.

'En?' zei Frau Kessel met haar handen in haar zij. We gaapten haar aan. 'Zouden jullie dat niet opschrijven?' Gehoorzaam pakten we allebei een pen en een schrift en namen de woorden over. Ik hoopte dat Frau Kessel niet in de gaten had dat ik ze in mijn Engelse schrift schreef.

'Heel goed dat de school bij jullie belangstelling kweekt voor de plaatselijke geschiedenis,' gaf ze ongaarne toe. 'Zoveel mensen zijn hier niet die interesse kunnen opbrengen voor hun eigen stad.'

'Een van onze docenten, Frau Weiss, zegt dat veel belangrijke dingen in het vergeetboek raken,' zei Stefan. 'Dat wanneer de oude mensen van de stad eenmaal zijn overleden, de geschiedenis voor altijd verloren zal zijn.'

Tekenen van een innerlijke strijd stonden afgebeeld op het gezicht van Frau Kessel. De wens om te bewijzen dat ook zij een bron van onschatbare informatie over de stad was, vocht met de weerzin bestempeld te worden als een van de *oude mensen* van de stad.

Stefan liet niet merken of hij het in de gaten had en vervolgde onschuldig: 'We gaan een paar van die mensen interviewen. Frau Koch misschien. Iedereen zegt dat zij álles over de stad weet.'

'O ja?' zei Frau Kessel grimmig.

We knikten allebei zo heftig dat je zou denken dat er een springveer in onze nek zat.

'Hilde Koch ziet er misschien oud uit,' zei Frau Kessel op een gedragen toon, 'maar ze is toevallig zeven maanden jonger dan ik. En jullie kunnen van mij aannemen dat zij niet méér over deze stad weet dan ik.'

'Daar hebben we helemaal niet aan gedacht,' zei Stefan. 'We dachten dat u een stuk jonger was.'

Ik wierp hem een zijdelingse blik toe: niet overdrijven. Zelfs Frau Kessel zou dergelijke schaamteloze vleicrij niet voor zoete koek slikken, dacht ik. Maar dat deed ze wel.

Ze schonk Stefan een griezelig glimlachje en zei: 'De tijd is me genadig geweest.'

Ik vroeg me af hoe ze eruit zou hebben gezien als de tijd haar niet genadig was geweest, maar ik zette die gedachte van me af voordat ze op mijn gezicht tot uitdrukking kon komen.

'Ik heb uiterlijk een halfuur de tijd voor jullie,' zei ze. 'En denk niet dat ik jullie niet in de gaten zal houden zolang jullie bij mij binnen zijn.'

'Natuurlijk, Frau Kessel,' zei Stefan beleefd.

'We beloven u dat we niets zullen aanraken,' voegde ik eraan toe.

Frau Kessel bekeek me afkeurend. 'Dat zou ik denken, Pia Kolvenbach.' Ze draaide zich op haar hakken om en we liepen achter haar aan naar binnen.

De keuken van Frau Kessel was net zo beangstigend netjes als de eerste keer dat ik er was geweest. Stefan en ik zaten naast elkaar aan haar keukentafel, pen in de hand om alle informatie die ze kwijt wilde braaf te noteren. En de informatie stroomde naar buiten alsof iemand een sluis had geopend. Het was zo veel dat ik amper een derde van wat ze allemaal vertelde, kon opschrijven.

Ze begon met de geschiedenis van haar huis die, zover ik het kon beoordelen, ontiegelijk saai was. Er had nooit een alchemist gewoond, tijdens de invasie van de Fransen had niemand er een schat verborgen, het was zelfs nooit in brand gevlogen tijdens een van de oorlogen waar de stad in zijn lange geschiedenis mee te maken had gehad. Spoken waren altijd zo verstandig geweest ergens anders te gaan spoken. Het huis had in de jaren twintig een kortstondige opwinding gekend toen het hondje van Frau Kessels oudtante in de waterput in de kelder was gevallen en verdronken, maar jammer genoeg was de put in de jaren veertig dichtgemaakt toen het huis stromend water had gekregen.

'En de andere huizen in deze straat?' vroeg Stefan, wat hem een vernietigende blik opleverde. Frau Kessel had er een hekel aan onderbroken te worden wanneer ze op dreef was.

'De putten in de andere huizen zijn ook allemaal afgesloten,' zei ze kortaf.

'Nee, ik bedoel niet de putten. Kunt u ons iets vertellen over de mensen?' vroeg Stefan. 'Bijvoorbeeld die van het huis waar we daarstraks naar stonden te kijken?'

'Welk huis?' vroeg Frau Kessel op een scherpe toon. Stefan wierp een snelle blik op mij.

'Dat van Herr Düster.'

De stilte die daarop volgde, hield onaangenaam lang aan. Ik keek naar het kruisbeeld boven het aanrecht, naar het bruine behang, naar het raam, naar van alles, maar niet naar Frau Kessel.

'Wat wil je weten?' vroeg ze toen. Haar stem klonk hees.

'Nou...' Nu hem de kans werd geboden, leek Stefan de juiste woorden niet te kunnen vinden. 'Hoe lang hij er heeft gewoond... ik bedoel... of dezelfde persoon er altijd heeft gewoond...'

'Sinds voor de oorlog, ja.'

Stefan keek naar de krabbels in zijn schrift alsof hij een vooropgestelde vragenlijst doornam. 'En heeft er ook iemand anders gewoond...?' Ik dacht dat hij bedoelde wie er vóór Herr Düster had gewoond, maar Frau Kessel antwoordde: 'Nee, alleen hij. Hij heeft nooit een gezin gehad.' Ze legde een eigenaardige nadruk op die laatste woorden, alsof daar alles mee was gezegd.

Stefan zei niets. Hij leek niet te weten hoe het verder moest. Ik denk dat hij had gedacht dat Frau Kessel, zodra we genoeglijk rond haar keukentafel zaten, een stroom roddelpraatjes zou spuien en dat wij dan uit die zondvloed de relevante korrels informatie zouden zeven, als goudzoekers in een rivier. In plaats daarvan was het gesprek knarsend tot stilstand gekomen. Frau Kessel keek ons beurtelings met haar heldere ogen achter de fonkelende brillenglazen onderzoekend aan en sloeg haar armen onheilspellend over elkaar voor haar bruine, wollen borst.

'Laat die map eens zien,' zei ze uiteindelijk.

'Welke map?' zei Stefan.

'De map over het project dat je voor school maakt.'

Instinctief greep Stefan zijn rugtas en hield hem stevig dicht. 'Het... het is nog niet af.'

'Dat weet ik,' zei Frau Kessel bijtend. 'Maar ik wil het toch graag zien.'

Heel even dacht ik dat Stefan zijn tas zou openen om er een map vol aantekeningen over historische huizen in Bad Münstereifel uit te halen. Hij had zich tot nu toe met zo veel zelfvertrouwen en zelfbeheersing gedragen, dat het me niet verbaasd zou hebben als bleek dat hij zoiets als een back-up had gemaakt. Maar hij staarde haar alleen maar aan.

'Net wat ik dacht,' zei Frau Kessel. Ze boog zich naar ons toe als een aasgier op een tak. 'Jullie zijn helemaal niet bezig met een project.' Haar stem had een stalen klank. 'Ik ben in jullie ogen waarschijnlijk erg oud, maar ik ben niet achterlijk. Wat dachten jullie me te kunnen ontfutselen?'

'Niets,' stamelde Stefan. 'Ik bedoel... we wilden u alleen maar een paar dingen vragen.'

'Over mijn huis?'

'Eh...'

'Dat dacht ik al.' De brillenglazen glinsterden. Ik kon haar ogen niet zien. 'Je wilde dingen te weten komen over Herr Düster.'

Stefan knikte traag.

'Ik zal je alles vertellen wat ik over hem weet.' Frau Kessel kneep haar knokige handen ineen, alsof ze iets fijn drukte tussen haar handpalmen. 'Maar eerst wil ík iets weten. Ik wil weten waarom jullie probeerden bij hem in te breken.'

37

Stefan herstelde zich het snelst. Toen hij sprak, klonk zijn stem verbazingwekkend helder en vast.

'We probeerden niet bij hem in te breken, Frau Kessel.'

'Waarom zat je dan aan het slot van de kelderdeuren te prutsen?' vroeg ze scherp. 'Denk maar niet dat ik dat niet heb gezien, jongeman. Jullie wilden proberen daar binnen te komen.'

'Niet precies, Frau Kessel,' zei ik nu. Ze richtte haar venijnige blik meteen op mij, maar ik slaagde erin het hoofd koel te houden. 'We... vroegen ons alleen af of het kon. Niet dat we het echt zouden doen. Het was... een spel.'

'Nonsens,' zei ze fel, en ze ging op een zachte, dreigende toon door: 'Ik zou jullie moeten aangeven bij de directie van de school. Of bij de politie.'

'Frau Kessel...'

'Maar dat ga ik niet doen,' zei ze alsof ze me niet had gehoord. 'En weten jullie waarom niet? Omdat iemand eens in dat huis zou móéten inbreken. Het is hoog tijd dat die ellendige' – en hier gebruikte ze een woord waar ik steil van achteroversloeg, een woord dat ik Stefans neef Boris had horen zeggen, maar dat ik nooit had verwacht van iemand van haar leeftijd – 'zijn verdiende loon krijgt.'

Ze hief vol eigendunk haar kin iets hoger op. 'Als jullie willen weten hoe het zit met die kerel, dan zal ik jullie dat vertellen. Ik zal het vertellen aan wie het maar horen wil. Misschien zal iemand dan eindelijk eens iets doen.' Ze zweeg abrupt.

Stefan en ik zeiden geen van beiden iets. Wat hadden we moeten zeggen? Ik ging heus niet opbiechten dat we wel degelijk van plan waren geweest bij Herr Düster in te breken en ik was razend nieuwsgierig naar wat Frau Kessel ons ging vertellen. Mijn nieuwsgierigheid werd alleen overschaduwd door het onbehaaglijke besef dat mijn moeder me ten strengste had verboden naar haar roddelpraatjes te luisteren. Als ze zou weten dat we op dit moment in haar keuken zaten te luisteren naar haar boosaardige ontboezemingen, zou ik wekenlang huisarrest krijgen. Ik hoorde haar al zeggen hoe teleurgesteld ze was dat ik ongehoorzaam was geweest, en ik kreeg het al warm bij de gedachte.

Frau Kessel begon plompverloren aan haar verhaal. 'Hij was verliefd op Hannelore.'

Hannelore? Stefan keek me vragend aan.

'Hannelore Kurth,' zei Frau Kessel. 'Een beeldschoon meisje, het mooiste meisje van de stad. Twee jaar voordat ze met Heinrich Schiller trouwde, was ze de meikoningin.' Stefan keek nog steeds verward. Ze fronste ongeduldig haar voorhoofd. 'Die... ellendeling veroorzaakte toen al problemen. Twee meibomen voor haar huis! Hij had een stapje terug moeten doen en de betere man de overwinning moeten gunnen.' Ze tuitte haar lippen. Haar schouders stonden strak naar achteren. 'Vooral omdat ze hem niet eens zag staan.'

'Was hij dan lelijk?' vroeg ik.

'Och, op een oppervlakkige manier was hij wel knap,' zei Frau Kessel spottend, 'en daarom dacht hij zeker dat Hannelore belangstelling voor hem zou hebben. Maar Hannelore was verstandig.'

Ze sprak met grote stelligheid, alsof ze van elke zinloze actie van Herr Düster getuige was geweest. Maar had ze de eerste keer dat ze me over Herr Düster en Hannelore had verteld, toen ik haar boodschappen voor haar had gedragen, niet gezegd dat ze die verhalen van haar moeder had gehoord? Ik staarde naar haar. Was ze ouder dan ze ons liet geloven? Of had ze als jong meisje al een ongezonde belangstelling gehad voor wat andere mensen deden? Ik vermoedde het laatste. Het was niet moeilijk je haar bleke, haatdragende vollemaansgezicht voor te stellen, omlijst door twee bruine vlechten, de ogen half toegeknepen terwijl ze de bedwelmende, giftige geur van de achterklap opsnoof. Een fluisteraar op de achterste bank van de klas, een gluurder.

'Ze zeiden dat zijn hart brak toen ze met zijn broer trouwde. Er zijn hier mensen die vermoeden dat hij toen misdadig is geworden.' Ze zei niet welke mensen. 'Maar dat is niet zo. Hij was al misdadig voordat Hannelore Kurth hem afwees. Ze had groot gelijk dat ze hem niet wilde, maar hij kon het niet verkroppen. Er waren meisjes genoeg in de stad, maar hij wilde per se haar.'

Er flikkerde iets op het gezicht van Frau Kessel, als een hagedis die onder een steen vandaan kwam en er meteen weer onder schoot. Ik zag het maar wist op dat moment niet wat het betekende. Nu ik terugdenk aan haar als klauwen gekromde handen met aan iedere vinger een ring, vermoed ik dat ik het weet.

'Ik heb hen gezien,' siste ze.

'Wie?' vroeg ik verward.

'Hannelore en *die vent*. De vrouw van zijn eigen broer nota bene... en ze had toen al een kind: Gertrud.'

'Wat waren ze aan het doen?' vroeg Stefan.

'Aan het doen? Hannelore was niets *aan het doen*. Je denkt toch niet dat ze hem vrijwillig had ontmoet? Maar hij... hij ging tekeer als een wilde. Pakte haar hand, probeerde die te kussen...' Frau Kessel keek alsof ze een hap had genomen van iets vies. 'Ze probeerde weg te komen, maar hij liet haar niet gaan. Het was heel slim van hem dat hij haar daar had klemgezet. Hij dacht dat niemand hen kon zien. Maar ík heb hen gezien.'

Ik werd een beetje wee van het venijn in Frau Kessels stem. Ze zei niet wáár ze Hannelore met Herr Düster had gezien, maar ik kon me levendig voorstellen hoe ze op een stil plekje ruzie hadden gehad en hoe Frau Kessel had toegekeken; een tiener met ogen die glinsterden van boosaardigheid. Had ze hen soms geschaduwd, vroeg ik me af. Had ze zich verdekt opgesteld?

'Ik heb dit nog nooit aan iemand verteld,' zei ze. Haar hand ging naar haar borst en de knokige vingers sloten zich om de puntige Edelweissbroche. Achter de spiegelende glazen van haar bril waren haar ogen zo hard als steen. 'Maar zoiets komt altijd uit. Uiteindelijk komt alles uit.'

'Ja,' zei Stefan beleefd. We konden niets anders doen dan met haar instemmen. Ze had het niet eens meer echt tegen ons. Ze ging helemaal op in de plot van een gebeurtenis die zich een halve eeuw geleden had afgespeeld.

‘Toen stierf Hannelore,’ zei Frau Kessel, ‘en kon hij haar niet meer krijgen. Alleen Gertrud was nog over. De dochter van zijn broer. Zijn eigen nichtje. Toen ze verdween, was de rekening vereffend. Herr Schiller had de enige persoon om wie hij nog gaf verloren, net zoals Düster de vrouw had verloren die hij had begeerd. Ik vraag me af of hij toen gelukkig was.’ Haar stem klonk hard.

‘Verdacht niemand hem?’ vroeg Stefan ongelovig.

‘Natuurlijk wel. Maar er was geen bewijs, dat was het punt. Geen lijk. Ze hebben haar nooit gevonden. En na de oorlog was het zo’n chaos. De stad lag half in puin, veel woningen stonden op instorten, de mensen hadden nauwelijks iets te eten. Niemand had tijd om een onderzoek in te stellen.’

‘Heeft Herr Schiller niet geprobeerd erachter te komen?’ vroeg Stefan.

‘Herr Schiller is een goed christen,’ zei Frau Kessel. ‘Als Gertrud door zijn broer was ontvoerd, zei hij, werd die voldoende gestraft door de wetenschap dat hij het gedaan had.’

‘Frau Kessel?’

‘Ja?’ Ze keek naar Stefan.

‘Denkt iedereen dat Herr... dat híj het heeft gedaan? Katharina Linden ontvoerd, bedoel ik, en de andere meisjes?’

‘Niet iedereen.’ De stem van de oude vrouw klonk kil. ‘Jouw vader, bijvoorbeeld, Pia Kolvenbach, denkt van niet. Hij en zijn vrienden hebben hem zelfs in bescherming genomen.’

Mijn vaders versie van het verhaal was dus waar. Hij had die avond inderdaad geprobeerd andere mensen ervan te weerhouden het recht in eigen hand te nemen.

‘Pappa vindt...’ begon ik, maar ik haperde toen Frau Kessels ijzige blik op me kwam te rusten. Ik probeerde het nogmaals. ‘Pappa vindt dat het de taak van de politie is.’

‘O ja?’ Frau Kessel tuitte haar lippen. ‘Dat kun je makkelijk zeggen, als het je niet persoonlijk aangaat. Als je nooit iemand hebt verloren.’

‘En mijn moeder zegt dat er bewijs moet zijn,’ protesteerde ik, gekwetst door de kritiek op mijn vader.

'Bewijs? Er ís bewijs,' beet Frau Kessel me toe. 'Hoeveel bewijs willen ze precies?'

Stefan en ik keken elkaar aan. 'Welk bewijs is er dan?'

Frau Kessel keek naar ons alsof we oliedom waren. 'De schoen, de schoen die ze op de Queckenberg in het bos hebben gevonden. De schoen van het meisje Voss.'

'Hebben ze die op de Queckenberg gevonden? Waar het oude kasteel is?' Dit was nieuws. Ik had wel gehoord dat de schoen in het bos was gevonden, maar niemand scheen te weten waar precies. Ik vroeg me af via welke mysterieuze route deze informatie Frau Kessel ter ore was gekomen.

'Hoe weten ze dat hij van haar is?' vroeg Stefan, die meteen een vernietigende blik kreeg toegeworpen.

'Omdat de andere nog in de school lag,' zei Frau Kessel alsof dat nogal logisch was. 'In beide stond haar naam. Alhoewel ik heb gehoord,' vertelde ze verder, 'dat die in de schoen die ze in het bos hebben gevonden nauwelijks leesbaar was omdat hij half verbrand was.'

'Hoe weet u dat hij half verbrand was?' vroeg Stefan.

Frau Kessel staarde hem aan. 'Ik...' Haar stem stokte. 'Dat heeft iemand me verteld.' De blik op haar gezicht verbood verdere vragen. Ik was benieuwd wie die iemand was: de dochter of het nichtje van een van haar vriendinnen, die op het postkantoor of het politiebureau werkte, of de vrouw van een van de agenten. Het was niet te geloven dat sommige mensen zo indiscreet met informatie omgingen dat ze die doorgaven aan Frau Kessel. Ze konden het net zo goed in de krant zetten of laten omroepen via Radio Euskirchen.

'Wat vreselijk,' flapte ik eruit.

'Zeg dat wel,' zei Frau Kessel op een kribbige toon. 'Het idee dat hij hier gewoon maar woont, te midden van ons, zo vrij als een vogel.'

Ik knikte flauwtjes, maar dat was niet wat ik bedoelde. Ik zag de schoen van Marion Voss voor me, verbrand, geblakerd, tussen de struiken, en ik dacht aan de Brandende Man van de Hirnberg, die met een aanraking je huid liet verschrompelen en je vlees deed sissen. Die zijn vurige armen om je heen kon slaan en je tegen zich aandrukken tot iedere centimeter van je huid in brand stond. Ik vroeg me af hoe iemand dergelijke pijn zou kunnen verdragen.

‘Pia?’ Stefans stem leek van heel ver te komen. ‘Voel je je niet goed?’

Ik voelde me alsof mijn hoofd zo’n schudbol was die door iemand zo ruw was geschud, dat de vloeistof heen en weer klotste en de sneeuwvlokjes als in een hevige storm in de rondte wervelden. Mijn mond werd gevuld met speeksel en ik was bang dat ik zou gaan overgeven, midden in de keuken van Frau Kessel.

Er klonk een schrapend geluid toen Frau Kessel de tafel bij me vandaan trok en een seconde later lag haar klauwachtige hand op mijn achterhoofd en duwde ze mijn hoofd tussen mijn knieën. Ze was verrassend sterk en haar ringen drukten hard op mijn schedel. Opeens keek ik naar een stukje van de brandschone tegelvloer tussen mijn benen.

‘Blijf zo zitten,’ beval ze en ze nam goddank haar hand weg. Ik hoorde de kraan lopen. Frau Kessel was het tijdloze, alles genezende middeltje voor me gaan halen: een glas water.

‘Pia?’ Stefans bezorgde gezicht kwam in beeld. Hij moest op de vloer zijn gaan liggen. ‘Wat is er?’

‘Ik weet het niet,’ zei ik tegen zijn ondersteboven gekeerde gezicht. Ik was niet in staat woorden te zoeken om te beschrijven waar ik aan had gedacht – de Brandende Man, de geblakerde schoen. ‘Ik werd opeens misselijk.’

‘Ben je ziek?’

‘Wat een domme vraag,’ zei de kille stem van Frau Kessel. Ik hoorde een tik toen ze het glas water op de tafel zette. ‘Sta op,’ beval ze. ‘Ga alsjeblieft niet over mijn vloer liggen rollen als een slecht opgevoede hond.’

Toen Stefan overeind krabbelde, kwam een van Frau Kessels handen op mijn schouder neer met de finesse van een aasgier die op zijn prooi neerstrijkt. ‘Ben je nog duizelig?’ vroeg ze aan mij.

‘Ik geloof het niet.’

‘Ga dan rechtop zitten en drink wat water.’ Ze gaf me het glas. Ik bekeek het aarzelend. Het was typisch een glas van een oude dame, met een verschoten sierrand van blauwe koolmeesjes op een bloesemtak. Ik nam een slokje. Ze had de kraan niet lang genoeg laten doorlopen, waardoor het water lauw was. Ik wilde het niet, maar kon geen reden verzinnen om het te weigeren, dus dronk ik het glas met een benepen gezicht helemaal leeg.

'En?' zei Frau Kessel. Ze klonk bruusk. Alsof ze Frau Eichen was die vroeg of ik de oplossing van een wiskundesom had gevonden, in plaats van iemand die naar mijn gezondheid informeerde.

'Het gaat alweer,' mompelde ik.

Een klauw kwam naar voren en pakte het glas uit mijn hand. 'Je reactie verbaast me niets. Ik vind het zelf ook een misselijkmakend idee.'

Ik sprak haar maar niet tegen.

'Ik vind dat jij Pia zo dadelijk naar huis moet brengen, als ze weer helemaal is opgeknapt,' zei Frau Kessel op een verwijtende toon tegen Stefan, alsof hij verantwoordelijk was voor mijn situatie.

Ik keek voorzichtig naar haar op. Haar lippen waren op elkaar geklemd en haar ogen hadden een harde blik. Ieder ander zou zich bezwaard hebben gevoeld als een kind bij haar thuis bijna was flauwgevallen omdat ze gruwelijke insinuaties had moeten aanhoren, maar Frau Kessel niet. Al werd ze honderdtwintig jaar, dan zou ze in al die twaalf decennia niet één keer zeggen dat ze ergens spijt van had. Frau Kessel was ervan overtuigd dat haar geen enkele blaam trof en dat het de andere mensen waren die de laakbare dingen deden.

'Ja, Frau Kessel,' zei Stefan gedwee. Hij bood me zijn arm, alsof we een stelletje bejaarden waren die een wandelingetje gingen maken.

'Ik zal niets over dit bezoek zeggen,' zei Frau Kessel op dezelfde hooghartige toon.

'Dank u, Frau Kessel.'

'Niettemin wens ik jullie niet meer onder schooltijd op straat te zien. Anders zal ik alsnog maatregelen moeten nemen.'

'Ja, Frau Kessel.'

Stefan en ik schuifelden naar de voordeur. Frau Kessel had haar hand op de deurknop, gereed om ons uit te laten, toen Stefan zei: 'Frau Kessel, waarom is dit voor u zo belangrijk?'

Waarom is wat zo belangrijk, dacht ik. Dat ze ons weg wil hebben? Dat ze ons niet meer op straat wil aantreffen? Maar Frau Kessel wist precies wat hij bedoelde.

'Omdat Caroline Hack mijn nichtje was,' zei ze kortaf. We liepen naar buiten en ik draaide me om om haar beleefd gedag te zeggen, maar ze had de deur al dichtgedaan.

De dag daarop keerden Stefan en ik na school stiekem terug naar het huis van Herr Düster om de kelderdeurtjes nogmaals te bekijken. We waren van plan er nonchalant langs te lopen en als we zeker wisten dat er niemand keek, nog een keer aan de handgrepen te voelen. Maar ons plan liep op niets uit. Iemand had in de tussentijd de oude handgrepen vervangen door spiksplinternieuwe, die stevig op de deurtjes geschroefd zaten en met elkaar verbonden waren met een nog groter hangslot dan voorheen.

38

'Pia?' zei Herr Schiller. Hij hield me een kopje koffie voor. 'Sorry.'

Ik schudde mijn hoofd alsof ik probeerde iets van me af te zetten. Ik had geen idee hoe lang hij me dat kopje al voorhield en pakte het voorzichtig van hem aan.

'Je hebt vandaag veel aan je hoofd, Fräulein,' zei Herr Schiller droogjes.

Ik proefde de koffie en probeerde die te drinken zonder zichtbaar te kokhalzen, maar het brouwsel was zo sterk dat ik het slechts met moeite door mijn keel kon krijgen.

'Hoe gaat het op school?'

'Eh...' Ik wist niet of ik hem mijn gebruikelijke antwoord moest geven, *goed, hoor*, of hem de waarheid vertellen: *hetzelfde – ik ben nog steeds het meisje met de ontplofte grootmoeder.*

Terwijl ik erover nadacht, gaf Stefan antwoord: 'Goed, maar we moeten wel hard werken.'

'Aha.' Herr Schiller bekeek ons over de rand van zijn kopje en trok zijn wenkbrauwen op. 'Ook buiten school?' Toen hij ons wezenloos zag kijken, begon hij te glimlachen waardoor zijn gezicht tientallen rimpeltjes kreeg. 'Ik heb gezien dat jullie verderop in de straat huizen aan het bekijken waren.'

Ik wierp een snelle blik op Stefan. Had iedereen in deze straat ons bij het huis van Herr Düster gezien? Ik had het kunnen weten. Bad Münstereifel is een van die stadjes waar surveillancecamera's totaal overbodig zijn. Van honderd videobanden zou je niet méér te weten komen dan van de buren.

'O, dat,' zei Stefan onverschillig. Hij haalde zijn schouders op. 'We wilden een werkstuk maken over oude huizen, maar dat is uiteindelijk niks geworden.'

'Jammer,' zei Herr Schiller, maar hij ging er verder niet op in. Dat was nog zoiets wat ik erg prettig aan hem vond – dat hij niet overal over doorzeurde zoals de meeste volwassenen. Als ik dit tegen mijn moeder zou zeggen, zou ze willen weten waarom we van het werkstuk hadden afgezien, wanneer we het hadden moeten inleveren, of we al een nieuw onderwerp hadden gekozen en wat de andere kinderen in de klas deden...

'Herr Schiller?'

'Ja?'

'Hebt u ons álle verhalen over Bad Münstereifel verteld? Die over spoken en dergelijke dingen, bedoel ik.'

'Hoezo? Wil je daar nu een werkstuk over maken?' vroeg Herr Schiller.

'Nee,' zei ik. 'Ik ben er alleen nieuwsgierig naar.'

'Hmm.' Herr Schiller leunde achterover in zijn fauteuil en haalde zijn pijp tevoorschijn. Ik keek geboeid toe toen hij de kop vulde met tabak. Het zag er onsmakelijk uit, maar als hij bleef roken, moest hij het wel lekker vinden.

Mijn blik ging van de kop van de pijp naar Herr Schillers gezicht en ik zag dat zijn ogen op me gericht waren. Tussen twee trekken door zei hij: 'Nee, ik heb jullie niet álle verhalen over de stad verteld. Dat lijkt me ook niet mogelijk. Maar,' ging hij door, misschien omdat hij zag hoe teleurgesteld ik keek, 'ik wil jullie wel een van de verhalen vertellen die jullie nog niet gehoord hebben. Als jullie tenminste tijd hebben, nu jullie zo veel werk voor school moeten doen.' Er school een bijna onmerkbare lach in zijn stem.

'Ja hoor, tijd genoeg.' Ik had er absoluut geen behoefte aan om over school te praten. Ik zakte wat dieper weg in mijn stoel en keek hem afwachtend aan.

'Het is een verhaal,' zei Herr Schiller langzaam, 'over onze oude vriend, Koelbloedige Hans.

'Op een avond stond Hans voor de molen met zijn pijp in zijn mond te kijken naar de zon die achter de heuvel onderging, toen hij in de verte iemand zag aankomen. Gek genoeg droeg die persoon een grote mand op zijn hoofd, van het soort waarin men fruit vervoert.

'De gedaante had iets over zich dat Hans ertoe aanzette zijn ogen tot spleetjes te knijpen om hem beter te kunnen zien. Misschien was het de manier waarop hij zich door het natte gras leek te bewegen zonder ook maar één keer aan de modderige aarde te blijven plakken of over een pol gras te struikelen. Al kwam het eerder doordat de mand zo laag leek te zitten, op de schouders van de gedaante, onnatuurlijk laag, zou je denken, gezien het feit dat zijn hoofd eronder moest passen.

'Hans nam zijn pijp uit zijn mond en klopte de as eruit tegen de stenen muur van de molen. Hij stopte de pijp in zijn zak en bleef met zijn handen in zijn zij staan wachten tot de man hem zou bereiken. De man droeg opvallend ouderwetse kleding en de stof zag er vaal uit, alsof hij van ouderdom en veelvuldig gebruik was verschoten.

'"Goedenavond," zei Hans tegen zijn bezoeker.

'De vreemdeling zei geen woord terug, maar hief zijn handen omhoog en tilde de mand op die hem bedekte. Nu zag Hans wat de reden was voor de eigenaardige positie van de mand, zo dicht op de schouders van de man: de man *had geen hoofd*. Waar zijn kraag boven zijn vale jas uitstak, was een met huid bedekte stomp vlees te zien, als de stomp van een kippennek nadat de kop is afgehakt, en in het midden ervan zat een stukje rond bot. De kin, het gezicht en de schedel ontbraken. Er was helemaal niets.

'Ieder ander zou gillend de molen zijn in gevlucht en de deur hebben gebarricadeerd, maar zoals jullie weten was Hans niet gauw bang. Zijn grootmoeder had hem verhalen verteld over het hoofdloze spook van Münstereifel, toen zij een gerimpeld oud vrouwtje van tachtig was en hij een jochie van een jaar of zeven. Ieder ander zou erin zijn gebleven, maar Hans was alleen maar nieuwsgierig. Hij besloot het spook aan te spreken en te vragen wat hij wilde.

'"Wie ben je en wat wil je?" vroeg hij op de man af.

'Het spook slaakte een diepe zucht, die heel raar klonk, omdat hij uit de stomp van zijn nek kwam en diep in zijn borstkas leek te weergalmen.

'"Beste Hans," zei hij met een opvallend welluidende stem. "Als straf voor de zonden die ik tijdens mijn leven heb begaan, moet ik door Münstereifel dolen – wat zonder hoofd erg angstaanjagend is – tot iemand dapper genoeg is om me te durven vragen wie ik ben en wat ik wil. Ik dool al heel lang zonder enige rust te kennen. Toen ik ermee begon, was hier een oude stad en hoog op een heuvel een kasteel waar de vlag van een feodale landheer op de toren wapperde en soldaten langs de muren marcheerden. Het kasteel viel in puin, de stad kwijnde weg en het bos nam bezit van de ruïnes, maar ik bleef ronddwalen over de gevallen muren en het gras en het onkruid. Na verloop van tijd werd er een nieuwe stad gebouwd op de plek van de oude, terwijl ik bleef dolen en niemand iets tegen me durfde te zeggen."

'"Lieve hemel," zei Hans. "Wat heb je dan misdaan, dat je zo'n lot is beschoren?"

'Het spook kwam heel dicht bij Hans staan en vertelde hem over zijn zonden, en Hans, die voor mensen noch spoken bang was, luisterde zwijgend en met een wit gezicht naar de lijst van alle verschrikkelijke dingen die de man op zijn geweten had.

'"Ik dacht," zei Hans uiteindelijk op een zachte toon, "dat niemand zo veel kwaad kon doen dat hij zo'n straf zou verdienen, maar dat had ik mis." Hij sloeg een kruis, zoals het een goed katholiek betaamt. "Ik heb medelijden met je," zei hij.

'"Dat is nergens voor nodig," zei de stem van het spook. "Door met me te praten en te vragen wie ik ben, heb je me bevrijd."

'Nu zag Hans dat het spook een hoofd in zijn handen had, het hoofd van een man van vijftig winters, met gegroefde gelaatstrekken die getuigden van een lang en boosaardig leven. De vingers van het spook zaten diep in het grijze haar gestoken. Terwijl Hans toekeek, tilde het spook het hoofd op en zette het op zijn schouders, en toen hij er zeker van was dat het goed vastzat, maakte hij een lichte buiging en verdween.

'En sindsdien,' zei Herr Schiller, 'heeft niemand hem meer gezien. Het ziet er dus naar uit dat Hans hem echt zijn vrijheid heeft teruggegeven.'

Stefan zat onrustig te draaien. 'Is hij zomaar verdwenen?'

'Ja.'

'En wat waren de zonden die hij aan Hans heeft opgebiecht?'

'Dat weet niemand,' zei Herr Schiller. 'Hans heeft nooit aan iemand verteld wat hij had gehoord. Volgens de overlevering waren de dingen die het spook had gedaan zo verschrikkelijk dat het alleen nog maar een zaak kon zijn tussen hem en God.'

'O.' Stefan klonk teleurgesteld.

'Ik weet het,' zei Herr Schiller droogjes. 'Het is een onbevredigend einde.'

'Ik wou dat ik wist wat het spook had gedaan,' zei Stefan.

'Beter van niet. Daar gaat het juist om,' zei Herr Schiller.

'Zo erg kan het toch niet zijn geweest?' zei Stefan. 'Niets is zó erg.'

'Het is goed dat je daarin gelooft als je tien bent,' zei Herr Schiller op een milde toon tegen Stefan.

'Ik ben elf...'

'Maar naarmate je ouder wordt, kom je er helaas vanzelf achter dat sommige dingen wel degelijk zo erg zijn.' Herr Schiller klonk verdrietig.

In een flits vroeg ik me bijna schuldig af of hij aan Gertrud dacht, aan wat er met haar gebeurd kon zijn en of de dader ooit gestraft zou worden.

'Over sommige dingen kun je maar beter zwijgen,' ging hij door, alsof hij mijn gedachten kon lezen.

Ik probeerde Stefans blik te vangen en naar hem te seinen dat hij zijn mond moest houden omdat hij Herr Schiller anders misschien van streek zou maken en die ons weer zou wegsturen, maar hij was zo diep in gedachten verzonken dat hij mijn indringende blikken helemaal niet zag. Dat was een van de dingen die me altijd irriteerden, een van de dingen waardoor hij steeds weer werd teruggedrongen naar de positie van Stefan Stink: dat hij nooit wist wanneer je ergens over moest ophouden.

'Als het zo erg was,' zei hij, 'waarom mocht het spook dan zijn vrijheid terugkrijgen zodra iemand hem vroeg wie hij was? Stel dat de eerste de beste persoon die hij was tegengekomen dat had gedaan. Dan zou hij helemaal niet gestraft zijn.'

'Maar niemand heeft het gevraagd,' zei ik. 'Hij heeft jaren en jaren, waarschijnlijk honderden jaren, rondgezworven tot Hans het hem vroeg.'

'Ja, maar *stel dat*,' zei Stefan koppig.

‘Dan zou hij op een andere manier voor zijn zonden gestraft zijn,’ zei Herr Schiller zachtjes. ‘Dat is altijd zo.’ Hij schudde zijn hoofd. ‘Maar ik ben bang dat je de pointe van het verhaal niet hebt begrepen.’

‘Hoe bedoelt u?’

‘Het spook werd alleen bevrijd omdat iemand het aandurfde hem aan te spreken. Dat is waar het verhaal om gaat. Hans durfde het aan om iets tegen het spook te zeggen. De meeste mensen zouden op de vlucht zijn geslagen.’ De borstelige wenkbrauwen gingen weer omhoog. Herr Schillers ogen schitterden. ‘Hans was de enige die zijn angst opzij kon zetten en iets *deed*.’

‘Waar het dus om gaat, is dat je nergens bang voor moet zijn?’

‘Waar het om gaat is, dat als er iets gedaan moet worden, je het moet doen. Zelfs als het iets is waar de meeste mensen voor zouden terugschrikken. Zelfs als je bang bent.’

Toen ik met Stefan terugliep naar de Heisterbacher Strasse waar ik woonde, had ik de smaak van Herr Schillers koffie nog in mijn mond, een muffe, bittere smaak die me deed denken aan asbakken en kampvuren. Lange tijd zeiden Stefan en ik geen van beiden iets. Stefan liep met zijn handen diep in de zakken van zijn jas en zijn adem kwam als witte wolkjes uit zijn mond. Het deed me denken aan hoe Boris rookte, hoe de witte rookslierten tussen zijn lippen vandaan kwamen. Ik dacht na over Herr Schiller en Koelbloedige Hans en het spook zonder hoofd.

Als er iets gedaan moet worden, moet je het doen.

We hadden besloten via de Salzmarkt en de brug naar mijn huis te lopen, en kwamen dus langs koning Swentibold op zijn fontein. We kwamen niet langs het huis van Herr Düster, maar ik was me evengoed bewust van de locatie daarvan ten opzichte van mezelf, alsof we twee grote rode stippen op een plattegrond van de stad waren: *u bent hier* en *hier is het.*

‘Pia?’

Ik keek naar Stefan, maar die had zijn blik op de straatstenen gericht en keek niet naar me.

‘Ja?’

‘Wat vond jij van dat verhaal?’

Ik zuchtte. ‘Ik weet het niet.’ Stefan bleef staan, dus stopte ik ook.

Stefan keek op naar de lucht. Een eerste sneeuwvlok dwarrelde omlaag, kwam op zijn opgeheven gezicht neer en smolt meteen. Hij keek me aan. ‘Denk jij ook dat Herr Schiller probeerde ons iets te vertellen? De moraal van het verhaal of zoiets?’

‘Misschien...’

Ik wilde me nergens op vastleggen. De gedachte dat wíj of ík misschien *moest doen wat er gedaan moest worden* was zo huiveringwekkend dat ik er niet over wilde nadenken.

‘Ik weet het zeker,’ zei Stefan. ‘Hij vindt dat we iets moeten doen.’

‘Waaraan?’ Maar ik wist het antwoord daarop al.

‘Aan Katharina Linden en de andere meisjes,’ zei Stefan met een spoor van ongeduld in zijn stem. Hij ging op een zachte toon verder: ‘En aan hém. Herr Düster.’

‘Hoe kan hij nu willen dat wij iets aan Herr Düster doen,’ bracht ik ertegenin. ‘Herr Schiller is cool, maar hij is nog altijd een volwassene. Hij bedoelt heus niet dat wij bij iemand moeten inbreken of zoiets.’

‘Waarom niet?’

‘Omdat het een enorme rel zou worden als we gepakt werden en hij dan ook in moeilijkheden zou komen.’

‘Misschien vindt hij dat het risico waard.’

Ik kreeg het steeds benauwder. ‘Maar hij is niet degene die het moet doen. Bovendien,’ zei ik, ‘heeft hij zelf niets gedaan toen zijn dochter was verdwenen. Frau Kessel zei dat hij daarvoor een te goed christen was. Waarom moeten wij nu dan iets doen?’

‘Dat weet ik niet,’ zei Stefan. Hij hief zijn arm op en liet hem met een gefrustreerd gebaar weer zakken. ‘Maar ook als hij niet bedoelt dat wij het moeten doen, is het... een goed idee, of niet soms?’

‘Een goed idee?’

‘Het juiste idee.’ Stefan trok een koppig gezicht.

‘Stefan, we zijn twee kinderen. Niet Batman en Robin.’ Ik hipte nerveus van mijn ene op mijn andere voet. ‘Als we gepakt worden, vermoordt hij ons.’

‘Nou,’ zei Stefan, ‘dan moeten we ervoor zorgen dat we niet gepakt worden.’

39

Kerstmis was in aantocht en opeens lagen de winkels weer vol adventskransen.

'Bijna een jaar,' zei mijn vader somber.

Mijn moeder was pragmatischer ingesteld. 'Zo'n ding nemen we dit jaar niet.'

De verschijning van de adventskransen veroorzaakte onvermijdelijk een opleving van de belangstelling voor de ontijdige dood van oma Kristel. Opeens was ik weer het onderwerp van ongewenste aandacht. Stefan werkte me ook op mijn zenuwen, want die zat constant te zaniken over Herr Düster en wat we aan hem moesten doen. Ik herinnerde me nu waarom de naam Stefan Stink zo goed bij hem paste: hij had de gewoonte te blijven hangen als een onaangename geur. Bovendien werd ik nadrukkelijk herinnerd aan de reden waarom hij de enige persoon op school was van wie ik kon zeggen dat hij een vriend van me was.

Mijn voormalige vriendinnen, onder wie Marla Frisch die me zo snel in de steek had gelaten uit angst aangestoken te worden door de 'ongelooflijke ontploffende familie', waren nu de belangrijkste leveranciers van het lugubere verhaal over oma Kristel. Leerlingen uit de hogere klassen die niet bij ons op school hadden gezeten toen oma Kristel om het leven was gekomen, wilden het treurige verhaal maar al te graag horen van iemand die het uit de eerste hand kende.

Ergens kon ik het hun niet kwalijk nemen. Het was zo grotesk dat je het niet serieus kon nemen. Het had iets van een verzonnen griezelverhaal. Maar dat deed natuurlijk niets af aan het verdriet dat ik had als ik een klaslokaal of een toiletruimte binnen ging en hoorde hoe een gedempt gesprek abrupt werd afgebroken als iemand me in het oog kreeg. Het was vermoedelijk slechts een kwestie van tijd voordat ook hier iedereen zou weigeren naast me te zitten.

Mijn ouders waren intussen druk bezig met de planning van de eerste herdenkingsdienst voor oma Kristel. Mijn moeder, die protestants was en er bovendien niets aan deed, bemoeide zich amper met de planning van de mis, maar tot haar grote ellende kwam de zorg voor de catering op haar neer.

Het grote twistpunt was wanneer de mis moest worden opgedragen. Oma Kristel was op de laatste zondag van de advent gestorven, maar het was een deprimerend vooruitzicht om de herdenking precies met de kerst te moeten houden. Mijn moeder zei dat het eigenlijk wel goed uitkwam, omdat we de dienst dan in januari konden houden. In de donkere dagen na de kerst zouden we daar vast allemaal van opvrolijken. Mijn vader, die de galgenhumor van mijn moeder nooit vatte, voelde zich beledigd, maar had zelf geen beter voorstel.

Op een middag kwam ik vroeg thuis en zag ik de auto van mijn vader voor ons huis staan op de armzalige rechthoek die als parkeerplaats diende. Ik dacht dat mijn ouders hun zoveelste topconferentie hielden over welke muziek er gespeeld moest worden en of ze voor witte rozen of lelies moesten gaan. Discussies over dergelijke onderwerpen konden hoog oplopen, maar toch schrok ik toen ik de voordeur opende en mijn vader hoorde brullen als een woedende stier.

Ik zette mijn schooltas heel zachtjes neer en vroeg me af of ik weer stilletjes kon wegglippen, maar op hetzelfde moment werd de deur door een ijskoude tochtvlaag gegrepen en sloeg hij met een oorverdovende klap dicht. Ik stond daar in de gang, half gebukt met de schouderriem van mijn tas in mijn hand en een schuldige uitdrukking op mijn gezicht, toen de keukendeur openging en mijn moeder tevoorschijn kwam. Haar gezicht was vlekkerig en haar donkere haar zat helemaal door de war, alsof ze er met beide handen in had zitten woelen.

'Wat doe jij zo vroeg thuis?' beet ze me toe.

'Frau Wasser is ziek,' stamelde ik. De brede gestalte van mijn vader vulde de deuropening achter haar.

'Schreeuw niet zo tegen haar.'

'Ik schreeuw niet.' Nu deed ze dat bijna wel.

'Je hebt al genoeg gedaan.'

'Ik heb haar niets gedaan,' zei mijn moeder, alsof hij haar ervan had beticht me te slaan.

'Ik zei ook niet dat je háár iets hebt gedaan.' Mijn vader vatte alles altijd letterlijk op, zelfs op het hoogtepunt van een fikse ruzie. 'Maar je weet best dat het invloed op de kinderen heeft als je –'

'Wolfgang!' Mijn moeders stem steeg boven de zijne uit en bevatte een duidelijk waarschuwende toon.

Ik keek naar de trap en vroeg me af hoeveel kans ik had te kunnen ontsnappen.

'Pia.' Mijn moeder klonk kalmer, al lag er in haar stem een onbuigzame klank. 'Kom even mee naar de huiskamer.'

'Blijf hier, Pia,' zei mijn vader. Hij keek woedend naar mijn moeder. 'Ik wil niet hebben dat je haar jóúw visie op de zaak vertelt.'

Mijn moeder zette haar handen in haar zij. 'Als je maar niet denkt dat ik het aan jou overlaat.'

'Waar hebben jullie het over?' vroeg ik verbijsterd.

'Ga naar de huiskamer, Pia,' zei mijn vader. Met tegenzin deed ik wat hij zei, maar ik nam mijn schooltas mee. Als ze per se wilden dat ik daar ging zitten terwijl zij doorgingen met ruziën, kon ik net zo goed alvast mijn huiswerk maken. Ik spreidde mijn schriften uit op de lage tafel, maar kon me niet goed concentreren, omdat het gedempte geluid van de boze stemmen op de gang te duidelijk hoorbaar was. Ik besloot eerst mijn huiswerk voor Engels te doen. Ik sloeg mijn schrift open op een nieuwe bladzijde en schreef zorgvuldig: OP VAKANTIE IN ENGELAND. Toen stak ik het uiteinde van mijn pen in mijn mond en staarde naar de bladzijde.

'... dat is het minste wat je voor me kunt doen...!' bulderde mijn vaders stem op de gang.

Mijn grootmoeder schreef ik en toen stopte ik weer. Ik had willen schrijven *Mijn grootmoeder woont in Middlesex*, maar de luide stemmen op de gang herinnerden me aan de problemen die me nog te wachten stonden als granny Warner haar telefoonrekening kreeg. Het klamme zweet sloeg me uit bij die gedachte. Ze zou die rekening nu toch onderhand wel gekregen hebben? Ik had in de zomervakantie bij haar gelogeerd en nu was het bijna Kerstmis.

De deur ging open. Het was mijn moeder. 'Mag ik binnenkomen?' vroeg ze, alsof het mijn slaapkamer was en niet de huiskamer. Ze kwam binnen en deed de deur heel behoedzaam dicht. Toen liep ze naar me toe en ging naast me op de bank zitten.

'Waar is pappa?' vroeg ik.

'Boven,' zei ze. 'Hij komt zo dadelijk beneden. Dan kun je met hem praten.'

Ze keek naar me, schonk me een strakke glimlach en keek toen uit het raam. Op straat kwam een oude vrouw voorbij. Ze draaide zich steeds om en bukte dan, dus vermoedde ik dat ze een onwillig hondje met zich meetrok.

Ik ging verzitten. 'Ik heb huiswerk voor Engels,' zei ik uiteindelijk en ik tikte op het open schrift.

'Hmmm,' zei mijn moeder en toen: 'Dat is nu precies waarover ik met je wil praten, Pia.'

'Over mijn huiswerk voor Engels?'

'Nee, niet dat.' Ze sloeg haar armen over elkaar en wreef over haar bovenarmen alsof ze het koud had. 'Pia, je Engels is erg goed, ook al weet ik dat we thuis lang niet zo vaak Engels spreken als we zouden moeten doen.'

'Charles en Chloe lachen me uit als ik Engels spreek,' zei ik.

'Daar moet je je niks van aantrekken,' zei mijn moeder. 'Je spreekt het erg goed.'

'En zij spreken niet eens Duits,' zei ik, maar mijn moeder liet zich niet afleiden.

'Je zou je makkelijk kunnen redden. In Engeland, bedoel ik,' zei ze. 'Van de zomer is het bij granny Warner erg goed gegaan.'

'Jaha...' zei ik behoedzaam, want ik vroeg me af of ze via een omweg over de telefoonrekening zou beginnen. Maar mijn moeder leek niet boos op me te zijn. Ze leek eerder zenuwachtig, alsof ze bang was dat ik boos zou worden op *haar*.

'Als je... als je daar zou wonen, zou je het binnen de kortste keren perfect spreken. Op jouw leeftijd ben je zó van je accent af. Dan lacht niemand je meer uit. Dan heeft niemand er nog erg in.'

Ik pakte mijn schrift en staarde naar de lege pagina met de kop OP VAKANTIE IN ENGELAND. 'Gaan we weer bij granny Warner logeren?'

'Eh, nee, niet precies.'

'Mam?'

'Ja?'

'Ik vind het eigenlijk niet zo leuk in Engeland. Granny Warner is heel lief, maar...'

Mijn moeder zuchtte. 'We hebben het niet altijd voor het kiezen, Pia.'

'Wat bedoel je?' vroeg ik. Een onaangenaam besef kwam in mijn binnenste naar de oppervlakte als een afzichtelijk voorwerp dat steeds weer boven water komt, hoe hard je ook probeert het te laten zinken. Toen tante Liz en mijn moeder het over naar Engeland verhuizen hadden gehad, was dat helemaal geen hypothetisch plan geweest.

'Je bent half Engels,' zei mijn moeder, alsof daarmee alles verklaard was. 'We hebben vele jaren in Duitsland gewoond, maar de mogelijkheid bestond altijd... Je moet de Engelse kant van jezelf leren kennen.' Ze sprak op een smekende toon.

'Ik snap niet wat je bedoelt,' zei ik hardnekkig.

'We zouden granny Warner veel vaker zien. Ze is mijn moeder en ik wil vaker bij haar zijn. Het zal voor jou ook goed zijn, nu oma Kristel...' Ze zweeg en wreef haar handpalmen tegen elkaar alsof ze zich opeens opgelaten voelde. 'Misschien zul je uiteindelijk ook wel overweg kunnen met Charles en Chloe.'

Met die twee zal ik nooit overweg kunnen, dacht ik, maar dat zei ik niet hardop. Ik staarde alleen maar naar mijn moeder die nerveus glimlachte en in haar handen wreef. Ik kreeg een kil gevoel, alsof ze een volslagen vreemde was die me domme leugens vertelde, leugens die erop gericht waren me verdriet te doen.

'Ik weet dat je weet wat ik probeer te zeggen, muisje.' Het koosnaampje irriteerde me alleen maar. Ze noemde me al jaren niet meer zo. Waarom nu dan wel? 'We... we gaan waarschijnlijk in Engeland wonen.'

'Waarschijnlijk?'

'Nee, dat is zeker, al moeten we hier eerst nog een en ander regelen, en...'

‘Hoe moet het dan met pappa’s werk?’

‘Pappa...’ Mijn moeder zweeg en begon weer in haar handen te wrijven. Ze wreef en wreef alsof ze zich ergens van wilde ontdoen. ‘Pappa gaat waarschijnlijk niet mee.’ Ze besefte dat ze weer *waarschijnlijk* had gezegd en veranderde dat in: ‘Pappa gaat niet met ons mee.’

‘Maar hij kan hier niet zonder ons blijven,’ protesteerde ik. ‘En ik wil helemaal niet in Engeland wonen.’

‘Pia.’ Mijn moeder zuchtte. ‘Ik weet dat je denkt dat je niet wilt gaan, maar we kunnen hier echt niet blijven.’

‘Waarom niet?’ vroeg ik.

‘Omdat... omdat ik granny Warner en tante Liz nodig heb. Sebastian is nog erg klein en ik heb hulp nodig, anders zou ik niet weten hoe ik weer aan het werk zou kunnen gaan.’ Ze schetste een snelle glimlach op haar gezicht en wilde haar hand op mijn schouder leggen. Ik boog opzij en probeerde in te schatten of mijn moeder het meende of dat dit een of andere zouteloze grap was. ‘Waarom ga je dan niet hier weer aan het werk?’

De glimlach verdween meteen. ‘Waarom?’ Ze haalde hoorbaar adem door haar neus. ‘Pia, dit is echt niet makkelijk. Moet je per se ingaan op alles wat ik zeg?’ Ze keek me boos aan, maar toen ontspande haar gezicht zich weer en kreeg het een verslagen uitdrukking. ‘Als we straks alleen zijn, moet ik, om het hoofd boven water te kunnen houden, mijn familie bij me in de buurt hebben. Mijn eigen familie.’

‘We hebben hier anders familie genoeg,’ merkte ik op. ‘Oom Thomas en tante Britta en –’

‘Die horen bij pappa’s familie.’

‘Maar...’ Ik stokte. Ik wist niet hoe ik onder woorden moest brengen dat ik opeens het gevoel had dat ons gezin in tweeën werd gesplitst, als middeleeuwse legers die zich aan weerszijden van een slagveld opstelden. Mijn moeder leek me te vertellen dat ik me achter een van die legers moest scharen, die met de Engelse vlag, maar ze had net zo goed kunnen zeggen dat ik voor Mongolië moest vechten.

Ik kreeg een briljante ingeving. ‘Ik kan hier blijven met pappa.’

‘Nee, dat kan niet, Pia.’

‘Natuurlijk wel.’

‘Nee.’ Haar stem klonk scherp. De lelijke waarheid kwam nu tevoorschijn en flitste over het landschap van mijn geest als een haas die was gedwongen zijn schuilplaats te verlaten. Niks *muisje* en *je moet je Engelse kant leren kennen*. ‘Je gaat met me mee naar Engeland, Pia. Daarover valt niet te discussiëren. Het spijt me.’ Ze klonk echter niet alsof het haar speet. Ze klonk boos. ‘Het is nu eenmaal niet anders.’

Ik staarde naar de woorden in mijn schrift. OP VAKANTIE IN ENGELAND. Een heet gevoel welde in me op, als deeg in een pan dat rees en rees tot het over de rand blubberde. Mijn gezicht, schouders en vingers waren stijf, maar ik kon niet voorkomen dat hete tranen uit mijn ogen stroomden. Een ervan viel op het schrift en vervormde de letters ENG. Ik kon me nu niet meer inhouden. De snik die aan mijn keel ontsnapte klonk als een brul. Mijn moeder probeerde haar armen om me heen te slaan, maar ik ontworstelde me uit haar greep, maaiend met mijn armen. Het schrift viel op de grond terwijl ik de afgescheurde eerste pagina in mijn vuist hield.

‘Pia...’

‘Je bent gemeen!’ schreeuwde ik zo hard als ik kon. De woorden brandden in mijn keel. ‘Je bent gemeen en ik haat je!’

‘Pia nou toch, stil maar, lieverd, maak je geen zorgen, het komt heus wel goed, wacht maar af...’

Haar stem had nu een liefhebbende, sussende klank, en ondanks mijn razernij was ik me ervan bewust dat ze alleen maar probeerde me tot bedaren te brengen. Ze zei niet: Goed, dan gaan we niet naar Engeland, dan blijven we hier. Ze wilde alleen maar dat ik in zoverre zou kalmeren dat ik de onverteerbare feiten zou accepteren, net zoals men probeert een dier tot rust te brengen om het een onaangenaam medicijn te kunnen toedienen.

Ik rukte me van haar los en holde naar de deur. Ze volgde me tot op de drempel terwijl ze bleef proberen me te paaien maar ik weigerde te luisteren en toen ik de trap op rende, kwam ze niet achter me aan. Ik holde naar mijn kamer, deed de deur op slot, zette er een stoel tegenaan als een extra barricade en liet me op mijn bed neervallen, blèrend als een klein kind.

40

Een hele tijd later kwam mijn vader boven. Hij klopte op mijn deur. Eerst gaf ik geen antwoord, maar toen hij sprak en ik wist dat hij het was, stond ik op om open te doen.

'Mag ik binnenkomen?' vroeg hij.

Ik knikte. Hij kwam binnen, trok de stoel bij de deur vandaan en zakte erop neer. Ik ging op mijn bed zitten en keek naar hem met ogen die zo gezwollen waren van het huilen dat ik door dunne spleetjcs keek.

'Ach, Pia.' Mijn vader klonk vermoeid. 'Het spijt me zo.'

Ik beefde. 'Pappa, we gaan toch niet echt naar Engeland, hè?'

Hij zuchtte. 'Jawel. Ik wou dat het anders was, maar dat is niet zo.'

'Ik wil niet.'

'En ik wil ook niet dat je gaat, lieverd.'

'Kan ik dan niet hier blijven? Bij jou?'

'Dat denk ik niet.' Het klonk onzeker, maar de woorden hadden een onheilspellende klank.

'Waarom niet?'

'Het is nog niet definitief geregeld, maar je moeder wil dat je met haar meegaat.'

'Ze kan me niet dwingen.'

'Zij misschien niet, maar de rechtbank wel,' zei mijn vader. 'Ze wil... Pia, weet je wat voogdij is?'

Ik schudde mijn hoofd.

'Het wil zeggen dat een van de ouders toestemming krijgt om de kinderen mee te nemen... na een echtscheiding.'

'Een echtscheiding?'

Mijn vader knikte. Daarover hoefde hij niets uit te leggen.

'Waarom...?' begon ik, maar verder kwam ik niet. De vraag weigerde zich te vormen.

'Het is een zaak van volwassenen,' zei mijn vader triest. Hij spreidde zijn armen. Ik stond op en kroop bij hem op schoot. Zijn harde schouder voelde gek genoeg geruststellend aan toen ik mijn hoofd erop legde. Ik snufte luidruchtig tegen de dikke stof van zijn kleding.

'Pappa, Charles en Chloe lachen me altijd uit.'

Mijn vader zei niets, maar klemde zijn armen nog wat strakker om me heen.

'En ik wil niet in Engeland op school.' Ik drukte mijn voorhoofd tegen zijn schouder. 'En ik heb een hekel aan Engels eten, zelfs de dingen die granny Warner maakt.'

Ik voelde de schouders van mijn vader bewegen en heel even vroeg ik me af waarom hij dat zo grappig vond. Toen hief ik mijn hoofd op en keek naar hem. En dat was de tweede keer in mijn leven dat ik mijn vader zag huilen. De eerste keer was geweest toen oma Kristel was gestorven.

41

Daarna kreeg ons huis het karakter van een groot legerkamp dat in gereedheid werd gebracht voor verplaatsing, waarbij mijn moeder de rol had van de barse generaal die met een toeziend oog tussen de kisten en dozen heen en weer liep. We zouden pas na Nieuwjaar vertrekken. Een gezin met schoolgaande kinderen kan niet binnen een paar dagen naar een heel ander land verhuizen en bovendien had mijn moeder erin toegestemd tot en met de kerst in Duitsland te blijven.

'Daar heeft ze tenminste mee ingestemd,' zei mijn vader bedrukt.

Op school ging het nieuws dat Pia Kolvenbach naar Engeland ging verhuizen en dat haar ouders in scheiding lagen, als een lopend vuurtje rond. Opeens werd ik niet meer gemeden als het 'mogelijk ontplofbare meisje', maar de nieuwe aandacht was nog erger. Ik kon merken dat de meisjes die naar me toe kwamen en met quasimeelevende glimlachjes vroegen of het waar was, dat deden op basis van zaken waar ze hun eigen ouders over hadden horen praten, en met het doel als verkenners aan hen verslag uit te brengen. Binnenkort zou er helemaal niets meer van me over zijn, niets wezenlijks: ik zou een wandelend stukje roddelpraat zijn, beurtelings *tragisch* en *verschrikkelijk*, maar vooral *dat arme kind*.

'Waarom doet je moeder het?' vroeg Stefan me op een ochtend. We bevonden ons als laatsten in het klaslokaal waar we twee uur op wiskunde hadden zitten zwoegen. Het winterse zonlicht dat door de ramen scheen was wit en koud. 'Heeft ze een ander?'

Ik keek hem dom aan en vroeg me af wat hij bedoelde. Bedoelde hij of mijn moeder een ander *kind* had?

'Een ander?'

'Ja, je weet wel,' zei Stefan nonchalant. 'Een andere vent.'
'Nee,' zei ik nadrukkelijk, al was zoiets tot op dat moment niet eens in mijn hoofd opgekomen.
'Waarom gaat ze dan?'
'Dat weet ik niet. Zou je erover willen ophouden?'
'Sorry.'
Ik deed mijn wiskundeboeken in mijn tas. 'Ze zegt dat ze een hekel heeft aan Duitsland en aan Bad Münstereifel.'
'Och, dat heb ik ook wel eens.'
'Maar zij haat dat allemaal echt,' zei ik, me oprichtend. 'Maar ik heb een hekel aan Engeland en snap niet waarom ik daar moet gaan wonen, enkel en alleen omdat zij...' Ik beet op mijn lip om vernederende tranen binnen te houden.
'Rot voor je,' zei Stefan meelevend. Hij slingerde zijn tas over zijn schouder en knikte in de richting van de deur. Ik sjokte terneergeslagen achter hem aan. Toen we over het schoolplein liepen, vroeg hij: 'Heb je het al aan Herr Schiller verteld?'
Ik schudde mijn hoofd. 'Maar hij weet het vast. De hele stad weet ervan,' zei ik wrokkig. Dat was waar. De volwassenen gedroegen zich weliswaar niet zo schaamteloos als de kinderen op school met hun vragen, maar ik kon zien dat ze dezelfde dingen dachten wanneer ze me zagen. Ik werd doodziek van alle aandacht. Toen Frau Nett van de ijssalon me gratis een ijsje gaf, wat nog nooit eerder was voorgekomen, wist ik dat ze het alleen maar deed omdat ik die *arme Pia Kolvenbach* was. Ik had veel liever geen ijs en geen medeleven gehad.
Toen we door de Orchheimer Strasse liepen, zei Stefan: 'We moeten iets doen aan... je weet wel.' Hij wierp een veelbetekenende blik op het huis van Herr Düster.
'Stefan.' Ik was doodmoe. 'Ik ga hier weg. Snap je dat niet? Ik ga in dat stomme Engeland wonen.'
'Daarom moeten we juist iets doen.' Hij klonk opgewonden.
Zelfs zonder naar hem te kijken, wist ik dat zijn gezicht die gretige uitdrukking had die ik afwisselend opwindend en irritant vond, en dat zijn ogen straalden van geestdrift. 'We moeten *nu* iets doen, anders zul je nooit weten wat er is gebeurd.'
'Dat kom ik sowieso nooit te weten,' zei ik verbitterd.

‘We moeten het uitzoeken voordat je gaat,’ zei Stefan.

‘Ach, wat maakt het nog uit.’

Ik keek gefrustreerd op naar de loodgrijze lucht. Ons futiele onderzoek, dat een kinderachtig spel leek vergeleken bij de nieuwe problemen waar ik nu mee kampte, was slechts één punt op de lange lijst van dingen die ik niet zou kunnen afmaken in de stad waar ik mijn hele leven had gewoond. Ik zou niet meedoen aan het lenteconcert van de school, ik zou niet overgaan naar de tweede klas van de middelbare school, ik zou nooit meer Sint-Maarten vieren.

Alle dingen die zo heerlijk standvastig hadden geleken, zouden verdwijnen als in een droom, worden opgerold als een plattegrond en weggestopt in een donker hoekje van mijn geest. Als ik ver weg mijn onvoorstelbare nieuwe leven leidde, kon ik de plattegrond tevoorschijn halen, uitrollen en naar de bekende plaatsen, vormen en lijnen kijken, maar die zouden allemaal theoretisch blijven, net zoals de dingen in een boek over een uitgestorven volk. Ooit zou ik terugkomen om de stad weer te zien, maar mijn vrienden zouden dan volwassen zijn en ik... ik zou Doornroosje zijn, de prinses die honderd jaar had geslapen terwijl iedereen buiten het kasteel oud was geworden en gestorven, en de heggen van doornstruiken zo hoog en dik waren geworden dat niemand er nog doorheen kon komen. Als ik uiteindelijk zou terugkeren naar de wereld die ik had gekend, zou ik niets meer herkennen.

‘Pia?’

Ik besefte dat ik huilde en zocht snel in mijn zakken naar een papieren zakdoekje.

‘Niks aan de hand,’ zei ik kribbig. Ik snoot mijn neus en we liepen weer door.

Een tijdje hield Stefan zijn mond. Toen zei hij: ‘Pia, als je niet mee wilt, ga ik in mijn eentje.’

Ik gaf geen antwoord.

‘We moeten íéts doen.’

‘Waarom is het altijd wíj?’ vroeg ik op mijn beurt. ‘Waarom doet de politie niks, of iemand anders?’

‘De politie heeft niks bereikt,’ antwoordde Stefan terecht.

‘En waarom denk jij dat wij wél iets zullen bereiken?’ Ik besefte dat ik *wij* had gezegd, alsof ik er nog steeds bij hoorde, en kromp ineen.

'We moeten het in elk geval proberen.'

'We hoeven het helemaal niet te proberen,' zei ik vinnig, en opeens schoot ik uit mijn slof. 'Het is een stom plan. Stel dat hij het heeft gedaan? Dan zou je gek zijn als je probeerde in zijn huis te komen. We zouden zijn volgende slachtoffers kunnen zijn.'

'Niet als je met me meegaat. De kinderen die zijn verdwenen, waren allemaal alleen.'

'Stefan,' zei ik geërgerd, 'het is waanzin om er zelfs maar over te denken. Bovendien heeft hij een nieuw slot op de kelderdeuren laten zetten. Wat zouden we moeten doen? Bij hem aanbellen en vragen of we binnen mogen komen?'

'Natuurlijk niet.' Stefan klonk beledigd.

'Wat dan wel?'

'Wachten tot het donker is en iedereen slaapt en dan –'

'Nee,' zei ik met kracht en ik schudde mijn hoofd. 'Vergeet het maar.' Ik keek hem boos aan. 'Dat is een bijzonder dom plan. Geen wonder dat...'

Ik zei bijna 'Geen wonder dat iedereen je Stefan Stink noemt', maar ondanks mijn woede hield ik me in, omdat het gedempte stemmetje van mijn geweten me voorhield dat het Stefans schuld niet was dat ik zo woedend was. Mijn stem stokte even maar toen zei ik: 'En misschien vindt jóúw moeder het goed dat je midden in de nacht door de stad zwalkt, maar de mijne niet.'

Ik zag een schaduw over Stefans gezicht glijden en besefte dat ik een gevoelige snaar had geraakt met mijn opmerking over het gebrek aan belangstelling van zijn moeder, maar ik was zelf te veel gekwetst om sorry te zeggen.

Stefan keek me lange tijd aan. Toen hij uiteindelijk weer sprak, deed hij dat op een zachte, dringende toon, zonder een greintje boosheid.

'Waarom kan het jou nog iets schelen wat je moeder vindt?' vroeg hij.

42

Het plan was eenvoudig: we zouden wachten tot de witte kerstlichtjes die in de Orchheimer Strasse waren opgehangen, laat op de avond werden uitgedaan. Op een afgesproken tijdstip zouden we naar buiten glippen en elkaar treffen in de steeg tussen twee van de oude huizen aan de oostkant van de straat. Als een van ons er eerder was dan de ander, zou de steeg dekking bieden tegen nieuwsgierige ogen. We konden daar ook onze fietsen verbergen.

'Onze fietsen? Waar hebben we fietsen voor nodig?' vroeg ik.

'Voor het geval we snel moeten ontsnappen,' zei Stefan. 'Hetzelfde principe als een vluchtauto.'

Ik voelde het bekende steekje van onbehagen. Stefan sprak altijd over het avontuur alsof het een scène in een actiefilm was.

'Moeten we ook walkietalkies gebruiken?'

Stefan keek me minachtend aan. 'Doe niet zo raar.'

Ik moest een zaklantaarn meebrengen en Stefan zou een hamer en beitel uit de gereedschapskist van zijn vader pikken om de kelderdeuren open te breken.

'Hoe weet je eigenlijk wat je moet doen?' vroeg ik weifelachtig. 'Je hebt zoiets toch nog nooit eerder gedaan?'

'Nee, maar...' Hij maakte zijn zin niet af. Gelukkig maar. Ik wilde hem echt niet horen zeggen dat ze het in de film ook zo deden. Als ik hem dat had horen zeggen, zou ik het waarschijnlijk niet meer aangedurfd hebben.

Zodra Stefan de deurtjes zou hebben geopend, zouden we naar binnen kruipen en de deurtjes achter ons dichttrekken voor het geval er iemand voorbijkwam of uit het raam keek, al was dat onwaarschijnlijk, omdat er 's nachts in Bad Münstereifel geen levende ziel op straat was, maar we konden beter het zekere voor het onzekere nemen. Het zou jammer zijn als Hilde Koch midden in de nacht uit haar bed stapte om haar oude blaas te legen en het niet kon laten een blik uit het raam te werpen.

'En als we eenmaal binnen zijn?'

'Dan gaan we zoeken,' zei Stefan eenvoudig.

'En Herr Düster?'

'Ja, we kunnen natuurlijk niet boven gaan zoeken,' zei Stefan ongeduldig, 'maar daar heeft hij ook niks verstopt.'

'Waarom niet?'

'Dat doen seriemoordenaars nooit,' zei Stefan met grote stelligheid. 'Hij heeft alle lijken waarschijnlijk in de kelder begraven.'

'Getver,' zei ik rillend. Ik wreef over mijn bovenarmen alsof ik het koud had. 'En als we iets vinden, wat dan?'

'Dan moeten we bewijsmateriaal verzamelen,' zei Stefan resoluut.

'Bewijsmateriaal? Hoe bedoel je?'

'We moeten iets meenemen.'

'Stefan, als we een lijk vinden, ga ik dat echt niet aanraken.'

'Wie zegt dat dat moet? We kunnen een stukje van de kleding meenemen of zoiets.'

Ik staarde hem hulpeloos aan. Ik kon er onmogelijk nog onderuit. We gingen dit echt doen.

'Vooruit dan maar,' zei ik.

Ik probeerde de expeditie evengoed nog wat uit te stellen. Als Stefan erover begon had ik steeds een smoesje: Het had geen zin het vlak voor het weekend te proberen, omdat de kerstmarkt van vrijdag tot en met zondag tot laat op de avond openbleef en het hartstikke druk zou zijn in het centrum van de stad; het was ongewoon koud en er werd sneeuw verwacht – we zouden doodvriezen als we 's nachts de straat op gingen en we zouden voetsporen achterlaten in de sneeuw; ik had een paar zware dagen voor de boeg op school en had mijn slaap hard nodig; ik voelde griep opkomen...

'Pech gehad,' zei Stefan met een verbluffend gebrek aan medeleven.

'Nee, echt... ik voel me niet lekker...' Ik haalde demonstratief mijn neus op.

‘Pia,’ zei hij opgewonden, ‘Herr Düster is niet thuis. We moeten het nú doen.’

‘Nu?’ Ik keek verdwaasd om me heen.

‘Ik bedoel vannacht.’

‘Hoe weet je dat hij er dan niet is?’

‘Dat heb ik Frau Koch tussen de middag aan iemand horen vertellen bij de bakker. Ze zei dat hij vanochtend op reis is gegaan. Opgeruimd staat netjes, zei ze erbij.’ Stefan keek me aan met ogen die brandden met de hartstocht van een fanaticus. ‘Oké? We moeten deze kans grijpen! We moeten het vanavond doen.’

‘Oké,’ zei ik, maar ik werd misselijk bij de gedachte.

De rest van de dag leefde ik in angstige afwachting. Na school liep ik met opzet via de Marktstrasse naar huis en niet door de Orchheimer Strasse waar het huis van Herr Düster stond, alsof het me in een valkuil kon lokken. Ik wilde ook niet hebben dat Stefan met me meeliep.

Mijn ouders bleken allebei thuis te zijn, maar bleven zo ver mogelijk bij elkaar vandaan. Mijn moeder was voortvarend bezig een van de keukenkastjes leeg te halen, misschien om te besluiten wie de voogdij kreeg over haar uitgebreide tupperwareverzameling, en mijn vader zat in de rieten fauteuil op hun slaapkamer met een dossiermap op zijn schoot en de telefoon binnen handbereik. Sebastian zat televisie te kijken met zijn duim in zijn mond en een heleboel speelgoed om zich heen, zijn ronde ogen gericht op het scherm waarop de Teletubbies dartelden tussen reuzenkonijnen en futuristische windmolens.

Niemand leek gemerkt te hebben dat ik er was. We waren individuele planeten geworden die elk hun eigen eenzame baan volgden rond een meedogenloze zon, via concentrische paden die elkaar nooit zouden kruisen. Ik nam een glas appelsap, ging aan de keukentafel zitten en probeerde mijn huiswerk te doen, maar kon me niet concentreren.

Uiteindelijk deed ik mijn boeken en schriften dicht en ging naar buiten om mijn fiets tevoorschijn te halen. Het was erg koud en het begon al donker te worden. De lantaarnpalen waren geen partij voor de schemering. Ik moest mijn fiets op straat zetten en erop vertrouwen dat mijn ouders er geen van beiden erg in zouden hebben en me niet zouden dwingen hem weer in de schuur te zetten. Ik zette hem tussen de auto en de muur in de hoop dat hij onopgemerkt zou blijven. Ik bleef nog een poosje op straat rondhangen, ineengedoken tegen de kou, doelloos met mijn hak op het ijs in de goot trappend, maar nadat Frau Kessel was langsgekomen en op een afkeurende toon 'dag, Pia Kolvenbach' had gezegd, besefte ik dat ik beter weer naar binnen kon gaan, omdat ik op deze manier juist de aandacht op mezelf vestigde.

Tijdens het eten probeerde ik de stilte te verbreken door aan mijn moeder te vragen: 'Is het waar dat Herr Düster op reis is gegaan?' Ze humde alleen maar en bleef met een afwezige blik uit het raam naar de donkere straat kijken. Zoals altijd frunnikte ze aan haar donkere paardenstaart waarvan de punt helemaal pluizig begon te worden.

Mijn vader las de *Kölner Stadtanzeiger*, of deed alsof. Af en toe legde hij de krant neer om iets te pakken – de schaal met vleeswaren of het botervlootje – maar hij vroeg geen enkele keer of iemand hem iets wilde aanreiken. Hij stond liever op om zich over de tafel heen te buigen en intimiderend boven ons uit te torenen.

Ik was blij toen de telefoon ging. Ik schoof over de bank om op te nemen, maar mijn vader stond op en hief zijn grote hand op ten teken dat ik moest blijven zitten en dat hij zelf wel zou opnemen.

'Kolvenbach.'

Ik staarde lusteloos naar mijn bord en vroeg me af of ik Sebastian het laatste plakje worst mocht geven, alsof hij een hondje was dat onder de tafel zat te wachten.

'Wat?'

Mijn vaders stem schoot omhoog alsof hij was geschrokken. Mijn moeder draaide een ogenblik haar hoofd om, maar keek toen weer met diezelfde afwezige blik uit het raam. Ze tuitte haar lippen een beetje, alsof ze geïrriteerd was, misschien omdat ze dacht dat mijn vader om aandacht vroeg die ze hem niet zou geven.

'Wanneer?'

Ditmaal draaide mijn moeder haar hoofd niet eens om. Mijn vader luisterde lange tijd. 'Goeie genade,' zei hij uiteindelijk en toen: 'Wat kan ik...?'

Weer bleef het stil terwijl hij luisterde naar degene aan de andere kant van de lijn en toen zei hij 'tot zo' en hing op. Hij kwam de keuken weer in.

'Kate.' Het was bijna een schok om hem de naam van mijn moeder te horen zeggen. Het aanhoudende zwijgen van mijn moeder was onheilspellend. 'Ik moet even weg. Ik moet –'

Verder kwam hij niet. 'Ga dan,' zei mijn moeder.

'Wil je niet –?'

'Ga,' zei ze.

Mijn vader fronste zijn wenkbrauwen maar zei niets. Hij liep de gang in en pakte zijn winterjas van het hangertje. Even later viel de voordeur dicht en was hij weg. Ik keek naar mijn moeder.

'Wat zou er –'

'Eet je bord leeg.'

Dat deed ik, maar het smaakte me niet. Er was iets aan de hand. Ik hoorde met regelmatige tussenpozen stemmen van mensen die langsliepen. Er was die avond geen kerstmarkt, dus was er geen reden dat er zo veel mensen op straat waren.

Ik zag mijn moeder ook naar het raam kijken en vermoedde dat ze er spijt van had dat ze niet had willen horen wat er aan de hand was. Toch was ze vastbesloten niet te laten merken dat het haar interesseerde. Ze at zwijgend haar brood op en ruimde toen de tafel af, waarbij ze luidruchtig met het vaatwerk omsprong en laden dichtsmeet.

'Pia, tijd om naar bed te gaan,' was zo'n beetje het enige wat ze die avond tegen me zei. Ze was zo gesloten als een oester. Ik ging naar boven en trok mijn pyjama aan. Toen ik gereed was om naar bed te gaan, liep ik weer naar beneden om mijn moeder een nachtzoen te geven, maar ik had net zo goed een wassen beeld kunnen kussen. Ze leek zich amper van mijn bestaan bewust te zijn.

Ik ging weer naar boven en keek om het hoekje van Sebastians deur. Hij sliep al, met zijn knietjes opgetrokken en de dekens om zich heen zodat hij eruitzag als een croissantje. Mijn vader was nog niet terug. Het leek alsof niemand ook maar enige belangstelling had voor wat ik deed.

Ik kroop in bed en lag lange tijd alleen maar te liggen, terwijl ik naar de bekende contouren van mijn kamer keek toen mijn ogen aan het donker gewend waren. Ik dacht niet dat ik de slaap zou kunnen vatten, maar had de wekker op halfeen gezet. Even later stapte ik weer uit bed om de deur dicht te doen, in de hoop dat ik daarmee kon voorkomen dat er iemand anders wakker zou worden van de wekker.

Uiteindelijk hoorde ik aan het kraken van de trap dat mijn moeder boven kwam en even later vertelden het gepiep en gekreun van de waterleidingen me dat ze in bad ging. Een huis dat zo oud is als het onze, is net zo loslippig als een oud vrouwtje – het kan je precies vertellen wat er gebeurt. Ik dommelde in en schrok verward weer wakker toen de deur van mijn moeders slaapkamer dichtging.

Ik tastte naar de wekker en drukte op het knopje waarmee de wijzerplaat werd verlicht. Het was bijna elf uur en ik had mijn vader nog niet horen thuiskomen. Als hij er om halfeen nog niet was, zou ik het huis niet kunnen verlaten, want hij zou natuurlijk om het hoekje van mijn deur kijken voordat hij naar bed ging. Bovendien zou ik het risico lopen hem op de trap tegen te komen.

Maar hij kwam om even over halftwaalf thuis. Ik hoorde de voordeur dichtslaan en het geluid van zijn zware voetstappen op de trap. Ik draaide me om naar de muur en sloot mijn ogen alsof ik sliep. De deur van mijn kamer ging open, maar mijn vader kwam niet binnen zoals hij anders altijd deed om mijn deken recht te trekken of een kus op mijn voorhoofd te drukken. Ik hoorde hem alleen maar een diepe zucht slaken en toen klikte de deur weer dicht.

Even later werd de wc doorgetrokken, gevolgd door het tikken van de waterleidingen, toen ging er een deur dicht en was het stil, zo stil als mogelijk was in ons oude huis.

Gek genoeg viel ik toch in slaap nadat mijn vader was thuisgekomen, en sliep ik zo vast dat het eventjes duurde voordat ik bij mijn positieven kwam toen de wekker ging. Een voor mijn gevoel lange tijd was ik me vaag bewust van een irritant gepiep en toen was ik opeens klaarwakker en viel ik bijna uit bed in mijn haast op het knopje te drukken om het ding stil te krijgen.

Mijn hart bonkte zo dat het voelde alsof het naar mijn keel zou stijgen en me wurgen. Met mijn vingers rond de wekker geklemd luisterde ik. Er verroerde zich niemand in huis. De twee gesloten deuren tussen mij en mijn ouders waren voldoende geweest, of misschien waren mijn vader en moeder zo moe van de constante spanningen dat ze van zoiets niet wakker werden.

Ik deed het leeslampje aan en luisterde weer. Het bleef stil. Ik moest nu echt opstaan en vertrekken. Zo stil mogelijk stapte ik uit bed en trok een spijkerbroek en een donkere trui aan. Toen ik op het punt stond de deur te openen, kreeg ik een inval: ik pakte mijn grootste beer van de stoel in de hoek van de kamer, legde hem in mijn bed en sloeg de donzen deken over hem heen. Wie goed keek, zou er niet door bedot worden, maar als een van mijn ouders alleen maar om het hoekje van de deur keek zonder het licht aan te doen, zouden ze er misschien intrappen. Vervolgens deed ik de deur open.

Nu ik met het plan had ingestemd, hoopte ik echt dat mijn ouders niet wakker zouden worden. Ik had geen idee hoe ik zou moeten verklaren dat ik midden in de nacht volledig gekleed door het huis liep. De trap afdalen was zenuwslopend, want iedere krakende tree dreigde me te verraden.

In de donkere gang beneden pakte ik op de tast mijn donzen jack en mijn dikke laarzen. Toen ik de veters van de laarzen had gestrikt liep ik naar de deur en zag ik dat ik op één gebied erg bofte: mijn vader had vergeten de ketting en het nachtslot op de deur te doen toen hij thuiskwam, misschien omdat hij zo moe was geweest dat hij er niet aan had gedacht.

Voorzichtig deed ik de deur open. Meteen sloeg de ijskoude nachtlucht in mijn gezicht. Sneeuwvlokken dwarrelden neer uit de loodgrijze duisternis boven de daken. Ik glipte naar buiten en trok de deur zachtjes achter me dicht. Ik wachtte weer even, maar er klonk binnen geen enkel geluid en er ging nergens licht aan. Op straat was het erg donker. De witte kerstlampjes waarmee van oktober tot januari elk gebouw van de stad versierd was, waren uitgeschakeld, en alleen onder de oude, zwakke straatlantaarn aan het einde van de straat was een flauwe lichtcirkel te zien.

Ik trok mijn fiets uit de ruimte tussen mijn vaders auto en de muur en veegde met mijn mouw de sneeuw van het zadel. Ik moest voorzichtig zijn, want de kinderhoofdjes waren ook al bedekt met sneeuw. Behoedzaam stapte ik op en fietste weg in de donkere nacht.

43

'Wat ben je laat,' was het eerste wat Stefan zei toen ik afstapte.

'Ik was bijna helemaal niet gekomen,' antwoordde ik. 'Mijn vader kwam pas heel laat thuis.'

'O.' Stefan klonk alsof het hem geen bal interesseerde. 'Zet gauw je fiets in de steeg.'

Ik deed wat hij zei. Stefan liep achter me aan terwijl hij om zich heen keek om zich ervan te vergewissen dat er niemand in de buurt was. Hij hoefde zich geen zorgen te maken, want er was geen kip op straat. De sneeuw bleef nu liggen; als ik vijf minuten later was gekomen, zou ik duidelijke sporen hebben achtergelaten.

'Heb je het gereedschap? De beitel en zo?' fluisterde ik.

'Ja.' We keken elkaar aan.

'Laten we gaan,' zei Stefan. 'Ik sterf van de kou.'

Binnen is het warmer, dacht ik, maar ik huiverde toen ik bedacht dat binnen wilde zeggen dat we bij iemand hadden ingebroken. Ik volgde Stefan de steeg uit. Hij liep snel en stil over de kinderhoofdjes, dicht bij de muur, op een manier die hij vermoedelijk van films had afgekeken.

We hurkten bij de kelderdeurtjes. Stefan wikkelde de hamer en beitel uit de lap stof waarin hij ze had meegenomen. Hij keek me aan.

'Toe dan,' zei ik. Ik was niet van plan het gereedschap zelf ter hand te nemen; ik had geen idee wat ik ermee zou moeten doen.

'Heb je een zaklantaarn meegebracht?'

Ik knikte en viste hem uit mijn zak. Ik knipte hem aan en deed mijn best om het licht op de kelderdeurtjes gericht te houden. Stefan zette de beitel zorgvuldig tegen het hangslot en sloeg er met de hamer op. De klap klonk afgrijselijk luid. Ik kromp ineen en kneep mijn ogen stijf dicht, maar toen ik ze weer opende, zag ik tot mijn teleurstelling dat het slot nog net zo stevig op de deurtjes zat als voorheen.

'Moet dat zo?' siste ik.

'Het kan niet anders,' siste Stefan nijdig terug. Hij streek zijn besneeuwde haar uit zijn ogen. 'Hou het licht erop.'

'Dat doe ik toch?'

Stefan sloeg nogmaals op de beitel. Weer veroorzaakte het een onaangenaam hard geluid, gevolgd door een onderdrukt *Scheisse*.

'Heb je op je duim geslagen?'

'Nee.' Het klonk gekweld. 'Maar het dreunt zo door in mijn hand.' Hij masseerde zijn hand. 'Probeer jij het eens.'

'Ik weet niet hoe het moet.'

'Probeer maar wat.'

Met tegenzin pakte ik het gereedschap van hem aan. Ik gaf een paar experimentele tikjes op de beitel en in mijn oren klonken de klappen oorverdovend, een lichtreclame die onze aanwezigheid verried terwijl er geen enkele beweging in het hangslot kwam.

'Dit lukt nooit,' fluisterde ik.

'Godver!'

'Wat wil je nou eigenlijk van me?' zei ik fel. Ik stond op. 'Doe het dan zelf!'

Ik gaf hem de hamer en beitel terug. Ik had zelfs geen zin meer om de zaklantaarn voor hem vast te houden en stak die in mijn zak. Ik werd overmand door tegenstrijdige emoties. Toen Stefan er bij de eerste klap niet in was geslaagd het hangslot eraf te krijgen, voelde ik alleen maar opluchting: we hadden naar eer en geweten gehandeld, maar konden niet in Herr Düsters huis komen. Ik kon naar huis terugfietsen en weer in bed kruipen voordat iemand erachter kwam dat ik weg was. We hadden ons best gedaan.

Daarop volgde de onvermijdelijke reactie, als een hardnekkige onderstroom die me terugsleurde naar de diepte: Katharina Linden, Marion Voss, Julia Mahlberg... als er iets gedaan moet worden, moet je het doen. Ik sloot mijn ogen en voelde dwars door mijn dikke jack heen de kou tot me doordringen – een vochtige kou, de kou van een nacht waarin je zelfs een hond niet buiten zou laten, laat staan een kind. Het was onmogelijk om niet aan die meisjes te denken, aan Katharina en de anderen. Lagen die ergens buiten, ver van hun warme bed, hun bleke gezichtjes omlijst door natte, zwarte bladeren, terwijl sneeuw hun haar bedekte zonder te smelten?

Ik kon hier niet domweg in het donker naar Stefan blijven staan kijken. Mismoedig ging ik dicht tegen de deur staan, waarvan het diepe kozijn me tenminste wat bescherming bood tegen de sneeuw. Ik blikte links en rechts de straat in. Er was nog steeds niemand te bekennen. Ik kromp ineen bij een nieuwe klap van de hamer op de beitel. Zelfs als Stefan erin slaagde het slot eraf te krijgen, zou duidelijk zichtbaar zijn wat we hadden gedaan.

Ineengedoken leunde ik tegen de deur. Die was net als de rest van het huis oud en verwaarloosd. Het hout voelde ruw en verweerd aan. Behalve een vrij nieuw metalen slot zat er nog steeds een koperen deurklopper op, gevlekt van ouderdom, met eronder het oude sleutelgat waarvan de aangevreten randen eruitzagen als een tandeloze mond. Zonder bewust te beseffen wat ik deed, legde ik mijn ijskoude vingers rond de deurknop en duwde die langzaam naar beneden. Met een hoorbaar klikje ging de deur open.

Eén ogenblik bleef ik verbluft staan, met mijn hand nog rond de deurknop. Het huis van Herr Düster vertoonde ineens een gapend gat, het interieur een donker hol.

'Stefan.'

'Wat?' antwoordde hij op een geïrriteerde souffleurstoon.

'De deur is open.'

'Wát?'

'De deur is open.' Ik hoorde hem overeind komen en toen stond hij naast me.

'Hoe heb je dat voor elkaar gekregen?'

'Ik heb niks gedaan. Hij ging gewoon open. Herr Düster heeft hem blijkbaar niet op slot gedaan.'

'Krijg nou wat!' zei Stefan stomverwonderd.

'Misschien is hij gewoon thuis.'

'Nee. Frau Koch heeft gezegd dat hij op reis is.'

‘Misschien zuigt Frau Koch net zo veel uit haar duim als haar kleinzoon.’

‘Ziet dit huis eruit alsof er iemand thuis is?’

‘Nee...’ zei ik weifelend, maar toen ik de straat inkeek, vond ik dat de andere huizen er niet levendiger uitzagen dan dat van Herr Düster. Ze waren allemaal pikkedonker.

Hij gaf me een duwtje. ‘Vooruit.’

‘Ga jij maar voorop,’ zei ik zonder me te verroeren.

Ik hoorde hem ongeduldig zuchten en toen drong hij langs me heen naar binnen. Het was er aardedonker en bijna meteen hoorde ik een bons, gevolgd door een ingehouden kreet.

‘Ik doe mijn zaklantaarn aan,’ fluisterde Stefan, in zijn zak tastend.

‘Dan ziet iemand ons misschien.’

‘Maar anders hoort iemand ons.’

Er klonk een klikje en toen verscheen er een kleine lichtcirkel die langzaam over een massieve, eikenhouten kast gleed waarvan de deuren waren versierd met gebeeldhouwde bladeren en dansende herten. Verder gleed het licht, over verschoten behang met een vaag patroon van gebladerte en een ouderwetse klok waarvan het metalen uurwerk vol roestplekjes zat. Het rook er naar stof en oude meubelwas.

‘Wat is dat daar?’ fluisterde ik heel zachtjes. Stefan liet de lichtcirkel over de muur glijden naar het voorwerp waarvan ik een glimp had opgevangen. Het was een houten kruisbeeld met een metalen, van pijn verwrongen Jezus.

Stefan zei niets, maar er ontsnapte hem een geluid dat klonk als een zucht. Hij bewoog de zaklantaarn heen en weer en de gele lichtbundel gleed door de muffe lucht als een spook, alles beroerend zonder iets aan te raken. We stonden in een smalle gang. Op de houten vloer lag een versleten loper en aan weerskanten stonden donkere meubelstukken. Recht voor ons uit was de houten trap naar boven. De treden waren versleten en de trapspil, waarin een gezicht was uitgehouwen dat uit een bedje van bladeren gluurde, had een doffe glans, eerder van de handen die er door de jaren dagelijks overheen waren gegleden dan van zorgvuldig onderhoud, leek mij. De lichtbundel gleed verder en het glurende gezicht werd weer door de duisternis opgeslokt.

Links van de trap liep de gang door, maar het licht van de zaklantaarn was vanaf de plek waar we stonden te zwak om meer te kunnen zien dan de vage contouren van een deur. Toen Stefan het licht weer verder liet dwalen, zag ik dat er links van ons ook een deur was, een stevige houten deur die dicht zat. Dat moest de woonkamer zijn en die kon moeilijk een soort kamer van Blauwbaard zijn, aangezien hij pal aan de straat lag.

Desondanks was mijn verlangen om op onderzoek uit te gaan danig gezakt. In de diepe duisternis ging je je onwillekeurig afvragen of Herr Düster hier echt niet was of dat hij misschien ineengedoken in een fauteuil met een hoge rugleuning zat, als een kreeft in een grot tussen de rotsen, diep in het zwarte water, onzichtbaar op de doffe glans van zijn schild en twee glinsterende oogjes na.

Stefan stak zijn hand uit naar de deurknop en deed uiterst voorzichtig de deur open. Behoedzaam liepen we de donkere kamer in. Daar wachtte ons een hindernisbaan van staande lampen, kastjes en stoelen. Ook hier hing een deprimerende geur van stof en oude meubelwas. Het weinige dat ik bij het licht van de zaklantaarn kon zien – de franje aan een lampenkap, de klauwenvoet van een stoel, de doffe glans van een tinnen schaal – leek erop te wijzen dat er aan de inrichting van de kamer al tientallen jaren niets was veranderd. De weerspiegelende glans van glas leek erop te duiden dat de muren bedekt waren met ingelijste foto's, al kon je alleen zien wat het precies was als je het licht erop liet schijnen. Het waren inderdaad foto's, oude foto's: sommige waren helemaal vergeeld en bij sommige waren de randen opzettelijk vervaagd, zoals vroeger werd gedaan.

Een portret van een jonge vrouw in ouderwetse kledij trok mijn aandacht. Het was het enige mooie gezicht tussen de stijve, deftige personen met hun strakke lippen en minachtende ogen. Ik bleef even naar haar kijken en vroeg me af of dit soms de Hannelore was over wie Frau Kessel niet uitgepraat raakte, maar gezien de stijl van haar hooggesloten japon en opgestoken haar twijfelde ik daaraan. Was deze foto niet van veel te lang geleden om van haar te kunnen zijn?

Ik stond er nog naar te kijken toen ik ergens achter me een bons hoorde. Ik draaide me om alsof ik was gestoken.

'Stefan, kun je niet –?'

Hij liet me niet uitpraten.

'Sssst.' Hij stak zijn hand naar me uit alsof hij iets wilde tegenhouden.

Het volgende moment knipte hij zijn zaklantaarn uit. 'Licht uit,' siste hij tegen mij.

Ik aarzelde, want ik vond het geen prettig idee dat we helemaal in het donker zouden komen te zitten. Stefan had daar geen moeite mee. Hij was met twee stappen bij me, griste de zaklantaarn uit mijn hand en deed hem uit.

'Wat –?'

'*Stil.*' Het klonk zo dringend dat ik geschrokken mijn mond hield. Eventjes stonden we alleen maar te luisteren.

'Stefan?' fluisterde ik toen. 'Dat was jij toch?'

'Sssst,' was het antwoord, en toen: 'Nee. Het kwam van boven.'

'Van boven...?'

Toen de betekenis daarvan tot me doordrong benam het mijn ledematen tijdelijk alle kracht. O nee! O nee, dreunde het in mijn hoofd. Ik verloor bijna mijn evenwicht, greep Stefans arm en probeerde hem mee te trekken naar de deur, al wist ik dat als er nu iemand – of íéts – de trap afkwam, we het huis nooit zouden kunnen verlaten zonder dat die persoon ons te pakken kon krijgen.

Stefan hield stand en klemde de vingers van zijn vrije hand met verrassend veel kracht rond mijn pols.

'Blijf staan,' hoorde ik hem in het donker fluisteren.

'Nee.' Ik spartelde in zijn greep als een gevangen vis.

'Hij zal je horen.'

Dat was genoeg. Ik bleef stokstijf staan. Nu hoorden we ergens boven onze hoofden opnieuw een gedempt geluid, alsof iemand iets op de grond liet vallen. Ik had het niet meer en probeerde me uit Stefans greep los te rukken.

'Hou op!' siste hij met een angstige stem. 'Je jack!'

Hij had gelijk. Bij iedere beweging schuurden de dikke mouwen met een hoorbaar geruis tegen de rest van mijn jack. Ik klampte me in paniek aan Stefan vast. 'Wat moeten we doen?' fluisterde ik.

'Ons zo klein mogelijk maken. Misschien komt hij niet binnen.'

Het was een vage hoop, maar ik wist zelf ook niks beters te bedenken. We knielden op het versleten tapijt, zodat een forse fauteuil en een tafeltje met een lamp tussen ons en de deur in stonden. Ik tastte naar Stefans hand en was blij toen hij zijn vingers rond de mijne sloot. Toen wachtten we.

Heel even had ik nog gehoopt dat het Pluto maar was, die van een favoriete slaapplek op de vloer was gesprongen, maar nu hoorde ik heel duidelijk voetstappen in de kamer boven onze hoofden. Er klonk een schrapend geluid, alsof iemand een meubelstuk verschoof en toen veranderde het geluid van de voetstappen en wist ik dat de onbekende inmiddels boven op de overloop stond.

Ik bracht mijn mond vlak bij Stefans oor. 'Hij komt naar beneden.' Ik was bijna in tranen.

Ik voelde Stefans adem op mijn wang toen hij heel zachtjes zei: 'Blijf hier.'

Nee. Toen ik besefte dat Stefan van plan was iets te gaan doen, werd ik bevangen door paniek. Stel dat hij erin slaagde weg te komen en ik samen met het monster zou achterblijven in het huis? Ik graaide naar hem, met een alarmerend ruisen van mijn jack, maar ik was te laat. Zo snel en geruisloos als een kat was hij overeind gekomen en naar de deur geslopen. Nu mijn ogen aan het donker gewend waren, leek hij me veel te duidelijk zichtbaar.

Even later hoorde ik een gekraak dat aangaf dat iemand een zware voet op de bovenste tree van de trap had gezet. Zo soepel als een danser trok Stefan zich terug achter de deur, die op een kier stond. Aan de stand van zijn hoofd kon ik zien dat hij door de verticale kier keek die werd gevormd door de scharnieren.

Onstuitbaar kwamen de voetstappen de trap af, elk zo zwaar en afdoende als een celdeur die werd gesloten, terwijl de houten treden kreunden onder het gewicht. Het moest een man zijn. Geknield op de grond greep ik de klauwenpoten van de fauteuil vast en klemde mijn handen eromheen alsof ik een anker zocht in een orkaan.

Ik kneep mijn ogen dicht van angst, maar kon niets doen tegen de beelden in mijn hoofd die zich bleven herhalen als in een film: een meisje van mijn leeftijd met bruine vlechten die op en neer dansten toen ze met haar schooltas op haar rug door een straat rende, op weg naar een onbekend lot; Frau Mahlberg die hysterisch om Julia riep; Herr Düster die zich na de oorlog in de ruïnes op de Queckenberg verschool en bij zonsopgang naar zijn hol terugkeerde met het bloed van geslachte kippen op zijn lippen. Ik had het zo te kwaad dat ik bang was dat ik in mijn broek zou plassen van angst. Ik klemde mijn dijen tegen elkaar, de spieren strak gespannen onder de stof van mijn spijkerbroek.

De laatste tree kraakte en toen hoorde ik de gedempte bons waarmee de man op de versleten loper stapte. Even bleef het stil, toen hoorde ik de voetstappen naderen door de gang. Zo dadelijk zou hij langs de deur van de woonkamer komen.

Ik deed mijn ogen weer open en zag Stefan volkomen roerloos achter de deur staan. De man die de trap af was gekomen, had blijkbaar ook een zaklantaarn bij zich. Tussen de deur en het kozijn vormde het licht een gele streep. Ik zag dat Stefan ietsje verder opzij leunde, naar de muur, om zich onzichtbaar te maken.

De deur, dacht ik opeens: de deur had dicht gezeten toen we waren binnengekomen en nu stond hij op een kier. En het was te laat om daar nu nog iets aan te doen. Ik dook weer in elkaar en probeerde me zo klein mogelijk te maken, voor het geval de man die door de gang liep naar binnen zou kijken.

De voetstappen bereikten de deur en haperden even, alsof de man aarzelde, misschien omdat hij zag dat de deur op een kier stond, maar toen liep hij weer door. Ik hoorde de voordeur opengaan en toen werd die zachtjes weer dichtgetrokken.

Ik zakte voorover, slap van opluchting, met mijn voorhoofd op de verschoten zitting van de fauteuil. Dank u, dank u, was het enige wat er door mijn hoofd ging. Ik hoorde Stefans lichte voetstappen en voelde toen zijn hand op mijn schouder. Hij knipte zijn zaklantaarn vlak bij mijn gezicht aan en ik kneep snel mijn ogen dicht.

'Gaat het?' vroeg hij met zijn mond vlak bij mijn oor.

'Ik geloof van wel.'

Moeizaam ging ik zitten. Ik voelde me eigenaardig. Mijn onderkaak leek een eigen leven te leiden en trilde alsof ik op het punt stond in tranen uit te barsten. 'Stefan?' Zelfs mijn stem klonk vreemd. Hij beefde alsof ik probeerde te praten terwijl ik in een auto zat die over een hobbelige weg reed.

'Ja?'

'Ik wil naar huis.'

Het bleef lang stil. Toen zei Stefan: 'Pia, ik geloof dat hij de deur op slot heeft gedaan.'

'Wat?' Mijn stem schoot uit. Het kon me niets meer schelen of iemand me hoorde, want ik was nu echt in paniek.

'Probeer kalm te blijven,' zei Stefan zachtjes. Hij sloeg zijn arm om mijn schouders.

'Hij kan de deur niet op slot hebben gedaan,' brabbelde ik. 'Ik heb niet gehoord dat hij hem op slot deed.'

'Pia,' zei Stefan, op dezelfde kalme toon, 'ik geloof niet dat hij een sleutel had.'

'Dan kan het dus niet,' zei ik gretig. 'Dan kan hij hem niet op slot hebben gedaan.' Ik probeerde Stefan opzij te duwen. Het enige wat ik wilde, was opstaan en vluchten.

'Maar dat heeft hij wél gedaan,' zei Stefan.

Ik schudde mijn hoofd, stond op en liep zo snel als mijn verkrampte benen toestonden naar de deur. Ik keek in de gang. De voordeur zat dicht. Ik holde ernaartoe en duwde de deurknop naar beneden. Stefan had gelijk. Hij zat op slot. Ik probeerde het nogmaals, rammelde woest aan de deurknop, zette mijn schouder tegen de deur en duwde zo hard als ik kon.

De deur hield stand als een barricade. Er kwam geen millimeter beweging in. Wanhopig schopte ik tegen het onderste paneel en deinsde toen hijgend achteruit. Zwijgend kwam Stefan bij me staan.

'Ik krijg hem niet open,' stotterde ik.

'Ik weet het.'

Onbeheerst mepte ik hem met mijn vlakke hand op zijn schouder. Ik snapte niet hoe hij zo kalm kon blijven.

'We kunnen er niet uit!' Ik hijgde zwaar. Angst en frustratie brandden in mijn lichaam als gif. 'Hij heeft ons opgesloten. Hij heeft ons opgesloten. Herr Düster –'

'Pia.' Stefan stak zijn hand uit om een nieuwe klap af te weren. 'Het was Herr Düster niet.'

'Het was Herr Düster niet? Hoe bedoel je?' Ik was buiten zinnen. 'Wie was het dan? Dracula?'

'Het was Boris,' zei Stefan.

44

'Boris?' vroeg ik stomverbaasd. 'Was het *Boris*?'

'Ja. Ik heb hem door de kier gezien.'

'Maar... maar...' Ik begreep er nu helemaal niets meer van. 'Hoe kan dat nou?'

'Dat weet ik niet. Maar misschien was de deur daarom open. Dat zal hij dan wel gedaan hebben.'

'Hoe?' vroeg ik. 'Hij heeft toch geen sleutel?'

'Natuurlijk niet. Maar dat is voor Boris geen probleem.'

Hij zei het heel nuchter. Stefan zat dichter bij het epicentrum van Boris' onverkwikkelijke daden dan ik en vond het idee dat zijn neef bij mensen inbrak allerminst opzienbarend. 'Het is alleen een geluk dat hij ons niet heeft gehoord, anders was hij vast erg kwaad geworden.'

'Maar... als het Boris was, waar is Herr Düster dan?'

Stefan haalde zijn schouders op. 'Op reis, zoals Frau Koch zei.' Hij deed zijn zaklantaarn weer aan en reikte bijna nonchalant langs me heen om de deurknop nog een keer te proberen, maar er kwam uiteraard geen enkele beweging in de deur.

'En waarom heeft hij de deur weer op slot gedaan?' vroeg ik verbolgen, omdat ik het allemaal zo oneerlijk vond.

'Zodat Herr Düster er niet achter zou komen dat hij in zijn huis is geweest, neem ik aan.'

'Kun je het slot niet openmaken?'

Stefan schudde zijn hoofd. 'Dat denk ik niet.' Hij keek me aan en zag mijn opgetrokken schouders en de manier waarop ik mijn handen tot vuisten balde. Teder stak hij zijn hand uit en pakte mijn pols. 'Wees maar niet bang.'

'We zitten hier opgesloten.' Mijn stem klonk onnatuurlijk hoog.
'We komen er wel uit.'
'Hoe dan?'
'Dat weet ik niet. Maar we verzinnen wel iets.'
'We zitten opgesloten!'
'Dat heb je al gezegd.' Stefan sprak op een sussende toon. Hij hield zijn hoofd schuin. 'We kunnen trouwens net zo goed verder rondkijken, nu we hier toch zijn.'

Opeens drong het tot me door dat áls er lijken in het huis lagen, wij nu daarmee samen opgesloten waren, en dat werd me bijna te veel. Het was een wonder dat ik nog overeind stond en niet stuiptrekkend van angst op de versleten loper lag. Ik bleef naar Stefan staren alsof ik de gedachten van me af kon houden als ik me op hem concentreerde en nergens anders aan dacht.

'Vooruit dan maar,' zei ik uiteindelijk met een klein stemmetje.
'Doe eerst je jack uit.'
'Waarom?' Ik had helemaal geen zin om het warme nestje van dons te verlaten en me bloot te stellen aan de lucht in het huis.
'Omdat het zo veel lawaai maakt.'
Ik zuchtte, maar hij had gelijk. Ik trok de rits open en liet het jack van me af glijden.
'Verstop het daar ergens,' zei Stefan. Hij wees naar de woonkamer. Hij hoefde er niet aan toe te voegen *voor het geval er iemand binnenkomt*. Ik stond evengoed al te trillen van angst. Ik propte het jack onder een van de ouderwetse kasten van Herr Düster.
'En nu?'
'We kunnen eerst naar boven gaan, of eerst naar de kelder.'
'Je zei dat we niet naar boven hoefden,' merkte ik op. 'Je zei dat seriemoordenaars daar nooit lijken verstoppen.'
'Nee... dat wil zeggen, waarschijnlijk niet,' zei Stefan. 'Zou jíj rustig kunnen slapen als je wist dat er een lijk in je kast lag?' Hij zag hoe ik keek en voegde er snel aan toe: 'We hadden nooit naar boven kunnen gaan als Herr Düster thuis was geweest, maar hij is er niet, dus kunnen we net zo goed op onderzoek uitgaan.'

Ik keek naar het zwarte gat boven aan de trap en toen naar de vloer onder mijn voeten.

'Ik weet het niet,' zei ik zwakjes.

'Dan gooien we een muntje op,' zei Stefan resoluut. Hij zocht in zijn zakken tot hij een muntje van tien pfennig had gevonden. 'Kop of munt?'

'Kop.'

Stefan gooide met een plechtig gebaar het muntje op en probeerde het op te vangen, maar miste, waardoor het op de grond viel. We gingen allebei op onze hurken zitten. Bij het licht van de zaklantaarn konden we het muntje nog net onderscheiden, dof glanzend: 10, zagen we allebei. Ik stond op en leunde tegen de muur. Het kon me weinig schelen waar Stefan voor koos, want ik had het gevoel dat de hele zaak me allang uit handen was genomen.

'De kelder,' zei hij resoluut. Hij liep de donkere gang in, draaide zich om en liet zijn zaklantaarn naar me knipogen. 'Kom je?'

Ik duwde me af tegen de muur en liep schoorvoetend achter hem aan. De gang versmalde op het punt waar de trap was en in het donker kreeg ik het claustrofobische gevoel een tunnel te betreden. Buiten het ziekelijk gele schijnsel van de lichtbundel was de gang in fluweelachtige schaduwen gehuld. Er kon van alles in de hoeken van de gang zitten en op de punten waar de muren en het plafond bijeenkwamen: grote spinnen, harige vleermuizen, scharrelende ratten. Ik huiverde.

'Hier,' zei Stefan.

Onder de trap was een smalle houten deur vol blutsen. Er zat geen slot op, alleen een zware, metalen klink, die Stefan behoedzaam optilde. De deur ging moeiteloos open. 'Ik wil wedden dat hij de scharnieren goed ingevet houdt,' zei Stefan, 'zodat niemand het hoort als hij weer een lijk naar beneden brengt.'

'Schei alsjeblieft uit.'

'Kom,' zei Stefan, allerminst uit het veld geslagen, toen hij in de rechthoek van duisternis stapte. 'Vooruit,' drong hij aan toen ik aarzelde. 'Ik wil de deur achter ons dichtdoen.'

'Wat?' Ik kon me niets afgrijselijkers voorstellen dan opgesloten te worden in die donkere ruimte, waar een geur van stof en verrotting hing en waar in het flauwe licht van de zaklantaarn kleine nachtdiertjes over de muren wegvluchtten, verwoed trippelend op vele pootjes.

'Ik wil het licht aandoen,' zei Stefan ongeduldig. 'Dat kan alleen als we de deur dichtdoen, anders kan iemand het zien.'

'O.'

Met tegenzin wurmde ik me naast hem naar binnen, waarbij ik naar de vloer tuurde en die met mijn schoen aftastte, bang als ik was dat ik van de trap zou vallen. Even later klonk er een harde klik en ging het licht aan. Opeens was Stefan geen vage gedaante meer die vooral zichtbaar was door de gele lichtbundel, maar een gewone jongen die naast me stond met zijn hand nog op de ouderwetse lichtschakelaar. Ik was blij met het licht. Toen ik een halve draai maakte, zag ik dat we allebei gevaarlijk dicht bij de rand van de keldertrap stonden. Het zou een ramp zijn geweest als we daar in het donker afgevallen waren. De kleine ruimte waar we stonden, leek dienst te doen als een kast. Een paar van Herr Düsters vaal uitziende jassen hingen aan een rij haakjes.

Ik stootte Stefan aan. 'Kijk eens.' Onder de jassen zag ik tegen de muur een oud uitziend geweer staan.

Stefan haalde zijn schouders op. 'Dat hebben zo veel mensen. Volgens mij heeft zelfs Hilde Koch er een, om inbrekers af te schrikken.'

Hij daalde de trap af en ik volgde zijn voorbeeld, maar niet zonder eerst nog even om te kijken naar de gesloten deur. Het was niet eenvoudig om de kelder niet te beschouwen als een valkuil. Als we het hangslot van buitenaf niet hadden kunnen verwijderen, moest het volkomen onmogelijk zijn van binnenuit de kelderdeurtjes open te krijgen. Zonder nooduitgang voelde ik me bijzonder onzeker toen we ons steeds verder van de deur verwijderden. Daar kwam nog bij dat ik jeuk kreeg over mijn hele lichaam, alsof er tientallen denkbeeldige spinnen en insecten over mijn huid kropen. Ik wreef mijn handen tegen elkaar en rilde.

Onder aan de trap kwamen we uit in een ruimte die min of meer de afmetingen had van mijn slaapkamer en volgens mij onder de woonkamer moest liggen. De muren waren dik gepleisterd, maar het oorspronkelijke wit was vergeeld tot de kleur van ivoor. Ik kreeg de indruk dat de kelder erg oud was, misschien nog ouder dan het huis zelf. En het was duidelijk dat Herr Düster er niet vaak gebruik van maakte. Het meeste wat er stond was rommel. Afgedankte meubelstukken, een paar stoffige zakken met zout om 's winters te strooien en iets wat eruitzag als een stapel oude, volkomen verdroogde turven.

Stefan schuifelde door het stof, gluurde in de zakken, schopte met de punt van zijn schoen tegen het hout van de kapotte meubels. In het gele licht van de kale lamp had zijn gezicht een ongezonde tint. De kelder rook vochtig en muf en ik wilde niks met mijn blote handen aanraken, alsof het vuil me kon besmetten.

Ik liep langzaam door en probeerde ervoor te zorgen nergens in aanraking te komen met het grijs ogende meubilair. Ik zocht naar aanwijzingen, maar zag niets wat erop leek. De meeste van de spullen zagen eruit alsof ze al jaren niet waren verschoven of zelfs maar aangeraakt.

Uiteindelijk brachten mijn trage stappen me naar de uiterste hoek van de kelder, waar Herr Düster een lelijke, gebeeldhouwde kast had neergezet, die zo groot was dat ik erin kon gaan zitten als ik dat wilde. Hij was leeg. Een van de deuren hing schuin open en bood een blik op het interieur waar niets anders te vinden was dan muizenkeutels.

Ik bekeek hem afkeurend. Waarom kochten de mensen vroeger zulke lelijke meubels? Ik bekeek de zijkant ervan, die net zo lelijk was als de voorzijde, en zag dat de kast niet helemaal tegen de muur stond. Er was een ruimte van ongeveer tachtig centimeter tussen de achterkant en de ruwe structuur van de muur. Ruimte genoeg voor iemand met een normaal postuur. Niet voor zo'n nijlpaard als Hilde Koch.

Ik hoorde een zucht achter mijn rechterschouder; Stefan was achter me komen staan.

'Heb je iets gevonden?'

'Niets bijzonders.' Ik schokschouderde.

Stefan haalde zijn zaklantaarn tevoorschijn. 'Laat eens kijken.' Hij wrong zich langs me heen en verdween in de tussenruimte.

Ik bleef staan waar ik stond; ik vond het geen prettig vooruitzicht dat de schouder van mijn trui onder het zwarte stof en de spinnenwebben zou komen te zitten als ik ermee langs de muur streek.

'Pia?' Stefans stem klonk gedempt. 'Er is een soort deur.'

45

'Een soort deur?' herhaalde ik traag. 'Wat bedoel je met *een soort deur?*'

'Nou, het is niet precies een deur.' Stefans stem klonk opeens duidelijker, waarschijnlijk omdat hij in mijn richting praatte. 'Er is geen deur, maar een opening. En door die opening kun je in een andere kamer komen.'

Ik analyseerde mijn reactie op deze informatie zo kalm en gedegen als een chirurg een ledemaat onderzoekt om te zien of het gebroken is. Ik was niet bang, niet eens gealarmeerd. Het had allemaal iets onontkoombaars. Ik stelde me een verborgen kamer voor, achter de monsterlijke kast, een geheime plek met een gewelfd plafond en een stenen vloer, waarop de verdwenen meisjes opgebaard lagen als Sneeuwwitjes, met rode lippen en een spierwitte huid, hun ogen gesloten alsof ze sliepen.

'Kom je?'

'Ja.'

'Wees voorzichtig, er is hier geen licht.'

Ik schuifelde door het gangetje tussen de kast en de muur. Stefan stond in de uiterste hoek en scheen met zijn zaklantaarn in de duisternis. Nu zag ik wat hij bedoelde met een deur. Omdat de kast de hoek van de kelder aan het oog onttrok, ging je ervan uit dat het dat was, een hoek, waar het ongetwijfeld krioelde van de spinnen en torren. In werkelijkheid sloot de muur achter de kast niet aan op de muur die er loodrecht op stond, maar was er een brede opening tussen. Een opening waar een volwassene makkelijk doorheen kon.

Samen tuurden we naar binnen. Omdat de kast het meeste licht wegnam, was het in de ruimte erachter pikkedonker. Het licht van de zaklantaarn kon slechts kleine stukjes tegelijk beschijnen en streek hier en daar neer als een nachtvlinder. We konden de achtermuur niet zien. De vloer leek uit flagstones te bestaan, die door de eeuwen heen glad waren geworden. Een paar ervan, die ergens buiten het bereik van de lichtbundel uit de vloer moesten zijn gelicht, lagen opgestapeld tegen de stenen muur.

Toen ik mijn hoofd naar binnen stak, rook ik een andere geur dan in de eerste kelder. Het verschil was subtiel, maar wel merkbaar, en het was een geur die ik geen naam kon geven, behalve dat het een buitengeur was, een koele geur.

'Ik weet het niet,' zei ik weifelend.

'Wat weet je niet?' Stefan klonk ongeduldig. 'We kunnen net zo goed meteen een kijkje nemen.'

Hij stapte door de opening. Ik volgde onwillig. Ik merkte dat ik een beetje bibberde in mijn trui en wou dat ik mijn jack niet boven had gelaten. Mijn griezelige visioenen van dode meisjes die als middeleeuwse jonkvrouwen opgebaard lagen op sarcofagen werd gelukkig niet bewaarheid. In het licht van de zaklantaarn was niets anders te zien dan de flagstones. Geen meubelstukken, niet eens wat achtergebleven kolen voor de kachel.

'Wat is dat?' vroeg ik. Ik greep Stefans arm. Hij zwenkte de zaklantaarn. Ongeveer in het midden van de vloer was een donkere plek, alsof daar een poel was.

'Cool,' zei Stefan hardop. Zijn stem weergalmde een beetje, waardoor het net leek alsof hij niet bij hem hoorde. 'Dat zal een waterput zijn.'

'Een waterput?'

'Ja. Weet je niet meer wat Herr Schiller daarover heeft verteld? O nee, daar was je niet bij. Hij zei dat alle huizen in Bad Münstereifel er vroeger eentje hadden.'

'Ons huis niet volgens mij.'

'Nu niet meer. Ze zijn na de oorlog allemaal dichtgemaakt.'

Ik herinnerde me er vaag iets over. Dat Frau Kessel had verteld dat het hondje van haar oudtante Martha bij haar thuis in een put was gevallen en verdronken, voordat die put in de jaren veertig was afgesloten.

We liepen naar het gat, waarbij Stefan de zaklantaarn er als een wapen op gericht hield. Ik liep er voorzichtig omheen, om niet net zo te eindigen als het hondje van oudtante Martha. We bleven aan weerskanten ervan staan en tuurden erin. Stefan had gelijk; het was een put. Op een diepte van ongeveer twee meter zag ik de donkere glans van ondergronds water. Dat was wat ik had geroken toen we deze ruimte waren binnen gekomen: de koele geur van open water.

'Pfff,' zei Stefan met overdreven opluchting.

Ik keek naar hem. 'Wat?'

'Daar komen die flagstones dus vandaan. Ik dacht...' Zijn stem stierf weg en zijn gezicht zag er griezelig uit in het licht van de zaklantaarn. Hij lachte op een gemaakte manier. 'Dom van me.' Hij hield zijn hoofd schuin. 'Kijk niet zo. Er is niks aan de hand. Het is alleen maar een put.' Hij bukte zich en tuurde naar het donkere water. 'Wel een diepe put.'

'Stefan?'

'Ja?'

'Kunnen we nu weer gaan?'

'Stil.'

'Wat?' Ik zette meteen mijn stekels op.

'Wees *stil*.'

'Wees zelf –' Maar mijn verontwaardigde reactie werd afgekapt toen de zaklantaarn plotseling met een klikje doofde.

'Wat doe je?' zei ik, maar Stefan siste nadrukkelijk in het donker 'Ssst!'

'Doe die zaklantaarn weer aan!' siste ik op luide fluistertoon. Ik wilde de mijne pakken, maar besefte tot mijn schrik dat ik hem in de zak van mijn jack had laten zitten.

'Nee.'

Er volgde een stilte waarin ik angstig probeerde te ontdekken waar Stefan precies stond. 'Wees heel stil,' zei zijn lichaamloze stem.

'Waarom?'

'Ik geloof dat er iemand in het huis is.'

Angst en woede ontbrandden in me als raketmotoren. 'Stom jong, doe niet zo eng!'

'Luister!'

Angst maakte van mijn hart een klont, een klont met aderen van ongeloof. Ik weigerde doodeenvoudig te geloven dat er behalve ons nog iemand in het huis was, niet nadat we ternauwernood aan Boris waren ontsnapt. Het was zo onrechtvaardig dat ik er bijna misselijk van werd. De hele wereld leek tegen ons samen te spannen en vuurde bij alles wat we ondernamen een salvo af. Ik spitste mijn oren en hoopte vurig dat het stil zou blijven.

'Ik hoor niks,' fluisterde ik. 'Doe de zaklantaarn weer aan.'

'Nee. Wacht.'

Het was niet volkomen donker: een vage grijze rechthoek liet zien waar de opening was tussen de ruimte waar we ons bevonden en de rest van de kelder, maar het meeste licht uit de kelder werd weggenomen door de kast in de hoek. Voor de rest was de duisternis ondoordringbaar. Ik spande mijn ogen in om iets te onderscheiden in het zwart dat zo homogeen was dat het leek alsof het een heel eigen textuur had. Iets wat leek op de vacht van Pluto, zwart fluweel dat mijn gestrekte vingers bijna konden voelen toen ik om me heen tastte. Iets wat van alle kanten dreigend op me afkwam, me omvatte en wilde wurgen.

'Stefan,' fluisterde ik, en toen hoorde ik het. Een gedempte maar duidelijke bons. Het leek op het geluid dat de zware ballen die we op school met gym wel eens gebruikten, op een harde vloer maakten. Ik tastte wild om me heen, op zoek naar Stefans schouder, zijn mouw, iets waaraan ik me kon vastgrijpen, om me niet zo eenzaam te voelen in het donker. Even later hoorde ik een tweede bons, gevolgd door een tergende stilte, en toen een herhaling van het geluid. Bonk. Mijn hart leek op de maat mee te bonken, een moker die dreigde mijn ribben te verbrijzelen.

'O god. Wat moeten we doen?' zei ik met een trillende stem. Het geluid moest uit de voorste kamer van de kelder komen. Dat ik dacht dat het achter me had geklonken, ergens in de donkere diepten van de onverlichte ruimte, moest ik toeschrijven aan door de duisternis veroorzaakte desoriëntatie. Aangezien we niet via de kelder konden vluchten, moesten we proberen ons hier te verstoppen. Maar hoe?

'Verroer je niet,' fluisterde Stefan.

Ik knikte dom, vergetend dat hij me niet kon zien. Ik slikte, maar het was alsof ik een mondvol stof doorslikte. Ik deed mijn best om volkomen stil te staan, maar dit was niet het spel waarbij je probeerde niet te knipperen terwijl iemand om je heen liep om je op een beweging te betrappen. Mijn houding voelde nu eerder aan als de pijnlijke stijfheid van een verkrampte spier. Mijn rechterbeen trilde zo dat de zool van mijn laars zachtjes op de vloer tikte. In de duisternis klonk een rochelend geluid, alsof iemand zijn keel schraapte. Het volgende moment gleed er iets met kracht langs mijn kuit. Hete paniek vloeide door me heen als zuur. Met een gil die in mijn keel brandde, deinsde ik bij het onzichtbare ding vandaan en opeens stapte ik in het niets. Ik was over de rand van de put gestapt.

Instinctief hief ik mijn armen op om me te beschermen als ik op de rand terecht mocht komen. Mijn rechteronderarm raakte de stenen met zo'n kracht dat de pijn als vuur tot aan mijn schouder door mijn arm trok, en toen was het alsof ik een oneindige tijd achterwaarts viel. Uiteindelijk plonsde ik in het water.

Het was ijselijk koud. Ik ging kopje-onder en trapte met mijn benen om weer boven te komen. Mijn doorweekte kleren waren meteen loodzwaar en mijn rechterarm klopte van de pijn. Ik stak mijn armen uit naar de wanden van de put maar voelde niets. Met een enorme krachtsinspanning tilde ik mijn zware armen uit het water, terwijl ik angstig watertrappelde, maar boven me voelde ik ook niets.

Een gruwelijk visioen schoot door mijn hoofd: ik was in een gigantisch ondergronds meer gevallen dat zich naar alle kanten eindeloos uitstrekte. Ik zou watertrappelen tot uitputting en het gewicht van mijn doorweekte kleren me naar de bodem trokken. Ik gilde, kreeg een mondvol water binnen en stikte zowat. Het water smaakte vies, besmet. Ik ging weer kopje-onder, maar zelfs als ik helemaal onder water was, kon ik de bodem niet voelen. Hijgend kwam ik weer boven.

Nu streken mijn graaiende handen ergens langs. Mijn vingertoppen schraapten over iets wat leek op stenen, slijmerige stenen. Mijn opluchting was van korte duur: er was niets waaraan ik me kon vastklampen. Mijn vingers gleden vruchteloos over de gladde oppervlakte. Ik sloeg om me heen, ondanks de pijn in mijn arm, vechtend om drijvende te blijven. De kou drong door al mijn kleren heen. Hard watertrappend om mijn gezicht boven het water te houden, riep ik: 'Stefan!'

Er kwam geen antwoord.

'Ste–!' Weer kreeg ik water binnen waardoor mijn kreet veranderde in een rochelende hoestbui. Ik bleef om me heen maaien en sloeg met mijn vlakke handen op de gladde wand, alsof ik probeerde een deur open te krijgen. Opeens vonden mijn vingers iets waar ik beide handen omheen kon sluiten.

Eerst dacht ik dat het drijfhout was, een tak met aanhangende rommel die was komen aandrijven uit een deel van de rivier die in verbinding stond met de buitenlucht en hier was blijven steken. Het natte voorwerp voelde vies aan, als een slijmerige zak.

Ik hield mijn linkerhand tegen de wand en betastte met mijn rechterhand het voorwerp om te proberen er in het pikkedonker achter te komen wat het was. De vorm ervan had iets suggestiefs, iets waarvan ik me instinctief geen beeld wilde vormen.

Ik was me er vaag van bewust dat het niet meer volkomen donker was in de put. Iemand had in de ruimte erboven een lamp of een sterke zaklantaarn aangedaan. Ik zou om hulp moeten roepen. Ongeacht wie daar was, en ongeacht de consequenties van de wandaden die Stefan en ik hadden gepleegd, was het te laat om ons hier op eigen kracht uit te kunnen redden. Toch dwong iets me te blijven zwijgen, een ontluikend besef waardoor mijn keel van angst werd dichtgeknepen. Mijn vingers betastten iets wat me angstaanjagend bekend voorkwam, zij het alleen de vorm, niet de textuur, want die klopte niet.

Iets van plastic, dacht ik. Een fractie van een seconde vlamde een vonk van hoop in me op, zo sterk dat het op vreugde leek. Het was een pop. Misschien een etalagepop. Mijn vingers gleden over de ronding van een wang, de onmiskenbare schelp van een oor. Een pop. Een wat ruw model, maar...

Het licht werd sterker. Iemand liet een lamp in de put zakken; ik hoorde een harde tik toen die de wand raakte en opeens hing hij vlak boven het water en spreidde het gele licht zich erover uit. Nu kon ik zien wat ik vasthad. Meteen begon ik te krijsen. In blinde, dierlijke paniek liet ik het los en probeerde ik achteruit te zwemmen om erbij vandaan te komen, ver weg van het ding dat nu tegen de wand dobberde, het ding dat ik herkende, maar dat een vorm had die ik nog nooit eerder had gezien. Een verkeerde vorm. 'O god, o god!' krijste ik. Het enige wat ik kon denken was: Het heeft tanden.

46

'Stefan! Stefan!' Ik schreeuwde me hees. Met een bovennatuurlijke energie die voortkwam uit pure doodsangst, rees ik op uit het water om te proberen de lantaarn te grijpen die boven mijn hoofd heen en weer zwaaide, in een wanhopige poging mezelf uit de poel met zijn onverkwikkelijke inhoud te hijsen.

De lantaarn werd onmiddellijk opgetrokken, met één ruk, buiten het bereik van mijn graaiende handen. Degene die het snoer vast had, palmde het snel in, het licht verdween en schaduwen kwamen van alle kanten weer op me af.

'Neeeeee!' Ik trapte wild om me heen en voelde hoe mijn laars in contact kwam met iets in het water, een voorwerp dat boven kwam en in het donker bij me vandaan dreef. Het was alsof er iets in me brak. Ik kon niet eens meer schreeuwen. Een schor gekras, een hese kreet, ontsnapte nog aan mijn keel en toen hoorde ik alleen het geluid van mijn amechtige ademhaling in de stilte. Ik zou hier krankzinnig worden; ik was al krankzinnig aan het worden.

Ik kon het voorwerp dat bij me vandaan was gedreven niet meer voelen, maar wist dat het er was, dat het op armlengte in het donkere water om zijn eigen as draaide. Hoeveel van deze voorwerpen dreven er samen met mij in de put? Katharina Linden, Marion Voss... zelfs als ik helder van geest was geweest, had tellen geen zin. Deze voorwerpen, die als verzadigde boomstammen in het inktzwarte water dreven, hadden niets te maken met de verdwenen meisjes – ze waren iets heel anders geworden.

Hoog boven me, waar een flauwe cirkel van geel licht nog vaag zichtbaar was, klonk een vreemd, knarsend geluid. Knarsend of schrapend. Iemand sleepte iets zwaars over de stenen vloer.

'Help!' Ik probeerde om hulp te roepen, maar het geluid klonk dof, alsof het werd gedempt door de duisternis. 'Help!'

Mijn roep werd niet beantwoord, maar ik hoorde iemand kreunen, als van inspanning. Toen hoorde ik een doffe klap en kwam een flagstone op zijn plek terecht op de waterput. Het laatste licht verdween en ik bleef in het donker achter.

47

Ik herinner me niet veel over de periode vlak nadat het licht gedoofd werd. Ik had geen benul van tijd. Het kunnen vijf minuten of een vol uur zijn geweest dat ik in de kou en de duisternis zat, met geen ander geluid dan dat van mijn eigen ademhaling, terwijl ik beefde van de rillingen die door mijn lichaam trokken.

Ik durfde niet naar de wand terug te zwemmen, maar in de totale duisternis raakte ik ieder gevoel voor richting kwijt en uiteindelijk botste ik er toch tegenaan. Ik voelde een steen die een klein stukje uitstak, klampte me eraan vast en kreeg op die manier wat respijt van de uitputtende pogingen me in mijn zware, natte kleding drijvende te houden.

Mijn gedachten, die in mijn hoofd rondtolden als opgesloten insecten, leken in steeds kleiner wordende cirkels af te zwakken tot ik me nergens anders meer van bewust was dan van de pijn in mijn bevroren vingers die zich aan de steen vastklampten.

Mijn leven flitste niet voor mijn ogen voorbij, noch bad ik voor mijn ouders en mijn broertje. Er was geen verleden, geen toekomst, alleen de kou en de duisternis, en de harde steen. Het water leek te stijgen. Het kwam niet meer tot mijn schouders, maar klotste onder mijn kin. Steeg het echt, of zakte ik dieper weg? Het leek niet belangrijk meer.

Toen ik nieuwe geluiden boven mijn hoofd hoorde, had ik er bijna geen belangstelling meer voor. Mijn hersenen registreerden het zonder te begrijpen wat het was. Metaal op steen, geschraap, gedempte stemmen. Ik kon er niets van maken dat voor mij relevant leek te zijn. De pijn in mijn rechterarm zeurde alleen nog maar en ik had geen gevoel meer in mijn vingers. Ik vroeg me af of ze nog rond de steen geklemd zaten. Misschien had ik die al losgelaten en was ik al verdronken, en was dit zwarte niets het enige wat me nu nog wachtte.

'Pia?' De lichaamloze stem van Stefan daalde neer in de put. Ik gaf geen antwoord. 'Pia?' Nu lag er paniek in de stem. Gemompel boven de rand van de put. Toen hoorde ik iets wat fluisterend naar beneden kwam en met een zachte plons in het water viel. Iemand had een touw in de put gegooid.

'Pia! Pia! Leef je nog?'

'Ja,' zei ik schor.

Verder overleg aan de rand van de put. Toen werd de duisternis doorboord door licht. In andere omstandigheden zou het grappig zijn geweest. Stefan had zijn zaklantaarn aan een touwtje gebonden. Het hing in de put als een bezoeker uit een andere wereld, het licht van een onderzeeër diep in een donkere oceaan. Ik concentreerde me op het licht omdat ik niet naar de andere dingen in de put wilde kijken. Mijn nek werd stijf van mijn gedraaide houding. Met één hand liet ik de steen los en stak ik moeizaam mijn arm uit naar het touw.

'Kun je het vastpakken?' riep Stefan.

'Nee,' zei ik. Ik wist niet of ik het hard genoeg zei, of hij me kon horen. Ik was te uitgeput om me er druk over te maken. Ik keek met doffe ogen naar het touw dat nu werd opgetrokken en hoorde weer stemmen. Het klonk alsof Stefan met iemand ruzie had.

Ik sloot mijn ogen. Het was alsof ik naar een radio luisterde die in een andere kamer stond. Ik probeerde me in te beelden dat ik in oma Kristels keuken zat, dat ik aan de tafel zat te wachten terwijl zij een mok warme chocolademelk voor me maakte, terwijl op de achtergrond de radio zachtjes speelde. Er klonken schuifelende geluiden en een plons toen er opnieuw iets in het water terechtkwam, een grotere plons dan de eerste keer.

'Pia,' zei de stem van Stefan heel dicht bij me. Ik voelde iets op mijn schouder. Toen: 'Jezus.' Stefan had zeker de andere voorwerpen in de put gezien. Ik kneep mijn ogen nog stijver dicht. 'Jezus, Pia...'

Ik wou dat hij zijn mond hield. Ik wilde niet herinnerd worden aan wat er in het water dreef. Het voelde wel geruststellend aan toen hij zijn armen om me heen sloeg en zijn handen me vastgrepen. Een touw werd om me heen gelegd en toen ging ik naar boven. Ik liet me ophijsen als een lappenpop. Boven me was licht en daar werd ik met pijnlijke rukjes naartoe gehesen. Ik dacht: Misschien ben ik dood. Ik had niet verwacht dat het achteraf zo veel pijn zou doen. Toen lag ik op de rand van de put, als een grote vis op de snijplank van de visboer, en ging mijn natte mond open en dicht. Water stroomde uit mijn haar langs mijn gezicht. Iemand draaide me om. Ik keek op, zag in het lamplicht wie het was en begon te gillen.

48

'Hou op, Pia!' riep Stefan. Hij boog zich over me heen. Water droop uit zijn broekspijpen en schoenen. Toen ik ophield met gillen om adem te halen, hoorde ik hem zeggen: 'Zal ik haar een klap in haar gezicht geven?'

Met een bovennatuurlijke inspanning bedwong ik mijn gekrijs. Mijn lippen bewogen zich vruchteloos; ik kon geen zinnig woord uitbrengen. Maar ik wees met een bevende hand naar de man die naast Stefan stond en zwijgend op me neerkeek: Herr Düster. In het licht van de lantaarn zag zijn magere gezicht er nog verweerder uit dan anders en ik was zo hysterisch van angst dat het me niet zou hebben verbaasd als hij zijn smalle bovenlip had opgetrokken en ik de lange, puntige hoektanden van een vampier had gezien.

Wat in de kolkende stroomversnelling in mijn hersens de boventoon voerde was de overtuiging dat Herr Düster ons allebei weer in de put zou gooien. Als er niemand was om ons te redden, zouden we samen in die donkere put verdrinken, te midden van de wanstaltige dingen die in het zwarte water dreven.

Stefan knielde naast me neer en greep mijn schouders vast. 'Stil maar, Pia. Je bent gered. Je zit niet meer in de waterput.'

'Hij...' stamelde ik en ik probeerde weer naar Herr Düster te wijzen. Stefan zat met zijn rug naar hem toe. Begreep hij niet dat hij in groot gevaar verkeerde?

Stefan draaide zijn hoofd om. 'Je hoeft niet bang te zijn,' zei hij alsof hij het tegen een kleuter had. 'Herr Düster heeft ons geholpen. Zonder hem had ik die steen nooit van de put af gekregen.'

Koppig schudde ik mijn hoofd. *Maar je hebt toch gezien wat er in de put zit?* wilde ik krijsen. Ik probeerde overeind te komen, maar mijn ledematen waren verstijfd van de kou en ik kon alleen maar een beetje heen en weer rollen, als een varken in de modder.

'Ze zal onderkoeld raken,' zei iemand. Herr Düster, besefte ik met een schok. Ik had hem zo zelden iets horen zeggen. Zijn stem klonk kalm en evenwichtig. Ook dat was een verrassing, want om de een of andere reden had ik gedacht dat hij een rare, ruige stem had, als van een dier, of dat er, net als bij het meisje in dat sprookje, elke keer dat hij zijn mond opendeed een kikker uit zou springen. Maar hij klonk juist volkomen normaal.

'Wikkel dit om haar heen,' zei Herr Düster. Hij had mijn donzen jack vast. Hij of Stefan moest het onder de kast vandaan gehaald hebben.

Stefan trok me naar zich toe en een angstaanjagend ogenblik dacht ik dat ze samenspanden, dat ze me weer naar de rand van de put zouden rollen en samen zouden luisteren hoe ik verdronk. Toen voelde ik echter dat hij mijn kletsnatte trui over mijn hoofd trok. IJskoud water stroomde over mijn rug. Om me niet in verlegenheid te brengen liet hij me mijn T-shirt aanhouden. Het dikke jack ging eroverheen.

Terwijl Stefan met de rits prutste, keek ik achterdochtig over zijn schouder naar Herr Düster. Waarom hielp hij ons?

'Wat heb je in de put gezien, Pia?' vroeg Herr Düster. Zijn ogen lagen verzonken in de donkere kassen. Ik had geen idee wat er in zijn hoofd omging.

'Niks,' stotterde ik.

Stefan zakte op zijn hakken en keek me stomverbaasd aan. 'Vertel het hem, Pia.'

'Niks,' wist ik nogmaals uit te brengen. Ik was niet van plan Herr Düster aan zijn neus te hangen dat ik de lijken van zijn slachtoffers in het inktzwarte water had zien drijven. Ik had het vage idee dat als hij niet wist dat we wisten wat hij had gedaan, we misschien alsnog zouden kunnen ontsnappen. Maar voordat ik er iets tegen kon doen, flapte Stefan het eruit.

'Er liggen *dode mensen* in het water, Herr Düster.'

Herr Düster zag blijkbaar hoe ik keek, want hij vroeg: 'Denk je dat ík die mensen in de put heb gegooid, Pia?'

Ik schudde verwoed mijn hoofd. Stefan had de rits inmiddels dicht gekregen. Ik deed een nieuwe poging op te staan en ditmaal had ik meer succes. Ik slaagde erin op één knie overeind te komen en bleef zo zitten, alsof ik iemand een aanzoek deed. Ik vroeg me af of mijn verkrampte benen me zouden dragen als ik probeerde weg te hollen.

'Je hebt het hem verteld,' zei ik met koude lippen tegen Stefan.

'Natuurlijk,' zei hij ongeduldig. Eén afgrijselijk ogenblik kreeg Stefan in mijn verbeelding de rol van handlanger van de moordenaar. Misschien voelde hij dat ik verstijfde, want hij zei: 'Hij heeft het niet gedaan, Pia. Iemand anders is de dader.'

Onwillekeurig keek ik naar boven. Dit was het huis van Herr Düster. Ergens boven onze hoofden was de woonkamer waar hij altijd tussen de ingelijste foto's van dode vrienden en familieleden zat. Hoe kon de waterput onder zijn huis vol zitten met... die dingen... als hij niet degene was die ze erin had gegooid?

'Wat heb je gezien, Pia? Hoeveel zijn het er?'

'Ik weet niks.'

Daarna bleef het lang stil. We keken elkaar aan in het gelige licht van de lantaarn. Uiteindelijk deed Herr Düster zijn mond open om iets te zeggen, maar op hetzelfde moment hoorden we iets. Een gedempt, maar duidelijk hoorbaar geluid. Het geluid van een deur die werd gesloten.

Herr Düster legde zijn magere vinger tegen zijn lippen. In de stilte klonk mijn bevende ademhaling opeens heel luid. Met veel moeite dwong ik mezelf dieper en rustiger adem te halen en drukte ik mijn handen tegen mijn gezicht alsof ik daarmee het klappertanden kon tegengaan.

Herr Düster pakte de lantaarn en maakte met zijn andere hand een draaiend gebaar. *Ik doe de lantaarn uit. Niet bang worden.* Een seconde later zaten we in het donker. Ik boog me voorover en wilde mijn armen beschermend om mijn lichaam slaan, maar de mouwen van mijn jack ruisten tegen het lijfje, dus bleef ik geschrokken weer doodstil zitten.

Bonk. Bonk-bonk.

Mijn lichaam kromp bij elke bonk ineen alsof ik klappen kreeg. *Ga ervandoor!* gilde het allerprimitiefste deel van mijn brein, dat loeide en brulde als een dier dat in een val zat. Het enige wat me ervan weerhield het te proberen, was de wetenschap dat de put nog onbedekt was en stilletjes wachtte tot er weer een slachtoffer in het zwarte water zou vallen.

Toen mijn ogen aan de duisternis gewend raakten, staarde ik angstig naar de lange, grijze rechthoek waar de doorgang naar de eerste kamer van de kelder was. Weer kreeg ik het verwarrende gevoel dat de geluiden daar helemaal niet vandaan kwamen. Iemand raakte mijn schouder aan. Stefan. Ik keek om naar de duisternis achter me.

Tot mijn stomme verbazing zag ik dat er in plaats van volslagen duisternis aan de andere kant van de kelderkamer een ongelijke streep van zwak geel licht was. Terwijl ik probeerde na te denken over wat het kon zijn – misschien een weerspiegeling van de doorgang – werd het licht sterker en helderder en besefte ik dat het een andere doorgang was, groot genoeg voor een volwassen man. Wat erachter lag, wist ik niet. Gedachten schoten in mijn hoofd heen en weer als een nerveuze school vissen. Doodsangst en kou hadden alle redelijke gedachten verbannen, maar zelfs dieren, die geen rede kennen, weten wanneer ze in gevaar verkeren. Iemand met een lamp was al eens door die doorgang gekomen en had de put afgesloten om mij erin te laten sterven. En die persoon kwam nu terug.

In blinde paniek krabbelde ik over de flagstones om overeind te komen, waarbij ik met mijn voet ergens tegenaan trapte: de lantaarn. Met een kletterend geluid dat alarmerend luid klonk in de kille duisternis rolde hij over de rand van de put. Er klonk een harde tik en toen een plons.

Een fractie van een seconde later werd het naderende licht gedoofd. De stilte die volgde was zo geladen dat ik onwillekeurig mijn adem inhield. Toen hoorden we de geluiden van iemand die in de doorgang stilstond en zich toen moeizaam omdraaide in de beperkte ruimte, een beetje log, misschien vanwege een last die hem in zijn bewegingen beperkte. We hoorden ongelijke voetstappen, de geluiden van iemand die in het donker zo snel mogelijk over een ongelijke bodem loopt.

Herr Düster vloekte ingehouden en daarop volgde een klikje. Toen het licht aanging, zag ik dat hij Stefans zaklantaarn in zijn hand had. Hij knikte naar Stefan. 'Kom.' Hij keek naar mij. 'Blijf hier, Pia.'

'Nee!' Ik kon me niets verschrikkelijkers voorstellen dan in mijn eentje in het donker te moeten achterblijven.

Ik krabbelde overeind en bleef wankelend staan, zo stijf als een vogelverschrikker. Herr Düster lette er niet op of ik zijn bevel opvolgde. Hij was al bij het gat in de muur, en Stefan volgde hem op de voet. Met een woeste vastberadenheid hinkte ik over de flagstones, al joeg er bij iedere beweging een pijnscheut door mijn lichaam, en ik strompelde achter hen aan door de doorgang.

49

Ik stapte in het ongelijke gat in de muur. Het enige wat ik zag, waren de zwarte silhouetten van Stefan en Herr Düster, omlijst door het licht van de zaklantaarn. Toch kon ik dankzij het flauwe, gelige schijnsel en door mijn handen langs de wanden te laten glijden, wel íéts onderscheiden van de tunnel waarin we ons bevonden. De wanden voelden verrassend egaal aan; ik meende de vorm van bakstenen te voelen, die keurig aan elkaar waren gevoegd, als een tuinpad.

Om de een of andere reden had ik me het gat voorgesteld als een organisch geheel, een slordige tunnel die door een monsterlijke mol was gegraven. Een tunnel hoorde hier immers niet thuis. Maar deze was door mensenhanden gemaakt. Iemand had de moeite genomen een geheime weg te graven onder de Orchheimer Strasse, al had ik geen idee wat de beweegreden daarvan kon zijn.

Hij liep ver door. We zaten vast al niet meer onder het huis van Herr Düster. Door het lopen kreeg ik wat gevoel terug in mijn bevroren ledematen, al waren mijn benen zo koud als de marmeren toonbank van de slager en plakte mijn natte broek onaangenaam aan mijn huid. Ik begon weer een beetje tot mezelf te komen. De angst en opwinding hadden me net zo afdoende bij mijn positieven gebracht als een klap in mijn gezicht.

Stefan bleef zo abrupt staan dat ik tegen hem opbotste.

'Wat is er?' vroeg ik opgewonden. Ik kon niets zien, afgezien van de krans van licht rond zijn hoofd.

'Er is hier een kamer,' zei Herr Düster. Zijn stem klonk eigenaardig vlak. Ik duwde tegen Stefans rug.

'Loop eens door.'

Stefan stapte naar voren, maar deed dat heel voorzichtig. Hij dacht natuurlijk aan mijn val in de waterput. Nu hij niet meer voor me stond, kon ik bij het licht van de zaklantaarn iets van de ruimte zien waarin we waren uitgekomen.

'Het is een kelder.' Ik slaagde er niet in de teleurstelling uit mijn stem te houden. Ik had iets theatraals verwacht: het hol van een vampier of het laboratorium van een waanzinnige geleerde. Niet deze oersaaie, keurig ingerichte kelder.

Aan de ene kant stonden rekken vol dozen en kisten, aan de andere kant oude meubels, netjes op een rij met hun ruggen tegen de muur, als muurbloempjes op een dansavond. Tuingereedschap hing aan haken die op gelijke afstanden van elkaar in de muur waren bevestigd, alsof ze werden tentoongesteld in een museum. Het enige wat uit de toon viel, lag vlak voor mijn voeten: een stapel bakstenen, met brokken cement er nog aan vast.

Herr Düster stond in het midden van de ruimte en liet de lichtbundel van de zaklantaarn langzaam over de volle rekken gaan. Hij leek niet geneigd de achtervolging op degene die we door de tunnel hadden horen ontsnappen, voort te zetten.

'Herr Düster, we moeten gaan,' spoorde Stefan hem aan.

De oude man keek hem alleen maar aan.

'Anders ontsnapt hij!' Stefan klonk alsof hij buiten zichzelf was. 'We moeten opschieten!'

Herr Düster bewoog zijn hoofd. Ik denk dat hij nee wilde schudden, maar de beweging was zo klein dat het eruitzag alsof hij zijn hoofd alleen maar wegdraaide, alsof er iets was wat hij niet wilde horen. De lichtbundel gleed trillend langs de rekken.

'We moeten –' begon Stefan weer.

'Ik vind,' zei Herr Düster, en hij klonk eigenaardig triest, 'dat we de politie moeten waarschuwen.'

'Nee,' zei Stefan meteen. Hij slaakte een diepe zucht van ergernis. 'Als... als we nu helemaal teruggaan om de politie te bellen, ontsnapt hij.'

Herr Düster zei iets, maar zo zachtjes dat we het niet konden verstaan. Toen vervolgde hij op een luidere toon: 'Dit is een zaak voor de politie. Niet voor... kinderen.'

'Verdomme!' vloekte Stefan. Hij stampte als een klein kind met zijn voet op de vloer en klauwde met zijn handen in de lucht, alsof hij probeerde iets neer te halen. 'We zijn geen *kleuters*.' Hij keek Herr Düster woedend aan. 'Dan gaan wíj wel. Geef me mijn zaklantaarn terug.'

Herr Düster verroerde zich niet. Stefan deed een stap naar hem toe en Herr Düster stapte onwillekeurig achteruit. De lichtbundel maakte een zwaai. Misschien zouden ze daadwerkelijk om de zaklantaarn zijn gaan vechten, als ik niet iets had gezien toen het licht over de vloer streek.

'Kijk eens.'

Ze volgden beiden de richting van mijn wijzende vinger. Er lag iets op de stenen vloer, dicht bij de klauwenpoot van een lelijk schrijfbureautje. Een kleine laars. Een meisjeslaars van zachtroze suède met een pluizige rand van nepbont. De rits aan de zijkant was open en de laars liet wijd gapend zijn donzige keel zien.

'Wat is dat?' vroeg Herr Düster op een toon doortrokken van vrees.

'Een laars,' zei Stefan alsof hij vond dat Herr Düster niet naar de bekende weg moest vragen. De ware betekenis van Herr Düsters vraag – *Wat doet die laars hier in godsnaam?* – ontging hem. Hij bukte zich en raapte hem op. Toen hij zich naar ons toe draaide, kromp Herr Düster ineen. Hij keek naar het laarsje alsof het een weerzinwekkend voorwerp was, een grote spin of een half vergane rat. In het licht van de zaklantaarn zag zijn gezicht er erg gerimpeld uit. Het netwerk van lijntjes op zijn oude gelaatstrekken leek te trillen en een andere vorm aan te nemen onder de invloed van een sterke emotie, al wist ik niet wat die precies was.

'Die zal wel van een van de meisjes zijn. Van de meisjes die...' begon ik, maar ik stopte. Ik had willen zeggen, 'de meisjes die worden vermist', maar die meisjes werden niet langer vermist; we wisten waar ze waren.

'Dat zou kunnen,' zei Stefan traag terwijl hij het laarsje om en om draaide. Hij keek me aan. 'Tenzij dit een nieuwe is.'

Ik staarde hem met open mond aan. Opeens flitste er een herinnering door mijn hoofd: mijn vader die in de keuken de telefoon aannam en 'Kolvenbach' en 'goeie genade' zei. Als mijn moeder niet had geantwoord 'ga dan', zou hij gezegd hebben: 'Er wordt weer een meisje vermist.'

'Goeie god,' zei Herr Düster stilletjes.

'Herr Düster?' zei Stefan.

De oude man keek hem aan met een ondoorgrondelijke uitdrukking op zijn gezicht. Toen knikte hij traag. 'We gaan. Maar,' voegde hij er ernstig aan toe, voordat Stefan als een windhond uit de startblokken kon schieten, 'zodra we de kans krijgen, bellen we de politie. Begrepen?'

'Begrepen,' zei Stefan onmiddellijk. Hij wilde Herr Düster het laarsje geven, maar de oude man rilde en weigerde het aan te raken, dus stak Stefan het in zijn eigen jaszak.

Behoedzaam liepen we de kelder door. In de rechterhoek was een opening met de afmetingen van een deur, maar er was geen deur. Een stenen trap verdween met een draai uit het zicht. Stefan zag een lichtschakelaar en draaide hem om, maar er gebeurde niets. De lamp was stuk of de elektriciteit was uitgeschakeld.

Stefan maakte aanstalten om de trap op te lopen, maar Herr Düster legde zijn hand op zijn schouder om hem tegen te houden.

'Ik ga voorop,' zei hij resoluut. Er lag een uitdagende klank in zijn stem die me deed denken aan hoe oma Kristel altijd had gereageerd als mijn vader of oom Thomas tegen haar zei dat ze het wat kalmer aan moest doen en aan haar leeftijd moest denken. Hij liep de stenen trap op, met Stefan en mij zo dicht mogelijk achter hem aan.

Zoals we hadden kunnen weten kwam de trap, nadat hij een draai had gemaakt, abrupt ten einde bij een smalle, stevig gesloten deur. Herr Düster zette zijn schouder ertegenaan. De deur bewoog een beetje, maar ging niet open. Toch was het feit dat er beweging in zat, bemoedigend. Als er aan de andere kant een grendel op zat, zou er volgens mij geen beweging in te krijgen zijn.

Stefan drong Herr Düster aan de kant en gooide zich met kracht tegen de deur, als een American football-speler. De deur rammelde, maar verder gebeurde er niets. Herr Düster en ik daalden een paar treden af om Stefan de ruimte te geven.

Ditmaal gaf Stefan een harde trap tegen het slot. Met oprechte bewondering luisterde ik naar het geluid van versplinterend hout. Ik kreeg steeds meer de indruk dat Stefan zich voortdurend in een denkbeeldige actiefilm waande. Hij gaf nog een trap tegen de deur die nu met een harde *krak* bezweek en openzwaaide, waardoor Stefan bijna naar buiten tuimelde. Hij hervond zijn evenwicht en wilde al over de drempel stappen, toen Herr Düster weer een hand op zijn schouder legde en zijn vinger naar zijn lippen bracht om aan te duiden dat we eerst stil moesten zijn en luisteren.

Ik kon erg weinig zien van wat er aan de andere kant van de deur was, omdat Stefan en Herr Düster nu allebei voor de opening stonden. Ik zag behang met een ouderwets patroon en de zijkant van een lichtbruine lampenkap waarin een zwakke lamp brandde. De lampenkap was erg neutraal maar het behang kwam me bekend voor. Kransen van gevlochten bladeren, verschoten groen en bruin op een ivoorkleurige achtergrond. Hier en daar een krullend blad dat je vaag deed denken aan een vis.

Zachtjes duwde ik tegen Stefans rug. 'Laat me erdoor.' Hij deed een stap naar voren en ik volgde hem, de open ruimte in. We bleven zij aan zij staan en waren Herr Düster tijdelijk vergeten. Ik hoorde Stefan hijgen van de inspanning die het hem had gekost om de deur in te trappen; het klonk alsof hij had hardgelopen. Hij staarde om zich heen als een toerist in een kathedraal, alsof hij niet alles tegelijk in zich kon opnemen. Uiteindelijk keek hij naar mij, met de woorden op zijn lippen, maar ik was hem voor.

'Ik ken dit huis.'

50

'Hoe kan dat nou?' vroeg Stefan verbouwereerd. 'Hoe kunnen we nou... híér zijn?'

Ik keek naar Herr Düster, alsof die, de volwassene, een logische verklaring moest hebben. Herr Düster was de enige van ons drieën voor wie deze ontdekking geen verpletterende verrassing leek te zijn. Hij keek ernstig en onnoemelijk bedroefd, als een arts bij een patiënt die op sterven ligt.

'Mijn broer...' Hij zei het op een eigenaardige manier, alsof hij een bittere smaak in zijn mond had waar hij niet aan gewend was. 'Het huis van mijn broer.'

'Maar dat kan niet,' zei ik, alsof ik iets heel eenvoudigs moest uitleggen aan een erg domme man. 'Het kan het huis van Herr Schiller niet zijn. Ik bedoel...'

Mijn stem stokte en ik keek weer om me heen. We stonden in een smalle gang, die ik goed kende. Hoe vaak had ik niet hier gestaan en mijn jas uitgetrokken, die Herr Schiller dan op een van de hangertjes had gehangen? Ik stak mijn hand uit naar de glanzende, donkere paraplubak. Hij voelde hard en koud aan.

'Is hij...' Ik wilde niet zeggen *de moordenaar*. 'Ik bedoel, hoe heeft hij hier binnen kunnen komen? Hoe heeft hij gebruik kunnen maken van de kelder zonder dat Herr Schiller...' Ik keek beurtelings naar Herr Düster en Stefan en begreep niet waarom ze zo raar keken. '... zonder dat Herr Schiller dat wist?'

Het bleef lang stil. Ze wisselden een blik, de oude man en de jongen. Ze communiceerden met elkaar op een manier die ik niet begreep.

'Hij is weg,' zei Stefan kort.

'Ja,' zei Herr Düster heel zachtjes zonder zijn lippen te bewegen.

'Ik zal even kijken...' zei Stefan. Hij liep naar de deur en voelde aan de deurknop. Die draaide soepel en de deur zwaaide open. Stefan stak zijn hoofd naar buiten. Ik zag dat het flink had gesneeuwd sinds we het huis van Herr Düster waren binnengedrongen. Alles was bedekt met een witte deken. En het sneeuwde nog steeds. Toen Stefan zijn hoofd weer naar binnen trok, was zijn haar bedekt met smeltende sneeuwvlokken. Hij liep terug naar Herr Düster als een verkenner die rapport uitbrengt aan zijn meerdere.

'Ik zie hem nergens, maar er zijn sporen.'

Herr Düster knikte, op een bijna afwezige manier.

'Ik weet het niet zeker, maar ik geloof dat ze naar de achterkant van het huis lopen.'

'De auto, ja,' zei Herr Düster bijna onhoorbaar. Hij leek in gedachten verzonken te zijn.

'Welke auto?' vroeg ik, maar ik kreeg geen antwoord.

'Weet u waar...?' vroeg Stefan. Ik keek hem gefrustreerd aan; ze spraken in geheimtaal.

Herr Düster knikte. 'Ik denk van wel. Ja, ik denk van wel.'

'Waar hebben jullie het over?' Ik stond bijna te trappelen van ergernis. 'Zouden we Herr Schiller niet eens wakker maken?'

'Pia...'

'Dit is zijn huis.'

'Ja, dit is zijn huis,' zei Herr Düster met zachte nadruk. Ik had het nog steeds niet door.

'Pia,' zei Stefan op een vermoeide toon. 'Het is Herr Schiller. Heb je dat nog niet begrepen?'

'Waar heb je het over?' Ik staarde hem aan. 'Wat bedoel je?'

'Herr Schiller...' Stefan veranderde op het laatste moment van koers, alsof hij rond een obstakel zwenkte. 'Herr Schiller is degene waar we achteraan moeten,' zei hij. 'Hij is degene die ervandoor is.'

'Ik begrijp het niet...' zei ik, maar opeens begreep ik het wel. Ik werd op slag kotsmisselijk. Ik leunde tegen het behang met het patroon van gevlochten gebladerte. 'Nee,' zei ik met een benepen stem.

Stefan keek me hulpeloos aan. Toen wendde hij zich weer tot Herr Düster. 'We moeten gaan. Nu meteen.' Ik deed niet meer mee.

‘Stefan, dit is toch maar een grapje, hè?’ zei ik, maar ik hoorde zelf dat het niet overtuigend klonk. ‘Waar gaan we naartoe? Moeten we de politie niet bellen... als er iemand...?’

‘Daar is geen tijd voor,’ zei hij. Het klonk bruusk, maar niet kribbig. Hij zei gewoon hoe het was: als er nog een kans bestond om het meisje te vinden van wie de laars was, voordat het te laat was, moesten we onmiddellijk vertrekken. Als we wachtten, was het misschien te laat om... hem... te pakken te krijgen. Degene die al die meisjes had ontvoerd. Degene die me in de put had achtergelaten met de bedoeling dat ik tussen al die drijvende gruwelijkheden zou verdrinken. Ik kon alleen maar aan hem denken als *degene*, niet Herr Schiller. Dat was onmogelijk.

‘Jij blijft hier, Pia.’

‘Nee...’ Ik stotterde van woede. ‘Jullie laten me hier niet achter! Ik ga mee!’

‘Pia.’ Herr Düster sprak uiterst kalm, alhoewel hij net zo goed als Stefan wist dat de seconden wegtikten en de minuten verstreken, terwijl sneeuwvlokken achteloos uit de donkere hemel neerdaalden en de sporen op de grond bedekten. ‘Je bent drijfnat. Je kunt niet naar buiten gaan. Dan vries je dood.’

‘U had het over een auto,’ zei ik nors.

‘Zíjn auto,’ zei Stefan.

‘Jullie kunnen hem anders niet achtervolgen tenzij jullie ook een auto hebben,’ zei ik slim. Ik keek Stefan fel aan. Hij staarde terug en wendde zich toen weer tot Herr Düster.

‘We moeten nu echt gaan.’

Herr Düster keek me nog een paar seconden aan. Iedere andere volwassene zou me gedwongen hebben binnen te blijven, waar het warm was. Maar Herr Düster was ofwel al zo lang niet meer gewend aan het gezelschap van andere volwassenen dat hij was vergeten hoe bepaalde dingen gedaan dienen te worden, of hij was een van die zeldzame mensen die kinderen niet behandelen alsof ze nergens toe in staat zijn. Hij knikte kort en zei: ‘Je mag met ons mee, Pia, op voorwaarde dat je in de auto blijft. Is dat duidelijk?’

‘Ja.’ Ik kon van dankbaarheid verder geen woord uitbrengen.

‘Ik ga de auto halen. Wacht hier.’

'Maar...' begon ik weer, maar hij viel me in de rede.

'Hij komt niet terug. Voorlopig niet tenminste. Jullie zijn hier veilig.'

Ik zei niks meer, maar voelde me niet op mijn gemak. De reden waarom ik niet in het huis wilde achterblijven was niet dat ik bang was dat Herr Schiller terug zou komen, maar dat Herr Düster daardoor de gelegenheid kreeg er zonder ons vandoor te gaan. Toch zag ik de logica van zijn plan wel in toen hij de voordeur van Herr Schillers huis opendeed, want de tochtvlaag die langs mijn natte spijkerbroek streek was zo ijzig koud dat de huid van mijn benen aanvoelde alsof die in brand stond. Klappertandend trok ik mijn jack strakker om me heen.

'Dit is waanzin,' zei Stefan zonder het onvriendelijk te bedoelen. 'Je kunt beter hier blijven, Pia. Anders vries je nog dood.'

'Nee,' zei ik. Ik klemde mijn kaken op elkaar om het klappertanden tegen te gaan.

'Ik vraag me af hoe hij weet waar... *hij* naartoe is gegaan,' zei Stefan.

Ik had daar geen antwoord op. Dat Herr Schiller iets te maken had met de verdwijning van de meisjes was op zich angstaanjagend genoeg. Proberen te bedenken waar hij nu was en om welke reden, ging me boven mijn pet. Ik had nog steeds het gevoel dat ik misschien zo dadelijk wakker zou worden en tot de ontdekking zou komen dat het gewoon een akelige droom was.

Stefan en ik bleven in de gang van het huis van onze vriend staan, wachten tot Herr Düster terug zou komen met de auto. Het duurde voor mijn gevoel erg lang en er hing een sfeer van sombere verwachting, alsof we een aanrijding hadden overleefd en stonden te wachten op de ambulance. Ik wist helemaal niks te zeggen en Stefan blijkbaar ook niet, dus stonden we daar al die tijd zwijgend.

Ik begon me af te vragen of Herr Düster er soms toch zonder ons vandoor was gegaan toen ik achter me een geluid hoorde. Het was een zacht geluid, als van een fluwelen gordijn dat over de vloer sleept, maar het joeg me de stuipen op het lijf. Ik weet niet of het waar is dat op zulke momenten het haar in je nek overeind gaat staan, maar ik voelde me in elk geval alsof iemand een ijskoude hand in mijn nek legde. Voordat ik me kon omdraaien of iets zeggen, werd het zachte geruis gevolgd door een geluid dat klonk alsof iemand rochelde.

‘Ste-fan...’ Ik was bang dat ik van mijn stokje zou gaan.
‘Wat?’
‘Er komt iets aan...’ Ik dwong mezelf om te kijken.
In de deuropening van de kelder zat Pluto, die ons met zijn grote, gele ogen nors bekeek. Terwijl ik naar hem staarde, geeuwde hij uitgebreid, waarbij hij zijn roze tong en vlijmscherpe tanden liet zien, en toen rochelde hij weer. Vervolgens draaide hij zich soepel om en schoot de stenen keldertrap af.
Stefan haalde vlak achter me hoorbaar adem. ‘Pokkenbeest.’
Ik knikte en slikte met een droge keel.
‘Gaat het? Ben je erg geschrokken?’
‘Nee. Ik dacht alleen...’ Maar ik wist niet wat ik had gedacht. Het had geen zin te proberen onder woorden te brengen welke waanzinnige gedachten door mijn hoofd hadden gespeeld toen ik dat zachte, slepende geluid en het rochelen had gehoord. Ik was vannacht terechtgekomen in de wereld van de trollen waar niets te gruwelijk was om waar te kunnen zijn... en de monsters liepen vrij rond. Mijn gedachten glibberden terug naar wat ik in de waterput had gezien.
‘Zo is hij bij Herr Schiller binnengekomen,’ zei Stefan opeens. Hij legde zijn hand op mijn arm. ‘Die keer dat we zo van hem schrokken. Weet je nog wel?’ Hij was voor het gemak vergeten dat híj degene was die zich lam was geschrokken, dat híj als een idioot had staan schreeuwen, maar ik had niet de fut hem te corrigeren en knikte alleen maar. Stefan staarde naar de deuropening waardoor de kat was verdwenen. Hij floot zachtjes.
‘Geen wonder dat Herr Schiller zo kwaad was toen hij hem zag. Hij moet hebben geweten dat Pluto via de kelder was binnengekomen. Hij had blijkbaar de deur niet goed dichtgedaan.’ Hij schudde ongelovig zijn hoofd. ‘Ik wil wedden dat hij dacht dat Pluto hem had verraden.’
Ik luisterde niet. Ik dacht terug aan het moment voordat ik in de put viel, aan de geluiden die ik had gehoord en het ding dat langs mijn been was gestreken waardoor ik zo schrok dat ik in het niets was gestapt. Pluto. Als ik die kat ooit te pakken kreeg, zou ik hem met mijn blote handen zijn nek omdraaien.

51

Lichten op straat en het zachte geronk van een motor kondigden de komst van Herr Düster en de auto aan. Ik trok de rits van mijn jack helemaal omhoog om me te verzekeren van maximale bescherming tegen de kou voordat Stefan en ik naar buiten gingen. Het was donker op straat en het sneeuwde nu zo hard dat we amper iets konden zien, maar we waren erg onder de indruk van de auto.

'Wauw,' zei Stefan.

Herr Düster boog zich naar het rechterportier en opende het. 'Stap in,' riep hij. Stefan ging voorin zitten en ik moest genoegen nemen met de achterbank. Herr Düster wachtte niet eens tot Stefan zijn veiligheidsgordel had vastgeklikt, maar trok meteen op.

'Ik wil dat de auto snel warm wordt,' zei hij met een blik over zijn schouder naar mij.

'Het gaat wel,' zei ik, met mijn armen om mijn lichaam geslagen.

'Wat een schitterende auto,' zei Stefan, die het interieur bewonderde alsof hij naar het plafond van de Sixtijnse Kapel keek. 'Wat is het er voor een?'

'Een Mercedes 230 Heckflosse,' zei Herr Düster zonder hem aan te kijken. Hij tuurde door het gordijn van dwarrelende sneeuwvlokken naar de straat.

'Is hij echt van u?'

Nu wierp Herr Düster een blik opzij. 'Natuurlijk. Dacht je soms dat ik hem had gestolen?'

'Nee... ik heb hem alleen nog nooit eerder gezien.'

'Ik gebruik hem niet vaak,' zei Herr Düster. Hij klopte zachtjes op het stuur. 'Daarom duurde het zo lang voordat ik terug was. Ik moest een paar dingen aan de kant schuiven en de beschermhoes eraf halen.'

'Als ik zo'n auto had,' zei Stefan, 'zou ik er constant in rijden.'

'Dan zou je ook een flinke bankrekening moeten hebben,' zei Herr Düster laconiek.

Ik keek uit het raam naar de donkere straat. We sloegen rechtsaf, naar de Klosterplatz waar met Sint-Maarten het vuur was ontstoken en waar Frau Mahlberg me door elkaar had gerammeld tot mijn tanden ervan klapperden, terwijl ze om haar vermiste dochter had geroepen. Besneeuwde auto's hadden afgeronde vormen en de sneeuwvlokken dwarrelden eromheen. Ik leunde te dicht naar het glas waardoor de ruit besloeg.

'Waar gaan we naartoe?' vroeg ik.

'Het Eschweiler Tal,' antwoordde Herr Düster. Zijn stem klonk kalm en afgemeten.

Ik ging rechtop zitten. 'Waarom gaan we naar het Eschweiler Tal? Hoe weet u dat hij daar is?'

Herr Düster gaf geen antwoord. We waren de Klosterplatz overgestoken en reden nu in de richting van de protestantse kerk. Over een paar ogenblikken zouden we door de poort in de stadsmuur rijden. Herr Düster reed zo snel als hij durfde, maar de straten waren verraderlijk glad. Ik voelde dat de oude Mercedes af en toe slipte.

'Herr Düster?' Ik had het onbehaaglijke gevoel dat ik me onbeleefd gedroeg, maar moest de vraag wel stellen. 'Hoe weet u zo zeker dat hij in het Eschweiler Tal is?'

'Dat weet ik niet zeker,' zei Herr Düster grimmig.

'Maar waarom –?'

'Hij is mijn broer,' zei Herr Düster. 'Ik ken hem.'

Ik herkende de onverbiddelijke klank van zijn stem en leunde weer achterover zonder nog meer vragen te durven stellen, al had ik er genoeg. Hoe kon hij zeggen dat hij Herr Schiller kende als hij nooit met hem sprak? Hoe kon hij er zo zeker van zijn waar Herr Schiller naartoe was gegaan?

Eenmaal buiten de stadsmuur reed Herr Düster in de richting van het station aan de noordzijde van de stad. Er was niemand te bekennen. In de Eifel is het in kleine steden als Bad Münstereifel 's nachts meestal stil, en vanwege de kou en de sneeuw waren nu zelfs de taxichauffeurs en de hangjongeren naar huis gegaan.

Voor het politiebureau stond een patrouillewagen. Eerst dacht ik dat er niemand in zat, maar opeens kwamen de ruitenwissers tot leven om de sneeuw met een brede boog van de voorruit te vegen. Herr Düster aarzelde en ik voelde dat de auto vaart minderde, maar toen gaf hij gas en reden we met een schokje weer door. Voordat ik kon zien wie er in de politiewagen zat, waren we er voorbij en reden we de stad uit. Het werd al aardig warm in de auto; zo dadelijk zou de damp uit mijn natte kleren slaan.

'Kunnen we met al die sneeuw wel door het dal rijden?' vroeg Stefan.

Herr Düster zei niets.

Vijf minuten later waren we bij het begin van de weg door het Eschweiler Tal en onderweg hadden we geen andere auto's gezien. Op het laatste deel van de geasfalteerde weg waren de sporen van een auto zichtbaar als geulen in de nog steeds dikker wordende sneeuwlaag. Er was een fabriek aan het einde van de weg met een parkeerterrein aan de voorzijde en een hek eromheen, maar de bandensporen liepen erlangs, het dal in. Mijn huid begon te prikken toen ik over Stefans schouder leunde om door de voorruit te kijken.

Er stonden een paar huizen in het Eschweiler Tal, maar ik wist dat degene die hier kort voor ons had gereden, niet een van de bewoners van die huizen was. Daarvoor was het te donker, te koud en te diep in de nacht.

De weg begon te stijgen op de plek waar het asfalt ophield. Eerst dacht ik dat de oude Mercedes de heuvel niet kon nemen, maar Herr Düster wist wat hij moest doen en gaf precies voldoende gas om vaart te houden zonder de banden te laten slippen. De chauffeur van de andere auto was daar niet zo goed in geslaagd, te oordelen naar de schuivers die hij in de sneeuw had gemaakt.

'Waar zit hij?' siste Stefan.

Herr Düster zei niets. We reden in stilte door het dal. Hij schakelde terug en de auto reed probleemloos de lage heuvel bij de oude steengroeve op. Je kon daar rechtsaf slaan naar het dorp Eschweiler, waar de jongemannen volgens de legende hadden gezeten toen ze het griezelige licht van de Brandende Man van de Hirnberg op zich af hadden zien komen, maar die weg was vanwege de sneeuw vermoedelijk onbegaanbaar. In elk geval liepen de sporen rechtdoor, dieper het dal in.

'Misschien is hij ontkomen,' zei Stefan, en het klonk als een vraag. We hadden de auto nog steeds niet in het zicht gekregen, alleen de sporen die de banden hadden gemaakt. Als we er niet in slaagden hem in te halen, hadden we aan die sporen net zo weinig als aan archeologische vondsten. Ik probeerde me uit alle macht te herinneren waar deze weg eindigde. Ik was tientallen keren in dit dal geweest, met school en met mijn ouders, maar we waren altijd via het pad langs de fabriek gekomen, of hadden het voetpad vanaf de Hirnberg genomen. Ik wist niet zeker waar deze weg eindigde. Als hij uitkwam op een doorgaande weg, zou de auto die we volgden spoorloos verdwenen zijn tegen de tijd dat we het einde van het dal bereikten.

'Daar,' zei Stefan opeens en Herr Düster schrok blijkbaar, want de auto maakte een slinger waardoor ik mijn hoofd tegen het raam stootte.

'Waar?' vroeg ik.

Hij wees. Herr Düster bracht de auto voorzichtig tot stilstand terwijl we alle drie door de voorruit keken. Op nog geen honderd meter afstand was een kruispunt waar je rechtdoor kon of linksaf over een stenen brug naar de dichtbeboste heuvel. Bij de brug stond een donkere auto geparkeerd en het linkerportier stond open. Ik zeg geparkeerd, maar zo te zien was de achterkant van de auto geslipt en tegen de stenen wand van de brug gebotst. Aangezien het portier openstond leek het erop dat de auto in haast was achtergelaten. Er was geen levende ziel te bekennen.

Er klonk een krakend geluid toen Herr Düster de handrem aantrok. Hij draaide het contactsleuteltje om en terwijl het zachte geronk van de motor wegstierf, leunde hij naar voren alsof hij bad, tot zijn voorhoofd bijna op het stuur lag. Een paar ogenblikken bleef hij roerloos zitten, alsof hij diep nadacht. Stefan tastte naar de deurknop, maar meteen stak Herr Düster zijn hand uit en greep zijn schouder stevig vast.

'Nee,' zei hij. Hij draaide zich naar hem toe op een manier waarin ik de uitputting herkende die ik ook wel bij Sebastian zag als die zich moe gehuild had. 'Ik ga. Jij blijft hier.'

'Ik wil mee,' zei Stefan koppig.

'Nee.' Herr Düster schudde zijn hoofd. 'Dit is mijn zaak.' En hij liet erop volgen: 'En jij moet hier blijven om op Pia te passen.'

Ik wilde al verontwaardigd zeggen dat ik geen klein kind was en heus geen oppas nodig had, toen Herr Düster vervolgde: 'Als er iemand komt... is het beter dat jullie met zijn tweeën zijn.' Hij duwde het portier van de Mercedes open en stapte uit. Het geluid van het dichtvallende portier kreeg een echo toen Stefan met zijn vuist op het dashboard sloeg.

'Verdomme!' Zijn woedde raasde door de auto als een vlieg in een fles.

'Maak je nou niet kwaad.' Ik keek uit het raampje en zag de donkere gestalte van Herr Düster naar de achterkant van de auto lopen en de kofferbak openmaken. Hij haalde er iets uit, een jas volgens mij, en deed het deksel van de kofferbak weer dicht. Toen hij bij de auto vandaan liep, zei ik zachtjes: 'Wacht tot hij weg is.'

We zagen Herr Düster door de sneeuw sjouwen en de jas optillen zodat hij zijn armen in de mouwen kon steken en de jas om zich heen trekken.

'Stefan?'

'Ja?' Hij klonk alsof hij met zijn gedachten heel ver zat.

'Hoe zit het nou eigenlijk met Herr Düster? Waarom helpt hij ons?' 'Helpen' was eigenlijk niet het juiste woord. Ik kon beter zeggen dat hij de zaak helemaal van ons had overgenomen, maar ik wist de vraag niet anders in te kleden. 'Was hij erg kwaad toen hij jou in zijn huis aantrof?'

Nu ik erover begon na te denken, schoten de vragen als paddenstoelen uit de grond. 'En hij was toch op reis?'

'Jemig, Pia! Weet ik veel!' Stefan klonk geïrriteerd. 'Hij kwam gewoon thuis. Ik weet niet waar hij was geweest en had geen tijd om het te vragen. Toen jij en ik iemand naar de kelder hoorden komen, ben ik ervandoor gegaan en heb ik me verstopt. Ik hoorde dat je in de put viel, maar ik kon niets doen tot die kerel weg was. En toen kon ik de steen niet van de put af krijgen, dus móést ik wel hulp gaan halen. Ik ben naar boven gegaan en toen kwam Herr Düster net binnen.'

'Was hij kwaad toen hij je zag?'

'Nee. Ja. Hij schrok erg, maar werd niet kwaad. Hij bleef kalm, al zei hij wel dat we later alles nog zouden moeten uitleggen.'

'Verdomme.'

'Wat had ik anders moeten doen? Ik kon die steen er in mijn eentje niet af krijgen.'

'Was je niet bang? Stel dat hij wél degene was die de steen erop had gelegd.'

'Dat kon niet,' zei Stefan. 'Hij was boven. Hij kon niet gelijktijdig boven en in de kelder zijn.'

'Hmmm.' Het verbaasde me dat Stefan zo helder had kunnen denken. Ik had in zijn plaats vast niet zo logisch kunnen redeneren.

'Stefan?'

'Ja?'

'Heb je die... dingen gezien in het water?' Ik wist dat hij ze had gezien.

'Jaha.' Hij leek er verder niets over te willen zeggen.

'Hoe weet je dat híj die daar niet in heeft gegooid?'

'Dat kán niet, Pia. Dan zou hij me niet geholpen hebben je uit de put te hijsen. Dan zou hij me eerder...' Hij maakte zijn zin niet af.

Hij dacht waarschijnlijk hetzelfde als ik. Als Herr Düster degene was die die dingen in de put had gegooid, had hij doodgewoon met de nietsvermoedende Stefan naar de kelder kunnen gaan om hem ook in de put te gooien. Ik rilde toen ik dacht aan de risico's die Stefan had genomen. Met moeite concentreerde ik me weer op ons huidige probleem.

'Denk je dat hij van de tunnel wist?'

'Nee...' Hij schudde zijn hoofd. 'Ik denk dat hij amper wist dat er een kelder met een put was. Ik bedoel, dat moet hij ooit wel geweten hebben, maar hij was het waarschijnlijk vergeten. Volgens mij komt hij niet vaak in de kelder.'

Ik dacht aan de rommel, de stoffige meubels, de halfslachtige pogingen om dat gereedschap aan de muren te hangen. 'Nee, waarschijnlijk niet.'

'Hij zou nooit naar die tweede kamer zijn gegaan als ik niet voorop was gegaan,' zei Stefan. 'Hij zei trouwens iets raars. "Ik zie dat je aardig bezig bent geweest, jongeman." Of zoiets.'

Ik trok mijn wenkbrauwen op en vergat dat Stefan me in de donkere auto amper kon zien. Ik kon me nauwelijks voorstellen dat Herr Düster zoiets had gezegd. Tot vanavond was hij voor mij de zwijgzaamste man op de hele wereld geweest. Dat hij een grote Mercedes met chromen bumpers en staartvinnen bleek te bezitten was al zo'n verrassing geweest. Als hij opeens zijn oude, geruite overhemd uiteen had gereten en eronder het kostuum van een superheld bleek te dragen, had ik niet verbaasder kunnen zijn.

'Hij heeft een hekel aan kinderen,' zei ik vaag.

Stefan schokschouderde. Even bleef het stil. Toen zei hij: 'Hij is weg. Kijk maar.' We tuurden door de voorruit. Het sneeuwde niet meer en we hadden goed zicht op de donkere auto die afstak tegen de lichte sneeuw. Herr Düster was nergens te bekennen, noch iemand anders.

'Nou en?' Ik merkte dat mijn tanden weer begonnen te klapperen. Nu de motor niet meer draaide, daalde de temperatuur in de auto en kreeg ik het in mijn natte kleren erg koud.

'Dus kunnen we een kijkje gaan nemen. Of... nee.' Stefan stokte. 'Jij moet hier blijven. Ik ga een kijkje nemen. Ik kom het je wel vertellen als ik iets ontdek.'

'Waarom jij?'

'Omdat het vriest dat het kraakt.' Hij stak zijn hand uit en legde hem op de mijne. 'Jemig, Pia, je bent ijskoud.'

'Dat komt door mijn natte kleren,' zei ik triest.

'Oké, ik ga kijken of ik Herr Düster kan vinden. Ik zal het portier zo snel mogelijk dichtdoen. Houd de deuren en ramen dicht. Oké?'

Ik knikte somber.

'Misschien... misschien moet je de portieren ook maar op slot doen.'

Ik besloot daar niet al te diep over na te denken. 'Doe ik.'

'Ik kom zo snel mogelijk terug.' Stefan deed het portier open en meteen drong er ijskoude lucht naar binnen. Ik kromp ineen als een plant die verlepte wegens onverwachte, late nachtvorst. Het portier werd meteen weer dichtgegooid en toen liep Stefan langs mijn raampje. Even later was hij verdwenen en zat ik daar helemaal in mijn eentje.

52

Na een minuut of tien, al leek het voor mijn gevoel een halfuur, keek ik op mijn horloge, maar daar had ik niets aan, want er was water in gekomen en de kleine wijzer was bij de zes blijven steken.

Ik sloeg een paar keer met mijn armen om mijn lichaam en probeerde gevoel in mijn bevroren vingers te krijgen door erop te blazen. De raampjes besloegen. Ik wreef ze schoon, rillend van de vochtige kou, maar achter de patrijspoorten die ik creëerde was geen teken van leven te bespeuren. Ik boog me over de stoelen heen om te zien of Herr Düster het sleuteltje soms in het contact had laten zitten en vroeg me af of ik het lef zou hebben de motor te starten, maar de sleutels waren er niet.

'Schiet op,' fluisterde ik bevend, met opeengeklemde kaken. Ook als het inderdaad de auto van Herr Schiller was die tegen de brug stond, leek het me hoogstonwaarschijnlijk dat Herr Düster en Stefan hem vastgebonden en met bebloede handen terug zouden brengen. Ik begon te denken dat we beter hadden kunnen doen wat Herr Düster in het begin had gezegd: de politie bellen. Als ik nog erg lang in deze auto moest blijven zitten, zou ik doodvriezen en kon mijn naam worden toegevoegd aan de lijst van slachtoffers. Dat ik me niet bewoog, maakte het er niet beter op. Als ik in staat was geweest met mijn voeten te stampen of met mijn armen te zwaaien, had ik er misschien wat gevoel in gekregen. Ik keek weer op mijn horloge, ook al had dat geen enkele zin.

Ik zou kunnen uitstappen. Het idee knabbelde al een paar minuten aan me. Het plan had een aantal voordelen: de temperatuur in de auto daalde in een snel tempo en over niet al te lange tijd had ik er niets meer aan om hier te blijven zitten. Als ik uitstapte, kon ik met mijn voeten stampen, met mijn armen zwaaien, heen en weer rennen als ik dat wilde. Het sneeuwde niet meer en voor zover ik kon zien was er geen wind die mijn ijskoude benen zou geselen. En als ik Herr Düster of Stefan zag, kon ik hen roepen om te zeggen dat we hulp moesten halen omdat ik anders zou bevriezen.

Ergens in mijn achterhoofd ontsproot nog een sluwe gedachte: dat ik degene zou kunnen zijn die de hoofdrol speelde in dit stuk, dat ik degene zou kunnen zijn die ontdekte waar Herr Schiller was gebleven of een aanwijzing vond in de sneeuw – nog een laars of een haarband. De gedachte groeide tot hij sterker werd dan de angst die me gebood te blijven zitten waar ik zat, in de veilige cocon van de auto. Bovendien was ik kwaad dat het manvolk mij had bevolen hier te blijven, terwijl ze zelf de held gingen uithangen, alsof ik niet net zo oud en net zo dapper was als Stefan. Ik beet op mijn lip terwijl ik er nog even over nadacht. Toen schoof ik resoluut over de bank en gooide het portier open.

Het was alsof ik tegen een muur aan liep, zo koud was het. Ik wankelde en bleef eventjes met mijn hand op het portier staan alvorens het dicht te duwen. Ik moest in beweging blijven. Ik begon verwoed te stampen om het gevoel in mijn voeten terug te krijgen. Mijn laarzen stonden niet meer vol water, maar de voering was doorweekt en mijn spijkerbroek voelde aan alsof hij van karton was.

Ik wist dat dit een slecht idee was, ook zonder dat de herinnering aan oma Kristel op mijn schouder zat als een beschermengel die tegen me zei dat ik moest maken dat ik binnenkwam en iets warms drinken voordat ik me een longontsteking op de hals haalde. Ik schopte tegen de sneeuw alsof ik die gedachte van me af wilde schoppen. Frau Kessel, Hilde Koch, mijn ouders, zelfs de arme oma Kristel: iedereen wist wat goed voor me was. Ik wilde nu eens een keertje tegen de draad ingaan en iets dappers doen. Ik wilde gewoon dat *ík* straks op school door iedereen werd bewonderd, en dat alle kinderen om me heen zouden drommen om te horen hoe ik het had klaargespeeld.

Met mijn armen om me heen geslagen tegen de kou volgde ik de voetstappen van de anderen naar de auto: de lange, smalle van Herr Düster en de korte, slordige van Stefan. Soms had Stefan in de voetsporen van Herr Düster gelopen en kon ik ze niet uit elkaar houden, maar bij de geparkeerde auto splitsten ze zich. Herr Düster leek er helemaal omheen te zijn gelopen en ook een paar keer heen en weer; hij had natuurlijk de auto nauwkeurig bekeken voor het geval er nog iemand in zat. Daarna was hij het dal in gelopen. Stefan was zo te zien van de sporen van Herr Düster afgeweken en dwars door het bos de heuvel op gelopen.

Ik zocht naar andere sporen. Eerst zag ik niets, maar toen merkte ik dat er een derde set zichtbaar was die bij de auto vandaan liep. Dat moesten de voetsporen van Herr Schiller zijn, aangenomen dat hij het inderdaad was en niet heel iemand anders die gewoon probeerde 's avonds laat nog thuis te komen. Algauw zag ik waarom de anderen die niet hadden kunnen volgen: ze maakten een bocht en zakten af naar de rivier, waarvan het water zwart en traag tussen plakken ijs door stroomde.

Het was niet moeilijk om de redenering die erachter zat te begrijpen: de voortvluchtige zou het in het ijskoude water een paar minuten moeilijk hebben, maar het water was niet diep en het zou zijn sporen volledig wissen. Hij kon stroomopwaarts of stroomafwaarts zijn gelopen en aan dezelfde kant of de overkant de rivier weer hebben verlaten.

Ik tuurde naar rechts en naar links, maar zag Herr Düster en Stefan nergens. Ik keek om naar de auto. Mijn natte benen voelden aan alsof mijn huid ervan af werd gestroopt. Ik bleef met mijn armen om mijn lichaam geslagen staan en duwde mijn kin in de kraag van mijn jack. Een onderdrukte snik werkte zich naar buiten, maar ik besefte met een stijgend gevoel van eenzaamheid dat niemand het kon horen. Er zat niets anders op dan in beweging te blijven.

Ik besloot de loop van de rivier te volgen over het weinig gebruikte pad tegenover het hoofdpad. In de zomermaanden was dat overwoekerd door gras en onkruid, maar nu was het net zo maagdelijk wit als de rest van het landschap.

Ik zette de achtervolging in en probeerde in een behoorlijk tempo te lopen om weer wat warmte in mijn ledematen te krijgen. Nu de wolken waren weggetrokken en de bleke winterse maan op me neerscheen, kon ik best veel zien. De natte stammen van de bomen langs de rivier staken als donkere strepen af tegen de witte sneeuw. Ik telde vijf bomen, toen tien en besloot na twintig bomen om te keren.

Het was volkomen stil, op mijn hijgende ademhaling en het kraken van de sneeuw onder mijn voeten na. De bossen rond Münstereifel zaten vol wild – herten, konijnen, vossen – maar nu bewoog er niets tussen de kale bomen. Toen ik omkeek, vond ik dat de auto onvoorstelbaar ver weg leek. Ik telde twintig bomen en bleef staan om te luisteren.

Ergens was de stilte erger dan welk geluid dan ook, zelfs dreigende geluiden. De stilte had iets afwachtends. Ik dacht aan Koelbloedige Hans, de onverschrokken molenaar, die op de griezelige katten had gewacht. Aan de hoofdloze geest van de misdadiger die door het dal had moeten zwerven tot iemand het aandurfde hem aan te spreken.

Opeens stokte de ijskoude lucht in mijn longen. Vlak voor me zag ik voetafdrukken, die nergens vandaan kwamen en in het midden van het pad begonnen. De voetafdrukken van een man: in de verse sneeuw zag ik duidelijk een hak en een zool.

Ik hield mijn adem in. Toen blies ik die opgelucht weer uit. De voetafdrukken begonnen natuurlijk niet echt uit het niets. Toen ik wat beter keek, zag ik bruine blaadjes uit de sneeuw steken op de plaats waar de man de rivier had verlaten en op de oever was geklommen. Herr Schiller.

Ik keek naar het pad dat voor me lag, blikte achterom naar de brug en de auto's, en keek weer naar het pad.

Ongeveer vijftig meter verderop was een rotspartij op de plek waar de heuvel uitliep in vlakke grond, waardoor mijn zicht op de rest van het pad werd belemmerd. De zwarte skeletten van struiken staken uit de rotsen als doornen. Terwijl ik ernaar keek, verscheen er achter de doornen een gele gloed die ze omlijstte als een trillende krans van oogverblindend licht. Ik had niet erger kunnen schrikken als de wereld opeens op zijn kant was gezet en ik als een dobbelsteen in een beker was weggegleden. Mijn hersenen weigerden te verwerken wat mijn ogen zagen. Volslagen verbijsterd bleek ik stokstijf staan kijken hoe het griezelige licht opsteeg en de sneeuw kleurde met zijn gouden gloed, en opeens wist ik wat het was: de Brandende Man van de Hirnberg.

Ik geloof dat ik wankelend een stap achteruit deed, maar ik was niet in staat weg te rennen. Met grote ogen en open mond keek ik naar de door vuur omgeven gedaante die achter de rotspartij vandaan kwam en naar het midden van het pad liep, met gestrekte armen alsof hij was gekruisigd door het vuur dat over zijn ledematen stroomde.

Vaag hoorde ik iemand roepen. Stefan? Ik durfde mijn hoofd niet om te draaien, alsof het brandende ding met gestrekte klauwen op me af zou vliegen als ik mijn angstige blik er ook maar één moment van afwendde. Ik deed nog een wankelende stap naar achteren.

De vurige gedaante kwam op me af, steeds dichterbij, al liep hij met schokkerige stappen, alsof hij waadde door de vuurzee die hem omgaf. Ik kon de hitte nog niet voelen, maar zag de oogverblindende figuur langs een gebroken boomtak strijken waardoor een bosje verdroogde bladeren in brand vloog en vonkend verschrompelde.

Paniek maakte zich van me meester. Ik was me ervan bewust dat ik nonsens brabbelde, maar had de beheersing over mijn stem verloren. *Nee, nee, ga weg, ik heb je niet geroepen, ik heb je niet geroepen.* Mijn paniek groeide en groeide, maar ik was niet in staat te vluchten.

Verlamd van angst zag ik de dood op me afkomen met voeten die de naakte aarde onder de sneeuw verschroeiden. Ik begon de fatale hitte te voelen van de brandende handen die naar me waren uitgestoken alsof ze ergens om smeekten. Ik sloot mijn ogen voor de verblindende kracht van het vuur, drukte mijn vuisten tegen mijn borst alsof ik op de een of andere manier in mezelf kon wegkruipen en ontsnappen aan de verzengende hitte van die vurige handen. Zelfs met mijn ogen dicht kon ik de gele gloed zien. Een schor geluid ontsnapte aan mijn keel die van angst te zeer was dichtgeknepen om te kunnen gillen. Ik kon het nu horen, het bulderen en knetteren van het vuur.

'Ga weg,' prevelde ik en ik wachtte, met mijn ogen stijf dicht, trillend over mijn hele lichaam. Ik wachtte. Er gebeurde niets. Toen hoorde ik opeens een geluid dat plomp en zacht klonk, het fluisterende geluid van een brandend kampvuur dat zachtjes instort. Ik voelde warmte op mijn benen.

Ik deed mijn ogen open. De brandende gedaante lag vlak voor me languit op de smeltende sneeuw met een klauwachtige hand uitgestrekt naar mijn voeten. Vlammetjes dansten over het wezen, dat er afschuwelijk zwart en geblakerd uitzag. Ik deed een stap naar achteren en toen nog een en opeens werd de verlamming verbroken en draaide ik me om en zette het op een lopen. Mijn hijgende ademhaling deed pijn in mijn longen en de ijskoude nachtlucht leek met duizend mesjes in mijn bevroren benen te snijden. Ik gleed uit en viel bijna, maar wist overeind te blijven als een galopperend veulen, terwijl mijn hart bonkte alsof het zou barsten. Als ik maar weg kon komen, ver weg bij het ding dat ik had gezien.

Ik keek al rennend om, maar zag niets anders dan een duizelig makend deel van de met sterren bezaaide hemel en zwarte takken die afstaken tegen de sneeuw. Toen botste ik pardoes op tegen iets wat op mijn pad stond. Een paar seconden klauwde ik eraan in wanhopige pogingen er voorbij te komen, gillend van frustratie, tot ik besefte dat ik tegen een mens was opgebotst. Mijn maaiende armen werden stevig vastgepakt door gehandschoende handen. Ik voelde het prikken van wollen stof op mijn wang. Woorden werden gesproken. In de verwarring die voortkwam uit mijn paniek kon ik ze niet bevatten, maar het effect was kalmerend, alsof ik een angstig dier was.

Ik week iets achteruit, zag een wollen jasje van een traditioneel kostuum, met een opstaande kraag en glanzende benen knopen. Het was waarschijnlijk jagergroen, maar in het maanlicht leek het zwart. Mijn blik ging omhoog: het gezicht bleef in de schaduw van een schalkse Tiroler hoed. Ik haalde diep adem.

'Hans,' zei ik en mijn hart sprong op toen ik hem herkende. 'Hans. Jij bent het.'

'Ja,' zei hij en zijn stem klonk verbaasd.

Ik sloeg mijn armen om hem heen en klampte me aan hem vast. Eindelijk veilig. 'Koelbloedige Hans,' mompelde ik keer op keer tegen de ruwe wol van zijn jasje, alsof de naam een talisman was. 'Koelbloedige Hans. Eindelijk.'

53

Je kunt zeggen wat je wilt over Stefans neef Boris, die vanwege zijn dubieuze carrière nu vermoedelijk ergens achter de tralies zit, maar hij heeft in elk geval één goede daad voor de mensheid verricht. Boris was namelijk, nadat hij Herr Düsters huis net zo gemakkelijk had verlaten als hij er was binnengekomen, de smalle steeg in geglipt met de bedoeling ongezien te verdwijnen. Daar was hij letterlijk over onze fietsen gevallen, waarbij hij een scheur in zijn spijkerbroek en een schaafwond aan zijn kuit opliep.

In de beschutte steeg had hij zijn zaklantaarn tevoorschijn gehaald om de schade te bekijken. Hij herkende mijn fiets niet, maar die van Stefan wel, want daar zat een rare bel op, een rubber ding in de vorm van de kop van Dracula met ontblote hoektanden. Het was een erg aparte bel, waarvan ik in de hele stad geen tweede exemplaar had gezien. Stefan had hem gekregen toen hij nog klein was en was er nogal aan gehecht, ook al was het een dom ding dat hem op de coolheidsmeter elke keer dat hij op zijn fiets reed nog een graadje deed zakken.

Boris was geen Sherlock Holmes, maar vroeg zich toch af wat die fiets daar deed. Ieder ander zou waarschijnlijk gedacht hebben dat Stefan er een goede reden voor had gehad om hem daar neer te zetten, of dat iemand hem voor de grap had gestolen en daar achtergelaten. Maar Boris was net in Herr Düsters huis geweest en de reden daarvoor was dat hij dacht dat het Herr Düster was die meisjes van de straat sleurde als een soort bejaarde vampier. Hij had zich voorgenomen uit te zoeken of dat zo was. De fietsen in de steeg leken zijn duistere vermoedens te bevestigen.

Hij slenterde terug naar huis terwijl hij over het vraagstuk piekerde en een aantal sigaretten rookte, waarschijnlijk vanwege hun vermogen het verstand te scherpen. Ik ben er nog steeds niet van overtuigd dat hij uit zichzelf naar de politie zou zijn gestapt, maar toen zijn tante, Stefans moeder, een uur later opbelde en hem ervan beschuldigde haar uithuizige zoon onderdak te verlenen, telde hij twee en twee bij elkaar op en kwam hij zowaar uit op vier.

Gehoor gevend aan de instincten die hem bij toekomstige schermutselingen met de politie ongetwijfeld nog goed van pas zouden komen, zei Boris tegen zijn tante dat hij geen flauw idee had waar Stefan was. Maar de zaak zat hem toch niet lekker en uiteindelijk besloot hij iets te doen. Misschien smaakte de Jägermeister uit de fles die hij uit het drankenkastje van zijn vader had gepikt hem opeens niet meer, misschien maakte de Jägermeister hem zo spraakzaam dat hij de politie belde (anoniem natuurlijk) om te vertellen wat hij had gezien.

De politie had die avond andere dingen aan haar hoofd, maar stuurde evengoed een agent naar de plek des onheils. Toen deze met de neus van zijn schoen tegen het voorwiel van mijn fiets duwde (dat door het gewicht van de struikelende Boris helaas was verbogen), werd hij aangeroepen door Hilde Koch, die in de deuropening van haar huis stond, een angstaanjagende verschijning met haar haarnetje, haar oude pantoffels, en de dikke jas die ze haastig over haar nachtpon had aangetrokken.

Frau Koch had geen belangstelling voor de fietsen in de steeg. Ze wilde liever weten wat de politie ging doen aan het lawaai en de overlast die brave burgers zich moesten laten welgevallen als ze midden in de nacht werden opgeschrikt door een stelletje kinderen dat in een monsterlijke auto met staartvinnen door de straat scheurde.

Misschien ging er vanwege het woord 'kinderen' bij iemand een lichtje op. De twee agenten die in hun patrouillewagen voor het politiebureau hadden gezeten, hadden ook een grote auto met staartvinnen langs zien komen, met inzittenden zowel voor- als achterin, maar waren er zeker van dat er een oudere heer achter het stuur had gezeten. Het was waarschijnlijk niets (was de algemene tendens), maar er werd toch een patrouillewagen op onderzoek uitgestuurd. Vanwege de dikke sneeuwlaag reden er vrijwel geen andere auto's, dus was het relatief eenvoudig om het spoor van de Mercedes van Herr Düster naar het Eschweiler Tal te volgen.

De twee agenten in de patrouillewagen waren de vriendelijke brigadier Tondorf en een jongere man die ik niet kende. Ik geloof dat hij Schumacher heette, net als de autocoureur. Brigadier Tondorf was niet zo vriendelijk gestemd als anders, nu hij zich gedwongen had gezien zijn thermosfles met koffie in de steek te laten en door de sneeuw over een bospad te rijden. Toen ze bij de auto van Herr Düster arriveerden, die midden op het pad stond, dacht hij dat de 'kinderen' waar Frau Koch het over had gehad, aan het joyriden waren geweest en de auto daar hadden achtergelaten. Hij gaf Schumacher opdracht uit te stappen en een kijkje te nemen.

Het lag op de lippen van de jonge agent te vragen waarom híj per se moest gaan, maar toen hij het gezicht van brigadier Tondorf zag, met samengetrokken wenkbrauwen en een trillende snor, besloot hij de weg van de minste weerstand te volgen. Hij stapte uit en liep naar de Mercedes. Omdat de ruiten vlekkerig beslagen waren, maakte hij het achterportier open om in de auto te kunnen kijken.

Er zat niemand in. Hij deed het portier weer dicht en liep naar de achterkant van de auto om de nummerplaat te bekijken, maar op hetzelfde moment kwam Stefan aanhollen. Hij zag er koortsig uit met rode konen op zijn lijkbleke gezicht.

'Kom gauw mee!' zei hij hijgend.

Het duurde even voordat hij de twee politiemannen ervan had overtuigd dat hij geen jeugdige joyrider was. Op de achterbank van de patrouillewagen, waar de smeltende sneeuw van zijn kleren en schoenen droop, sloeg zijn stem over van de zenuwen en kon hij in zijn wanhoop niet stilzitten, waardoor hij niet de indruk wekte een erg betrouwbare getuige te zijn, vooral niet nadat brigadier Tondorf hem had herkend.

'Jij bent er eentje van Breuer, niet?' Brigadier Tondorf keek naar Schumacher en voegde er veelbetekenend aan toe: 'Familie van Boris Breuer.'

'Boris is mijn neef,' zei Stefan ongeduldig.

'Weet je zeker dat híj niet achter het stuur van die auto zat, jongeman?' vroeg brigadier Tondorf streng.

'Natuurlijk!' antwoordde Stefan geagiteerd. Hij was zo ongerust dat hij constant zat te draaien.

'Wie dan wel?' wilde brigadier Tondorf weten.

'Herr Düster,' zei Stefan. De agenten keken elkaar aan.

'Düster? Uit de Orchheimer Strasse?'

'Ja.' Stefan knikte.

'En je zegt dat dat meisje bij hem is? Pia Kolvenbach?' vroeg brigadier Tondorf op een even strenge toon.

'Ja.' Stefan begreep waar brigadier Tondorf op aanstuurde en raakte opeens in de war. 'Nee. Ik bedoel...'

Maar brigadier Tondorf stak zijn hand al uit naar de deurknop. 'Jij blijft hier, jongeman,' zei hij op ernstige toon.

'Ik wil met u mee,' zei Stefan snel. Dat leverde hem een onverbiddelijke blik van brigadier Tondorf op.

'Jij blijft in de auto. Moet ik je erin opsluiten?'

'Nee,' zei Stefan verongelijkt, en hij zakte onderuit op de bank.

De twee agenten stapten uit en liepen naar de auto van Herr Schiller. Het portier stond nog steeds open en er lag een laagje sneeuw op de stoel, maar er was geen spoor te bekennen van Herr Schiller, noch van iemand anders. Brigadier Tondorf was er nog steeds niet zeker van of hij te maken had met jeugdige joyriders, een stelletje seniele oude mannen die besloten hadden midden in de nacht in een besneeuwd bos te gaan wandelen, of een heuse misdadiger – de man die achter de verdwijningen zat. Hij dacht nog steeds dat Stefan zomaar wat zei in de hoop nergens op aangekeken te worden en hij had mij nog nergens gezien. Hij was er niet eens van overtuigd dat ik daar was. Maar hij besloot toch op onderzoek uit te gaan.

En zo kwam het dat de twee politieagenten me daar in het Eschweiler Tal aantroffen, op een steenworp afstand van de plek waar de molen uit het sprookje zou hebben gestaan, half verkrampt door onderkoeling, wanhopig vastgeklampt aan... Herr Düster.

Herr Düster drukte me tegen zijn groene, wollen jagersjas en dat deed hij met zo'n kracht dat de afdruk van een van de glanzende benen knopen in mijn wang kwam te staan. Hij wilde voorkomen dat ik me zou omdraaien om nogmaals te kijken naar het weerzinwekkende, verkoolde ding dat op de zwarte plek lag waar alle sneeuw was gesmolten, met zijn zwarte klauwen uitgestrekt alsof hij een laatste poging deed me te grijpen. Toen de politiemannen ons bereikten, draaide Herr Düster zijn hoofd om en keek hij hen bedaard aan.

'Johannes Düster?' zei brigadier Tondorf. Herr Düster knikte.

Brigadier Tondorf keek naar zijn collega, Schumacher, maar Schumacher keek niet naar hem of Herr Düster. Hij liep door om te zien wat daar op de grond lag, wat het verschrompelde, geblakerde ding was, en gaf toen luidruchtig over in de besneeuwde bosjes.

Enige tijd nadat we waren vertrokken, Herr Düster en Stefan naar het politiebureau en ik naar het ziekenhuis in Mechernich, vond de politie het lijk van Daniella Brandt. Herr Schiller, van wie ik had gedacht dat hij mijn vriend was, de aardige Herr Schiller die me koffie liet drinken en had gezegd dat als er iets gedaan moet worden, je het moest doen, ook als je bang was, Herr Schiller had haar gedragen toen zijn auto in de sneeuw was blijven steken en haar lijk in de grot gelegd die de plaatselijke bevolking het Teufelsloch noemde, de Duivelsgrot. Ik had Daniella gehaat op de dag dat ze bij me thuis was gekomen en ik tegen haar was gaan gillen. Ik had gewalgd van haar schaamteloze verlangen om zo dicht mogelijk bij het epicentrum van ons verdriet te komen. Nu zou ze zelf het middelpunt van de belangstelling worden, haar naam zou op ieders lippen liggen en het verdriet van haar ouders zou door iedereen die dat wilde onder de loep worden genomen.

De mensen zeiden achteraf dat het ongelooflijk was dat een man van zijn leeftijd een kind met haar gewicht had kunnen dragen. Maar grote emoties kunnen ons veel kracht geven en Herr Schiller had een grote hoeveelheid haat in zijn hart. Men denkt dat hij van plan was het lijk te verbranden, zodat er niets zou zijn dat hem in verband zou kunnen brengen met de misdaad, net zoals er niets herkenbaars was aan de dingen die in de waterput onder het huis van Herr Düster dobberden. Het was zijn bedoeling geweest dat Herr Düster daarvan de schuld zou krijgen, als ze ooit werden ontdekt.

Niemand weet wat daar in de sneeuw precies is gebeurd, ook ik niet, en ik was het dichtste bij hem toen de benzine die hij had meegebracht voor Daniella's brandstapel als een bom ontplofte en hij gillend als een menselijke fakkel op mij af strompelde. Had hij het blik met benzine opgeheven om de inhoud over het lijk te gieten en per ongeluk zichzelf ermee overgoten? Wist hij dat de benzine in zijn kleren was gedrongen en zo ja, waarom had hij dan een lucifer afgestreken? Niemand weet het antwoord op deze vragen.

Daniella is niet verbrand. Die vernedering werd haar lichaam bespaard. De politieman die in de Teufelsloch keek en de lichtstraal van zijn zaklantaarn door de grot liet gaan, zag haar daar liggen, op haar rug met haar handen op haar borst gevouwen alsof ze was opgebaard. Een penetrante geur van benzine hing om haar heen. Ze zag eruit alsof ze sliep, alleen was ze erg wit: een perfecte sneeuwkoningin met sprankelende ijskristallen op haar blanke huid en in haar blonde haar. De politieman die haar daar vond, hoopte dat er in haar koude, tere lichaam misschien nog een sprankje leven zat. Pas toen hij de kraag van haar jack naar beneden trok en zijn vingers in haar hals legde, begreep hij dat het afgelopen was.

54

Ik schoot wakker uit een onrustige slaap toen mijn ouders in het ziekenhuis arriveerden. Mijn moeder stormde de kamer binnen, op de voet gevolgd door mijn vader en een vermoeid ogende arts in een blauw operatiepak.

'Ik moet u echt verzoeken...' zei de arts klaaglijk, maar mijn moeder negeerde haar.

'Pia? O god, Pia!' Mijn moeder daalde op me neer als een moederlijke wervelwind, kuste mijn voorhoofd en wangen, legde haar handen op mijn haar. 'Hoe voel je je, lieverd?'

'Het gaat wel,' wilde ik zeggen, maar het kwam eruit alsof ik een dikke tong had. Zelfs glimlachen was me te veel moeite. De bezorgdheid van mijn moeder kon erg vermoeiend zijn.

Plotsklaps barstte ze in tranen uit. Mijn vader legde aarzelend zijn hand op haar schouder.

'Rustig nou, Kate. Ze is toch in orde?'

'Ze is niet in orde,' snikte mijn moeder. 'Moet je haar zien. Moet je zien wat die... wat die...'

Ze begon luidkeels te jammeren en de arts hief afwerend haar handen op; er waren hier nog meer patiënten; zou ze alstublieft...

Ik geloof dat ze mijn moeder zou hebben verzocht te vertrekken als er niet elders op de afdeling een bel was gaan rinkelen en ze zelf de kamer moest verlaten.

Zwijgend sloeg mijn vader zijn armen om mijn moeder heen. Ik zag dat hij haar tegen zich aan drukte, over haar rug wreef, haar kruintje kuste. En ze liet het toe, zag ik. Ondanks mijn uitputting voelde ik een sprankje hoop.

'Alles is goed met haar, Kate, alles is goed,' zei mijn vader aldoor en mijn moeder klampte zich aan hem vast. Ze huilde voor mijn gevoel een heel lange tijd, tot de laatste snik in een hoestbui veranderde en ze met haar vingers langs haar neus streek. Ze hief haar hoofd op zodat haar gezicht vlak bij dat van mijn vader kwam. Eventjes keken ze elkaar in de ogen.

Toen zei mijn moeder heel zacht: 'Het spijt me, Wolfgang.' Ze hief haar handen op en duwde hem zachtjes van zich af.

Ik kon de blik op mijn vaders gezicht niet aanzien.

'Kate,' zei hij en er lag een vraag in zijn stem.

Heel traag schudde mijn moeder haar hoofd. Ze bleef staan, zonder naar hem te kijken, haar hoofd afgewend. Toen zei ze op een te luide toon: 'Een van ons moet hier blijven. Zou je de tas even uit de auto willen halen?' Bij de laatste woorden trilde haar stem.

Mijn vader kwam dicht bij het bed staan, pakte mijn hand en omvatte die met zijn sterke vingers. Toen draaide hij zich om en verliet de kamer. Hij moet even later zijn teruggekomen met de tas van mijn moeder, maar toen sliep ik weer.

Ik lag twee dagen in het ziekenhuis en zou er nog langer zijn gebleven als mijn moeder me niet had ontvoerd. Als je in een Duits ziekenhuis terechtkomt, kun je erop rekenen dat je daar een volle week moet blijven, althans, dat kon toen ik jong was en het ziekenfonds voor alles wat je ook maar enigszins mankeerde de kosten dekte. Maar mijn moeder zag dat niet zitten. Ze deed mijn spullen in een tas en trok me een nieuw, met bont afgezet jack aan. Toen sleurde ze me de trappen af naar de auto.

'Granny Warner komt vanmiddag,' zei ze toen ze achterwaarts van haar parkeerplaats reed, met zo'n snelheid dat ik vreesde voor de auto's in de volgende rij.

'Gaan we haar afhalen?' vroeg ik.

'Nee.' Mijn moeder werkte driftig met de versnellingspook en gaf gas. 'Ze neemt deze keer op het vliegveld een taxi.'

'O.' Dat was zeker vanwege mij. De invalide moest snel naar huis gebracht worden en daar blijven.

Dat granny Warner kwam gaf me een onrustig gevoel. We zaten nog steeds met de kwestie van de telefoonrekening, al hoopte ik dat die door de recente gebeurtenissen misschien vergeten zou worden. Ik keek uit het raampje naar het snel voorbijglijdende Mechernich. Het zag er net zo deprimerend uit als Middlesex: grijze straten met natte stoepen. De winter was hier nooit zo streng als in Bad Münstereifel, en de sneeuw die was gevallen was snel gesmolten. De goten zaten vol bruine prut. Ik legde mijn voorhoofd tegen de koele ruit en zuchtte.

55

Ik sprak Herr Düster nog maar één keer. Ik zou hem helemaal niet meer hebben gesproken als mijn vader er niet op had aangedrongen. Mijn moeder was er fel op tegen en vond dat ik niets meer met hem te maken diende te hebben. Ook toen duidelijk was geworden dat hij niet betrokken was bij de ontvoeringen en moorden, bleef ze boos op hem omdat hij me had meegenomen naar het Eschweiler Tal, waar ik makkelijk had kunnen doodvriezen, of erger.

Wat haar betrof was de hele stad trouwens medeplichtig. Het was typerend voor Bad Münstereifel, zei ze, dat de mensen al hun vrije tijd besteedden aan het verspreiden van roddelpraatjes, maar niet zagen wat er vlak onder hun neus gebeurde. Hoe eerder mijn moeder, Sebastian en ik er weg waren, hoe beter.

Granny Warner ging daar niet op in, maar tuitte haar lippen en ging zwijgend aan de slag om spullen op te vouwen, weg te ruimen en in te pakken voor de verhuizing. Zij en mijn vader gedroegen zich alsof ze ambassadeurs uit vijandige landen waren, te beleefd om elkaar openlijk de oorlog te verklaren, maar niet in staat enige genegenheid te tonen, ondanks dat het bijna Kerstmis was. Ze schaarde zich echter onverwachts achter mijn vader toen ik de vraag opwierp of ik naar Herr Düster mocht.

Mijn moeder zei 'over mijn lijk', maar mijn vader en granny Warner vonden het een goed idee. Tegenwoordig gebruikt men graag de Amerikaanse term 'closure', maar granny Warner zei alleen dat ik de hele zaak dan waarschijnlijk sneller van me af zou kunnen zetten.

Toch mocht ik niet zelf naar Herr Düster gaan. In plaats daarvan kreeg hij toestemming bij ons te komen. Toen mijn moeder opendeed, bekeek ze hem achterdochtig en liet hem een paar seconden te lang op de stoep staan alvorens een stapje opzij te doen om hem binnen te laten. Herr Düster tikte aan zijn hoed en stapte aarzelend over de drempel.

'Goedemiddag, Herr Düster,' zei mijn moeder, maar ze slaagde er niet in enige warmte in haar stem te leggen.

'Goedemiddag, Frau Kolvenbach,' zei Herr Düster beleefd. Hij probeerde haar niet in te palmen met een glimlach en een complimentje. Charme was niet zijn sterkste punt en mijn moeder was er ook niet ontvankelijk voor. Ze zei verder geen woord tegen hem toen ze hem voorging naar de woonkamer waar ik zat te wachten.

'Als je iets nodig hebt, Pia, dan geef je maar een gil,' zei ze met overdreven veel nadruk op de laatste woorden voordat ze de deur dichttrok. Ik gaf geen antwoord. Ik denk dat als Herr Düster nog lang in de stad had gewoond, hij ongevoelig zou zijn geworden voor insinuaties. Nu Herr Schiller er niet meer was, was hij het enige doelwit voor de roddelpraat en speculaties. 'Geen rook zonder vuur' was de leus van de stad. Ze hadden het op een plakkaat moeten graveren en dat op de façade van het stadhuis moeten aanbrengen. Ik denk niet dat Herr Düster ooit van zijn reputatie van boosdoener zou zijn afgekomen, zelfs niet als bekend zou zijn geworden dat hij persoonlijk tien moordenaars had overmeesterd en voor het gerecht gebracht.

Hij legde zijn hoed op de lage tafel en ging een stukje bij me vandaan in een fauteuil zitten. Hij leek geen aanstalten te maken iets te zeggen.

'Herr Düster... dank u wel,' flapte ik eruit.

Een flauwe glimlach tekende zich af op zijn magere gezicht. 'Ik hoop dat je volledig hersteld bent.'

'Ja. Dank u.' Ik zweeg. Ik wilde hem van alles vragen, maar kon geen manier vinden om de onderwerpen aan te snijden. Als ik iets ouder was geweest, zoals nu, zou ik misschien hebben geweten hoe dat moest. Maar toen zat er tussen ons een enorm leeftijdsverschil.

'Het spijt me heel erg,' zei Herr Düster uiteindelijk. Ik keek hem aan en vroeg me af waarom hém iets speet.

'Herr Düster?' Mijn stem beefde; ik kon er niets aan doen. 'Waarom heeft hij het volgens u gedaan?'

'Mijn broer Heinrich was ziek,' zei hij rustig. 'Ik geloof dat hij al heel lang ziek was.'

'Ja, maar *waarom* heeft hij het gedaan?'

Herr Düster zuchtte. 'Ik vrees dat dat geen geschikt onderwerp van gesprek is voor een jongedame van jouw leeftijd...'

Dat was een tegenvaller. Zou hij nou ook al komen met het favoriete smoesje van de volwassenen, dat ik te jong was om het te kunnen begrijpen?

'Maar ik vind dat je evengoed moet weten hoe het zit,' maakte hij zijn zin af. Hij keek langs me heen naar een plek op de muur. Ik vermoedde dat hij dingen zag die lang geleden waren gebeurd.

'Weet je dat Heinrich getrouwd was?' vroeg hij.

Ik knikte. 'Ja, en dat hij een dochter had. Frau Kessel zei dat ik een beetje op haar lijk.' Ik zag zijn gezicht eventjes betrekken.

'Een beetje, ja,' zei hij. 'Gertrud was misschien iets magerder dan jij, maar dat kwam natuurlijk door de oorlog...' Hij zweeg, verzonken in herinneringen. 'Mijn broer Heinrich is nooit een makkelijk mens geweest, ook niet toen hij nog een jonge man was. Er huisde een kilte in zijn hart. Als hij eenmaal ergens toe had besloten... En hij kon tegenover andere mensen keihard zijn als hij eenmaal een oordeel had geveld.'

Ik zei niets. Dit klonk helemaal niet als míjn Herr Schiller. Maar aan de andere kant zou míjn Herr Schiller niet op een koude winteravond in het Eschweiler Tal het lijk van een jong meisje met benzine overgoten hebben. Ik rilde.

'Hannelore, de vrouw van Heinrich, was erg mooi,' vervolgde Herr Düster.

Ik dacht aan Frau Kessel en de roddels die ze ons in haar keuken had verteld. *De broers waren allebei gek op haar, maar ze koos Heinrich. En neem haar dat maar eens kwalijk.*

'Hangt er bij u thuis een foto van haar?' flapte ik eruit zonder na te denken.

Herr Düster keek me aan. 'Nee. Ik geloof niet dat er foto's van haar bestaan.' Het viel me op dat hij niet zei: Waarom zou er bij mij thuis een foto van haar hangen? Ik kreeg de indruk dat er een wat weemoedige ondertoon in zijn stem lag, alsof hij graag een foto had gehad.

'Heinrich... vergiste zich wat Hannelore betrof,' vervolgde Herr Düster. Hij pauzeerde en tekende met zijn knokige vingers rondjes op de armleuning van zijn stoel. 'Hij dacht dat ze hem wilde verlaten. Hij werd soms erg boos op haar. Hij had het in zijn hoofd gehaald dat Gertrud niet... dat Gertrud...' Weer bleef hij in zijn verhaal steken. Per slot van rekening was hij een oude man, in mijn ogen stokoud, en ik een kind. Hij behoorde tot een andere generatie, een generatie van mensen die vonden dat onaangename dingen niet in het bijzijn van kinderen besproken dienden te worden. Toch meende ik hem op een heel zachte toon te horen zeggen: *van mij was.* Zijn dochter. Ik zei niets.

'Ik heb gehoord,' begon Herr Düster weer te vertellen, bijna alsof hij het tegen zichzelf had, 'dat ze Hannelore misschien moeten opgraven. Ze denken dat ze misschien geen natuurlijke dood is gestorven.'

Ik herinnerde me wat Frau Kessel had gezegd over de ruzie tussen Herr Düster en de vrouw van zijn broer waarvan ze getuige was geweest. De boze woorden, de worsteling, de manier waarop Herr Düster had geprobeerd Hannelores hand te kussen. *Hij dacht dat niemand hen kon zien, maar ik heb hen gezien.* Had Herr Düster echt zijn tegenstribbelende schoonzuster klemgezet en geprobeerd haar te kussen? Of was de ruzie over iets anders gegaan? Over dat Hannelore tegen haar echtgenoot beschermd moest worden? *Ik weet niet wat er met haar was... het kan van alles zijn geweest.*

'En Gertrud?' vroeg ik aarzelend.

'In de put,' zei Herr Düster. Hij klonk moe, alsof hij het verhaal snel wilde vertellen om er vanaf te zijn. 'Ze zeggen dat het nog onderzocht moet worden, maar dat ze denken dat zij het is. Zij was de eerste, denken ze, de oudste...' Hij keek me met bloeddoorlopen ogen aan. 'Hoe heeft hij het kunnen doen? Dat is wat iedereen wil weten. Hoe heeft hij het kunnen doen?'

'Zijn eigen dochter,' zei ik. Het idee was zo afgrijselijk, zo gruwelijk, gevat in woorden die ik zo snel mogelijk wilde uitspugen, zoals het meisje in het sprookje steeds een kikker had uitgespuugd als ze haar mond opendeed. *Zijn eigen dochter.*

'Ja, maar dat was het nu juist,' zei Herr Düster zachtjes. 'Hij dacht dat ze zijn dochter niet was. Hij dacht dat *ik* eronder zou lijden als ze verdween. Hij dacht dat hij me daarmee zou beroven van mijn enige kans op...' Hij maakte de zin niet af. Hij zweeg een paar ogenblikken en ging toen verder: 'Heinrich was er de man niet naar om een kind groot te brengen als het niet van hem was, zie je. Hij zou niet van dat kind houden, ook al noemde ze hem pappa.'

'Wat vreselijk,' zei ik en Herr Düster keek me somber aan.

'Hij was haar vader,' zei hij. Het klonk hulpeloos. 'Ze was zijn dochter en hij heeft haar vermoord.' Zijn ogen werden wazig en eindelijk rolde er een traan over zijn magere wang.

We bleven een poosje zwijgend zitten. De middag liep ten einde en het daglicht verflauwde. In huis werd het vanwege de kleine ramen al schemerig. Als ik zo dadelijk niet opstond om de lampen aan te doen, kwamen we in het donker te zitten.

'Ik begrijp niet wat Katharina Linden hem heeft aangedaan,' zei ik uiteindelijk. 'En Julia Mahlberg en de anderen.'

'Die hebben hem niets aangedaan,' zei Herr Düster triest.

'Waarom heeft hij dan...?'

'Ik denk dat hij mij probeerde te kwetsen,' zei Herr Düster. 'Ik denk dat hij dacht dat elke keer dat er een meisje werd vermist, het me aan Gertrud zou herinneren. Heinrich was erg ziek, zie je. En hij wist natuurlijk wie de mensen op het oog hadden als de dader.'

Ik wist ook wat de mensen hadden gezegd, in elk geval mensen als Frau Kessel. Ze dachten dat Herr Düster het had gedaan. Hij zou gelyncht zijn als een paar verstandige mensen er niet op had aangedrongen dat het recht zijn loop moest hebben – mensen als mijn vader. En als Herr Düster de stad uit was gejaagd of in hechtenis was genomen voor iets wat hij niet had gedaan, zouden ze zijn huis doorzocht hebben en in de kelder al het bewijsmateriaal hebben gevonden dat ze nodig hadden. Het enige wat Herr Schiller had hoeven doen, was de tunnel weer dichtmetselen. Niemand zou ooit achter de waarheid zijn gekomen.

Ik hoorde later dat de tunnel honderden jaren oud was. De oudere bewoners van de stad zeiden dat het niet de enige was, dat de straten in het centrum er vol mee zaten, een verrotte honingraat onder de keurige rijen huizen. Er was vroeger een synagoge geweest in de Orchheimer Strasse, op de plek waar nu alleen een gedenkteken staat voor de Joodse gemeenschap die tijdens de oorlog is verdwenen. Men denkt dat de tunnels de Joden in staat stelden zich te verplaatsen op de sabbat, wanneer het hun volgens hun geloof verboden was over straat te gaan. Hoe en wanneer Herr Schiller de tunnel onder zijn huis heeft ontdekt, is nu niet meer na te gaan.

Ik kon de wandaden die Herr Schiller had gepleegd, amper bevatten. Er waren wel meer mensen die dingen deden die me niet aanstonden, dingen die ik echt vreselijk vond. Als ik had gehoord dat Thilo Koch door wilde paarden was vertrapt of in de dierentuin van Keulen in de leeuwenkuil was gevallen en door de leeuwen uiteengereten terwijl hij om genade had gegild, zou me dat weinig hebben gedaan. Maar ik zou hem er niet in hebben geduwd. 'Ik begrijp het nog steeds niet,' zei ik. '*Waarom* heeft hij het gedaan?'

Herr Düster bleef zo lang zwijgen dat ik dacht dat hij de vraag niet had gehoord. Toen antwoordde hij heel kort en op een heel zachte toon.

'Uit haat.'

56

We bleven nog een paar weken in Bad Münstereifel, lang genoeg om het nieuwe jaar in te luiden, het jaar 2000, alhoewel de millenniumfestiviteiten grotendeels aan ons voorbijgingen. Ik heb Herr Düster niet meer gezien en hoorde later dat hij na de dood van zijn broer nog maar een paar maanden heeft geleefd. Boris had gelijk toen hij tegen Stefan zei dat Herr Düster ziek was: de oude man had kanker en uiteindelijk stierf hij een snelle dood. Daar was ik blij om.

Ik heb nog vaak nagedacht over hem en zijn broer, over hoe hun haat had geleid tot wat er was gebeurd, en waarom het tegen het einde in een stroomversnelling was geraakt: vier meisjes in één jaar. Ik denk dat Herr Schiller wist dat ze allebei niet lang meer te leven hadden en vastbesloten was wraak te nemen voordat hij niet meer bij machte zou zijn om zijn broer Johannes te kwetsen.

Ik vraag me af of hij er gek van was geworden dat Herr Düster nooit reageerde en dat dit hem tot meer gruwelijke daden had aangezet. Ondanks het feit dat Herr Düster de rol van de boosdoener opgedrongen had gekregen, heeft hij zich nooit laten verleiden tot onverkwikkelijke emotionele uitbarstingen. Niet toen de vrouw van wie hij hield wegkwijnde en stierf. Niet toen zijn broer als een stilzwijgende aantijging een andere achternaam aannam. Zelfs niet op de dag dat hij (zoals later bekend werd gemaakt via de onuitputtelijke bron van plaatselijke informatie, Frau Kessel) zijn voordeur opendeed en een pakketje op zijn stoep zag liggen, een pakketje waarin een haarband zat. En een andere keer een pakketje met een handschoen, een meisjeshandschoen.

Als zijn broer had gehoopt hem te provoceren, was hij daarin niet geslaagd, althans, niet in zoverre dat hij hem had kunnen verleiden tot openlijke uitingen van verdriet of woede. Herr Düster had gewoon de politie gebeld, zoals ieder normaal mens zou doen, en was in de patrouillewagen gestapt, met een neutraal gezicht, uiterlijk onbewogen, om hen te helpen bij het onderzoek. Het feit dat dit door Herr Düsters buren was uitgelegd als een arrestatie wegens ontvoering en moord, kan het hart van Herr Schiller, dat in een ijspegel was veranderd, alleen maar goed hebben gedaan. Hij had graag gezien dat zijn broer Johannes aan stukken werd gescheurd door de burgers van Bad Münstereifel, met hun vuisten, nagels en tanden als instrumenten van zijn wraak. Wat een ergernis moet het geweest zijn dat zijn broer nooit reageerde. Dat hij er niet in slaagde hem van zijn stuk te brengen.

De politie traceerde het telefoontje dat Boris in de nacht van ons avontuur had gepleegd. Stefans neef had, ondanks zijn bijna professionele vaardigheden als inbreker, er niet aan gedacht om via een openbare telefoon te bellen, wat toch een elementaire voorzorgsmaatregel is. Misschien moet het verzuim worden geweten aan de Jägermeister. Boris deed pogingen te verdoezelen wat de reden was waarom hij die avond in de Orchheimer Strasse was geweest, maar huichelen was niet zijn sterkste kant. Hij maakte een domme opmerking, probeerde die goed te praten en maakte het daarmee alleen maar erger.

Uiteindelijk kwam de hele toedracht aan het licht. Boris had een schoen van Marion Voss weten te bemachtigen door Thilo Koch er tegen betaling eentje te laten stelen uit het rek op de basisschool. Boris en zijn vrienden waren degenen die de schoen 's avonds laat op de Queckenberg hadden verbrand. Een van de redenen waarom Boris die avond bij Herr Düster had ingebroken, was dat hij naar meer spullen had gezocht die van de dode meisjes waren geweest.

Beschaamd bekende hij dat hij en zijn vrienden een poging hadden gedaan een soort satansdienst te houden, meer geïnspireerd door populaire televisieprogramma's dan kennis van duistere machten. Dicht bij elkaar, rond de cirkel van stenen die ze in de ruïne van het kasteel hadden gemaakt, hadden ze een beetje zitten zingen, trommelen en roken (niet alleen tabak), in een poging de geest van Marion Voss op te roepen.

'Doen jullie dat soort dingen wel vaker?' had de politie hem ongelovig gevraagd, waarop Boris had toegegeven dat hij het ook had geprobeerd nadat Katharina Linden was verdwenen. Toen er niets was gebeurd, was hij op het idee gekomen spullen van de vermiste meisjes te gebruiken bij het ritueel. Toen de politie de overblijfselen van de verbrande schoen had gevonden en die in verband had gebracht met de vermiste meisjes, was Boris de schrik om het hart geslagen omdat hij opeens besefte dat hij nu wel eens boven aan de lijst van verdachten kon komen te staan.

Jammer genoeg had hij de politie geen paranormale aanwijzingen kunnen verstrekken omdat de geesten van de dode meisjes geweigerd hadden te verschijnen. En wie kon hen dat kwalijk nemen? Als de doden terugkomen om ons iets te vertellen, doen ze dat niet voor een stelletje ongure jongens die midden in de nacht in het bos hasj zitten te roken, vooral niet als een van hen ook nog eens te dronken is om op zijn benen te kunnen staan. Boris beweerde dat hij had geprobeerd erachter te komen waar de lijken waren door het aan de meisjes zelf te vragen, maar later deed het gerucht de ronde dat hij had geprobeerd hen over te halen hem te vertellen op welke nummers de hoofdprijs zou vallen in de eerstvolgende lotto. Ik heb geen idee wat hiervan waar is, maar dat laatste gerucht bleef aan Boris kleven en zou hem de rest van zijn leven achtervolgen.

En ik? Ik maakte me nog heel lang zorgen over de telefoonrekening van granny Warner. Met de kerst had ze er nog steeds niets over gezegd, maar de manier waarop ze met opgetrokken wenkbrauwen naar me keek als de telefoon ging en mijn moeder 'Het is voor jou, Pia' zei, beviel me niets. Ik vreesde dat ze van plan was te wachten tot we ons rond de tafel hadden geschaard voor het kerstdiner om dan ten overstaan van het hele gezin te zeggen: 'Weten jullie dat Pia voor DUIZEND POND heeft zitten telefoneren, terwijl ik van mijn pensioen moet zien rond te komen?' Ik probeerde haar te ontlopen, alsof ze een wandelende tijdbom was. Als we te veel in elkaars gezelschap verkeerden, zou ze misschien iets zeggen.

In Duitsland worden de cadeautjes op de vooravond van kerst uitgepakt, niet op de eerste kerstdag, een gewoonte waar mijn moeder zich al die jaren over heeft beklaagd. Ze zei dat het idioot was om kinderen om acht uur 's avonds cadeautjes te geven en te verwachten dat ze evengoed braaf naar bed zouden gaan. Maar mijn moeder was dan ook iemand die het niet vaak eens was met Duitse tradities.

Toen we bijeenkwamen voor de jaarlijkse uitwisseling van cadeautjes, had granny Warner nog steeds niets gezegd. Ik koos met opzet een plaats zo ver mogelijk bij haar vandaan. Toch zat het er niet in dat ik volledig zou kunnen ontsnappen aan contact met haar. Ik moest opstaan en haar het pakje met geurige zeepjes overhandigen dat ze zogenaamd van mij en Sebastian kreeg, en dan zou ze mij haar cadeautje geven.

We vierden Kerstmis niet vaak samen met granny Warner, dus stuurde ze me meestal een envelop met een vrolijke kaart en een biljet van twintig mark. Dat haalde ze bij een reisbureau in Hayes. Ik keek dan ook niet verbaasd op toen ze me ook nu een kleine, nogal dikke envelop gaf.

'Zeg eens netjes dank u wel,' zei mijn moeder en ik zei braaf: 'Dank u wel.'

Granny Warner wachtte tot mijn moeder niet keek en mimede toen *stop* tegen mij, waarbij ze een van haar beringde handen ophief. *Stop, niet openmaken.* Ik stak de envelop tussen de cadeautjes die ik al had uitgepakt. Later, toen mijn moeder in de keuken in twee talen stond te vloeken tegen de kalkoen, holde ik de trap op naar mijn slaapkamer.

Ik ging op mijn bed zitten en scheurde de envelop open die ik van granny Warner had gekregen. Er viel iets uit wat op confetti leek maar snippers bleken te zijn van een rode telefoonrekening. Op mijn bed, met mijn schoot vol snippers van de verscheurde rekening, las ik de kaart waarop stond geschreven: *Prettige kerstdagen voor een favoriete kleindochter.* Op dat moment wist ik waarachtig niet of ik moest lachen of huilen.

Dat deel van mijn leven is nu afgesloten. Na meer dan zeven jaar in Engeland liggen Duitse woorden als een onbekende smaak op mijn tong. Als ik aan gesprekken denk met Stefan, met mijn klasgenootjes, met Herr Schiller, herinner ik me die soms in het Engels. Het is een vreemde gedachte dat als ik ooit zelf kinderen heb, en als die dan op bezoek gaan bij hun opa, ze Engels met hem zullen spreken en dat hij ook in het Engels zal antwoorden, met een accent dat hen vreemd in de oren zal klinken. We zullen onze kerstcadeautjes op 25 december uitpakken. En we zullen helemaal geen Sint-Maarten vieren.

Het maakt me altijd een beetje verdrietig als ik aan mijn vrienden in Duitsland denk, omdat ik me dan onwillekeurig herinner hoe we afscheid van elkaar hebben genomen, net zoals je een trieste film niet voor de tweede keer kunt zien zonder aan de afloop te denken. Dus denk ik niet vaak aan Bad Münstereifel, aan Stefan, aan Herr Schiller en oma Kristel. Ook niet aan Herr Düster, zoals ik die voor het laatst heb gezien, op de stoep van ons huis in de Heisterbacher Strasse, met zijn Tiroler hoed in zijn knokige, oude handen.

'Tot ziens, Herr Düster,' had ik beleefd gezegd, voordat hij voor altijd uit mijn leven verdween. En hij had heel ernstig naar me gekeken en gezegd:

'Hans. Ik had graag dat je me Hans noemde.'

Dankwoord

Ik wil graag de sprankelende Camilla Bolton van het Darley Anderson Agency bedanken voor haar steun, aanmoediging en eerlijkheid. Tevens dank aan Amanda Punter, senior editor van Puffin, en alle andere medewerkers van Puffin and Penguin Books – het is een waar genoegen om met jullie te werken. Verder ben ik dank verschuldigd aan mijn man, Gordon, voor zijn niet-aflatende steun en omdat hij van het begin af aan in *De verdwenen meisjes* geloofde.

Tot slot gaat mijn dank uit naar mijn vrienden in Bad Münstereifel; dankzij hen heb ik heel veel geleerd over de geschiedenis, legenden en cultuur van de Eifel.

De *Baron von Münchhausen* was een achttiende-eeuwse Duitse baron die erom bekendstond zeer sterke verhalen te vertellen.

Decke Tönnes is een aan Sint-Antonius gewijde kapel hoog op een heuvel in de bossen van Bad Münstereifel.

Vrouw Holle is een figuur uit een Duits sprookje. Het is een oude vrouw die in een put woont. Ze beloont haar ijverige dienstmeisje door haar te bedekken met goud en haar luie dienstmeisje door haar te bedekken met pek.

Kristallnacht, de nacht van 9 op 10 november 1938, was de beruchte nacht waarin de nazi's in Duitsland wonende joden vermoordden en deporteerden, en duizenden joodse winkels en synagogen vernielden. De nacht heeft de naam Kristallnacht gekregen vanwege de enorme hoeveelheden gebroken winkelruiten.

Het *Ruhrgebied* is een druk industriegebied met vooral steenkoolmijnen en staalindustrie. Het ligt in dezelfde Duitse deelstaat als Bad Münstereifel (Nordrhein-Westfalen), maar ten noorden van de Eifel.